D1267762

Bonaventure

Christine Martin

Bonaventure

suite de *Fol espoir*

UNE ÉDITION DU CLUB QUÉBEC LOISIRS INC.

Dépôt légal — Bibliothèque nationale du Québec, 2000
ISBN 2-89430-438-2
(publié précédemment sous ISBN 2-89111-839-1)

Imprimé au Canada

À Danièle, mon amie de toujours

À Frédéric, mon ami disparu

Avant-propos

Bonaventure remet en scène l'héroïne de *Fol Espoir*, Pascale Vladek.

Lorsqu'elle quitte sa Gaspésie natale, Pascale est âgée de dix-sept ans. Elle trouve un emploi de cavalier d'exercice à Lavergne Farm, un élevage de chevaux de courses pur-sang situé à Paris, Kentucky. Le propriétaire, Xavier Lavergne, est un médecin d'origine française établi au Kentucky depuis vingt ans. Son épouse Gabrielle est Québécoise. La personnalité de Pascale, forte et trouble à la fois, attire l'attention de ses employeurs. Malheureusement, Pascale oppose l'indifférence à l'amitié.

Les enfants des Lavergne tentent par divers moyens de percer la carapace de Pascale. Cadets de la famille, les jumeaux François et Sébastien la déridant grâce à leurs facéties. Geneviève, seule fille de la fratrie, fait de la nouvelle venue sa meilleure amie. L'aîné, Jules, trouve Pascale peu intéressante alors que ses cadets Érik et Arnaud lui témoignent un intérêt d'adolescents dont elle se passerait.

Une grande partie de l'intrigue de *Fol Espoir* se noue autour de la dynamique qui se crée entre tous ces personnages. Le secret de la liaison qui existe entre Érik et sa belle-sœur Delphine, l'épouse de Jules, l'attitude souvent fuyante de Pascale envers ceux qui lui témoignent de l'affection, le mystère dont elle entoure son passé et, enfin, le dramatique incident qui bouleversera ses rapports avec Érik sont autant de tensions qui rythment cette histoire qui fait aussi une large place au monde fascinant des courses et des champions, ainsi qu'au rêve de Pascale de devenir jockey professionnel.

La naissance d'un poulain alezan baptisé «Ashanti of Africa» est l'occasion pour Arnaud et Pascale de se révéler l'un à l'autre. Les deux jeunes ne le savent pas encore mais outre le poulain, un amour est né. Cependant, désirant court-circuiter les attentions dont Érik persiste à l'accabler, Pascale entame une relation avec le meilleur ami d'Arnaud, Philip Davidson. Il faudra attendre le dénouement de plusieurs intrigues avant qu'Arnaud s'avoue enfin amoureux de Pascale. À cause de sa détresse, cette dernière ne le repousse pas tout de suite, mais son indépendance farouche a tôt fait de resurgir. Elle quitte Lavergne Farm et tente de se persuader qu'elle n'aime pas Arnaud.

Utilisant leur fol espoir de faire d'«Ashanti» un champion, Arnaud la convainc de revenir au bercail. Les mois passent. Doucement, par petites touches, Arnaud parvient à apprivoiser Pascale au point de lui demander de l'épouser. Au matin de leur mariage naît un poulain dont «Vol-au-Vent» est le père. Pascale le baptise «Fol Espoir».

Bonaventure débute quatre jours après la fin de *Fol Espoir*. Ce roman se déroule dans le monde des courses de plat. Il met en scène plusieurs épreuves, dont l'une des plus prestigieuses : le Derby du Kentucky.

1

UN MOUVEMENT souple et l'hameçon vola, entraînant le fil que dévidait le moulinet. Arnaud tendit l'oreille. Lorsqu'il pêchait, il aimait écouter. D'abord le glissement doux de la ligne, puis le bruit du métal disparaissant dans l'eau.

Arnaud rembobina. Il était tôt et Pascale, sa nouvelle épouse, dormait toujours. Les piaillements des oiseaux, le clapotis du lac accompagnaient les pensées du jeune homme.

Il était marié depuis quatre jours. Après la frénétique agitation qui avait secoué sa famille depuis ses fiançailles, le calme de ce lac lui paraissait irréel. Il ferma les yeux et s'emplit les oreilles du bienveillant silence.

Un museau humide s'inséra sous son coude, puis une langue interminable lui balaya le cou. «Doucement, Rocky, tu vas effrayer les poissons», murmura Arnaud.

Il sourit au chien, puis regarda vers le chalet où sommeillait Pascale. La maisonnette était jolie et sobre. Elle comprenait un séjour, une cuisinette et un coin repas, deux chambres à coucher et une salle de bains. On y trouvait aussi une véranda grillagée où les occupants pouvaient manger à l'abri des moustiques. L'extérieur du chalet était peint en brun foncé. Un boisé assez épais l'entourait, si bien que l'endroit était très intime.

Arnaud lança de nouveau sa ligne. Il était assis sur un quai de bois qui avançait au-dessus du lac et ses jambes pendaient dans le vide. Rocky avait faim; il renifla Arnaud encore une fois, puis cala sa grosse tête contre son épaule. Le jeune homme tapota distraitement les bajoues du boxer bringé.

Un clapotis vigoureux rompit le silence. «Ça mord!» se dit Arnaud. La truite se débattait; Arnaud la hissa sur le quai après une lutte serrée. C'était un beau poisson – assez gros pour deux, décida le jeune homme. Il sortit sa prise de l'eau à l'aide d'une épuisette, la contempla avec satisfaction puis empoigna le corps frémissant et, sans tarder, assomma sa victime.

Cela fait, il se tourna vers le chalet pour voir si Pascale arrivait. L'endroit était toujours silencieux.

Un peu vivement, Arnaud secoua sa tête blonde. Il tentait, par ce moyen, d'en chasser une pensée agaçante. Quel dommage que la paix de ce matin soit troublée par l'image qui venait de lui traverser l'esprit. Cette image, c'était celle de Pascale s'éveillant et retenant, en voyant son époux, un mouvement de surprise, voire de défense. Pendant un moment, Arnaud resta debout sur le quai, tentant de combattre la déception qu'il ressentait.

Sa conquête de Pascale avait été semée d'écueils. Il la revit, deux ans plus tôt, fraîchement immigrée du Québec à l'âge de dix-sept ans. Elle était venue au Kentucky, l'État natal d'Arnaud, dans l'espoir de trouver un emploi et un refuge pour elle-même et pour son cheval. Le hasard lui avait fait découvrir les Lavergne, des gens qui, comme elle, aimaient les chevaux et parlaient français.

Mais les similitudes entre Pascale et la famille d'Arnaud s'arrêtaient là. Bien que la mère d'Arnaud fût québécoise, et son père, français, Arnaud, ses frères et sa sœur se sentaient tout à fait américains. Les Lavergne étaient riches et Pascale n'avait pas un sou vaillant. Alors qu'Arnaud étudiait à l'université et s'amusait à entraîner, à grands frais, les pur-sang de son père, Pascale s'échinait dans l'écurie et montait les chevaux au péril de sa vie.

Grâce à leur passion commune pour les chevaux, Pascale et Arnaud avaient développé de l'amitié l'un pour l'autre, puis des sentiments plus profonds. Tout avait commencé par la naissance d'un poulain. Ce pur-sang alezan, nommé Ashanti of Africa, issu de la jument Nosie et du défunt étalon Robaïyat, était maintenant âgé de plus d'un an. Arnaud et Pascale partageaient l'espoir d'en faire un champion, et ce rêve les avait unis.

«Si je suis marié aujourd'hui, pensa Arnaud, c'est en grande partie grâce à Ashanti.» L'espoir de voir le poulain remporter des courses avait vaincu les hésitations de Pascale face à sa relation avec Arnaud, puis face au mariage. Il lui avait donné la force d'affronter la désapprobation des parents de son époux, qui étaient aussi ses employeurs. À présent, la famille acceptait ce mariage, mais cela ne s'était pas fait sans peine.

À cause de son tempérament et de l'enfance choyée qu'il avait vécue, Arnaud avait tendance à croire que tout s'arrangerait toujours pour lui. Ce mode de pensée, il l'avait appliqué à son mariage. Bien qu'avant l'événement Pascale lui eût clairement exprimé ses réserves, il s'était convaincu qu'une fois leur union consommée elle lui déclarerait son amour. En fait, il avait rêvé à ce moment.

Or, ledit moment n'était pas encore arrivé, et, de nouveau, Arnaud secoua la tête. Il éprouvait un sentiment qui s'apparentait autant à la frustration d'un enfant privé de son jouet qu'à la sourde inquiétude d'un homme adulte devant une femme aimée qui lui résiste. La nature insouciante d'Arnaud vint à son secours. Pascale s'apprivoiserait. Après tout, elle ne s'était sans doute jamais imaginée mariée à un fils d'éleveur prospère, et surtout pas si vite.

Arnaud, au contraire, s'habituait facilement à son statut d'époux. Il avait toujours su qu'il trouverait un jour une femme avec laquelle il désirerait passer le reste de sa vie, et que celle-ci fût un cavalier d'exercice sans famille ni instruction lui importait peu. Tout de même, ce n'était que deux mois plus tôt qu'il avait envisagé le mariage; il n'avait pas grandi avec l'idée d'être casé aussi définitivement à vingt et un ans.

La truite recommençait à gigoter au fond du seau et Rocky salivait en la regardant. Arnaud se réjouit que Pascale ne fût pas témoin des soubresauts désespérés du poisson. Elle connaissait bien la pêche – détail qu'Arnaud n'avait découvert que quelques jours auparavant, car sa femme ne faisait allusion que très rarement à son passé gaspésien – mais elle détestait voir souffrir les bêtes, ne fût-ce qu'un insecte repoussant. Le jeune homme saisit de nouveau la truite et lui frappa violemment la tête sur le bord du quai.

Le poisson cessa de bouger. Arnaud s'assura qu'il était bien mort, puis le remit dans le seau. Rocky gémit, puis tendit une patte intéressée vers les écailles dont la teinte commençait à ternir.

Arnaud ramassa sa canne à pêche et son épuisette. Il était presque huit heures du matin, ce qui, pour une personne matinale comme Pascale, était extrêmement tard. Arnaud plissa les yeux et, avec délices, imagina Pascale en train de dormir.

Elle mettait tant d'application dans tout ce qu'elle faisait, même dans son sommeil.

* * *

Pascale se réveillait lentement. Elle fut surprise de l'absence d'Arnaud, puis se souvint que son nouvel époux était parti pêcher au quai.

Il était passé sept heures et demie. Pascale sortit du lit, enfila une robe de chambre et se brossa mécaniquement les cheveux.

Le rasoir électrique d'Arnaud reposait sur la cuvette et les yeux de Pascale fixèrent l'objet pendant un moment. Comme c'était drôle, de vivre avec un homme ! Avec Arnaud ! Pascale avala sa salive. Sans doute Arnaud avait-il déjà pris son petit déjeuner.

Immédiatement, Pascale se sentit coupable, au point où elle éprouva une brusque compression de la poitrine. Elle se demandait si elle aurait dû se lever plus tôt afin d'être avec Arnaud. C'était pour cela qu'il l'avait épousée, pour qu'elle soit avec lui. Une forme subtile de désespoir, faite d'insécurité et de questionnements irrésolus, surgit en Pascale. Elle n'arrivait pas à savoir ce qu'Arnaud attendait d'elle. Elle redoutait de gaffer ou de le décevoir, et cela la mettait dans un état de grande insécurité.

Pascale enfila son maillot de bain. En traversant la cuisine, elle vit une tasse dans l'évier et sur le comptoir, un sac de petits pains. La vue de ces objets plongea Pascale en plein désarroi. Il n'y avait plus de doute, Arnaud avait mangé dès son réveil. Des questions angoissantes surgirent dans l'esprit de Pascale. Aurait-elle dû se lever avant Arnaud et préparer le repas du matin pour lui ? Quand même, cette attitude servile était dépassée. Mais Arnaud aurait sans doute apprécié qu'elle mette la table pendant qu'il préparait le café, et qu'ils mangent ensemble. Pourtant, il insistait tant pour qu'elle se repose. Il lui répétait toujours de dormir autant qu'elle le voulait ; il l'avait redit, ce matin encore, avant de partir à la pêche. Mais peut-être disait-il cela pour faire plaisir à sa femme, tout en souhaitant qu'elle devine et réponde à ses attentes sans qu'il ait à les exprimer ?

Pascale serra les dents, puis se fustigea : elle hésitait continuellement sur la conduite à adopter depuis qu'elle était mariée. En fait, elle tergiversait depuis bien plus longtemps, depuis qu'Arnaud lui avait laissé savoir qu'il l'aimait. Sans doute embêterait-elle son mari si elle lui faisait part de ce stupide tourment au sujet du petit déjeuner. Pascale redressa la tête. Elle garderait ses soucis pour elle. Arnaud serait plus heureux si elle ne l'ennuyait pas avec de telles vétilles.

Pascale sortit du chalet. Au même moment, Arnaud décidait d'aller l'y rejoindre. Il se retourna lorsqu'il entendit la porte du chalet s'ouvrir et se refermer.

Saisie, ou émue, Pascale s'arrêta. Debout sous le soleil du matin, coiffé d'un chapeau d'un vert délavé, pieds nus dans des sandales, Arnaud resplendissait d'une beauté sans artifices. Quelque chose rassura Pascale. La fidélité faisait sans doute partie des attentes d'Arnaud ; or, de ce point de vue, elle n'aurait aucune difficulté. « Arnaud est sûrement le plus bel homme de la terre », se dit-elle. Elle se retenait de le détailler à loisir car, pensait-elle, ce n'était pas convenable. Elle avait entendu des femmes se plaindre d'être dévisagées avec convoitise; les hommes ne devaient pas apprécier cela davantage.

Arnaud ne s'encombrait pas de telles préoccupations; il posa sur Pascale un regard franc, où brillaient la joie et son attirance pour elle. Pascale avait attaché ses cheveux pour sa baignade matinale. Arnaud sourit. Pascale était une personne d'habitudes. Les horaires précis la rassuraient. Elle nageait dans le lac tous les matins, pendant une vingtaine de minutes.

Tout en observant sa femme, Arnaud tentait d'oublier l'arrêt un peu brusque qu'elle avait fait lorsqu'elle avait constaté sa présence. Elle avait toujours ce mouvement vers l'arrière lorsqu'elle se souvenait qu'elle était mariée à ce beau jeune homme, qu'elle avait partagé son lit et que la société reconnaissait leur union. Mais, déjà, Pascale se reprenait. Elle s'avança et sourit avec gêne.

Arnaud souriait aussi en la regardant toujours, avec tendresse, malice et circonspection. Il savait qu'il aimait Pascale, mais s'étonnait souvent de l'aimer autant. Elle paraissait tellement ordinaire à première vue, avec ses cheveux plutôt ternes et son corps si petit qu'il faisait penser à celui d'une enfant. Mais elle était femme – et comment! se disait Arnaud.

C'était sans doute le regard intense de Pascale, où se lisait une intelligence vive, qui faisait qu'une fois absorbé le choc de sa petitesse on s'attardait à la regarder.

Soudain, les yeux d'Arnaud s'assombrirent. Il pensait à l'enfance brisée de sa femme. Au loin, là-bas, à Bonaventure, son grand-père lui avait ravi son droit à l'innocence en tuant sa mère sous ses yeux. La mâchoire d'Arnaud se serra. Pascale avait elle-même été victime de violence lorsque Érik, le propre frère d'Arnaud, l'avait brutalement tabassée…

Sans ce grand-père, sans ce sacré Érik, Pascale aurait sans doute déjà dit à son mari : «Je t'aime.»

* * *

Sans avoir eu conscience du mouvement de recul qui heurtait tant Arnaud, Pascale, toute gênée, fit quelques pas dans sa direction. Elle ne s'habituait pas à l'attirance qu'elle éprouvait pour lui. La nouvelle intimité qu'ils partageaient, depuis quatre jours, la troublait de plusieurs façons.

Elle avait craint de se sentir inférieure à Arnaud, car il connaissait l'amour et elle, pas. Elle avait redouté ces douleurs, physiques et mentales, que vivent les héroïnes de romans lors de leurs premiers rapports sexuels. Mais toutes ses inquiétudes s'étaient avérées vaines. Pascale n'avait pas eu l'impression qu'Arnaud lui montrait quelque chose. Elle avait tout simplement su ce qu'il fallait faire. Dans l'ardeur de sa sensualité, elle avait complètement oublié l'inconfort, très léger par ailleurs, qu'elle avait pu ressentir.

À cause de sa tendance à culpabiliser, Pascale était honteuse de son comportement sexuel. Pourquoi ne ressentait-elle pas une crainte ou une pudeur toutes féminines plutôt que ce franc enthousiasme? Alors qu'elle avançait vers son mari, Pascale se demandait ce que celui-ci pensait d'elle à ce sujet. Elle avait une angoisse qui la torturait depuis longtemps. Elle redoutait qu'Arnaud parle de leurs relations sexuelles à quelqu'un. Pascale, dont le métier exigeait qu'elle accompagne les chevaux dans les hippodromes où ils couraient, était habituée à travailler entourée d'hommes, et elle avait souvent surpris des conversations d'un goût douteux. Arnaud se livrait-il à ce genre de discussions lorsqu'il était loin d'elle, avec ses amis d'université, par exemple?

Allait-il la décrire en détail? Parler de ses attributs ou des parties de son corps qui étaient moins jolies? Ou, pire, divulguer ses goûts et ses comportements? À cette idée, le cœur de Pascale se serra, et elle aurait volontiers sangloté. Mais elle se tut. Arnaud serait sans doute outré qu'elle se plaigne des conséquences directes ou indirectes de ce qu'ils faisaient au lit.

Pascale s'approcha d'Arnaud et de Rocky. Apercevant la truite au fond du seau, elle complimenta son mari pour sa prise.

Le jeune homme la tira par le poignet. Pascale le laissa l'embrasser et la caresser. Elle n'était pas détendue et Arnaud savait pourquoi. Bien qu'il fût tôt et qu'il n'y eût pas de voisins, elle redoutait la publicité. En fait, elle agissait presque toujours en fonction de ce qu'on pourrait penser d'elle.

Pascale rinça sa nuque puis plongea. Son corps mince et vigoureux fendit l'eau juste sous la surface. Pendant un moment, Arnaud la regarda aller et venir. Elle nageait très bien. «Une vraie naïade», murmura Arnaud alors que sa femme troublait la surface de l'eau au rythme d'un crawl vigoureux.

Arnaud gagna le chalet, rangea son matériel de pêche et nettoya le poisson. Ils le consommeraient pour le repas de midi. Au bout de plusieurs minutes, Pascale et Rocky entrèrent eux aussi.

La jeune fille était trempée et frissonnante. Arnaud avait terminé le nettoyage de la truite et il était occupé à faire du café frais. Pascale, les lèvres bleuies et l'eau dégoulinant encore sur son corps, se hâta d'ouvrir les armoires et de mettre le couvert. Arnaud lui conseilla plutôt d'aller se changer. Pascale insista pour l'aider, mais, comme Arnaud résistait, elle disparut, puis revint à la vitesse de l'éclair.

Trop tard; le couvert avait été dressé et Arnaud venait de jeter deux œufs dans une poêle à frire. Il se tourna vers Pascale, tout souriant, et demanda :

– Est-ce que ta jambe te fait mal?

Un cheval rétif l'avait blessée, un an auparavant. Arnaud, qui poursuivait des études en physiothérapie, s'intéressait beaucoup à la guérison de sa femme.

Pascale ne répondit pas immédiatement. Elle se sentait de nouveau prise en faute, car Arnaud avait préparé le déjeuner seul alors qu'elle était occupée à nager. Elle lui devait sans doute maintenant quelque chose. Arnaud cachait-il quelque mécontentement derrière son sourire, sa bienveillance?

– Non, bredouilla-t-elle.

– J'ai pensé que tu aurais faim après avoir nagé, dit Arnaud en désignant les œufs.

– Tu n'étais pas obligé de faire tout ça pour moi, répondit Pascale d'un ton désespéré en apercevant un bol rempli de salade de fruits.

«Mais pourquoi se tourmente-t-elle au sujet d'une simple salade?» se demanda Arnaud. Il n'avait pas envie de réfléchir à une chose compliquée comme la psychologie des gens, mais il s'appliqua à rassurer Pascale.

– Je n'ai pas cuisiné pour toi seulement. Moi aussi, je désire me rassasier.

– Je croyais que tu avais déjà mangé.

– Juste un peu. Pas à ma faim.

Rocky lapait bruyamment l'eau de son bol. À cause de ses longues bajoues et de sa mâchoire prognathe, le boxer éclaboussait le plancher chaque fois qu'il se désaltérait. Pascale fouilla sous le comptoir et saisit un torchon afin de tout éponger. Enfin! Elle avait réussi à faire quelque chose pour Arnaud.

– Pascale, dit soudain ce dernier, nous devons quitter ce chalet samedi midi au plus tard.

– Oui, je sais, et tu vas m'emmener en voyage.

– En effet. Je crois qu'il serait préférable que Rocky retourne à Lavergne Farm.

Pascale réprima un sursaut, puis se redressa. Rocky, retourner à la ferme des parents d'Arnaud? Mais cela signifiait donc qu'elle serait toute seule avec son mari? Par réflexe, Pascale posa sa main menue sur le col vigoureux du chien. Celui-ci lui poussa le genou d'un petit coup de nez.

– Ce serait trop compliqué de traîner Rocky avec nous, argua Arnaud. Beaucoup d'hôtels refusent les animaux. Et c'est dangereux de laisser un chien dans une voiture quand il fait très chaud.

– Tu veux qu'on aille en Floride, si je me souviens bien.

– En effet. Je comptais appeler Elias. Il pourra s'occuper de notre toutou pendant notre absence.

Possessive, Pascale crispa ses doigts sur le collier de Rocky. Elle faillit protester : «C'est mon chien, pas le tien ni le nôtre ! » Mais elle se tut. Arnaud avait raison. Il était préférable que Rocky reste à la ferme plutôt que de passer le reste des vacances enfermé dans des chenils. Cependant, Pascale hésitait à se séparer de son molosse. Depuis son mariage, elle était éloignée de Vol-au-Vent, le poney bai qu'elle avait emmené aux États-Unis avec elle, et des autres chevaux. Rocky n'avait jamais été loin d'elle pendant plus de quelques jours. Et maintenant, il était question de deux semaines sans lui.

À cause de l'insécurité qui avait été son lot, Pascale était portée à toujours envisager le pire. Elle imagina Rocky à Lavergne Farm, courant quelque danger ou causant quelque catastrophe alors qu'elle se trouvait loin et ne pouvait ni le secourir ni réparer ses méfaits.

– J'ai peur que mon chien dérange tes parents, objecta-t-elle, torturée.

– La ferme compte huit cents hectares, répliqua Arnaud. Il y a suffisamment d'espace pour dix chiens comme Rocky. Elias le surveillera, il me l'a déjà offert.

Pascale, qui ne voulait pas contrarier Arnaud, acquiesça du bout des lèvres. Arnaud déposa adroitement les œufs dans deux assiettes. Le signal sonore du four à micro-ondes se fit entendre. Arnaud avait placé des petits pains dans l'appareil. « Il a fait tout cela pour moi, et je n'ai rien fait pour lui, excepté d'essuyer le plancher », se reprocha intérieurement Pascale dont les yeux roulaient des œufs aux pains, puis à la salade de fruits. Dans quelques jours, Rocky ne serait plus là ; elle allait devoir s'éloigner de cet animal qui ne la jugeait pas, qui l'aimerait toujours inconditionnellement et qui n'attendait d'elle que le remplissage de son écuelle.

Le désarroi de Pascale dut paraître, car Arnaud la souleva de terre et l'assit sur le comptoir de la cuisine. La jeune fille eut soudain devant les yeux le regard doux et très bleu de son mari.

– Il y a quelque chose qui ne va pas ? s'enquit celui-ci.

– Rocky va s'en aller, bredouilla Pascale.

– Mais tu le reverras, fit Arnaud en riant.

Sa large main enserrait la cuisse blessée de Pascale, qui poussa un petit gémissement. Son membre était fatigué et sensible.

– Je te masserai tantôt, ça ira mieux, promit Arnaud.

Pascale descendit du comptoir et s'attabla. Sa jambe était engourdie; elle se surprit à anticiper impatiemment le moment où Arnaud la soulagerait de la douleur. Attiré par l'odeur des œufs, Rocky tournait autour de la table en reniflant. Pascale se mit à gratter le cou du chien. Enchanté par ce traitement de faveur, Rocky posa ses pattes avant sur les genoux de sa maîtresse.

– Je t'aime, glissa Pascale à l'oreille du chien.

Arnaud fronça les sourcils, mais il ne dit rien.

2

ELIAS ARVANOPOULOS réfléchissait au fait qu'il était probablement l'un des hommes les plus heureux du monde. Le groom, qui travaillait à Lavergne Farm depuis deux décennies, se disait cela en observant son épouse, Martha. Cette dernière étrillait GI Joe, l'un des champions de la ferme, sous sa supervision. Décidément, tout marchait comme Elias l'avait voulu, sinon décidé.

Pascale avait épousé Arnaud, le docteur Lavergne et sa femme s'étaient faits à l'idée de cette union, les chevaux avaient bien paru à Keeneland. Et maintenant, le docteur construisait une petite maison pour Elias et Martha, qui avaient convolé quelques jours avant Pascale et Arnaud. Le groom avait presque soixante ans et il allait, pour la première fois de sa vie, habiter une maison. Quand Elias serait trop vieux pour monter des chevaux, il deviendrait le concierge de la ferme, le jardinier, le guide pour les touristes, car les prouesses d'Ashanti rendraient l'endroit célèbre. Un jour, on ferait un cimetière pour les champions, et les gens viendraient photographier cela, comme ils le faisaient à Claiborne, la ferme où était enterré Secretariat.

Secretariat ! pensa Elias en se rengorgeant. Ce grand champion avait conquis la Triple Couronne américaine en 1973. Depuis ce temps, les habitants du Kentucky espéraient qu'un poulain comparable y verrait le jour et deviendrait, sur leurs hippodromes, porteur d'autant d'espoirs. Or, ce poulain était ici, à Lavergne Farm : c'était Ashanti of Africa.

Elias continuait à rêvasser. Il vit un musée où les visiteurs pourraient admirer les trophées gagnés par Pascale et Ashanti. Le groom s'imagina, vêtu d'un veston bleu marine, en train d'accepter des pourboires.

Dans ses glorieuses rêveries, Elias ne s'attardait pas à sa tête d'ex-bagnard ni à sa connaissance limitée de l'anglais, caractéristiques susceptibles de décourager les touristes.

Décidément, se disait Elias qui poursuivait sa réflexion sur un sujet plus terre à terre, tout se remettait en place depuis qu'il avait persuadé Xavier et Gabrielle de se réconcilier avec Arnaud et Pascale. Elias n'avait jamais douté que cela arriverait, bien que le conflit eût duré trop longtemps à son goût. Maintenant, plus rien ne l'empêchait d'être heureux, sauf l'absence de sa fille, qu'il n'avait pas vue depuis trois décennies. Le visage expressif d'Elias se durcit quelque peu. Le souvenir de sa fille était devenu quelque chose de vague, comme une triste chimère qui refusait de le laisser en paix. Elias reporta ses pensées sur les choses positives, et tangibles, qui importaient dans sa vie. Son pardon. Son permis de la Commission des courses. Martha, sa femme – une femme solide. Pascale, sa fille de remplacement.

Par association, les pensées d'Elias s'attardèrent sur Vol-au-Vent. On avait séparé le poney bai de Nosie, mère d'Ashanti, quelques jours plus tôt. La jument commençait alors ses chaleurs. Vol-au-Vent avait opposé aux hommes de Lavergne Farm une bataille digne d'un western. On l'avait adouci en l'attirant vers Mafalda, une autre jument. À présent, Vol-au-Vent était retourné à son box. Mafalda occupait la stalle voisine et Vol-au-Vent pouvait flirter à son gré. Quant à Nosie, elle était restée au pré avec Fol Espoir, son poulain bai, fils de Vol-au-Vent. Un poulain curieux comme sa mère et entêté comme son père dont il était la réplique en miniature.

Le groom jeta un regard vers Rocky, qu'il avait ramené à la ferme quelques jours plus tôt. Diamond, le roquet jaune de Martha, tournait autour du boxer comme un astéroïde autour d'un astre. GI Joe poussa soudain un hennissement de colère, et ses sabots s'agitèrent.

– As-tu touché à sa jambe ? demanda Elias à Martha.

– Non, répondit celle-ci, je brossais son cou.

– Ce sont sans doute les chiens qui le dérangent, en déduisit Elias avec soulagement, car il avait craint la récurrence d'une blessure chez GI Joe.

Elias donna quelques ordres, et les chiens s'éloignèrent.

– Est-ce que je l'étrille comme il faut ? s'enquit Martha. Tu es là pour me montrer ce qu'il faut faire, et te voilà qui jongles.

Elias sourit. Cela l'amusait bien que Martha le prenne en défaut. Il scruta le pelage de GI Joe.

– Ouais, tu fais bien ça, commenta-t-il. Le voilà propre comme un sou neuf.

Martha empoigna le licou de GI Joe et ramena le cheval à son box. L'écurie était calme. On était mercredi, en fin d'avant-midi. Il faisait beau, mais très chaud. Les usagers de Lavergne Farm évitaient de monter pendant les heures les plus chaudes de la journée. La plupart des cavaliers arrivaient vers la fin de l'après-midi – à partir de seize heures, ce serait la ruée, si le beau temps se maintenait.

Des pas rapides résonnèrent dans l'écurie. À l'unisson, Elias et Martha tournèrent la tête. Ils virent Laurie Yasaka qui s'approchait. Embauchée comme groom pour l'été, la jeune Orientale fréquentait Philip, le meilleur ami d'Arnaud.

Laurie était essoufflée.

– Je pense que Symphony va accoucher, annonça-t-elle entre deux respirations. Elle est étendue tout près de l'étang.

– Ça presse, fit Elias sobrement.

Il suggéra aussitôt à Martha d'aller préparer le box prévu pour les mises bas. Il y avait, dans ce local, une caméra qui permettait aux éleveurs de surveiller les accouchements à distance. Martha s'y dirigea.

Quant à Laurie, elle emboîta le pas à Elias. Le groom se plaignait souvent d'un de ses genoux, mais il parvenait à se déplacer à une surprenante vitesse, si bien que Laurie était en nage lorsqu'elle arriva à l'enclos des poulinières gestantes. Elle portait une salopette en jean dans laquelle elle paraissait perdue. Le vêtement était poisseux et Laurie avait l'impression qu'il pesait une tonne. Mais qu'il faisait donc chaud, l'été, au Kentucky !

Elias s'approcha de la jument qui s'était remise sur ses jambes.

– Tu ne t'es pas trompée, petite, dit-il. Regarde comme elle tournicote.

Laurie aurait été bien en peine de faire une distinction entre l'agitation de la jument Symphony et celle qui secouait, à un moment ou à un autre de la journée, les autres chevaux de Lavergne Farm. La jeune fille travaillait à la ferme d'élevage depuis dix jours seulement. On lui avait dit que Symphony était une primipare et qu'il fallait la surveiller, car elle aurait peut-être besoin d'assistance pour pouliner. Aussi Laurie s'était-elle hâtée de faire part à Elias de la position anormale de la jument, sur la rive du cours d'eau. Le groom félicita la jeune fille de cette initiative en quelques onomatopées. Puis il saisit Symphony par le licou et la tira vers le box d'accouchement.

Elias et Laurie trouvèrent le lieu en bon ordre. Michael Harrison était là, devisant avec Martha.

Grand, mince, de type africain plutôt qu'antillais, Michael paraissait plus âgé que ses vingt et un ans. Il avait commencé à travailler à Lavergne Farm deux ans auparavant, en même temps que Pascale, dont il était le plus vieil ami. Sa grand-mère maternelle était une Ashanti du Ghana. Le futur champion de Lavergne Farm avait été baptisé en l'honneur de Michael, car celui-ci avait grandement contribué à sauver la vie du poulain au moment de son épique naissance.

– Ah ! Salut, Mike, grogna Elias. Regarde donc cette jument. Je pense qu'elle va nous faire un petit.

Avant d'entrer dans le box, Michael essuya de la main son front luisant de sueur. Il portait des lunettes et cela, décida Laurie, lui allait bien. La jeune fille était fascinée par la façon dont Michael abordait les chevaux. De l'avis de tous, le jeune homme avait sur les pur-sang un pouvoir apaisant qui tenait presque du phénomène. Par ailleurs, Michael était un cavalier très moyen. Laurie montait déjà mieux que lui. Elle observa le jeune homme pendant qu'il caressait l'abdomen distendu de Symphony. Bien qu'elle fût agitée, voire agressive, la jument laissa Michael lui soulever la queue et toucher ses mamelles. Le jeune homme sortit du box.

– Alors, selon toi ? demanda Elias.

– C'est imminent, répondit Michael en faisant signe à tous de s'éloigner.

Elias ne demanda aucune explication. Laurie était tout excitée à l'idée d'assister à son premier accouchement. Le groupe gagna le local qui servait de cabinet au docteur Xavier Lavergne, propriétaire des lieux, et où étaient rangés tous les documents nécessaires à l'administration de l'élevage. On avait aussi installé, dans cette pièce, une télévision en circuit fermé. Michael ajusta l'appareil afin qu'il projette les images captées par la caméra dans le box qu'occupait Symphony.

Les quatre grooms se trouvaient dans ce lieu depuis une dizaine de minutes lorsque Michael exprima sa perplexité. Symphony frappait le sol du sabot avec insistance et, à plusieurs reprises, elle s'était couchée puis relevée. Elias semblait se fier entièrement à son jeune collègue. Soigneusement, Michael essuya ses lunettes, puis enfila un tablier et des gants.

– Si je ne suis pas revenu dans cinq minutes, dit-il, allez chercher le docteur Lavergne.

Laurie tremblait d'appréhension. Elle aurait aimé demander à Michael les raisons de son inquiétude, mais il paraissait si sérieux qu'elle n'osa pas. Les minutes passèrent, puis, à la demande d'Elias, Laurie se dirigea vers la résidence des Lavergne. La jeune fille se dépêcha autant qu'elle le pouvait. Elle parcourut à pas pressés l'allée bordée de chênes qui menait à la vaste maison de briques, puis grimpa les marches du porche de pierre et tira la sonnette.

Laurie vit, à travers le rideau d'une des fenêtres, une haute silhouette qui se dirigeait vers la porte d'entrée. Le battant s'ouvrit et Laurie s'écria :

– Bonjour, doc…

Puis elle sursauta et mit sa main devant sa bouche.

– Pardon, souffla-t-elle.

L'homme qui se tenait devant Laurie ressemblait beaucoup au docteur Lavergne. Comme ce dernier, l'inconnu était grand et son visage aux traits vifs était couronné d'une chevelure foncée et bouclée. Mais l'homme se distinguait de Xavier Lavergne par plusieurs traits : il était plus sec, moins lourd; ses yeux étaient sombres, alors que ceux de Xavier étaient bleus; finalement, il semblait être dans la jeune vingtaine, alors que Xavier était âgé de cinquante-deux ans. Laurie comprit qu'il s'agissait d'Érik Lavergne, deuxième fils de Xavier et frère aîné d'Arnaud.

Érik retenait un sourire. Il détailla la salopette tachée de fumier que portait Laurie. À cause du vêtement, la jeune fille paraissait plus jeune que ses vingt-deux ans. «Elle ne doit dépasser Pascale que de quelques centimètres», se dit-il. La ressemblance entre les deux jeunes filles s'arrêtait à leur petite taille. Alors que le corps de Pascale recelait une grande puissance musculaire, celui de Laurie était particulièrement délicat. «On dirait une poupée chinoise», pensa Érik. Laurie avait toujours la main devant sa bouche, et ses yeux en amande étaient pleins d'incertitude. Des brins de foin étaient restés accrochés dans sa chevelure noire. Pendant un moment, Érik s'abandonna au plaisir que lui causait l'embarras de la visiteuse, troublée par son regard un peu froid; puis il se dit : «La jolie fille, oh! la jolie fille!» et un sourire chaleureux transforma sa bouche, laissant place à une expression de sensualité gourmande.

– Pardon, monsieur, dit Laurie tout intimidée, Elias m'envoie chercher le docteur Lavergne.

– Mon père n'est pas ici, répondit Érik.

Le jeune homme se nomma, puis demanda :

– Tu dois être Laurie?

Celle-ci se balançait sur ses pieds; elle baissait les yeux et hésitait à sourire.

– Oui, confirma-t-elle. Elias voulait que le docteur vienne à l'écurie parce que Michael pense que le poulain de Symphony se présente mal. Elias m'a dit de demander au docteur de venir tout de suite, alors je ne sais pas quoi faire...

– Ça tombe drôlement mal, dit Érik. Si Arnaud était ici...

Laurie fut surprise d'entendre Érik prononcer le nom de son frère aussi naturellement. Elle connaissait Arnaud depuis quelques mois. Or, celui-ci vouait à Érik une haine farouche, à cause de ce qu'il avait fait à Pascale.

– ... ou Pascale, poursuivit Érik, ils arriveraient sûrement à régler le problème.

Encore une fois, Laurie s'étonna. Un peu plus d'un an auparavant, Érik avait sauvagement battu Pascale dans l'espoir d'obtenir de l'argent pour se procurer de la drogue. Il y avait eu une autre raison à cette violence, une histoire fort laide de séduction qui n'avait pas marché, de désir de dominer. Laurie tenait ces informations de son ami Philip qui, à l'époque du drame, fréquentait Pascale. Malgré toute l'horreur de ce qu'il lui avait fait subir, Érik Lavergne parlait de sa victime sans tressaillir.

– Bon ! J'ai déjà accouché des juments, alors attends-moi, continua le jeune homme. Je vais laisser un message à mon père et nous verrons si je peux vous aider.

Fort intimidée, Laurie attendit Érik dans l'allée. Quand il sortit, il enfourcha une motocyclette rouge garée près de la maison, puis il fit signe à Laurie.

– Monte, Laurie ; nous serons à l'écurie plus rapidement.

Comme la jeune fille ne bougeait pas, Érik sourit de nouveau et rit, même. Puis il ajouta :

– Je ne te mangerai pas !

Il prit un air désolé qui transforma son visage.

– Je suis tout à fait désintoxiqué maintenant. Je t'en prie, ne me crains pas. Allons, Laurie, grimpe, insistait Érik.

Laurie monta enfin sur la machine pétaradante.

Érik démarra un peu brusquement et Laurie dut empoigner sa chemise afin de maintenir son équilibre. Érik se retourna pour sourire à sa passagère, et, aussitôt, celle-ci le lâcha.

«Sapristi, pensa Érik, ce vieux Phil a le don de choisir des filles qui me plaisent!»

* * *

Laurie avait à peine quitté l'écurie que Symphony, dans une violente contraction, expulsait son petit. Michael ne s'approcha du nouveau-né que pour s'assurer qu'il était vivant. Satisfait, il revint au bureau, annonça que le rejeton de Symphony était une jolie pouliche baie, enleva ses gants et son tablier, puis partit vers d'autres tâches. Elias et Martha prirent le relais auprès de la nouvelle accouchée, qui restait étendue sur la paille.

– Elle est fatiguée, nota Martha en la caressant sous le menton.

– Paraît que c'est bien difficile d'accoucher comme ça, dit Elias.

Martha sourit. Elle continuait à caresser la jument. Dans le couloir, le reniflement caractéristique de Rocky se fit entendre. Symphony, instinctivement, chercha à protéger son nouveau-né. Elias aboya un ordre afin d'éloigner le chien.

La présence de Rocky avait amené Martha à penser à Pascale. Chaque fois que cela lui arrivait, une réminiscence des sentiments maternels qu'elle avait eus pour ses enfants l'envahissait. Pascale était mariée et pourtant Martha la trouvait toujours aussi fragile qu'une petite fille.

– Je me demande, dit-elle soudain, si on devrait appeler Pascale «madame Arnaud» maintenant qu'elle est mariée avec le fils du patron.

– J'ai une femme pas mal prévenante, dit Elias. Je n'avais pas pensé à ça.

Martha sourit à son homme. Celui-ci s'approcha d'elle et lui tapota le dos d'une façon qu'une autre femme aurait pu trouver bourrue, mais qu'elle savait tendre.

– Ça alors! s'écria soudain Elias. J'entends un bruit de motocyclette. Je ne peux pas croire que monsieur Érik a assez de toupet pour se montrer ici...

Martha ne répondit rien, car elle n'était pas émotive. Elias lui avait tout raconté au sujet d'Érik. Les sourcils épais de Martha se haussèrent jusqu'au bord supérieur de ses lunettes, alors qu'Elias sortait du box pour se planter dans le couloir de l'écurie. Érik descendit de sa motocyclette et s'avança en sifflotant; Laurie, l'air embêté, s'en venait aussi.

– Je t'ai fait courir pour rien, Laurie, dit Elias sans un regard pour Érik. Symphony a craché une petite pouliche aussitôt que tu es partie.

– Salut, Elias, dit Érik.

– Merci quand même, Laurie, poursuivit Elias en ignorant Érik.

– Le docteur n'était pas là, expliqua Laurie, mal à l'aise. J'ai sonné à la porte de la maison comme tu m'avais dit...

– Ouais, coupa Elias.

Laurie se troubla. Elias et Érik se dévisageaient comme deux chiens prêts à se disputer une pâtée. Laurie ne savait trop si elle devait rester ou alors se sauver.

– Salut, Elias, répéta Érik.

L'interpellé maugréait. À la surprise de la venue d'Érik s'ajoutaient divers sentiments. Elias connaissait Érik depuis son enfance. À maintes occasions, il l'avait tenu devant lui sur l'échine d'un cheval. Les images d'un garçonnet vigoureux, d'un adolescent vantard et fuyant, puis d'un adulte intoxiqué se précipitaient en désordre dans l'esprit d'Elias. Érik paraissait guéri à présent. N'empêche, c'était lui qui avait battu Pascale et rendu les Lavergne si terriblement malheureux. La discorde régnait encore à la ferme à cause de lui. Si Érik était là aujourd'hui, se dit Elias, c'était sans doute parce qu'Arnaud était en voyage et Geneviève, sa sœur, à l'école.

Comme Elias n'avait toujours pas répondu à ses salutations, Érik lança un clin d'œil à Laurie, puis passa à côté du groom pour aller regarder la pouliche de Symphony.

– Tiens, bonjour, madame Arvanopoulos, dit Érik en apercevant Martha.

Placidement, Martha sortit du box de Symphony. Elle était pourvue d'une ossature robuste et ses vêtements de travail accentuaient sa solidité physique. Elle toisa Erik, ses bras épais croisés sur son abondante poitrine.

Un peu décontenancé par la réserve qu'il lisait sur les visages des employés de son père, Érik se balançait sur ses pieds.

– Je suis venu dîner ici, j'attends mes parents d'une minute à l'autre, expliqua-t-il en accompagnant son discours d'un sourire. J'aurais aimé vous aider avec Symphony.

Tendu, Elias grommelait toujours. Il avait envie de hurler : «Pourquoi as-tu frappé Pascale ? Pourquoi est-ce que je n'étais pas là pour t'en empêcher? Pourquoi ai-je fait dix ans de taule et toi, même pas une nuit alors que tu as rossé cette fille ?» Cependant, il se retint. Au moment de leurs méfaits respectifs, Érik était le fils d'un éleveur influent de la région, et Elias, un cavalier d'exercice pourchassé par des créanciers maffieux, immigrant de surcroît, qui avait braqué plus d'une dizaine de commerces. L'homme avait mis trente ans à réintégrer les champs de course, à trouver une nouvelle épouse, une maison – et il lui manquait encore sa fille. Il était envieux de la réhabilitation évidente d'Érik, de son retour à l'université. La vie, décidément, était plus facile pour certains que pour d'autres.

Symphony se levait. Elias tourna brusquement les talons et entra dans le box. Martha adressa un petit signe de tête à Érik, puis suivit son époux.

Laurie essuya ses mains sur sa salopette. Elle regarda Érik avec l'intention de lui dire qu'elle devait retourner au travail. Érik fixait le sol avec une expression de profonde désolation, puis le jeune homme releva la tête et Laurie constata qu'il avait les yeux remplis d'eau. Érik avait des yeux très sombres, frangés de cils longs et foncés; en ce moment, ils adoucissaient son visage dominé par l'arrogance du nez busqué.

Laurie avait entendu parler d'Érik Lavergne en des termes peu flatteurs. Personne ne lui avait dit que c'était un très beau garçon, plein de charme, intelligent, et terriblement séduisant. Elle ignorait, aussi, avec quelle assurance il était capable de bluffer. Par égard pour Pascale, Laurie avait décidé de lui battre froid si jamais elle le rencontrait. Maintenant Laurie ne savait plus quoi faire, car, au lieu d'avoir sous les yeux l'être monstrueux qu'on lui avait décrit, elle se trouvait en présence d'un jeune homme poli, bien mis, qui souriait d'un sourire qui plaisait aux femmes; un jeune homme qui avait l'air plein de regrets, et dont la silhouette longue et mince, héritée de sa mère, était, aux yeux et au goût de Laurie, beaucoup plus élégante que celles du docteur Lavergne et de ses autres fils, Arnaud, François et Sébastien, lesquels étaient massifs, voire intimidants.

– Je dois retourner à l'écurie des chevaux de selle, bredouilla Laurie à toute vitesse.

– J'ai été enchanté de faire ta connaissance, dit Érik.

Il tendit la main à la jeune fille et celle-ci, machinalement, tendit aussi la sienne. Érik avait une main osseuse, découpée; Laurie regarda l'avant-bras aux muscles longs et nervurés du jeune homme. Sa main menue se crispa, et le sourire charmeur d'Érik s'accentua.

– Dis bonjour à Phil de ma part, suggéra-t-il doucement.

– D'accord, répondit Laurie.

Elle fut heureuse de disparaître. Érik resta un moment sur place, puis il sortit de l'écurie et se dirigea vers sa motocyclette.

– Bon! Le voilà parti, s'écria Elias lorsqu'il entendit le moteur rugir.

Martha hocha la tête. Le couple achevait de nettoyer le box d'accouchement. La pouliche tentait de se lever, mais Symphony la repoussait vers le sol.

– La pauvre petite! Pourquoi sa mère s'obstine-t-elle à la jeter à terre, demanda Martha?

– Le doc m'a expliqué qu'il faut que la jument fasse ça, répondit Elias. Symphony lèche sa pouliche – c'est tout ce qu'elle pense à faire; tu lui amènerais un seau plein d'avoine et elle ne le regarderait même pas – parce qu'elle veut être bien sûre de son odeur. C'est avec son nez que Symphony pourra reconnaître sa petite. Quand elle l'aura assez léchée, elle la laissera se lever, tu verras.

Martha hocha de nouveau la tête.

– Il n'y a pas à dire, la nature n'est pas si mal faite que ça.

– Ouais, renchérit Elias. Je vais t'avouer quelque chose, ma femme. Voilà vingt ans que je vois des juments avoir des poulains. Un bébé qui naît, c'est tellement beau. Je ne m'habitue pas à cette beauté-là. Je ne l'ai jamais dit à personne, mais chaque fois, j'ai la gorge serrée.

* * *

Xavier Lavergne et sa femme, Gabrielle, étaient de fort bonne humeur. Pour la première fois depuis plus d'un an, leur fils Érik partagerait leur repas à la ferme.

Souvent, Gabrielle soupirait de contentement. Xavier se tournait alors vers elle et lui décochait des clins d'œil. La vie n'avait pas habitué les Lavergne au malheur. Or, celui-ci les avait frappés lorsque Érik s'était révélé drogué et violent ; ses parents avaient durement encaissé le coup. À présent, le jeune homme avait complété une cure de désintoxication. Pour l'instant, Gabrielle et Xavier préféraient le garder éloigné du reste de la famille. On ne pouvait imposer sa présence à Pascale et à Arnaud. Quant à leur fille Geneviève, qui avait affronté Érik le jour où il avait battu Pascale, elle refusait de le revoir.

Xavier et Gabrielle se trouvaient à Lexington pour faire quelques emplettes. Ils se rendirent entre autres à un magasin de spiritueux bordé de logements subventionnés. L'endroit n'était pas invitant ; c'était une vieille cabane basse et étroite. Des tables à pique-nique pourrissaient le long de ses murs. Quelques individus désœuvrés y étaient assis.

Xavier et Gabrielle poussèrent la porte du commerce. Le propriétaire, un Afro-Américain d'une cinquantaine d'années dont la tête atteignait presque le plafond, se leva et éteignit son téléviseur.

– Salut, Trevor, s'écria Xavier en avançant pour serrer la main du géant.

Plus réservée, Gabrielle souriait néanmoins.

– Bon Dieu, doc, ta femme est toujours aussi belle, fit Trevor.

Les Lavergne fréquentaient son magasin depuis deux décennies.

– Donne-moi du bourbon, Trevor, demanda le docteur Lavergne.

Trevor étendit le bras et saisit un flacon. Puis il sortit plusieurs bouteilles de vin cachées sur une étagère.

– Du vin français, déclara Trevor, du vrai vin français comme tu aimes, doc. Il y a juste toi qui en achète, c'est pour ça qu'il y a de la poussière sur les bouteilles.

Il y eut un court silence. Trevor pianotait sur son comptoir. Ses yeux, foncés et malicieux, brillaient de curiosité.

– Il paraît que tu as un poulain de deux ans qui promet, murmura-t-il. Elias m'a parlé de la saison d'automne à Keeneland…

– Keeneland ! Il s'agit de grosses courses, l'interrompit Xavier. Il n'y a rien de décidé.

– Tu me caches des affaires, doc, fit Trevor en secouant son gros doigt. Je sais que tu as un poulain qui s'appelle Ashanti. Elias dit qu'il a de bonnes jambes et beaucoup de cœur, insista Trevor. Un nouveau Secretariat, à ce qu'il raconte.

– Élie ferait mieux de se taire, pesta Xavier, qui s'obstinait à franciser le nom de son employé depuis vingt ans.

– J'irai aux courses et je parierai de l'argent sur ton poulain, doc, conclut Trevor avec une moue entendue.

Xavier éclata de rire, puis Gabrielle, Trevor et lui se lancèrent dans une discussion animée au sujet des chevaux de Lavergne Farm.

Au bout d'un moment, les Lavergne repartirent vers leur résidence. Celle-ci, sise au cœur de leur ferme d'élevage, se trouvait à Paris, petite ville située à une trentaine de kilomètres au nord-est de Lexington. En traversant la ville, Xavier et Gabrielle passèrent non loin du quartier qu'habitaient leur fils aîné, Jules, et sa famille. Ceux-ci devaient partir pour la Belgique aussitôt que les classes prendraient fin. Ils iraient visiter les parents de Delphine, l'épouse de Jules, lesquels n'avaient encore jamais vu Catherine, leur unique petite-fille. Jules et les siens quitteraient le continent aussitôt que le jeune homme serait libéré de ses engagements de professeur de musique.

En apercevant la motocyclette d'Érik près de la maison, Xavier et Gabrielle comprirent que leur invité les avait devancés.

Gabrielle s'empressa d'entrer. Elle avait hâte de revoir son fils, mais, en même temps, elle craignait qu'il n'ait recommencé à consommer de la drogue et qu'elle ne sache pas détecter les signes de son vice. Érik s'avança et Gabrielle, émue presque jusqu'aux larmes, le contempla. Comme il était beau ! Gabrielle avait l'impression de revoir Xavier au même âge. Oui, Érik avait ce teint ambré, ces cheveux noirs et bouclés, ce nez d'aristocrate qui, des années auparavant, l'avaient troublée si fort. « S'il pouvait se trouver une amie, pensait sa mère, une petite amie enjouée et sérieuse à la fois, avec laquelle Pascale pourrait s'entendre… »

Les Lavergne et leur fils s'attablèrent. Gabrielle avait prévu un repas de viandes froides et elle apprécia la délicatesse d'Érik qui avait préparé une salade. Le jeune homme profitait d'un après-midi de congé. Il narra à ses parents sa rencontre avec Laurie et son intervention auprès de Symphony. Sans l'enjoliver, il relata aussi sa courte conversation avec Elias et Martha.

– Élie s'adoucira à ton égard, prédit Xavier avec confiance. Sacré bonhomme ! Il a parlé d'Ashanti à toute la ville.

– Ce poulain n'a pas encore été monté et c'est déjà une légende, renchérit Gabrielle. Tu te souviens de lui, mon Ériko ?

Il y eut un moment de silence. Gabrielle n'avait pas employé ce tendre diminutif depuis des années. Érik ne s'offensa pas. Il décocha à sa mère un de ces sourires pleins de charme dont il avait le secret. La bouche d'Érik était plus expressive, plus sensuelle que ne l'avait jamais été celle de son père. Lorsqu'il souriait ainsi, on lui aurait cédé n'importe quoi.

Mais Gabrielle connaissait maintenant les dessous les plus noirs de la personnalité de son fils. Elle appréciait la beauté de son sourire et redoutait son charme tout à la fois.

– Certainement que je m'en souviens, répondit Érik. Ashanti of Africa, murmura-t-il en détachant les syllabes. Par Robaïyat et Nosie…

– Une excellente ascendance, confirma Xavier.

– A-t-il été castré ? s'enquit Érik.

– Le castrer ? Pascale en serait morte, pouffa Xavier. C'est un étalon et il le restera. Michael Harrison l'a complètement habitué à la selle. Pascale pourra le monter dès son retour.

Érik baissa les yeux. Ses sourcils se contractaient.

– Dommage, fit-il d'un air attristé, que je ne puisse pas être là pour voir ça.

3

PASCALE ET ARNAUD avaient entrepris leur voyage en visitant quelques endroits situés au Kentucky, tels le Kentucky Horse Park et le village Shaker, non loin d'Harrodsburg. Puis, les nouveaux mariés quittèrent l'État à bord de la camionnette prêtée par Xavier. Ils traversèrent d'abord le Tennessee. Arnaud tenait le volant, car Pascale n'avait pas de permis de conduire. Le jeune homme ne se pressait pas. Il s'arrêtait fréquemment, surtout dans les petites villes. Ainsi, le couple gagna la Géorgie, puis la Floride.

Pascale s'intéressait à ce qu'elle découvrait. Comme Arnaud l'avait chargée d'éplucher les guides touristiques, elle emmagasina quantité de données historiques.

Elle désirait comprendre le passé des lieux qu'elle traversait, y compris l'esclavagisme et la ségrégation. Arnaud souriait en l'écoutant décrier ces institutions, amusé qu'il était de découvrir son côté intellectuel. Il lui demanda ce qu'elle savait de l'histoire de la Gaspésie. Pascale se lança dans un discours passionné sur les roueries passées de certains marchands à l'endroit des pêcheurs, puis critiqua les politiciens qui négligeaient sa région d'origine.

Pascale et Arnaud arrivèrent finalement à Orlando, en Floride. Arnaud gâtait outrageusement sa femme. Il se souvenait comment elle s'était décrite enfant, et il tentait de raviver sa fierté, son originalité, son enthousiasme pour la vie. À force de la choyer, il réussit à la faire entrer dans le grand jeu des vacances.

Pascale adora les parcs d'attractions. Les restaurants servaient une nourriture surabondante et elle oublia quasiment le régime qu'elle s'imposait habituellement. Elle voulait conserver un poids minimal pour assurer son succès dans son éventuelle carrière de jockey professionnel.

Pascale et Arnaud logeaient dans un hôtel luxueux, avec piscine et climatiseur. À mesure que la fin des vacances approchait, Pascale se montrait plus préoccupée, surtout le soir. Arnaud devinait qu'elle avait envie de rentrer à Lavergne Farm mais que cette perspective l'effrayait aussi, car elle aurait à y affronter sa belle-famille. Il fallait commencer rapidement le débourrage d'Ashanti. À l'enthousiasme que ressentait sans doute Pascale devait se mêler la crainte d'une nouvelle blessure, se disait Arnaud. D'ici quelques semaines, son orthopédiste approuverait vraisemblablement sa candidature à l'obtention d'une licence d'apprenti jockey. Il y avait beaucoup d'événements stressants en perspective.

Arnaud tenta d'amener Pascale à discuter de leur retour à la ferme, mais celle-ci s'assombrit tellement qu'il n'aborda plus le sujet, préférant qu'elle profite des moments d'insouciance qui lui restaient.

Arnaud et Pascale regagnèrent le Bluegrass, région du Kentucky où était située Lavergne Farm, le dernier jour de mai, un samedi, exactement trois semaines après leur mariage. Ils arrivèrent à destination dans l'après-midi.

Rocky les y accueillit. Le chien griffa la portière du pick-up dans sa joie de revoir sa maîtresse. Celle-ci se retint de l'étreindre, car les jumeaux François et Sébastien, les cadets de la famille Lavergne, se trouvaient là.

Les deux garçons fêteraient bientôt leur quinzième anniversaire. François exhibait une grosse ecchymose sur le coude. Il expliqua que cette blessure lui avait été causée par Vol-au-Vent lorsqu'on l'avait séparé de Nosie.

Pascale garda une expression extrêmement neutre pendant ce récit, mais l'annonce du méfait de son cheval lui gâchait son arrivée. Arnaud lui tapota l'épaule.

– Ce n'est pas grave, Pascale, fit-il avec patience.

– Je n'ai rien dit, siffla Pascale, furieuse qu'Arnaud eût décelé son malaise. Je n'ai jamais dit que c'était grave.

Arnaud échangea avec ses frères un sourire entendu. «Pauvre Pascale! songeait-il. Quand va-t-elle donc accepter l'imperfection de son cheval... de la vie?» Troublée par l'échange muet entre son mari et ses jeunes beaux-frères, Pascale se baissa pour caresser le pelage satiné de Rocky.

– Où sont papa et maman? demanda Arnaud.

– À l'écurie.

– Bon! s'écria Pascale, si on y allait, nous aussi?

Arnaud et les jumeaux la regardèrent. Il était manifeste qu'elle brûlait d'envie de revoir Vol-au-Vent.

– Je vais me changer et on y va, OK? insista Pascale.

Elle n'attendit pas l'approbation d'Arnaud pour disparaître. Celui-ci discuta avec ses cadets pendant quelques minutes, puis il rejoignit Pascale. Elle se trouvait dans la petite chambre qu'elle habitait depuis son arrivée à Lavergne Farm. Arnaud et elle y logeraient ensemble, maintenant qu'ils étaient mariés. Pascale avait déjà passé une salopette et Rocky était couché de tout son long sur le couvre-pied.

Le jeune homme semonça le chien.

– Je ne veux pas que Rocky dorme sur le lit, dit-il.

Pascale eut une moue ennuyée. Avant qu'elle n'épouse Arnaud, cette chambre avait été son domaine et elle y avait fait ce qu'elle voulait. Maintenant, elle constatait qu'Arnaud prenait presque toute la place. Où irait-elle, désormais, lorsqu'elle aurait besoin de solitude?

– Mais Rocky couchait souvent sur le lit avant, protesta-t-elle.

– Eh bien, c'est terminé.

Pascale jura à mi-voix. Arnaud fronça les sourcils et s'approcha de son épouse.

– Qu'est-ce que tu racontes? demanda-t-il.

– Rien.

– Écoute, Pascale, j'ai besoin d'être seul avec toi dans ce lit, expliqua Arnaud. Rocky est un chien, il sera très bien sur son coussin à l'extérieur de la chambre. Nous sommes un couple, un homme, une femme. Tu n'es plus une petite fille qui dort avec son chien. Nous sommes mariés depuis trois semaines et j'ai besoin de beaucoup d'intimité. Toi aussi.

Pascale soupira. Que Rocky couche hors de la chambre lui était à peu près indifférent. Depuis son mariage, elle s'était efforcée de ne pas déplaire à Arnaud, mais soudain sa nature portée à la confrontation refaisait surface. Pour elle, cette lutte absurde revêtait une dimension d'importance : il était question de pouvoir, de contrôle.

– Ça va, bougonna-t-elle.

Arnaud s'approcha de sa femme et voulut lui toucher le bras. Pascale se distança ostensiblement.

– Sapristi ! s'impatienta Arnaud. Comment réussis-tu à te monter la tête avec une pareille stupidité ?

– Ça va, je t'ai dit que ça allait ! répéta Pascale.

– Tu viens de te trahir.

– Tu veux toujours décider de tout ! explosa Pascale.

– C'est faux. Je désire seulement discuter avec toi.

– Pourquoi me fais-tu perdre mon temps avec cette conversation idiote ? cracha Pascale.

– Ce n'est pas une conversation idiote, c'est un dialogue fort important pour des gens mariés qui essaient de vivre dans l'harmonie. Nous allons voir mes parents dans quelques minutes. Je ne veux pas que nous ayons l'air d'avoir quelque chose sur le cœur. Tu as intérêt à donner l'impression d'être quelqu'un qui prend son mariage au sérieux. Tu sais pourquoi.

Pascale rougit violemment et ses sourcils se contractèrent. Ça y était; Arnaud venait de la prendre en défaut. Un impitoyable sentiment de culpabilité chassa de son cœur la joie qu'elle avait ressentie à son retour à la ferme. Puis, le découragement lui tomba dessus comme une masse. Jamais elle ne réussirait à être une épouse convenable. Arnaud venait pratiquement de le dire. Vivre avec lui, c'était beaucoup trop difficile pour elle.

– Pardon, Arnaud, dit-elle avec effort. Rocky couchera sur son coussin dans la pièce à côté de la chaudière.

– Pascale… Il ne s'agit pas que tu cèdes sur tout, mais j'aimerais que tu sois plus ouverte. Tu comprends?

Pascale hocha docilement la tête. Son visage se fermait, car elle tentait de dissimuler l'inquiétude qui montait en elle. Plus ouverte? Cela voulait-il dire qu'elle ne devait rien cacher à Arnaud? Mais elle ne pouvait pas faire cela! Il y avait quelque chose qu'il lui fallait absolument taire, pour le bien des autres… Depuis que Pascale était revenue à Lavergne Farm, elle ne pouvait s'empêcher de penser à Catherine, l'unique nièce d'Arnaud.

Pascale luttait violemment pour se maîtriser. La situation désagréable dont, deux ans auparavant, elle avait été l'un des protagonistes lui revenait à l'esprit. Elle revoyait Érik et Delphine s'enlaçant dans la sellerie. Puis, elle pensait à la tignasse bouclée de Catherine, à son teint ambré et à son nez plutôt long, caractéristiques qui contrastaient fortement avec les traits du mari de sa mère.

Plus Catherine avait grandi, plus Pascale était devenue convaincue qu'elle n'était pas la fille de Jules, mais bien celle d'Érik; et plus le secret lui avait pesé. Car, hormis Michael auquel elle s'était confiée, seule Pascale savait que Delphine et Érik avaient eu une liaison.

«Comme elle est sensible! se disait Arnaud qui observait Pascale avec un brin de lassitude. Il faudra bien qu'elle s'habitue à ce que nous ne soyons pas toujours d'accord…» Le jeune homme s'approcha de sa femme, l'étreignit et la caressa. Puis il défit tranquillement l'une des bretelles de sa salopette. Pascale sursauta.

– Tu étais d'accord pour aller à l'écurie, bredouilla-t-elle en se tortillant.

– Rien ne presse, fit Arnaud, taquin, en détachant l'autre bretelle.

– Mais, mais…

Pascale serrait les lèvres; elle n'avait pas envie de se disputer à nouveau avec Arnaud. Or, refuser sa tendresse n'était pas une bonne stratégie. Par ailleurs, depuis le matin, Pascale avait tellement hâte de revoir les chevaux; ses chevaux, Vol-au-Vent, Ashanti, et tous les autres. La jeune fille ne savait plus quoi faire. Ses yeux bleu acier se brouillèrent. La communication n'était pas sa force, et elle se sentit en grande détresse, car elle ne savait pas comment aborder Arnaud. Elle détourna la tête. Arnaud lui releva le menton.

– Change-toi, dit-il. Mets tes jodhpurs et tes bottes.

Inquiète, Pascale se demanda si Arnaud n'avait pas développé quelque fantasme érotique.

– Change-toi, répéta Arnaud. Pendant que tu enfilais cette salopette, Sébastien m'a dit qu'Elias était sur la piste avec GI Joe. Moushika n'a pas de cavalier. Alors, si mon père est d'accord...

– Quoi? souffla Pascale, éberluée.

– Tu monteras Moushika, gamine.

La jument grise était l'un des cracks de Lavergne Farm. Pascale l'appréciait particulièrement. Or, depuis sa blessure, elle avait dû cesser d'exercer les pur-sang à la course.

– Moi? Monter Moushika? fit Pascale pleine d'espoir.

– Tu es très reposée et ta jambe est en excellente condition. Alors, si ça te tente de recommencer à monter à l'entraînement...

Pascale courut vers la garde-robe, jaillit hors de sa salopette et enfila ses jodhpurs en se contorsionnant.

– J'ai entendu dire, susurra Arnaud, qu'Elias projetait de promener un poulain sur la piste.

– Ne me dis pas qu'Ashanti...

Arnaud hocha affirmativement la tête. Pascale, débordante de joie, se hâta de chausser ses bottes. Arnaud attrapa le casque et la veste de protection de sa femme, laquelle se ruait déjà vers l'extérieur.

Pascale et Arnaud marchèrent côte à côte vers la piste. Rocky, plein d'énergie, trottait derrière eux. Surgi de nulle part, Diamond se mit à suivre le cortège.

Une grande excitation gagnait Pascale, au point où elle répondait machinalement à Arnaud sans écouter ce qu'il disait.

Il était maintenant un peu passé quatre heures de l'après-midi. Le soleil perdait de sa violence et l'air, chaud et sec, avait une pureté de cristal. Dans les pâturages, l'herbe verdoyante, les robes et les crins lustrés des chevaux étaient mis en valeur par une luminosité qui n'aveuglait pas. Pascale respirait l'air à petits coups, sa main dans celle d'Arnaud, mais elle aurait aimé être seule dans le silence pour jouir en paix de la beauté de cette ferme qu'elle aimait plus que tout.

Lorsqu'ils furent près de la piste, Pascale vit qu'un cheval y galopait et elle voulut s'en approcher. Mais Arnaud n'allait pas dans cette direction, et il y eut dans le couple un imperceptible tiraillement. Puis Pascale sursauta. Des gens l'appelaient de la terrasse d'où l'on pouvait suivre les entraînements. Arnaud accéléra le pas. Une cruelle hésitation fit trébucher Pascale. Cet homme et cette femme, là-bas, étaient désormais ses beaux-parents, et non plus seulement ses employeurs. Pour la première fois depuis son mariage, Pascale allait leur faire face.

Arnaud ne remarqua pas l'angoisse de son épouse. Il était tout à la joie de retrouver les siens; Geneviève et les jumeaux étaient aussi sur la terrasse. Enthousiaste, il se hâta encore plus et grimpa rapidement les marches, sa main tenant toujours celle de Pascale.

Cette puissante main d'homme n'était plus, pour la jeune femme, réconfortante. Elle était soudain devenue un étau cruel et indifférent, qui n'acceptait pas l'hésitation, qui ne décelait pas la peur et qui l'emmenait vers des gens effrayants. Le docteur Lavergne se leva; quelque chose en lui avait toujours donné à Pascale une impression d'écrasement. Comme elle était de nature combative, elle se durcit et son visage se ferma.

Geneviève embrassa Pascale en riant; cette dernière sourit d'une façon mécanique. Un beau jeune homme brun, mince et bien vêtu, lui tendait la main. Mais qui était-ce? Ah oui! se souvint brusquement Pascale, c'était Bruce Foster, le petit ami de Geneviève. Au milieu de toute cette brume, une chose envahissante, menaçante et protectrice à la fois, planait sur elle : le regard du docteur Xavier Lavergne.

– Alors, dit-il en français, voilà ma gamine préférée !

– Bonjour, docteur, répondit-elle précipitamment.

L'air interrogateur, Xavier détaillait la tenue de cheval de Pascale en levant les sourcils. Pascale lança un regard bref vers Arnaud. Celui-ci étreignait sa mère.

– C'est Arnaud…, souffla Pascale.

– Oui ? fit Xavier.

– Il a dit que je pourrais monter Moushika si vous étiez d'accord, termina Pascale avec effort.

Elle tourna de nouveau son regard vers son époux. Arnaud, Gabrielle, François, Sébastien et Geneviève parlaient tous en même temps, en français. Bruce cligna de l'œil vers Pascale. Celle-ci y vit comme un encouragement.

– Regarde, voilà ton ami Michael qui sort de l'écurie avec un cheval que tu connais, murmura Xavier.

Un sursaut de joie secoua Pascale ; elle venait d'apercevoir Ashanti.

L'alezan doré avançait à longs pas vifs, mais sans précipitation. Son corps sculptural avait atteint une surprenante maturité. Il ne faisait aucun doute qu'il éclatait de santé, car sa tête était bien droite, sa robe brillait, ses sabots sonnaient clair sur le sol. Le cœur de Pascale chavira ; Ashanti venait de tourner la tête vers la terrasse et Pascale eut l'impression qu'il la regardait.

Il hennit. C'était un cri pur et vigoureux, rempli d'une curiosité conquérante. À présent, Ashanti tendait vers la terrasse ses naseaux grands ouverts. Ses oreilles étaient dirigées vers Pascale, et ses prunelles à la fois sombres et lumineuses la dévisageaient. Michael tira sur son licou. Ashanti refusa d'avancer, puis hennit de nouveau.

Michael regarda vers la terrasse et aperçut Pascale et Arnaud. Un sourire heureux épanouit son visage. Il remarqua que Pascale ne souriait pas. Ses salutations furent couvertes par le hennissement assourdissant d'Ashanti.

– Mike ! cria Xavier, amène-toi ici avec ce poulain !

Dans sa hâte de revoir Ashanti, Pascale était sur le point de sauter en bas de la terrasse. Mais Gabrielle, souriante, s'approchait de sa belle-fille. Pascale en ressentit de l'agacement; elle avait soudain l'impression d'avoir épousé toute une tribu. Impassible, elle embrassa Gabrielle. Les Lavergne avaient une faconde bien latine et ils se témoignaient facilement leur tendresse quand ils se rencontraient. Ces habitudes cadraient assez mal avec la personnalité de Pascale, dont le corps se raidissait chaque fois qu'un membre de sa belle-famille s'approchait d'elle. De plus, les Lavergne étaient tous grands, alors que Pascale était très petite. Invariablement, elle se sentait perdue au milieu d'eux, surtout si l'attention d'Arnaud n'était pas fixée sur elle. Or, en ce moment, Arnaud étreignait sa sœur et blaguait avec Bruce. Les yeux de Pascale se détournèrent de ses beaux-parents et se fixèrent sur Ashanti; ses doigts se crispèrent sur le col de Rocky qui était à ses côtés. Michael et Ashanti étaient presque rendus devant la terrasse. Malheureuse, hésitante, tenaillée par l'indécision, Pascale faillit tourner les talons pour aller saluer le cheval qui s'ébrouait, amical.

Dans la cohue de ces retrouvailles, personne ne remarqua le malaise de Pascale, sauf Michael qui la connaissait mieux que quiconque. Il regarda Pascale avec émotion, accentua son sourire, puis soupira intérieurement, car elle restait toute raide, toute figée.

Arnaud continuait à sourire et ses yeux brillaient. «Quel garçon formidable!» pensa Michael. «Comment peut-il croire que?...» Arnaud se tourna vers Pascale et posa sa main sur son épaule. Pascale ne sursauta pas et ne s'éloigna pas non plus. Michael constata qu'elle se détendait, comme si elle avait attendu qu'Arnaud vienne à son secours. Elle semblait même accueillir la caresse d'Arnaud avec un plaisir sensuel; pendant une fraction de seconde, Michael vit dans le visage de son amie cette passion des sens qui la caractérisait. Bien sûr, lorsqu'elle poussait son corps à la limite, qu'elle descendait de cheval après un galop exaltant, elle ne se censurait pas et tout le monde était à même de constater sa joie. Mais, aujourd'hui, Pascale ne démontrait pas son plaisir à Arnaud; elle le regardait sans ciller, et Michael se demanda si elle lui laissait jamais savoir, dans l'intimité, qu'il lui plaisait terriblement.

– J'ai pensé que Pascale pourrait monter Moushika, dit Arnaud à son père sans lâcher l'épaule de sa femme.

– Va caresser ce cheval, Pascale, fit Xavier en désignant Ashanti, que je te regarde marcher.

Pascale dévala les marches deux à deux et atterrit sur la pelouse. Ashanti hennissait de la gorge. Pascale lui répondit en produisant un son doux et grave. Personne ne fut surpris d'entendre la jeune fille s'exprimer de cette façon, sauf Bruce chez qui cette imitation du langage chevalin causa une forte envie de rire.

Ashanti renifla tendrement Pascale et lui donna un petit coup avec son mufle velouté. Depuis son retour à Lavergne Farm, les émotions de Pascale basculaient d'un extrême à l'autre ; alors qu'elle s'était sentie affreusement torturée quelques minutes auparavant, voilà que l'enthousiasme et la confiance l'envahissaient. Ashanti était là ! Ashanti of Africa, son champion et celui d'Arnaud ! Il était là, cet animal formidable grâce auquel ils arrivaient toujours à se comprendre ! Auprès de lui, Pascale se sentait capable de tout, même d'être à la hauteur des attentes d'Arnaud.

– Salut, mon vieux Mike, fit Pascale tout en grattant la crinière d'Ashanti.

– Bonjour, madame Lavergne, répondit Michael sur un ton exagérément cérémonieux.

– Pitié ! Appelle-moi Pascale, ronchonna celle-ci à mi-voix. Comment vas-tu ?

– Très bien, merci. Alors, le mariage te convient ?

Pascale ne répondit pas. Michael avait le don de dépister toutes ses inquiétudes et de les lui exposer avec un air de s'en moquer. Du patio, Xavier désigna Pascale tout en s'adressant à Gabrielle en français :

– Elle marche bien. Est-ce que je la laisse monter ?

– Demandez au mari ce qu'il en pense, répliqua Michael, taquin, en anglais.

Tout le monde éclata de rire. Depuis quelques semaines, Michael étonnait les Lavergne par sa compréhension de plus en plus étendue du français. Bruce envia secrètement le groom, car lui-même ne comprenait pas un mot au jargon de la famille de Geneviève. Xavier annonça qu'il permettait à Pascale de monter Moushika. Les jumeaux offrirent aussitôt d'aller seller la jument. Xavier leur suggéra de ramener également Vol-au-Vent et Aladin, le cheval d'Arnaud.

Les Lavergne étaient maintenant tous descendus du patio et ils entouraient Ashanti en échangeant divers commentaires. Restés sur la terrasse, Rocky et Diamond jouaient à quelque jeu de chiens. Plus loin, sur la piste, Elias et GI Joe se déplaçaient au pas. Le cavalier leva sa cravache vers le groupe. Xavier lui fit signe de s'approcher.

Elias se hâta de gagner l'endroit où se trouvait Xavier. Il avait détaché la mentonnière de son casque de protection et ses jambes courtes pendaient de part et d'autre de sa monture, car il avait retiré ses pieds des étriers. Les petits yeux d'Elias brillaient, mais sa bouche expressive lui donnait l'air de bougonner. Il en était toujours ainsi lorsqu'il était ému.

– Bon, grommela-t-il, le grand et la petite sont revenus, je ne suis pas fâché de ça. Salut, monsieur Arnaud. Salut, madame Arnaud.

– Tu ne vas pas m'appeler comme ça ! s'écria vivement Pascale.

Nouvel éclat de rire. Le visage buriné d'Elias se plissa. Il eut un bref sourire, puis, avec une agilité surprenante, il passa une jambe par-dessus l'encolure de GI Joe et sauta aussi lestement qu'un chat.

– Bien sûr que je vais t'appeler comme ça, puisque tu es mariée avec ce grand-là.

– Quand même…, souffla Pascale, toute malheureuse.

– Appelle-la Pascale comme avant, suggéra Arnaud qui tapotait toujours l'épaule de Pascale afin de l'inviter à se détendre.

Elias s'approcha de Pascale, qui baissait les yeux. Il retira son casque et sa tignasse gris fer se dressa dans les airs. Pascale leva la tête et ils se regardèrent; elle, sur la défensive et fuyante; lui, volontaire et fidèle. Les deux cavaliers d'exercice se ressemblaient physiquement, étant l'un et l'autre vigoureux et musclés bien que petits de taille. Leurs corps étaient proportionnés de la même façon, avec des jambes puissantes et de larges épaules qui semblaient trop développées par rapport au reste de leur anatomie. Mais Pascale et Elias se différenciaient par bien d'autres traits. Le teint de l'homme était foncé alors que la jeune fille avait une peau claire d'Européenne de l'Est. Elias avait le visage large et simiesque, alors que celui de Pascale était mince et chevalin. L'homme donna une bourrade à la jeune fille, ce qui était sa façon d'exprimer sa tendresse, et lui dit :

– On va monter ensemble. Je suis content.

– Moi aussi, affirma Pascale avec sincérité.

Michael attrapa la bride de GI Joe et l'entraîna vers l'écurie. Au même moment, François et Sébastien en sortirent. François menait Moushika à pied. Quant à Sébastien, il tenait Aladin d'une main et, de l'autre, Vol-au-Vent, qui s'arrêtait à tous les trois pas. L'animal était de mauvaise humeur et ne faisait rien pour le cacher.

Pascale se retenait pour ne pas courir vers son cheval.

– Va voir Vol-au-Vent, Pascale, je suis sûr que tu réussiras à le calmer, proposa doucement Arnaud.

Pascale leva vers son mari un regard plein de gratitude. Comme il la comprenait! Dans le cadre de leurs activités équestres, peut-être serait-elle capable, elle aussi, de le combler.

– Viens avec moi, Arnaud, s'écria-t-elle, enthousiaste, viens chercher Aladin. Viens toi aussi, Elias.

Les trois compagnons se mirent en marche. Geneviève prit la longe d'Ashanti, alors que Xavier et Gabrielle s'occupaient de retenir les chiens.

Vol-au-Vent fit un brusque écart qui faillit envoyer Sébastien par terre. Il venait de reconnaître Pascale. Il s'immobilisa pour dresser la tête. Pascale trottina vers son poney qui, tout heureux, s'ébroua.

Arrivée à la hauteur de l'animal, Pascale crispa ses doigts sous sa crinière noire et gratta fortement le pelage bai. Vol-au-Vent fit une grimace heureuse, puis il tordit son encolure et dressa ses petites oreilles, goûtant à plein cette caresse. Il se retourna ensuite et infligea à Pascale une tendre morsure. La jeune fille posa la main sur son chanfrein et le serra sans brutalité.

Puis elle saisit l'étrier et monta en selle.

Pascale clappa de la langue et Vol-au-Vent se mit en mouvement. La jeune fille chemina au trot enlevé. La joie l'envahissait et elle en oubliait tous les Lavergne, y compris Arnaud. Elle se laissait griser par le rythme des foulées de son poney. Pascale sentait la chaleur du corps de cet animal qu'elle aimait tant. Devant elle, il y avait deux oreilles en alerte, une encolure rassurante de par sa robustesse, une crinière odorante et fournie. Pascale avait retrouvé Vol-au-Vent – son ami, son soutien depuis l'enfance. Et maintenant il l'entraînait, à une charmante allure, à la conquête du soleil et du vent; Pascale était bien.

– C'est drôle, grommela Elias, la petite ne monte jamais mieux que quand elle monte ce poney-là.

Arnaud hocha la tête, approbateur. Puis Elias prit place sur Moushika et Arnaud, sur Aladin.

Les chevaux furent mis au trot; Moushika et Aladin rattrapèrent aisément Vol-au-Vent. Pascale, qui était tout sourire, se retourna pour regarder ses compagnons.

Lorsque les chevaux furent bien réchauffés, Elias et Pascale mirent pied à terre et échangèrent leurs montures. Elias aida Pascale à grimper sur Moushika. La prochaine chevauchée serait bien différente de la promenade que venait d'effectuer Pascale sur Vol-au-Vent. La jument grise était maintenant âgée de quatre ans. Pascale haussa ses genoux, chaussa les étriers et appuya ses jambes contre la minuscule selle de course; elle était prête. Elias et Vol-au-Vent quittèrent la piste pour aller chercher Ashanti.

– C'est ta première sortie, alors on va y aller doucement, dit Arnaud à Pascale tout en poussant Aladin au canter.

– Oui, d'accord.

– Te voilà debout dans tes étriers depuis quelques minutes. Comment ça va?

– Ça va bien, répondit Pascale qui était si exaltée qu'elle riait sans raison.

Côte à côte, les jeunes époux terminèrent un tour de piste. Ils croisèrent Vol-au-Vent et Ashanti qui trottaient en sens inverse, près de la clôture extérieure. Elias tenait les rênes de Vol-au-Vent d'une main et, de l'autre, une longe attachée au licou d'Ashanti. Le poulain regardait autour de lui sans démontrer de nervosité. Elias changea de direction afin de s'approcher de ses compagnons.

– Ashanti fait bien ça, commenta Elias. Si tu veux aller vite, petite, je vais te «chronotrer».

– Chronométrer, le corrigea Arnaud. Sois raisonnable, Pascale, ajouta-t-il en français.

– Mais oui, fit-elle, agacée, cesse donc de t'inquiéter!

Le jeune homme sollicita Aladin, qui précipita son galop. Moushika, qui avait l'esprit de compétition, accéléra elle aussi.

Pascale porta aussitôt ses mains vers l'avant; sa jument était lancée. Moushika doubla facilement Aladin. Pascale croisa un poteau et se mit à compter mentalement, car elle savait qu'Elias avait actionné le chronomètre. Moushika était une jument disciplinée et elle collait fidèlement à la lice. Couchée sur l'encolure, Pascale aborda le tournant avec aisance. La jeune fille regarda le mouvement des jambes grises et écouta le son des sabots qui frappaient le sol. Elle et Moushika revenaient vers Elias à toute vitesse. Arnaud fit pivoter son cheval et galopa à la rencontre de sa femme. Lorsque Pascale eut croisé le même poteau, elle se dressa dans ses étriers. Elias émit un petit sifflement.

– Ouais, fit-il, c'est bien.

– Laisse-moi voir, demanda Arnaud en étirant le cou vers le chronomètre.

Moushika ralentissait; Pascale la laissa choisir son rythme, se contentant de rester debout dans ses étriers et d'imposer aux rênes une tension ferme mais sans sévérité. Déjà, Moushika s'apaisait. Sa robe grise était tout humide, mais ses naseaux gonflés inspiraient l'air moins bruyamment. Debout le long de la lice, Michael se tenait prêt à la cueillir.

Elias descendit de cheval et Pascale reprit place sur Vol-au-Vent. Pour sa plus grande joie, elle et son poney effectuèrent un tour de piste au trot et au canter, flanqués d'Ashanti. Ces promenades aidaient le poulain à se familiariser avec les lieux où, plus tard, il serait entraîné.

Puis tous revinrent vers le paddock où on fit marcher les chevaux. Martha s'amena sur les lieux. Pascale l'accueillit gaiement, puis tiqua lorsque la femme d'Elias l'appela «madame Arnaud». Hormis l'empressement de tous les employés à la féliciter pour son récent mariage, Pascale ne trouva à l'écurie aucune source d'irritation. François et Sébastien, de même que Geneviève et Bruce, s'étaient joints au groupe et on blaguait à qui mieux mieux. Bruce ne connaissait pour ainsi dire rien aux chevaux et s'y intéressait peu.

Pascale et Geneviève s'attaquèrent au pansage de Vol-au-Vent. Depuis son arrivée à Lavergne Farm, Pascale était devenue la meilleure amie de Geneviève. Bruce accompagna les deux filles. Le jeune homme était volubile. Pascale le trouvait sympathique et se réjouissait du bonheur évident qu'il apportait à Geneviève.

Après s'être occupé d'Aladin, Arnaud, tout souriant, vint rejoindre Pascale.

– Elias, Martha et Michael vont nourrir les chevaux, lui dit-il en français. Viens, Pascale, il faut qu'on prenne une douche. Mes parents nous attendent pour le souper.

Pascale resta figée pendant un moment. Elle regarda Rocky qui était couché le long d'un box et qui levait vers elle ses yeux de chien fidèle. Pascale eut envie d'une longue promenade dans la quiétude du soir. Elle se languissait du silence, des teintes du soleil couchant, du chant des oiseaux à la brunante, du plaisir de goûter seule la beauté de la ferme qui s'endort.

Mais ce n'était pas cela qui s'annonçait. Pascale imaginait déjà sa soirée dans la salle à manger des Lavergne ; elle voyait leurs corps robustes penchés sur les assiettes combles, elle entendait les blagues sonores d'Arnaud et la voix profonde de Xavier. Il y aurait aussi, posés sur elle, les yeux doux mais critiques de Gabrielle... Gabrielle, dont la perspicacité était bien plus redoutable que les explosions de Xavier.

Arnaud posa sa main sur la nuque de sa femme. Impassible, Pascale se mit à marcher vers la maison. Rocky suivit ses maîtres en haletant.

S'il avait été présent, Michael aurait sans doute remarqué que Pascale baissait la tête.

4

Le lendemain de leur arrivée, Pascale et Arnaud se levèrent à cinq heures du matin et se rendirent à la piste. Elias s'y trouvait déjà, flanqué de Barachois, un hongre alezan brûlé qu'on entraînait à la course, et aussi de Vol-au-Vent et d'Ashanti, tous trois sellés.

Il y avait pas mal d'activité à Lavergne Farm. L'endroit abritait des pur-sang dont Xavier n'était pas le propriétaire. Ces animaux étaient mis à l'entraînement sur la piste, tout comme ceux des Lavergne. C'était la haute saison et les grooms étaient nombreux à s'activer en ce dimanche matin. Tous accueillirent chaleureusement Pascale. Les propriétaires de chevaux de course se réjouissaient qu'elle recommençât à monter, car plusieurs entendaient lui confier leurs protégés.

Elias prit place sur Barachois, et Pascale, montée sur Vol-au-Vent, promena Ashanti sur la piste. La jeune femme sentait que le poulain était détendu. À dessein, elle l'approcha des boîtes de départ, le laissa regarder d'autres chevaux en jaillir, puis l'amena à proximité des clôtures intérieures et extérieures. Elle tentait de familiariser le poulain avec la piste, puisqu'il y serait monté dans les jours à venir.

Pour sa part, Barachois était fidèle à lui-même et, avant longtemps, on entendit Elias jurer. Pascale regarda l'alezan avec attention. Arnaud l'avait acheté un peu plus d'un an auparavant, pendant la période où elle s'était réfugiée chez Philip après son altercation avec Érik. À son retour à Lavergne

Farm, Pascale avait été agréablement surprise en découvrant Barachois. Le caractère imprévisible de l'animal représentait un défi à sa mesure; malheureusement, elle n'avait guère pu le monter à cause de sa blessure, mais elle s'était attachée à lui. Barachois était un animal entêté mais pas du tout farouche. Pascale ne le croyait pas aussi talentueux qu'Ashanti, mais elle savait qu'il avait un grand cœur.

Maintenant âgé de cinquante-neuf ans, Elias manquait de patience. Avec les chevaux, il s'imposait par sa vigueur et par la force de sa personnalité plutôt que par la persuasion. Barachois et lui se heurtaient à répétition. Pascale avait très envie de mettre Barachois à sa main. Elle soupira en pensant à sa jambe. Si Barachois la désarçonnait et qu'elle s'estropiait de nouveau, elle devrait attendre encore avant de monter Ashanti. Elle décida de demander conseil à Arnaud. Celui-ci n'hésita pas une seconde, la déclarant en parfaite forme.

Lorsque le jeune homme déposa Pascale sur l'échine de Barachois, celui-ci eut un soubresaut de mécontentement, mais Pascale allongea ses étriers et fit trotter l'animal pendant un moment.

Barachois fut d'abord docile, puis il se mit à tirer sur le mors. D'autres chevaux galopaient autour de lui et il manifesta l'envie de leur donner la chasse. Pascale s'assit au fond de la petite selle d'entraînement et utilisa son poids afin de modérer l'enthousiasme de sa monture. Elle ne voulait pas lui déchirer la bouche. Ses mains restèrent légères sur le mors.

Le cheval et sa cavalière effectuèrent ainsi quelques tours de piste, puis ils revinrent vers Arnaud. Attentif, le jeune homme observait Barachois, mais aussi Pascale. Il avait deviné son angoisse et remarqué la tension sur son visage lorsqu'elle avait lancé Barachois sur la piste. Elle était plus sûre d'elle-même à présent. Arnaud lui suggéra de faire un tour au galop léger.

Les traits de Pascale se tendirent de nouveau, mais juste un peu. Arnaud vérifia la sangle encore une fois tandis que Pascale raccourcissait ses étriers. Puis, elle secoua ses bottes et cala la plante de ses pieds dans les étriers. Ainsi, elle allait pouvoir se dresser sur ceux-ci et se pencher sur l'encolure de Barachois, comme les jockeys le faisaient en course. Arnaud sentit monter en lui une vague de tendresse. À ses yeux, Pascale était la plus jolie des femmes, avec ses jodhpurs clairs, ses bottes de cuir, sa veste de protection et son casque qui semblait l'écraser. Tout lui plaisait en elle : ses mains fermes, sa voix qui chantait aux oreilles de Barachois, son visage qui reflétait toute la vivacité de sa personne. Jamais un cavalier ne pourrait être aussi beau, se dit-il pendant que Pascale s'approchait des boîtes de départ. Les femmes avaient, dans l'adversité, une dignité qui leur était propre.

Barachois effectua un départ acceptable et Pascale parvint à le maintenir à une cadence raisonnable. À la demande d'un propriétaire, Elias chevauchait à présent une pouliche âgée de deux ans, qui servit de partenaire d'entraînement à Barachois. Après quelques tours au galop léger, les deux pur-sang furent lancés sur la piste à grande vitesse.

L'entraînement terminé, Pascale revint vers Arnaud, tout plaisir, tout sourire.

Les époux gagnèrent l'écurie et prodiguèrent les soins d'usage aux chevaux. Puis vers huit heures, ils avalèrent des rôties et du café en compagnie des employés. Ceux-ci habitaient des quartiers qu'on était en train de moderniser, et qu'on appelait «la baraque». Pascale demeura silencieuse pendant la collation, car elle ressassait une idée au sujet d'Ashanti.

Elle exposa son plan à Arnaud. Il s'agissait d'emmener Ashanti dans le corral de débourrage, là où il serait monté pour la première fois, dans les jours à venir. Pascale croyait que si Ashanti connaissait l'endroit avant d'y être monté, cette première expérience serait moins traumatisante pour lui. Arnaud et Pascale allèrent donc chercher le poulain et le laissèrent explorer le corral à volonté.

Fatigués, mais heureux, Pascale et Arnaud retournèrent vers la maison. Geneviève, François, Sébastien et leurs parents se trouvaient sur la terrasse. Les arrivants furent invités à partager du café et des jus de fruits.

Heureuse de ce qu'elle venait de réaliser avec ses protégés, Pascale exposa ses plans pour le dressage d'Ashanti. Arnaud participait à la discussion et, à son habitude, il tentait de déchiffrer les états d'âme de sa nouvelle épouse. Celle-ci se montra à l'aise jusqu'au moment où Gabrielle parla d'un souper de famille, prévu pour le soir même. Arnaud serra les mâchoires. Sa mère allait-elle annoncer qu'Érik était invité ? Un peu vivement, le jeune homme saisit la main de Pascale. Celle-ci bougea sur son siège. Arnaud crut qu'elle redoutait la présence d'Érik. Or, ce n'était pas à Érik que Pascale pensait, mais plutôt à Catherine et au secret qui la concernait. Elle crut qu'Arnaud avait perçu son désarroi, et son attitude protectrice l'agaça. Qu'il détectât ses inquiétudes, passe encore. Mais qu'il la réconforte ostensiblement, c'était trop ! À croire qu'il voulait à tout prix mettre tout le monde au courant de sa détresse !

– Bruce viendra souper avec nous pour la première fois, annonça Geneviève, tout heureuse.

– Érik sera-t-il là ? siffla Arnaud.

Son ton était tellement sec que Xavier lui lança un coup d'œil désapprobateur. Fort embarrassée, Pascale riva son regard sur les dalles du patio. Érik ! Voilà pourquoi Arnaud s'énervait tant ! Xavier était manifestement ennuyé par l'attitude de son fils. Or, Arnaud n'aurait pas réagi ainsi s'il avait été marié à quelqu'un d'autre... Pascale, absurdement, se sentait responsable de la situation.

– Non, répondit Xavier. Je ne crois pas que ce soit une bonne journée pour l'inviter.

– Laquelle le serait ? bougonna Arnaud.

– Je ne veux pas le voir non plus, renchérit Geneviève.

– Calmez-vous donc, intervint Sébastien.

Pascale l'entendit soupirer. Son jeune beau-frère était un garçon sensible, qui détestait la dispute.

Pascale leva brièvement les yeux et vit, dans un éclair, les visages peinés de ses beaux-parents. Se sentant encore davantage fautive, elle reprit sa contemplation du sol après avoir dégagé sa main de celle d'Arnaud. Il avait tout gâché avec son acharnement à parler d'Érik.

Bientôt, Pascale et Arnaud gagnèrent leur chambre. La jeune femme était fatiguée après sa rude chevauchée, et plus encore après ce qui venait d'arriver. Arnaud offrit de lui masser les jambes.

Pascale accepta. Son sixième sens lui disait qu'Arnaud pensait à Érik. Lorsqu'il faisait cela, il avait toujours une si mauvaise tête : les mâchoires serrées, les yeux fixes, et cette colère dans le visage qui faisait qu'elle ne le reconnaissait pas. Elle s'assit sur le lit et Arnaud prit place devant elle.

– Tu as perdu quelques degrés au niveau de l'extension du genou, dit-il. Ce doit être parce que tu viens de recommencer à monter en jockey, avec tout le poids du corps sur les quadriceps.

Pascale serra les dents. Elle savait ce qui suivrait. Arnaud appuierait impitoyablement sur son genou. La douleur apparaîtrait, lancinante et de plus en plus intense, mais Arnaud ne lui accorderait aucun répit, même si elle le suppliait. La façon d'agir du jeune homme serait tout à fait conforme aux normes professionnelles, Pascale le savait. Mais elle avait envie d'être épargnée, elle qui, depuis la veille, avait dû affronter ses beaux-parents, la reprise de son travail, et l'insoluble conflit entre son mari et son beau-frère.

– Détends-toi, suggéra Arnaud.

– J'ai mal.

C'était un aveu exceptionnel pour une personne aussi fière que Pascale, et Arnaud leva les yeux afin de regarder son visage.

– Si je ne fais pas ça tous les jours, ton genou sera complètement bloqué d'ici une semaine, expliqua-t-il.

– Je sais, répondit Pascale qui s'en voulait déjà d'avoir montré une faiblesse.

La douleur l'empêchait presque de parler. Arnaud fronçait ses sourcils blonds ; Pascale semblait manquer singulièrement de combativité. Il mit cet affaiblissement psychologique sur le compte de son frère.

– Ne t'inquiète pas, dit-il avec feu. Je veillerai à ce qu'Érik ne mette plus jamais les pieds ici.

Pascale avala un sanglot. Comment faire comprendre à Arnaud qu'il lui pesait moins de revoir Érik que de constater la souffrance de ses beaux-parents ? Comment lui demander de la laisser lutter, et souffrir, afin que la paix revienne à Lavergne Farm ?

À présent, les mains d'Arnaud déliaient ses muscles endoloris. Pascale ne doutait pas que son mari deviendrait un physiothérapeute accompli. Elle le trouvait déjà plus compétent que ceux qui l'avaient traitée à l'hôpital de l'université du Kentucky. La jeune fille cessa d'avoir mal, mais pas de souffrir. Arnaud pensait toujours à Érik : il y avait dans ses gestes une espèce d'indifférence qui trahissait sa colère.

– Érik ne viendra pas ici, cracha soudain Arnaud. Je ne veux pas qu'il te parle, je ne veux même pas qu'il te regarde.

Il attira Pascale à lui. Elle se laissa faire, tout en se questionnant. Elle se demandait si, au-delà des coups qu'Érik lui avait infligés, il n'y avait pas un autre motif à la haine qu'Arnaud entretenait envers son frère. Certes, Arnaud n'était jamais brusque, mais il avait une indescriptible façon de s'imposer : une attitude possessive au sujet de laquelle Pascale se sentait incapable de discuter. Or, Érik avait, avant lui, trouvé du charme à la même femme, et désiré la séduire.

Si elle avait verbalisé sa pensée, Pascale aurait pu amener Arnaud à reconnaître sa jalousie. Mais elle était convaincue qu'elle ne devait rien dire qui pourrait être perçu comme un reproche. Elle se tut, et l'incompréhension, insidieusement, se glissa entre eux.

* * *

Jules, l'aîné de la famille Lavergne, et son épouse Delphine se préparaient à quitter leur logement pour gagner Lavergne Farm. La petite Catherine, âgée de quinze mois, éparpillait ses jouets sur le carrelage de la cuisine. Ceux-ci avaient pourtant été rangés dans un panier dix minutes plus tôt. Jules entra dans la pièce et trébucha sur une petite voiture. Il saisit l'objet et le plaça sur le dessus du réfrigérateur. Catherine se mit aussitôt à trépigner.

Jules lança un regard exaspéré à sa fille, puis il s'empara du téléphone et composa le numéro de son frère Érik. Catherine hurlait à présent, sa chevelure foncée dressée dans les airs, son nez devenu écarlate, ses menottes tendues vers le haut du réfrigérateur contre lequel elle avait plaqué son corps vigoureux. Jules étira le fil du téléphone au maximum afin de pouvoir sortir de la pièce et en refermer la porte, en coinçant le fil tire-bouchonné entre le battant et le cadre. La frustration de Catherine augmenta d'un cran.

Jules colla sa main sur son oreille libre afin de couvrir les cris de sa fille, car Érik venait de répondre au téléphone. Les deux frères se saluèrent.

– Je me demandais si tu venais manger chez papa et maman ce soir, s'enquit Jules.

– Non, répondit Érik. Arnaud est revenu, alors je ne suis pas invité.

Sur ces entrefaites arriva Delphine, un sac à la main. Un observateur plus attentif que Jules aurait remarqué à quel point Delphine paraissait malheureuse. Mais, comme toutes ses interventions auprès de Delphine se terminaient par des discussions peu agréables, Jules préférait ignorer sa femme plutôt que de s'y intéresser.

Les yeux de Delphine allaient et venaient entre le récepteur du téléphone et la porte de la cuisine. Ces objets lui dissimulaient, tant bien que mal, les voix des deux êtres qui l'obsédaient : Érik et Catherine. Delphine était éprise du premier; quant à la seconde, elle ne représentait, à ses yeux, que le constat de ses échecs.

Delphine était en grande partie responsable de la situation désastreuse dans laquelle elle se trouvait. Elle s'était mariée sans réfléchir, puis avait tout aussi impulsivement entamé une liaison avec son beau-frère. Elle aurait peut-être dû songer à mettre un terme à sa grossesse quand elle avait constaté son état, car elle n'avait pas désiré cet enfant. Dès le moment où elle avait su qu'elle était enceinte, elle avait ressenti, à son égard, de l'agacement. Pire encore, de la répulsion.

Mais Delphine avait accouché de Catherine, dont Jules croyait, peut-être avec raison, être le père. Delphine avait espéré qu'en se sacrifiant ainsi quelque chose arriverait : Érik lui reviendrait, ou alors la paix s'établirait dans son ménage avec Jules. Mais rien de cela ne s'était produit.

Ces gaffes en série auraient dû amener Delphine à remettre en question son propre comportement. Elle était cependant incapable d'une telle introspection, car, depuis son enfance, elle avait toujours rejeté la responsabilité de ses fautes sur ceux qui l'entouraient. Elle avait donc, encore une fois, trouvé un bouc émissaire auquel elle faisait porter l'odieux de sa situation. Et ce bouc émissaire, c'était Pascale.

Delphine raisonnait ainsi : si Pascale ne l'avait pas surprise dans la sellerie avec Érik, et si Érik ne s'était pas amouraché de Pascale, il ne l'aurait pas laissée. Elle aurait fui Jules avec lui, et connu le bonheur. Delphine cherchait désespérément à reconquérir Érik, autant parce qu'elle croyait l'aimer que parce qu'elle voulait enfin triompher de Pascale. La jalousie se mêlait à la haine froide dont elle accablait sa rivale ; elle se délectait de ces sentiments.

Jusqu'à présent, Delphine avait pu utiliser son statut social pour humilier Pascale, mais cela n'était plus possible maintenant que celle-ci était l'épouse légitime d'un Lavergne.

– Nous devrions rester ici et inviter Érik, suggéra Delphine haut et clair afin que l'intéressé l'entende. Vas-y, Jules, demande-lui de venir.

Jules s'excusa auprès d'Érik, puis couvrit le récepteur de sa main.

– Nous ne pouvons pas faire cela, chuchota-t-il. Ce serait défier mes parents. Ils nous paient ce voyage en Europe, ne l'oublie pas ; nous leur devons de la gratitude.

– Tes parents dépensent davantage pour leurs chevaux que pour nous, cracha Delphine.

Jules soupira d'impatience. Érik, qui captait des bribes de la discussion, fit de même. Il n'avait pas envie de se retrouver en présence de Delphine. Elle insistait continuellement pour le voir et le jeune homme ne savait plus quels prétextes inventer pour refuser ses invitations. À deux reprises, Delphine avait communiqué avec lui au cabinet d'avocats où il travaillait comme clerc alors que Jules était absent de la maison. Érik en avait été fort embarrassé. Il avait dû demander à la réceptionniste de filtrer ses appels.

Érik ne put s'empêcher de sourire, exprimant ainsi sa dérision. Son frère Jules, qui ignorait tout de la liaison qu'il avait eue avec sa femme, s'efforçait de le réconcilier avec le reste de la famille. Triste ironie !

Les deux frères discutèrent encore pendant quelques minutes, avant de mettre fin à leur conversation.

Jules rouvrit la porte de la cuisine et contempla Catherine qui semblait prête à mettre le réfrigérateur en pièces. « Mais qu'elle est donc entêtée et combative ! gémit-il intérieurement. D'où peut-elle tenir ça ? Des Lavergne, bien sûr », conclut-il en pensant au visage énergique de son père.

Delphine prit brusquement Catherine dans ses bras. L'enfant se cabra, puis essaya d'atteindre le jouet convoité. Delphine lui cria de se taire. Jules aurait pu lui donner la petite voiture, mais il estima préférable de n'en rien faire, afin de ne pas récompenser les hurlements de Catherine.

Ils montèrent dans l'automobile. Delphine, déçue de ne pas voir Érik, entretenait sa rage contre Pascale. Jules était heureux à la perspective de partager un repas avec les siens, mais il était aussi ennuyé par l'attitude de sa femme. Quant à Catherine, elle exprimait sa colère de la seule façon que son jeune âge lui permettait, soit en criant, en se débattant et en répétant « to, to... » avec désespoir.

– Ah ! Mais elle veut sa petite auto, dit Delphine alors que le couple quittait Lexington.

– Je sais, répondit Jules avec lassitude. Elle n'a pas à se mettre dans un pareil état pour si peu.

Lorsqu'elle comprit que Jules aurait pu, en étirant tout simplement le bras, lui éviter ce vacarme, Delphine lui lança un regard noir. Jules protesta, alléguant qu'il se souciait de la bonne éducation de Catherine et qu'il ne fallait pas satisfaire ses moindres caprices. Delphine se braqua. Elle reprocha à Jules de tout faire pour l'exaspérer.

Ils ne poursuivirent pas cette discussion amère, car ils arrivaient à Lavergne Farm.

À l'intérieur de la maison, Pascale, Geneviève, Arnaud et Bruce sortaient les couverts des armoires. Il faisait beau et on mangerait sur la terrasse, avait décidé Gabrielle.

Tout en disposant les couverts, Pascale lorgnait la porte-fenêtre. Elle était fébrile, car on entendait Catherine pleurer depuis un moment. Les bruits s'approchaient. Jules et sa famille parurent sur le seuil.

Pascale dressa la tête et, sans sourire, salua les arrivants. Catherine était dans les bras de sa mère. Bien que l'enfant fût la proie d'une crise de larmes peu invitante, Pascale ressentit un douloureux sursaut de tendresse pour elle. Elle adorait cette enfant et désirait désespérément la protéger. Pascale durcit son visage et se figea, car le regard de Delphine lui interdisait, plus clairement encore que des mots, de s'approcher de Catherine.

Rocky, qui était étendu tout près, se redressa et pencha sur le côté sa grosse tête intéressée. Catherine le vit; un sourire de fascination se dessina sur sa bouche charnue qui, une seconde auparavant, se tordait de façon disgracieuse. Elle battit des mains. Enchanté, Rocky se mit debout. Pascale se hâta de saisir son collier, car il manifestait l'envie de grimper sur ses pattes de derrière afin de renifler Catherine, et Delphine se tassait avec une moue dégoûtée.

Amical, Arnaud s'approcha de Delphine et, sans même demander la permission, prit Catherine dans ses bras. Rocky lui emboîta le pas. Assis par terre, Arnaud s'assura que le chien et l'enfant refaisaient connaissance sans incident. Tout le monde s'amusa de la scène, sauf Delphine qui dardait un regard hostile sur Pascale. Cette dernière portait un bermuda et un joli tee-shirt. Ses cheveux étaient bien coiffés. Delphine regarda ses propres vêtements, qui étaient défraîchis, et songea aux vergetures que la maternité avait dessinées sur son ventre.

La jalousie, perfide, lancinante, planta ses griffes dans son cœur. Elle avait à présent vingt-neuf ans. Cette petite comptait dix ans de moins, et elle était déjà bien installée dans la vie !

Xavier arriva et Delphine cessa de dévisager Pascale pour saluer son beau-père. Catherine gloussait tout en infligeant à Rocky de grandes tapes sur le museau. Patient, le molosse laissa l'enfant lui tirer les bajoues et les oreilles. Arnaud et Bruce blaguaient comme de vieux copains tandis que Geneviève et Pascale, assises sur des chaises de jardin, comméraient à voix basse.

– Dommage que vous n'ayez pu inviter votre fils Érik, dit Delphine à Xavier.

Bruce, qui n'avait pas compris le sens de cette phrase puisque Delphine s'était exprimée en français, se demanda pourquoi le visage d'Arnaud s'assombrissait.

– Tais-toi donc, glapit Geneviève.

Elle allait ajouter « espèce d'emmerdeuse », mais Pascale lui donna discrètement un coup de coude. Boudeuse, Geneviève se tut. Arnaud se leva lentement.

– Allons faire un petit tour avant le souper, suggéra-t-il à ses compagnons.

Il préférait s'éloigner, le temps que chacun se calme. Il jucha donc Catherine sur ses épaules et tendit la main à Pascale. Geneviève les suivit aussitôt, de même que Bruce.

Pascale avait la gorge serrée. La joie de Rocky, qui bondissait derrière elle, lui parut indécente. La jeune femme avait pourtant été si heureuse de retrouver l'écurie, Michael, Laurie, Elias, Martha, les chevaux. Mais presque tous ses rapports avec sa belle-famille avaient été teintés d'une angoisse torturante. D'abord, il y avait ces remous au sujet d'Érik. Ensuite, cette haine froide dont Delphine l'accablait. Pascale aurait souhaité être forte et cesser de se préoccuper du jugement d'une femme qu'elle méprisait, mais elle en était incapable.

Lorsque Pascale et Arnaud furent assez loin de la maison, le jeune homme, sans rien dire, tendit Catherine à sa femme.

Celle-ci eut un sursaut de bonheur, puis se demanda comment Arnaud avait fait pour deviner qu'elle désirait porter l'enfant.

Pascale pressa contre elle le corps potelé de la petite. «Qu'elle soit ou non la fille d'Érik, elle est adorable, murmura-t-elle intérieurement. Sacré Érik ! Sans lui, je serais tellement plus heureuse avec Arnaud ! Si seulement je pouvais lui expliquer... » Le poids du secret qu'elle taisait depuis deux ans lui pesa comme jamais auparavant.

Bruce et Geneviève avaient bifurqué sur un sentier. Continuant leur promenade, Pascale, Arnaud et Catherine parvinrent à l'enclos des poulinières. Pascale installa Catherine sur la barre supérieure de la clôture et s'y accouda. Dans le pré, Nosie surveillait Fol Espoir, le poulain qu'elle avait eu de Vol-au-Vent.

Pascale et Arnaud avaient projeté de dresser le poulain pour que Catherine puisse le monter lorsqu'elle aurait cinq ou six ans. Mais ils réalisaient que Fol Espoir ne possédait pas les qualités requises pour devenir une monture d'enfant. C'était une petite peste que rien n'effrayait. Il avait à peine trois semaines et, déjà, il s'amusait à sauter par-dessus le ruisseau qui serpentait à travers le pré. Quelques jours auparavant, il s'était coincé une jambe antérieure entre les barreaux d'une clôture en tentant de l'escalader. De son père, Fol Espoir tenait sa tête de bois ; de sa mère, son esprit inquisiteur, et de ses deux parents, une surprenante intelligence. Intéressé par la présence de Catherine, le poulain s'approcha de la clôture alors que ses congénères collaient peureusement aux flancs de leurs mères. Nosie appela Fol Espoir d'un hennissement impatient puis, résignée, elle lui emboîta le pas.

Pascale caressa la crinière noire du poulain, qui se dressait en éventail sur son cou pelucheux. Son regard se porta sur le pré voisin. Une jeune jument s'approchait au petit galop. C'était Makatoo, l'une des bêtes que Xavier avait acquises en Europe. Arnaud l'avait baptisée ainsi en l'honneur de Catherine, que Pascale appelait parfois «ma Catou». Makatoo était grande et solide pour son âge. Pascale rêvait à de grandes courses pour elle, mais même de telles pensées ne l'apaisèrent pas.

Il était temps de regagner la maison pour le repas. Pascale poussa un petit soupir.

– Je sais que c'est difficile pour toi, dit Arnaud.

Pascale sursauta légèrement, honteuse qu'Arnaud eût deviné son désarroi.

– Je sais que c'est difficile de faire face à ma famille, insista-t-il.

– Delphine me déteste, exhala soudain Pascale d'une voix brisée.

Elle avait envie d'entendre une dénégation, des paroles rassurantes qui lui auraient permis de croire qu'elle se trompait.

– En effet, fit Arnaud d'un ton calme. J'aimerais bien savoir pourquoi.

5

PHILIP DAVIDSON s'éveilla en douceur ; le soleil se faufilait à travers les stores de sa chambre. Il plissa les yeux afin de mieux regarder Laurie aller et venir.

Celle-ci n'était vêtue que d'un tee-shirt qui lui tombait jusqu'aux genoux. Bien que Philip, à cause de sa myopie, ne fût pas en mesure de la voir avec précision, il se délectait de son image floue, de la grâce de ses mouvements. Laurie avait de jolies jambes, minces et droites, et d'adorables pieds, très étroits. Petite fille, elle avait suivi des cours de danse classique, et cela accentuait l'élégance naturelle de son port de bras. En ce moment, Laurie était debout devant la glace et brossait ses cheveux de jais. Elle tournait le dos à Philip. Celui-ci plissa les yeux encore davantage afin d'apercevoir l'image de Laurie reflétée par le miroir. Elle avait un visage ovale et plat. Sa bouche était courte et charnue. Ses yeux étaient effilés et intelligents, mobiles, expressifs et rieurs ; ils révélaient une personnalité saine et équilibrée, qui aimait la tendresse et la vie.

Laurie leva les bras au-dessus de sa tête, puis se haussa sur la pointe des pieds afin de mieux se voir dans la glace.

– Comme tu es belle ! murmura Philip.

Laurie se retourna.

– Je croyais que tu dormais, dit-elle.

– Me voilà éveillé depuis quelques secondes seulement... Je te regardais et je me disais combien j'étais chanceux.

Laurie sourit. Elle s'approcha de Philip et s'assit sur le bord du lit.

– Le patient dont je te parlais hier est mort dans la nuit, soupira Philip.

Laurie le regarda avec attention ; il baissait les yeux. Philip et elle étaient tous deux étudiants en médecine. La jeune fille était moins avancée que son compagnon dans sa formation, et elle n'était pas, comme lui, en contact avec le monde hospitalier. Depuis quelque temps, Philip parlait beaucoup de la mort, qu'il apprenait à côtoyer.

– Tu es sensible, murmura Laurie.

– Je m'afflige devant la souffrance, mais je sais apprécier la beauté. C'est pourquoi j'aime te regarder.

Laurie posa la main sur le torse de Philip. On était mardi, en après-midi. Laurie avait congé, et Philip avait réussi à se libérer de ses tâches pendant quelques heures. Le couple profitait de l'absence des Davidson pour se retrouver. Les parents de Philip travaillaient tous les deux, et Diane, sa petite sœur, était à l'école. Philip et Laurie avaient gagné la maison, une heure auparavant, brûlant d'un désir coupable. La jeune fille redoutait qu'un des Davidson revienne plus tôt que prévu et la trouve dans cette chambre, couverte de ce simple tee-shirt. Par ailleurs, elle n'aurait pas manqué ce rendez-vous pour tout l'or du monde, car elle était profondément amoureuse de Philip. À vingt-deux ans, ils n'étaient plus des adolescents qui se tiennent les mains en cachette.

Éperdue de bonheur, Laurie s'écria :

– Toi aussi, tu es beau.

– Ça alors ! s'exclama Philip qui était d'humeur à rire. Tu passes tes journées avec des spécimens parfaits comme les Lavergne et leurs splendides pur-sang, et tu me trouves encore attrayant !

– Les Lavergne sont drôlement beaux, concéda Laurie sans gêne. Les jumeaux seront de vrais tombeurs..., comme Arnaud.

Philip s'esclaffa. Il avait une confiance absolue en Laurie, qui se montrait plus éprise de lui que toutes les autres filles qu'il avait fréquentées. Il la relança gaiement :

– Le champion de la séduction dans cette famille, c'est Érik. Il fait des ravages à Lexington.

– J'admets, dit Laurie, qu'il est intéressant au point de vue… anatomique.

Elle souriait. Philip regarda ses dents, petites et très blanches, et la teinte douce de ses joues. Il glissa sa main sous le tee-shirt.

– Ce tee-shirt est à moi, fit-il, taquin. Redonne-le-moi.

– Tout de suite?

– Immédiatement.

La maison craqua et Laurie, inquiète et rieuse à la fois, fit mine de sursauter.

– Avant longtemps, nous serons plus tranquilles, déclara Philip en souriant. D'ici six mois, j'aurai mon propre logement à Lexington.

– Avec moi? souffla Laurie.

– Je ne sais pas. Je suis un épouvantable vieux garçon, indépendant, désordonné et grognon.

– Je ferai le ménage, promit Laurie.

– C'est une grosse décision, Laurie. Je ne suis pas aussi pressé que mon ami Arnaud.

– Mais je ne t'ai pas demandé en mariage, objecta Laurie. C'est que… j'en ai assez de la résidence universitaire. J'aimerais vivre avec toi, s'il te plaît, Philip.

– J'espère bien que tu ne voudras jamais te marier, soupira le jeune homme en retirant ses lunettes, puisque je suis un scientifique athée qui rejette les institutions.

– Je ne parle pas de ça, Philip, je dis seulement que j'aimerais habiter avec toi.

En détournant la conversation, Philip ne mentit pas tout à fait.

– En ce moment, tu m'excites trop pour que nous abordions un sujet aussi sérieux.

Laurie couvrit sa bouche de sa main et pouffa de rire. Philip l'attira vers lui.

– Ça va, dit Laurie, je vais te redonner ton tee-shirt.

* * *

Pascale venait de monter Ashanti pour la première fois et tout s'était admirablement bien déroulé. Arnaud et elle avaient ramené Ashanti à son box, et Pascale souriait d'une oreille à l'autre. Elle était d'autant plus joyeuse qu'Arnaud paraissait aussi comblé qu'elle. «Ainsi donc, pensait-elle, Arnaud est fier et satisfait de moi.» C'était beaucoup plus facile de lui plaire auprès des chevaux qu'au milieu de sa famille.

– N'est-ce pas fantastique? s'écria la jeune fille. Je me donne une semaine et je l'emmène sur la piste.

– Il sera prêt, confirma Arnaud. Sa socialisation a été exceptionnelle et son dressage, parfait.

Le couple passait à proximité d'un champ occupé par les poulinières gestantes. Celles qui se trouvaient là mettraient bas sous peu. La saison des accouchements coïncidait avec celle des accouplements; entre mars et juillet, la ferme bourdonnait d'activité.

– C'est notre tour de veille, ce soir, dit Arnaud. D'ici, je vois deux juments qui devraient accoucher au cours de la nuit.

Pascale acquiesça. Elle aimait assister les poulinières, mais elle redoutait les drames. La veille, une jument avait accouché d'un poulain mort-né. Le spectacle de la pauvre bête, qui ne comprenait pas ce qui lui arrivait, était pénible à voir. Pascale se remémora la naissance difficile d'Ashanti.

– Avec Ashanti, dit-elle soudain, j'aurai un champion.

– J'ai déjà une championne, répondit Arnaud. C'est toi.

* * *

Ce jour-là, Xavier fut fort actif.

Il fit d'abord une visite à l'écurie, profitant du calme du mardi matin. Elias lui ayant parlé du poulain mort-né, Xavier voulait voir la mère. C'était une jument d'une dizaine d'années qui, au cours des saisons précédentes, avait donné le jour à plusieurs poulains robustes. Elle s'appelait Why Dream. Xavier ne fut pas étonné de trouver Michael Harrison auprès d'elle.

Étrille en main, le groom la pansait. Xavier vit, d'un coup d'œil, que la bête n'allait pas bien. Il rejoignit Michael à l'intérieur du box.

– Ses mamelles sont gonflées et il n'y a pas de poulain pour téter, expliqua le groom. Elle souffre. J'ai appelé le vétérinaire, il est en route.

– Bonne initiative, approuva Xavier.

L'homme caressa Why Dream, touchant tendrement sa joue luisante, juste sous l'œil éteint. Il aurait juré voir une infinie tristesse dans les prunelles brunes.

– Comment était le poulain ? s'enquit-il.

– Normal..., enfin, excepté le fait qu'il était mort, répondit Michael. Je n'ai pas vu de déformation apparente. C'était un mâle. J'imagine que le vétérinaire pourra vous en dire plus long sur les causes de son décès.

Xavier regarda le jeune groom. Depuis quelques semaines, il le trouvait un peu réservé. Xavier savait qu'il attendait une réponse de la faculté de médecine vétérinaire de l'université du Kentucky, à laquelle il avait envoyé une demande d'inscription tardive. Michael n'avait pas l'air triste, seulement préoccupé. Xavier devina que la réponse de la faculté tardait et que le jeune homme se faisait du souci. Xavier crut approprié de lui redire à quel point tous, à Lavergne Farm, appréciaient son travail.

– Merci, docteur Lavergne, répondit Michael en français.

Les deux hommes rirent. Sur ces entrefaites, le vétérinaire arriva. Il examina Why Dream et prescrivit un médicament pour soulager ses montées de lait. Avant de partir, l'homme fit part à Xavier des résultats de divers tests effectués sur d'autres chevaux de Lavergne Farm. Xavier s'intéressait particulièrement à Nosie, la mère d'Ashanti et de Fol Espoir, qu'il avait fait saillir par Al-Abjar, l'étalon pur-sang du domaine, après l'avoir séparée, de peine et de misère, de Vol-au-Vent.

– Elle a été fécondée, annonça le vétérinaire, et tout va bien.

Xavier lança quelques exclamations en français, heureux de la nouvelle. Le vétérinaire quitta les lieux. En riant, Xavier et Michael se rappelèrent leurs inquiétudes au sujet de la saillie de Nosie par Al-Abjar.

Peu après leur mise bas, les juments étaient de nouveau en chaleur. Elles étaient alors particulièrement fertiles. Xavier avait décidé de faire couvrir Nosie pendant cette période, qu'on appelait aux États-Unis «*foaling heat*». Tout aurait marché comme sur des roulettes, n'eût été les moyens de défense extraordinaires qu'avait déployés Vol-au-Vent lorsqu'on avait tenté de s'emparer de la jument. Pendant les premières heures du combat, les hommes s'étaient amusés, même Xavier. Mais au bout de deux jours, l'atmosphère n'était plus à la gaieté. Le temps s'écoulait et, avec lui, la précieuse période de fertilité.

On avait finalement eu l'idée de présenter Mafalda à Vol-au-Vent avant qu'il n'engrosse Nosie de nouveau. Mais les difficultés ne s'étaient pas arrêtées là. Lorsqu'elle s'était trouvée devant Al-Abjar, Nosie avait résisté.

Avant de présenter la jument à son nouveau soupirant, on avait testé sa réceptivité sexuelle grâce aux services d'un autre étalon, appelé «souffleur» ou, en anglais, «*teaser*». Le rôle de cet étalon était particulièrement ingrat. On lui amenait une jument et on le laissait flirter un peu avec elle. Si elle semblait intéressée à s'accoupler, on la conduisait auprès d'Al-Abjar. Le but de cette manœuvre était d'éviter d'exposer Al-Abjar, étalon d'une grande valeur, à une jument non disposée à être saillie. Une telle partenaire aurait pu blesser le reproducteur en se débattant.

Nosie était en œstrus et on s'attendait donc à ce qu'elle soit bien disposée à l'égard d'Al-Abjar. Ce ne fut pas le cas. Personne n'aurait su dire si elle pensait encore à Vol-au-Vent ou si elle s'était éprise du souffleur, mais, devant Al-Abjar, elle se braqua. À deux occasions, Nosie s'était accouplée librement avec des étalons de son choix : d'abord avec Robaïyat, ex-reproducteur du domaine devenu souffleur à la suite d'une blessure, puis avec Vol-au-Vent. Elle n'entendait pas s'en laisser imposer cette fois-ci.

Les employés de Lavergne Farm firent donc ce que faisaient tous les éleveurs dans des cas semblables. Ils entravèrent Nosie, emprisonnèrent sa lèvre supérieure dans un tord-nez et s'arrangèrent pour qu'elle se tienne tranquille pendant qu'Al-Abjar s'exécutait. Lorsqu'il revoyait Nosie subissant les assauts de l'étalon, Xavier se sentait honteux. La jument alezane avait été violée avec son consentement – pire, sous ses ordres.

Ce genre d'événement peu romantique faisait partie de la vie d'éleveur et Xavier en chassa le souvenir pour se réjouir de la nouvelle grossesse de Nosie. Il était satisfait. Nosie était enceinte, conformément à ce que lui, Xavier Lavergne, avait décidé.

L'homme quitta Michael et Why Dream, certain que le groom dispenserait à la jument les meilleurs soins possible. Il retourna à la maison puis, au volant de sa voiture, se dirigea vers Lexington. Il se rendit aux bureaux de la Commission des courses, du Jockey Club et de la Guilde des jockeys. Il obtint ainsi tous les documents nécessaires pour soumettre à la Commission une demande de permis d'apprenti jockey pour Pascale.

Le dossier de la postulante était déjà à l'étude, un an auparavant, lorsqu'un cheval nommé Thriller avait failli, d'une ruade, lui couper la jambe en deux. Xavier demanda à ce que le dossier soit rouvert. Étant donné la gravité de la blessure, on exigea l'approbation écrite du chirurgien orthopédiste en plus d'un certificat médical d'un omnipraticien.

Lorsque ces documents auraient été obtenus, la Commission des courses évaluerait les capacités professionnelles de Pascale dans un lieu accrédité. Le Kentucky Horse Center, centre d'entraînement situé non loin de Lavergne Farm, et les champs de course de la région se prêteraient à cette démarche.

Xavier croqua un sandwich puis, d'une boîte téléphonique, il communiqua avec le secrétaire aux courses de Churchill Downs, l'hippodrome de Louisville, au Kentucky. Il restait des places disponibles, en juillet, dans les épreuves destinées aux chevaux de quatre ans.

Lorsque Xavier rentra à la maison, sa femme et lui attendirent que leurs enfants aient mangé avant de partager, dans l'intimité, un repas légèrement arrosé. Gabrielle écouta Xavier lui narrer ses démarches auprès de la Commission des courses. Puis, l'homme aborda un sujet qui le passionnait : Churchill Downs. Gabrielle fut rapidement d'accord pour y envoyer Pascale, Arnaud, Elias et Martha avec GI Joe, Moushika et peut-être même Barachois.

– Je suis sûre que Pascale et Arnaud seront enthousiasmés, dit Gabrielle. Nous pourrions profiter de l'absence des Arvanopoulos pour commencer la construction de leur maison. À leur retour, ils auront une jolie surprise.

– Excellente idée.

Les époux se regardèrent, complices. Ils pensaient tous deux à la même chose et ils le savaient.

– Nous inviterons Érik ici pendant qu'Arnaud n'y sera pas, murmura Gabrielle, mutine. Oh ! Xavier, j'aime Arnaud mais, sapristi ! J'ai besoin de retrouver mon Ériko.

– Bien sûr, ma Gaby, répondit Xavier qui n'avait pas appelé sa femme ainsi depuis des années.

– Tu verras, j'arriverai à réconcilier ces garçons. Avant qu'Arnaud revienne, je parviendrai à amadouer Geneviève.

– Tâche surhumaine, ironisa Xavier, à laquelle seule ma femme a le courage de s'atteler.

6

UNE SEMAINE après avoir monté Ashanti pour la première fois, Pascale tenta un départ.

L'exercice se déroula sans peine, car Ashanti était déjà habitué à entrer et à sortir des boîtes alors qu'un humain le menait à pied. Être chevauché constituait un stress supplémentaire, mais le poulain n'était pas dans l'inconnu, et il se comporta fort bien.

Ashanti n'avait plus grand-chose à apprendre à Lavergne Farm. Maintenant, il devait se familiariser avec l'agitation des hippodromes, mais on hésitait encore à l'amener dans un champ de courses, car il n'avait pas tout à fait deux ans. Quant à Barachois, Pascale n'était pas entièrement satisfaite de ses réactions aux commandements des rênes. Gabrielle et les jumeaux pourraient se charger de parfaire son éducation à ce chapitre en lui faisant faire des exercices de manège. Pascale et Arnaud partirent donc pour Churchill Downs avec Elias, Martha, GI Joe, Moushika et Rocky, laissant à Xavier le soin de décider quand Ashanti et Barachois seraient prêts à les y rejoindre.

La perspective de ce voyage comblait Pascale. Auparavant, elle n'avait séjourné dans un hippodrome qu'à une occasion. Sa blessure l'avait empêchée d'y retourner. Elle avait alors agi comme cavalier d'exercice, c'est-à-dire qu'elle montait les chevaux lors des entraînements du matin. Cette occupation était en quelque sorte une première étape menant à l'obtention de sa licence de jockey. La jeune fille était maintenant guérie, et c'était avec un rare bonheur qu'elle envisageait de reprendre les activités qui la passionnaient.

Pascale était d'autant plus heureuse que cette fois-ci elle séjournerait sur le champ de courses en compagnie d'Arnaud. Les deux jeunes rêvaient à cela depuis qu'ils se connaissaient. Arrivés à Churchill Downs, le prestigieux hippodrome de Louisville où était annuellement disputé, depuis 1875, le Derby du Kentucky, Pascale et Arnaud s'intégrèrent à une entité unique : le *backside*.

Aux États-Unis, on désigne par ce terme l'espace englobant les écuries et les endroits voisins de la piste où sont soignés les chevaux de course. Peuplé de gens de toutes origines, qui se déplacent au gré des épreuves que leurs protégés disputent, le *backside* ressemble à une caravane itinérante.

Les pur-sang entraînés à la course de plat sont des animaux délicats et capricieux. Très riches, leurs propriétaires embauchent des grooms pour veiller sur eux. Ceux-ci accompagnent les champions dans tous leurs déplacements, sillonnant le pays d'un hippodrome à l'autre. Ce style de vie fait en sorte que bon nombre de grooms, ainsi que leurs familles, vivent dans une roulotte motorisée.

Souvent, les grooms doivent veiller les chevaux la nuit. À cette fin, des dortoirs et des cafétérias sont aménagés non loin des écuries. Pascale et Arnaud se retrouvèrent parmi ces gens, romanichels modernes de l'Amérique. Les deux jeunes bénéficiaient cependant de meilleures conditions de vie que la plupart de leurs semblables, car ils logeaient dans un hôtel.

Quelques jours après leur arrivée, Arnaud se plaça, chronomètre en main, au milieu d'un groupe d'entraîneurs, pour diriger l'entraînement de GI Joe et de Moushika. Il était six heures du matin et, déjà, il faisait une chaleur torride dans l'hippodrome. Arnaud avait renoncé à porter la veste de nylon noir et vert qui l'identifiait à l'élevage de son père, mais il était coiffé d'une casquette aux mêmes couleurs.

Moushika et GI Joe trottaient sur la piste, épaule contre épaule. Leurs cavaliers manœuvrèrent afin de s'approcher d'Arnaud. Elias montait GI Joe. Juchée sur Moushika, Pascale paraissait très à son aise; sa natte lourde et serrée lui battait les omoplates.

Arnaud et Pascale discutèrent brièvement, en français. Arnaud expliqua que des officiels de la Commission des courses assistaient à la séance. Ceux-ci avaient, entre autres tâches, celle d'accorder les licences d'apprenti jockey. Pascale hocha la tête, satisfaite. Elle repéra rapidement ceux qui la scrutaient de leurs tours d'observation. D'une main ferme, elle enleva sa jument. Moushika se lança dans le sillage de GI Joe.

Les entraîneurs firent quelques blagues. Arnaud et Pascale étaient de nouveaux venus à Churchill Downs et on aimait parler d'eux.

– Votre femme n'a-t-elle jamais peur? demanda un petit homme grisonnant à Arnaud.

– Pas à cheval, répondit-il.

Il retint un soupir. «C'est ma famille qui la terrorise», pensa-t-il avec dépit.

– Elle aura sa licence, vous verrez, affirma un autre.

– Oui, elle l'aura, renchérit Arnaud.

Au loin, GI Joe et Moushika trottaient toujours. Ils trottèrent longtemps, plus longtemps que les pur-sang ne le font généralement avant un entraînement. Xavier et Arnaud, après de longues discussions, avaient décidé de tenter cette nouvelle méthode, espérant développer davantage d'endurance chez les chevaux. À un moment donné, Pascale et Elias poussèrent leurs montures au canter, et ensuite au galop.

Les boîtes de départ se libérèrent; c'était au tour d'Elias et de Pascale d'y prendre place. Pascale guida Moushika vers l'une des stalles. La jument entra sans résister et, lorsque les portes furent refermées derrière sa croupe, elle ne montra pas de nervosité.

Pascale ajusta ses rênes, empoigna solidement la crinière et se leva sur sa selle. Ce moment était très important pour la carrière de jockey à laquelle elle aspirait. Elle était combative et l'anticipation de la chevauchée effaçait tous ses questionnements au sujet du reste de sa vie. En ce moment, Pascale ne doutait pas qu'elle franchirait les obstacles qui se dressaient sur la route des apprentis jockeys. Ce serait son jour chanceux; on se trouvait le 22 juin, et c'était son vingtième anniversaire.

La cloche sonna, les portes s'ouvrirent et les deux chevaux bondirent vers l'avant. Pascale resta ferme et solide sur sa selle minuscule, suspendue au-dessus d'une bête dix fois plus lourde qu'elle ne l'était.

Moushika n'avait pas la puissance musculaire de GI Joe. Son départ fut donc moins percutant. Mais la jument portait une charge plus légère que celle de son compagnon d'entraînement. Pascale, à l'instar de son idole, le célèbre jockey Willie Shoemaker, ne pesait que quarante-quatre kilos et demi. Elias, pour sa part, faisait osciller la balance à cinquante-neuf kilos. C'était un poids acceptable pour un cavalier d'exercice, mais trop élevé pour un jockey.

Moushika peina, chargea, puis réussit à remonter GI Joe. Elias n'utilisa pas sa cravache. Les chevaux abordèrent le tournant presque côte à côte. GI Joe se laissa entraîner vers l'extérieur. Elias exprima son mécontentement en quelques mots bien sentis; Pascale arriva presque à le doubler. Mais le hongre bai se ressaisit et croisa le repère de distance avant la jument grise.

Les chevaux continuèrent à galoper à fond de train, bien que leurs cavaliers aient cessé de les solliciter. Pascale et Elias abandonnèrent leur position accroupie; ils étaient restés allongés, parallèles à l'encolure de leur cheval, depuis leur sortie des boîtes. Maintenant, les deux cavaliers étaient debout, leur corps dressé offrant au vent toute la résistance possible, leurs bras tendus freinant l'énergie des chevaux par leur action sur les rênes.

Arnaud avait pris soin de bloquer le chronomètre; il nota mentalement le résultat. Les officiels, descendus des tours d'observation, discutaient entre eux.

Cherchant Pascale à l'aide des jumelles, Arnaud s'appuya sur la clôture. Un homme bien vêtu lui toucha l'épaule. Arnaud se retourna. Il mit un moment à reconnaître l'arrivant. C'était

Fred Curtis, un millionnaire, ami de Xavier. Curtis était le propriétaire de Thriller, ce cheval qui, un an auparavant, avait manqué de tuer Pascale.

– Ça alors ! s'écria Arnaud, monsieur Curtis ! Ma foi… vous avez… changé !

Il n'osait pas dire « maigri ».

– Me revoilà aussi mince qu'à dix-huit ans, répondit l'homme ; c'est grâce à ma…

Le millionnaire se retourna, et une jeune fille apparut dans le champ de vision d'Arnaud, qui eut un drôle de choc. C'était Cindy Watson. Une jolie brune. « Une très jolie brune », pensa Arnaud tout en ressentant une forme de répulsion défensive. Cindy était son ex-petite amie ; il l'avait laissée pour Pascale.

– … fiancée, compléta Fred Curtis.

– Bonjour, Arnaud, dit Cindy en souriant.

Hésitant, Arnaud jeta un coup d'œil à la jeune fille. Celle-ci tenait ostensiblement le bras de Fred Curtis. Mieux, elle battait des cils en sa direction.

– Fiancée ? répéta Arnaud.

– Oui, confirma Fred Curtis, tout heureux. Nous nous marierons l'an prochain.

– Je préfère terminer mes études avant, expliqua Cindy.

La nouvelle fiancée souriait de toutes ses dents. Lorsqu'on avait mis Arnaud au courant des liens entre Fred Curtis et Cindy Watson, il avait douté que l'éleveur fût capable de conserver l'amour de sa dulcinée ; mais maintenant qu'il les voyait ensemble, il se sentait plus confiant. Cindy adorait l'argent, et Fred Curtis en avait des tonnes. Curtis était le genre d'homme à dorloter une femme et à ramper à ses pieds, ce qui rassurait probablement Cindy, laquelle était peu débrouillarde. Propres, astiqués même, Cindy et Fred Curtis suintaient les dollars. « J'ai l'air d'un marchand de hot-dogs à côté d'eux », se dit Arnaud sans ressentir la moindre honte. Cindy, avec sa subtilité habituelle, détaillait son jeans crotté. Arnaud lui adressa un petit signe de tête.

– Tu portes une très jolie robe, dit-il.

– Merci. Fred l'adore, roucoula Cindy.

L'homme gloussa et serra Cindy contre lui.

– Que faites-vous à Churchill Downs de si grand matin? s'enquit Arnaud.

– J'ai un cheval ici, expliqua Fred Curtis. Je suis venu voir comment il se débrouillait.

– Ah? fit Arnaud, intéressé.

– Mon cheval est entraîné par Don Morden.

– C'est un entraîneur de renom, dit Arnaud sans s'émouvoir.

– Mon cheval a deux ans, il s'appelle Aerobic Nut, ajouta Curtis.

«Comme c'est original», se moqua intérieurement Arnaud. Il se tourna vers la piste. Moushika et GI Joe se déplaçaient maintenant au pas. Arnaud fit signe à Elias et à Pascale de s'approcher.

Pascale reconnut Cindy et Fred Curtis. «Voilà le couple de l'année», glissa-t-elle à Elias avec humour. Elle se souvint de la violente scène de jalousie que Cindy lui avait faite, longtemps auparavant, et décida d'oublier l'incident. Elias salua Curtis sans façon. Écarlate, l'éleveur annonça ses fiançailles en pavoisant.

– Ouais! C'est une épidémie, gronda Elias. D'abord moi et Martha, puis le grand et la petite, puis toi et cette belle dame. Dis-moi donc comment elle s'appelle. J'ai oublié.

Curtis fit les présentations pendant que Cindy se rengorgeait, offensée par la familiarité d'Elias. Ensuite, se disant fatigué, celui-ci quitta en direction du *backside*.

Pascale avait fait marcher sa jument en rond pendant l'intermède, car elle sentait venir une crise de fou rire. Elle revint près d'Arnaud quand Elias fut parti. Poliment, elle salua Cindy et Curtis, et les félicita pour leurs fiançailles. Elle fut heureuse de constater que tout malaise entre elle et Cindy semblait dissipé. Curtis parla alors d'Aerobic Nut et de Don Morden, son entraîneur.

– Don Morden! répéta Pascale en feignant d'être impressionnée.

– Notre cheval est arrivé ici hier, intervint Cindy.

Pascale et Arnaud lui sourirent ouvertement. Ils avaient tous deux pris note de l'emploi de l'adjectif possessif.

– Travailles-tu exclusivement pour les écuries Lavergne ? demanda Fred Curtis à Pascale. Je n'ai pas de cavalier d'exercice. Aimerais-tu essayer Aerobic Nut ?

– Vous croyez que Morden accepterait de me confier un de ses précieux protégés ? railla Pascale.

– Au prix où je le paie, Morden fera ce que je lui dirai, trancha Curtis. Tu veux bien essayer mon cheval, madame Lavergne ?

– Pascale, corrigea celle-ci avec agacement.

– Alors, tu monteras mon cheval, madame Pascale ? insista Curtis.

Arnaud étant d'accord, Pascale acquiesça.

– Excellent, dit Curtis. J'en profiterai pour vous présenter à Don Morden.

Pascale se dirigea vers la sortie de la piste, puis gagna les écuries. Martha et Elias s'affairaient autour de GI Joe. Rocky était allongé sous un petit arbre et il haletait. Pascale descendit de cheval et demanda à Martha de faire marcher Moushika. Rocky se leva brièvement pour sentir les genoux de sa propriétaire, puis trouva une flaque d'eau sur le ciment et s'y coucha de tout son long. Pascale reprit le chemin de la piste. Elle croisa Arnaud. Ils marchèrent côte à côte tout en partageant leurs impressions sur la séance d'entraînement qui venait de se terminer. À Churchill Downs, on spéculait sur les relations qui existaient entre Pascale et Arnaud, car ils ne portaient pas d'alliances et ne se touchaient jamais en public.

Cindy, Fred Curtis et Don Morden discutaient tout près de l'embouchure de la piste. Pascale dégrafa la mentonnière de son casque protecteur et enleva sa veste rembourrée afin de respirer un peu. Elle ruisselait littéralement de sueur et des taches humides marbraient son tee-shirt. Elle s'avança vers Morden sans hésiter.

– Voilà donc ce jeune couple dont tout le monde parle, dit Morden en rigolant. Où est votre gros chien ?

– À l'écurie, répondit Pascale qui regardait Morden sans sourire. J'aimerais voir Aerobic Nut avant de le monter.

– Il vient, dit Morden avec indifférence. C'est un bon poulain. Dites donc, est-ce vrai que vous êtes mariés tous les deux ? On m'a raconté une romance d'écurie incroyable et je…

– Est-ce pertinent ? coupa Pascale.

Morden la regarda avec surprise. Arnaud se cacha la bouche avec la main.

– Parlez-moi de ce cheval, reprit Pascale un peu sèchement.

– Si vous voulez, bredouilla Morden. Alors voici, madame Lavergne…

– Vladek, bougonna Pascale, mon nom est Pascale Vladek.

Morden fut franchement agacé ; Pascale et lui se dévisagèrent sans bienveillance. Un groom arriva alors, menant à pied un beau cheval alezan.

– Aerobic Nut, mesdames et messieurs, annonça Fred Curtis afin d'alléger l'atmosphère.

Pascale abandonna son duel visuel avec Don Morden et s'approcha du jeune cheval. Celui-ci tressaillit et Pascale le devina méfiant. Aerobic Nut était long et mince. Décidant qu'il n'y avait rien à tirer de Morden, Pascale aborda le groom.

– Tu connais ce crack ? demanda-t-elle.

– C'est moi qui m'en occupe, répondit l'autre.

– Nerveux ? souffla Pascale.

– Oui, confirma le groom, même un peu méchant.

– Je vais serrer la sangle, dit Pascale.

Elle parla au cheval dans un mélange d'onomatopées incompréhensibles, sauf pour Arnaud, car elle déclinait sa litanie en français.

Pascale caressa l'animal et ajusta la couverture et la selle d'entraînement. Aerobic Nut exprima son mécontentement en fouaillant de la queue. Pascale tenta de le réconforter en lui grattant la crinière. Le poulain ne se détendit que très peu.

– Il connaît les boîtes ? demanda Pascale en remontant la fermeture éclair de sa veste de protection.

– À peu près, répondit Morden.

– Ça va, dit la jeune fille, je suis prête à monter.

Arnaud coupa le chemin à Morden pour hisser Pascale en selle. Mécontent, Aerobic Nut décocha une ruade, et Pascale donna des mains avec autorité, puis elle écouta les directives de Morden et lança le cheval sur la piste.

Aerobic Nut était surexcité et il exécuta d'autres ruades. Impassible, Pascale le laissa se manifester, puis appliqua davantage de discipline.

– Ma femme est un peu nerveuse ce matin, expliqua Arnaud. Elle sait que les officiels de la Commission sont ici pour l'évaluer. Elle tente d'obtenir sa licence d'apprenti jockey, voyez-vous ?

– Oh ! s'écria Morden, j'aurais dû vous avertir que ce poulain est difficile.

Arnaud eut un doux sourire.

– Monsieur Morden, fit-il aimablement, pensez-vous vraiment que Pascale ne s'en était pas aperçue ?

Pascale réchauffa Aerobic Nut, puis l'approcha des boîtes de départ. Le poulain résistait et il y eut du cafouillage, mais Pascale refusa l'aide des préposés, ramenant sans relâche l'animal devant les grilles. Quelqu'un s'impatienta et suggéra à Pascale de se dépêcher. Celle-ci fit la sourde oreille. Elle réussit finalement à entrer dans la stalle et, à cinq reprises, en fit sortir Aerobic Nut au pas. Satisfaite, elle s'annonça prête à tenter un vrai départ.

– Et voilà, dit Arnaud en français lorsque Aerobic Nut sortit en trombe.

– Pardon ? demanda sèchement Morden, qui se sentait exclu de cet entraînement.

– Je disais seulement qu'Aerobic Nut était sorti de la stalle de départ, expliqua Arnaud. Ce poulain sera dur à tenir dans le tournant.

– Oui, répondit Morden.

– Madame Pascale est très forte, intervint Curtis.

– On m'a raconté qu'un cheval l'avait gravement blessée à la jambe et que vous…, commença Morden.

– Tout ça est vrai, admit Arnaud. Seulement ma femme déteste que les gens parlent de cette histoire. Ouf ! Regardez, la voilà qui bataille contre ce poulain… Elle ne le lâchera pas !

– C'est sa combativité qui vous a séduit ? interrogea Morden.

– C'est toute sa petite personne, répondit Arnaud en souriant.

Les minutes passèrent. Pascale acheva l'entraînement et revint vers l'embouchure de la piste. Aerobic Nut marchait à petits pas crispés. Pascale lui parlait à voix haute, sans relâche.

– Qu'est-ce que vous racontez ? s'enquit Morden.

– C'est au cheval que je parle, expliqua Pascale.

– Ma femme a toujours beaucoup parlé aux chevaux. Elle croit que cela les aide à faire confiance aux humains, poursuivit Arnaud, car Morden dévisageait Pascale l'air ahuri.

L'entraîneur trouvait la jeune fille fort peu sympathique, mais il devait admettre que personne avant elle n'avait aussi bien tenu Aerobic Nut. Il se frotta silencieusement les paumes. Le poulain de Fred Curtis était extrêmement prometteur ; Morden ne le disait pas encore, mais il songeait à l'inscrire à de grandes courses, peut-être même au Derby du Kentucky. Du coin de l'œil, l'homme observa Arnaud, qui s'était approché d'Aerobic Nut. Il se demanda ce que cet aimable garçon pouvait trouver à sa petite furie de femme.

– Alors, madame Pascale, que penses-tu de mon cheval ? demanda Curtis.

– Je pense qu'il n'a que deux ans.

– C'est évident qu'il a deux ans, s'écria Morden. On vous demande ce que vous en pensez.

– J'attendrais à l'automne pour le faire courir, continua Pascale qui avait résolument pris Morden en grippe.

– Mais qu'est-ce que vous dites là ? protesta ce dernier.

– Aerobic Nut n'est pas prêt à courir, siffla Pascale. Si j'étais à votre place, j'attendrais.

– Vous pensez que M. Curtis a tout le temps au monde ? pesta Morden. Cela coûte une fortune d'entraîner ce cheval, il est temps qu'il rapporte.

– Aerobic Nut n'a demandé à personne d'être un cheval de course, répliqua Pascale. Le cheval n'est pas prêt, il manque de maturité, et M. Curtis doit assumer les limites de son cheval tout comme ses qualités.

– Pascale…, chuchota Arnaud afin de l'apaiser.

– Êtes-vous une activiste des droits des animaux ? railla Morden.

– Je me sers de ma tête, rétorqua Pascale.

Elle tapota l'encolure d'Aerobic Nut, puis sauta à terre et lança les rênes dans les mains du groom.

– Excusez-nous, monsieur Morden, Arnaud et moi avons un cheval à étriller.

Pascale marcha droit vers l'entraîneur et lui serra la main. Elle salua Cindy et Fred Curtis également. Ceux-ci, qui la connaissaient bien, se retenaient de rire devant son audace. Soudain elle vira sur les talons et se dirigea vers les écuries. Arnaud fut plus amical. La conduite de Pascale ne l'offusquait aucunement, car, à son habitude, elle avait agi et parlé conformément à ses convictions.

Puis Arnaud rattrapa Pascale. Les jeunes époux rejoignirent Elias et Martha qui achevaient de faire marcher les chevaux. Rocky était toujours vautré dans sa flaque d'eau. Elias et Martha se chargèrent de Moushika ; Pascale et Arnaud emmenèrent GI Joe afin de le doucher.

Le jeune cheval s'ébrouait, heureux qu'on s'occupe de lui ; il appréciait la fraîcheur du jet d'eau après un exercice vigoureux. Au bout d'un moment, Arnaud se mit à taquiner Pascale, en français afin que personne ne comprenne.

– Alors, tu vas me laisser pour Morden ? susurra le jeune homme.

– C'est un gros con et en plus il fume, fit Pascale que cette habitude horripilait, tu n'as rien à craindre de lui.

– Il est riche et j'ai entendu dire qu'il aimait les petites femmes, insista Arnaud. Si tu étais sa maîtresse, tu habiterais un bel appartement, pas un minable sous-sol.

– Je le tuerais au bout de dix jours, ronchonna Pascale.

– Tu t'es très bien tenue sur Aerobic Nut. Je suis sûr que les officiels ont été impressionnés.

– Tu crois ? fit Pascale.

Il y avait, dans ses yeux et dans son ton, une touche d'incertitude. Maintenant qu'elle était descendue de cheval, l'angoisse, sournoisement, revenait.

– Mais certainement, ma chère femme, lui assura Arnaud. Ça te ferait connaître si tu montais plus souvent pour Morden.

– Je ne veux pas faire ça. Ce Morden n'aime pas ses chevaux – il ne les regarde pas, il ne les touche jamais.

– Morden entraîne des dizaines de chevaux, expliqua Arnaud. Son approche est forcément différente de la nôtre.

– J'aime mieux travailler juste avec toi, déclara Pascale.

Arnaud leva ses sourcils blonds. Pascale était pleine de résolution boudeuse.

– Toi et moi, on pense de la même façon en matière de chevaux, alors ça va bien, expliqua Pascale.

– C'est vrai, dit Arnaud, qui se sentait heureux.

Pascale ne dit rien de plus. Elle et Arnaud séchèrent GI Joe, nettoyèrent son box, firent les mille et une choses nécessaires au bien-être d'un cheval, puis retrouvèrent Elias et Martha dans la cafétéria du *backside*. Rocky avait été enfermé dans le box de Moushika. La jument et le chien étaient, depuis plusieurs mois, des amis.

Elias suggéra que Pascale et Arnaud aillent à l'hôtel afin de s'y reposer. Le couple campait au *backside* depuis trois jours, GI Joe ayant souffert d'une fièvre inexpliquée qui n'était disparue que depuis la veille. Arnaud paraissait particulièrement fatigué. Il découvrait la vie du *backside*, sa solidarité, ses passions, mais aussi sa pauvreté, ses ivrognes et ses désillusions. Dans ces coulisses où les moins riches préparaient les chevaux pour le plaisir de ceux qui l'étaient, l'accueil qu'on réservait au fils d'un éleveur prospère ne pouvait qu'être tiède. Au cours de son enfance dorée, Arnaud avait été peu exposé à la misère, et il envisageait avec soulagement de quitter le monde hétéroclite du *backside* pendant un jour ou deux. Quant à Pascale, elle opina à la suggestion d'Elias. C'était son anniversaire et elle estimait mériter un congé.

Leur repas terminé, Arnaud et Pascale se dirigèrent vers le pick-up vert et noir des écuries Lavergne. Le jeune homme conduisait un peu vite.

– Fais attention, suggéra Pascale, la bouche sèche.

– Je t'avoue que je suis drôlement content de sortir d'ici, lui confia Arnaud. Le *backside* est un vrai cirque. Je ne suis pas habitué à voir toute cette pauvreté.

Pascale regarda son mari en fronçant les sourcils. Elle ne comprenait pas l'attitude d'Arnaud. Il rêvait de courses de chevaux depuis son enfance. Qu'avait-il à se plaindre, maintenant qu'il se trouvait en plein dedans?

– Tu es un fils de millionnaire, commenta-t-elle. C'est pour ça que tout le monde à Churchill Downs aime parler de toi.

– Les gens jasent à mon sujet parce que je suis marié à un phénomène, railla Arnaud en retour.

Pascale rit, s'étira et bâilla. Arnaud ajouta :

– Un phénomène qui n'a pas peur de contredire un entraîneur, vainqueur de trois derbys du Kentucky en cinq ans. Tes vingt ans te vont à ravir, ma chérie.

Pascale fut surprise par le compliment, car, depuis trois jours et trois nuits qu'elle traînait au *backside*, elle se sentait particulièrement défraîchie. Elle dit soudain :

– C'est drôle… Quand on est marié, l'autre est tout le temps là.

– Qu'est-ce que tu veux dire? demanda Arnaud, étonné.

– Je veux dire que quand on est marié les gens s'attendent à ce qu'on soit toujours avec son conjoint.

Arnaud quitta la route des yeux pour jeter un coup d'œil à sa femme.

– Bien sûr, l'autre est toujours là quand on est marié, c'est justement le but du mariage, dit-il. As-tu quelque chose contre ça?

– Non, répondit Pascale. Je ne dis pas que c'est bien ou que c'est mal, je dis seulement que c'est ainsi.

7

FILS D'UN MAGISTRAT et d'une spécialiste en ressources humaines, Bruce Foster avait grandi à Louisville. Il était enfant unique et aurait pu entreprendre ses études universitaires dans sa ville natale, mais lorsqu'il atteignit l'âge de dix-neuf ans il désira se sevrer de l'emprise un peu envahissante de sa mère. Aussi s'inscrivit-il à l'université du Kentucky à Lexington, dans le but de devenir comptable agréé.

Depuis trois ans, Bruce habitait Lexington et l'endroit lui plaisait assez. Bruce était un garçon talentueux. Son père, qui poursuivait une carrière impressionnante, était très connu des milieux judiciaires. Bruce avait soigneusement évité ce terrain lorsqu'il avait choisi une profession. L'idée d'y concurrencer son géniteur avait sapé tout l'intérêt qu'il aurait pu y trouver.

Les parents de Bruce étaient des gens attachés au prestige et il valait mieux qu'ils ne voient pas l'endroit où il travaillait. Sans doute, auraient-ils jugé que l'entreprise avait peu d'envergure et que l'immense talent de leur rejeton ne saurait s'y épanouir. Pour sa part, Bruce aimait son bureau, qui comptait des professionnels intègres et sans prétention. Il y travaillait depuis deux ans, à mi-temps pendant l'année scolaire et à temps plein pendant l'été.

Ayant grandi dans un environnement plutôt collet monté, Bruce avait recherché la simplicité dans sa quête d'emploi. Or, la firme qui l'employait gérait les avoirs d'éleveurs modestes et de producteurs de tabac. La plupart de ces gens avaient à cœur que leur comptabilité soit bien tenue, mais, en dehors de cela, ils étaient peu exigeants, et bons payeurs. Contrairement à ses parents, Bruce se souciait peu que sa carrière manquât de panache. Il gagnait sa vie suffisamment bien pour avoir son propre logement, conduire une voiture sport et s'offrir des vêtements de qualité, et cela lui suffisait.

Depuis environ six mois, Bruce Foster fréquentait Geneviève Lavergne, unique fille du docteur Lavergne. Six mois d'harmonie entre Bruce et sa petite amie, mais six mois d'orages chez les Lavergne, avec la révélation des amours de Pascale et d'Arnaud, leurs fiançailles et leurs épousailles, sans parler du retour d'Érik à Lexington et des péripéties entourant les chevaux. S'il s'entendait merveilleusement bien avec Geneviève, Bruce avait l'impression de ne pas comprendre grand-chose à la famille Lavergne. Celle-ci différait énormément de la sienne, d'abord par le nombre de gens qui la constituaient, ensuite par sa dynamique.

Le père de Bruce était un homme préoccupé et rigide qui, en dehors du tribunal, ne disait pratiquement rien. Sa mère remplissait les silences de son époux. C'était une femme qui aimait parler et, comme son mari ne lui faisait guère la conversation, elle reportait sur son fils presque toute son attention. Parvenu à l'adolescence, Bruce n'avait plus accordé qu'une oreille distraite à son incessant babillage. En conséquence, les discussions entre les membres de la famille Foster étaient pour ainsi dire limitées à ce que Mme Foster disait, les deux autres participants se contentant d'opiner. Parfois, M. Foster exprimait son désaccord sur un sujet. Ils abandonnaient alors ce sujet pour éviter de se disputer.

Cela contrastait fortement avec ce qui se passait chez les Lavergne où, aux yeux de Bruce, on affectionnait particulièrement la controverse. D'abord, la multitude de protagonistes intensifiait les différends. Les Lavergne avaient une façon étonnante de prendre parti les uns contre les autres. Xavier n'acceptait tout simplement pas la neutralité. Lorsqu'on était sous son toit, on n'avait d'autre choix que de se liguer avec une faction ou une autre; le docteur Lavergne aurait arraché une prise de position à la Suisse elle-même.

Depuis six mois, Bruce avait été témoin de scènes familiales dont la virulence dépassait ce qu'il avait pu imaginer jusqu'alors. Avant de rencontrer Geneviève, le jeune homme avait eu pour amis des Américains d'origine anglo-saxonne. Chez les Lavergne, l'influence latine dominait celle de leur contrée d'adoption. Cet exotisme ne plaisait pas toujours à Bruce.

N'étant pas habitué aux familles nombreuses, il vivait un double choc. Aussitôt qu'ils s'échauffaient, les Lavergne passaient au français. Bruce en était réduit au silence et à tenter de deviner de quoi on discutait. Immanquablement, Xavier finissait par lui demander son point de vue et le pauvre Bruce devait admettre qu'il n'avait rien compris de la conversation. Geneviève lui résumait alors la situation, mais avec un évident parti pris. Même sa traduction soulevait un tollé.

Bruce était un citadin et les Lavergne étaient attachés à la campagne. Malgré tout cela, les Lavergne étaient loin d'être antipathiques à Bruce. C'était des gens simples malgré leur richesse, ils étaient honnêtes et dévoués, et ils s'aimaient avec autant d'intensité qu'ils en mettaient à se disputer.

À cause de cela, Bruce était fasciné par eux. Ses parents ne se témoignaient pas beaucoup de tendresse, soit parce qu'ils étaient pleins de pudeur, soit – et Bruce penchait vers cette explication – parce qu'ils ne s'aimaient plus depuis longtemps. À quelques occasions, Bruce avait vu Xavier et Gabrielle se lancer des regards brûlants. Cela l'avait tellement surpris qu'il avait d'abord trouvé ces agissements peu convenables. Mais Bruce avait rapidement réalisé que ces gestes ne contenaient aucune part d'exhibitionnisme; ils étaient l'expression d'un amour véritable.

Cette grande capacité d'amour, c'était ce qui distinguait les Lavergne des autres personnes que Bruce avait rencontrées jusqu'alors. Arnaud avait bien démontré qu'il ne manquait pas de cette qualité, et Bruce estimait que Geneviève possédait aussi ce trait de famille. Jamais le jeune homme n'avait été aimé avec tant de passion, de joie, de chaleur. Ses liaisons antérieures lui paraissaient maintenant fades. Bruce aimait le rire gai de sa petite amie, son intensité, sa fraîcheur.

Par ailleurs, Geneviève exprimait souvent son besoin de se détacher de la ferme et de son père. Bruce et elle se rejoignaient sur ce terrain. Aux yeux de Bruce, Xavier avait un goût du contrôle qui dépassait celui de ses deux parents réunis, et il désirait aider sa petite amie dans sa quête d'indépendance. Il l'encourageait à tenter d'obtenir un emploi d'été à Lexington plutôt que de travailler pour son père pendant la belle saison. Geneviève venait de terminer l'école secondaire. Son bal de fin d'études avait déjà eu lieu et, en ce début de juillet, elle cherchait un emploi.

Bruce et Geneviève allèrent magasiner ensemble et trouvèrent un tailleur bleu marine qui conviendrait pour des entrevues. Puis Geneviève prépara son curriculum vitae à l'aide de l'ordinateur du bureau de Bruce. Quelques jours plus tard, elle recevait déjà une convocation. Une compagnie d'import-export cherchait une secrétaire pour l'été.

Pour Geneviève, cette convocation fut une source de fierté, mais aussi d'appréhension. Elle avait l'impression de faire un pas décisif dans sa vie d'adulte, mais elle craignait de tout gâcher par maladresse. Jamais Geneviève n'avait travaillé ailleurs qu'à Lavergne Farm. Elle ne connaissait rien à l'import-export et ne s'y intéressait aucunement. Même sa garde-robe ne convenait pas. La quantité de jeans et de bottes de travail qu'elle possédait dépassait largement celle de ses jupes et de ses escarpins.

Bruce lui fut d'un grand secours pour la préparation de l'entrevue. Il se renseigna au sujet de la compagnie concernée et fit part à Geneviève de ses activités principales. Surtout, il apaisa les craintes de sa petite amie à l'aide de compliments et d'humour. Il était certain que Geneviève décrocherait le poste.

La veille de l'entrevue arriva. C'était lundi, Bruce se trouvait à son bureau. Un peu avant midi, la réceptionniste l'avisa qu'un M. Lavergne désirait le voir.

En se dirigeant vers la salle d'attente, Bruce se demanda lequel des Lavergne s'y trouvait. Il vit alors, debout à côté du bureau de la réceptionniste, un grand gaillard aux cheveux foncés et au nez busqué. Bruce sursauta. C'était Érik Lavergne.

Les deux jeunes hommes se connaissaient, car ils avaient suivi le même cours, à l'université, à l'époque où Érik y poursuivait ses études de droit, c'est-à-dire avant qu'il tabasse Pascale et que ses parents l'envoient se désintoxiquer en Californie. Bien qu'Érik et Bruce se fussent peu fréquentés, ils avaient eu de la sympathie l'un pour l'autre. Bruce ressentit un léger malaise. Geneviève ne parlait de son frère que pour le critiquer, tant à l'égard de sa conduite envers Pascale qu'au sujet des multiples tirailleries qui les avaient opposés depuis l'enfance. Cette attitude arrêtée correspondait bien au tempérament de Geneviève, et Bruce la désapprouvait tout de même un peu. Après tout, Érik était le frère de Geneviève et le serait toujours. Il avait certes commis un geste horrible, mais ses efforts de réhabilitation étaient indéniables. Pascale elle-même adoptait à l'égard d'Érik une attitude plus rationnelle que celle de Geneviève ou d'Arnaud. Mais, bien sûr, Pascale était toujours comme cela. Elle n'était pas une Lavergne par le sang. De toute cette bande d'émotifs, Bruce la considérait comme la plus raisonnable.

Bruce se dit que cette déchirante histoire ne le concernait pas. L'altercation entre Pascale et Érik était survenue longtemps avant que ses fréquentations avec Geneviève ne débutent. Bruce tendit amicalement la main à Érik. Celui-ci eut tôt fait d'expliquer sa présence. Un client de Whittaker et Davis, le cabinet d'avocats pour lequel il travaillait, intentait une procédure de divorce. Le bureau de Bruce avait rempli ses déclarations de revenus, et Érik désirait en obtenir une copie.

Bruce invita Érik à le suivre jusqu'à la pièce où étaient conservés les dossiers. Les garçons parlèrent du cours qu'ils avaient suivi ensemble. Ce sujet épuisé, Érik dit tranquillement :

– Ma mère m'a dit que tu fréquentais ma sœur.

– En effet, répondit Bruce. Je l'ai rencontrée au gymnase de l'université. C'est curieux, j'avais deviné qu'elle était ta sœur… Vous avez un air de famille.

Érik sourit. Sa bouche ne ressemblait à aucune autre, mais son teint et la couleur de ses cheveux rappelaient ceux de Geneviève. De plus, le nez de celle-ci ressemblait assez à celui de son frère, en plus féminin.

– Je n'ai pas souvent des nouvelles de Jenny, soupira Érik avec une pointe d'humour.

Bruce devina que Gabrielle avait porté à la connaissance d'Érik le tendre surnom dont il avait gratifié sa petite amie.

– Es-tu libre pour le lunch ? demanda Érik.

Bruce n'hésita pas longtemps. Il était sociable par nature. Geneviève lui en voudrait peut-être d'avoir partagé un repas avec Érik… Tout de même, Bruce devait agir selon ses convictions, non pas seulement pour satisfaire sa petite amie. Il suggéra un restaurant.

Les deux garçons sortirent. Les trottoirs fumaient sous le soleil qui avait suivi une brève averse. Ils s'installèrent au comptoir d'un petit restaurant et mangèrent en discutant de banalités. Lorsqu'ils en furent à siroter un café, Érik demanda à Bruce des nouvelles de Geneviève. Le jeune homme parla du tailleur, de l'entrevue à la compagnie d'import-export. Érik écoutait, mais il savait tout cela. D'un ton assez dégagé, il demanda :

– Jenny te parle-t-elle de moi ?

Bruce répondit par une moue soucieuse.

– Je ne sais pas, fit Érik prudemment, si tu voudrais bien m'aider à me réconcilier avec elle.

Bruce soupira, ennuyé. Voilà qu'un Lavergne tentait de le mêler à une de ses disputes…

– Tu n'es pas obligé d'être d'accord, dit Érik. Si tu penses que Geneviève t'en voudrait de faire quoi que ce soit…

– Elle serait fâchée d'apprendre que je t'ai seulement serré la main, gémit Bruce, lugubre.

– Je comprends. Écoute… Si tu pouvais seulement lui dire que j'aimerais me réconcilier avec elle. Rien de plus.

Depuis un moment, le sourire charmeur d'Érik faisait resplendir son visage. Bruce se mit à rire avec lui. Érik maîtrisait à merveille l'art de la persuasion; sans doute tenait-il cette qualité de sa mère. Bruce était incapable de le trouver antipathique. Les deux garçons avaient beaucoup en commun. Comme Bruce, Érik aimait être bien vêtu et il était soigneux de sa personne. C'était un garçon à l'esprit vif et dont la conversation était spirituelle et agréable. Comme Bruce, il était motivé par sa carrière. Et voilà qu'ils avaient au moins un client en commun.

Pendant quelques secondes, Bruce tenta de s'imaginer ce qu'il ferait s'il était à la place d'Érik. Tenterait-il de regagner l'estime de sa famille? C'était drôlement courageux. Érik méritait probablement une chance.

– D'accord, dit Bruce, je le lui dirai, mais pas aujourd'hui. Peut-être demain, quand elle en aura terminé avec son entrevue.

* * *

Il était quatre heures de l'après-midi et, en cette veille de sa première entrevue, Geneviève tournicotait nerveusement dans sa chambre. Son ensemble bleu marine était sorti, de même qu'une blouse blanche impeccablement repassée. Geneviève était en sous-vêtements et elle tenait à la main deux collants; l'un bleu nuit, l'autre, couleur chair.

Geneviève tenait à décider immédiatement lequel des collants elle porterait le lendemain. La jeune fille appréhendait que la tension nerveuse ne l'accablât dès son réveil – si, par ailleurs, elle réussissait à dormir. C'était prudent de faire maintenant ce choix difficile. Plusieurs paires de souliers étaient étalées sur le plancher. Geneviève enfila les bas de nylon clairs, sa jupe, son chemisier et son veston, puis chaussa une paire d'escarpins à talons plats. Elle avança vers le miroir et se retourna. Ses jambes lui paraissaient épouvantablement lourdes.

Geneviève soupira, mécontente mais hésitante aussi. Les bas bleu nuit aminciraient ses jambes, mais parce qu'ils étaient sombres, ils ne convenaient guère en cette saison. Et, de plus, il faudrait porter des souliers foncés. Ceux que possédait Geneviève avaient un talon assez haut. La jeune fille enleva sa jupe, changea de bas, remit sa jupe et chaussa les souliers foncés. Elle retint un gémissement; les talons faisaient paraître ses chevilles plus fines, mais ses mollets saillaient horriblement. Juchée sur de pareilles échasses, elle dépasserait probablement Bruce. «Pourquoi suis-je bâtie en lutteuse?» se désola-t-elle intérieurement.

Geneviève s'éventa; il faisait chaud. Elle se hâta de retirer ses vêtements afin que la transpiration ne les tache pas. Désemparée, elle s'étendit sur son lit et tenta de se détendre.

«Si seulement Bruce pouvait venir...», se dit-elle. Avec son goût si sûr, il déciderait en trois secondes quels bas et quels souliers étaient appropriés. Geneviève fut tentée de lui téléphoner au bureau, mais ses inquiétudes lui parurent d'une telle immaturité qu'elle y renonça.

La jeune fille devait aussi trouver un moyen de se rendre à Lexington pour dix heures trente le lendemain matin. Elle serra les dents; un problème de plus! Il fallait qu'elle aille voir son père et qu'elle obtienne de lui la permission d'utiliser une automobile. Sans doute Xavier lui suggérerait-il de prendre un des pick-up...

Geneviève poussa un soupir reflétant la torture de son âme et s'assit sur son lit. Elle n'avait pas envie d'aller à l'entrevue dans un de ces véhicules campagnards, sur le flanc desquels se détachait en grosses lettres le nom de son père. Il y avait aussi la vieille voiture d'Arnaud, mais elle pouvait rendre l'âme à n'importe quel moment. Restaient la fourgonnette, assez vaste pour transporter toute la famille Lavergne, et l'automobile personnelle de Xavier, qui serait parfaitement appropriée.

Constatant son incapacité à résoudre le problème relatif aux bas, Geneviève décida de reporter cette décision à plus tard et de régler maintenant le problème du transport. Elle revêtit une vieille salopette et gagna l'écurie, car elle savait qu'elle y trouverait ses parents.

Ils étaient accoudés à la clôture d'un des manèges. Barachois marchait au pas, ruisselant de sueur, car le temps était humide. Geneviève savait que Pascale et Arnaud avaient demandé qu'on habitue le pur-sang aux commandements manuels avant de l'emmener dans un hippodrome. François chevauchait sous les ordres, ou plutôt les invectives de Xavier.

Geneviève contempla ce tableau sans grand enthousiasme. Elle avait lu quelque part que l'équitation empêchait la bonne circulation du sang dans les jambes, ce qui causait des varices et de la cellulite. «Mes parents m'ont trop fait monter, c'est pour cela que j'ai de telles jambes», se lamenta-t-elle intérieurement en repensant à ses bas de nylon.

François déclara en avoir assez de la chaleur, de ce Barachois impossible à manier et des cris de son père, et il descendit de cheval pour aller rejoindre son jumeau qui se prélassait dans l'herbe. Gabrielle gagna le manège et un groom l'aida à se mettre en selle.

Gabrielle était une cavalière peu audacieuse, mais très patiente. C'était exactement ce qu'il fallait à Barachois. Il s'agissait de montrer au cheval à réagir aux rênes en le faisant avancer, tourner, arrêter. Ce genre d'exercices fastidieux ennuyait profondément les jumeaux.

Xavier parut d'abord tendu, mais, comme Barachois se montrait calme à défaut d'être docile, l'homme fut rapidement convaincu que Gabrielle ne courait aucun danger. Il cessa de crier et même de parler, et s'assit sur un banc de bois peint en vert. Geneviève jugea le moment idéal pour l'aborder. Elle gratifia son père de ce sourire mutin auquel il résistait rarement.

– Alors, jeune fille, tu veux essayer ce pur-sang? gronda Xavier.

Le sourire de Geneviève se changea en une moue de découragement, et Xavier éclata de rire. Cela stimula Geneviève. Xavier lui céda la voiture en un rien de temps, mais pour le lendemain seulement, précisa-t-il.

Le cœur un peu plus léger, Geneviève revint à la maison. Ce n'est que plus tard dans la soirée qu'elle pensa à demander conseil à sa mère au sujet des bas de nylon. Gabrielle répondit qu'avec son teint et son bronzage elle n'avait nullement besoin d'en porter. Ce commentaire laissa Geneviève sceptique. Gabrielle insista; l'immense majorité des jeunes professionnelles de Lexington allait jambes nues dès le mois d'avril.

Geneviève capitula; elle ne porterait pas de bas et chausserait ses escarpins à talons plats. Elle dormit tout de même assez bien, apaisée par une conversation téléphonique avec Bruce qui monopolisa le téléphone familial pendant plus d'une demi-heure.

8

UNE FOIS INSTALLÉE dans la salle où aurait lieu l'entrevue, Geneviève s'efforça de garder ses mains croisées devant elle et de paraître détendue. Elle se réjouissait que sa haute taille la fît paraître plus âgée que ses dix-huit ans. Elle voulut s'appuyer contre le dossier du fauteuil, mais se ravisa, craignant de déranger sa coiffure. Geneviève n'osa pas non plus tendre le cou pour se regarder dans le miroir sur le mur à sa gauche. Cela aurait révélé son trouble.

Trois hommes bien mis lui faisaient face. Pour l'instant, ils ne disaient rien, car ils étaient occupés à lire son curriculum vitæ.

– Vous n'avez pour ainsi dire pas d'expérience dans le secrétariat, commenta un des trois hommes.

– C'est exact, répondit Geneviève. En fait, je n'en ai aucune.

Elle agrémenta cette réplique d'un charmant sourire, puis ajouta :

– Je connais le traitement de texte; j'ai appris cela à l'école secondaire.

– Vous n'avez occupé qu'un seul emploi avant aujourd'hui, constata un autre homme.

– Oui, confirma Geneviève. J'ai toujours travaillé pour mon père. Il gère une très grosse écurie.

Le troisième homme, qui avait l'air plus sympathique que les deux premiers, leva les yeux. Geneviève se sentit encouragée. En quelques phrases bien tournées, elle décrivit Lavergne Farm. Deux des trois hommes sourirent. L'autre demanda :

– Et pourquoi recherchez-vous un emploi de bureau après toutes ces années passées à travailler sur cette fameuse ferme ?

– J'ai envie de changement, justement, déclara Geneviève sans se laisser intimider. Je ne compte pas faire carrière dans l'élevage de chevaux.

– L'import-export vous séduit davantage ? questionna un des hommes.

Geneviève se tourna résolument vers lui.

– J'ai entendu parler de votre société, dit-elle. Je sais qu'elle constitue un atout pour la région. Il ne me plairait pas de travailler dans une entreprise mal gérée. J'ai envoyé mon curriculum vitæ ici aussitôt que j'ai su que vous cherchiez une secrétaire pour l'été. Je savais que vous seriez exigeants, mais je désire vraiment cet emploi.

Geneviève savoura ce commentaire sans en avoir l'air. La jeune fille songea à Bruce. C'était grâce à lui si cette entrevue se déroulait aussi bien. Il avait de l'expérience avec les grosses boîtes et il lui avait expliqué comment se comporter.

Geneviève s'efforça de ne plus penser à Bruce afin de se concentrer sur l'entrevue. La jeune fille se reprochait parfois de songer à son petit ami aussi souvent. Bruce était tellement plus adulte qu'elle ! Sans doute avait-il travaillé tout l'avant-midi sans même se souvenir que Geneviève devait se présenter à cette entrevue.

Mais Geneviève se trompait. Lorsqu'elle sortit du bâtiment qui abritait la société Bluegrass Import-Export Inc., Bruce surgit devant elle. Il ouvrit les mains et demanda : « Alors ? » sur un ton enjoué. Geneviève avait des larmes plein les yeux ; elle riait et tremblait à la fois, répétant : « Oh ! tu es là ! » Bruce tendit les bras. Le couple s'étreignit en pleine rue.

– Ça a marché, balbutiait Geneviève, ils m'ont offert le poste tout de suite.

– Jenny ! Je te l'avais bien dit d'avoir confiance.

– C'est grâce à toi…

– Peut-être un peu, concéda Bruce, mais c'est surtout grâce à ce que tu es.

Il serra la taille de Geneviève, et ils se mirent à marcher. La jeune fille relatait l'entrevue à toute vitesse.

– Alors, tu commences quand? demanda Bruce.

– Lundi prochain, répondit Geneviève. Te rends-tu compte, ils vont me payer bien plus cher que papa.

Elle se mordit la lèvre inférieure.

– Détends-toi, Jenny, dit Bruce en lui tapotant l'épaule. Allons fêter cette victoire ensemble.

Geneviève se distança de son petit ami pour le regarder, ravie.

– Je t'emmène au restaurant, annonça Bruce.

– Oh! Mais comment peux-tu être aussi gentil! s'écria Geneviève.

Elle rougit, tout heureuse, puis elle monta dans le véhicule de Bruce. N'osant parler tant elle était émue, elle baissa la glace de la portière afin de mieux respirer; ce qui lui arrivait était tellement excitant.

Bruce gara sa voiture devant un petit restaurant. En entrant, Geneviève appuya sa main contre sa poitrine.

– Oh! C'est ici qu'Arnaud a emmené Pascale le jour où il lui a dit qu'il l'aimerait toujours, révéla-t-elle avec délectation.

Bruce, amusé, regarda sa compagne.

– Oui, c'est sûrement ici, répéta Geneviève. Arnaud m'a dit que le menu était imprimé sur du carton rose. Mon frère est un romantique. Sa déclaration avait mis Pascale toute à l'envers; nous en avons parlé, lui et moi.

– Alors, susurra Bruce, comment aimerais-tu que je te dise la même chose?

Geneviève gloussa, rose de plaisir. Les jeunes gens consultèrent le menu, puis commandèrent un sandwich. Bruce laissa Geneviève lui exprimer ses inquiétudes et ses peurs face à son nouvel emploi. Qu'elle était charmante avec cette jolie blouse et ses cheveux relevés ! Elle avait davantage de classe que n'importe quelle autre jeune fille que Bruce eût jamais rencontrée.

Le jeune homme hésitait à gâcher le plaisir de Geneviève en lui parlant d'Érik, mais il avait donné sa parole, et il la tiendrait.

– Geneviève, ne te fâche pas, dit-il en soupirant, mais je dois te dire que j'ai lunché avec ton frère Érik hier.

– Mais pourquoi donc ? demanda vivement Geneviève.

Bruce s'expliqua. Geneviève parut d'abord prête à se buter, mais, à mesure que Bruce parlait, elle se raisonnait. Elle avait l'impression de lui devoir quelque chose ; il l'avait tellement aidée à obtenir ce nouvel emploi. Non, elle n'avait pas envie de se fâcher contre lui, ni de laisser ce frère détesté lui empoisonner la vie. Elle poussa un gros soupir.

– Je ne peux pas t'empêcher de fréquenter qui tu veux, dit-elle. Seulement, ne me demande pas d'être là la prochaine fois que vous vous verrez.

– Érik restera ton frère toute ta vie, fit Bruce. Il m'a demandé de te dire qu'il aimerait se réconcilier avec toi. Ta mère serait drôlement heureuse si tu arrivais à revoir Érik et à discuter avec lui normalement.

Geneviève picorait dans la salade qui accompagnait son croque-monsieur.

– Oui, concéda-t-elle, ma mère serait contente de cela.

9

AU DÉBUT DE JUILLET, Jules Lavergne et sa famille quittèrent les États-Unis pour la Belgique où ils allaient passer leurs vacances.

Jules se sentait épouvantablement las. L'année scolaire avait été difficile. Il avait passé son temps à courir à gauche et à droite, tantôt à l'école secondaire où il enseignait, tantôt au studio qu'il louait, et se joignant parfois, comme pianiste, à l'un ou l'autre des orchestres symphoniques de la région. Aucune de ces occupations ne lui offrait la perspective d'un emploi à long terme.

Souvent, Jules se disait que sa vie ressemblait assez à celle d'un saltimbanque. Il tentait de se consoler en pensant à son frère Arnaud, lequel traînerait probablement dans le fumier du circuit des courses de plat pendant toute son existence. En plus, celui-ci s'était embarrassé d'une femme plus compliquée que Delphine, et qui était aussi moins jolie et moins intéressante qu'elle. Mais ces comparaisons n'apaisaient pas Jules, et ce, principalement pour deux raisons : Arnaud gagnait pas mal d'argent tandis que lui-même n'en récoltait qu'à grand-peine; et, aussi étonnant que cela puisse paraître, Arnaud semblait heureux avec Pascale.

Jules envisageait donc avec soulagement d'être loin du Kentucky et de ne plus entendre chanter les louanges des GI Joe, Moushika et autres chevaux. Delphine aussi paraissait fatiguée. Les époux et leur fille se rendirent à New York, où ils passèrent quelques jours, puis s'envolèrent vers la Belgique.

Catherine était trop jeune pour se plaire en avion. Le décollage lui causa de vifs maux d'oreilles. Comme elle ne pouvait s'exprimer autrement, elle passa de longs moments à crier et à s'envoyer de grandes tapes de chaque côté du crâne. Lorsqu'on réussit enfin à l'apaiser, Catherine refusa de rester en place. D'une démarche décidée bien que vacillante, elle trottina dans l'allée aussi vite qu'elle le pouvait, avec Delphine et une agente de bord à ses trousses. Cela l'amusa un moment. Survint alors une zone de turbulences; Catherine chuta, et s'écorcha le menton sur le tapis rêche de l'avion.

Les hurlements reprirent. Jules et Delphine ne parvenaient à se parler que d'un ton sec. Catherine n'avait jamais été une dormeuse et ils n'arrivèrent pas à la coucher. Les jeunes parents auraient bien voulu faire un somme, mais dès qu'ils tentaient d'attacher Catherine dans son siège, elle résistait, se tortillait, et s'échappait pour repartir dans l'allée.

À l'atterrissage, les maux d'oreilles de Catherine furent plus intenses encore. Jules avait rêvé du moment où il présenterait fièrement sa fille à ses beaux-parents. Catherine était une enfant si pleine de vie, elle avait ce teint plein de santé et cette chevelure épaisse qui faisaient la fierté des Lavergne. Mais, lorsqu'elle rencontra ses grands-parents maternels venus chercher la famille à l'aéroport, Catherine était loin d'être à son meilleur. Terrifiée par des douleurs dont elle ne pouvait comprendre la source, harassée par le manque de sommeil, elle s'agrippait aux vêtements de ses parents et refusait de marcher. Son visage était rouge et décomposé, ses cheveux, emmêlés, et son corps, agité de soubresauts de révolte. Elle se cabra lorsque ses grands-parents voulurent la prendre dans leurs bras.

Les retrouvailles furent gâchées par les pleurs de Catherine. Tous furent d'accord qu'il était urgent de la mettre au lit. Ils gagnèrent donc le logement des parents de Delphine.

Jules ne les connaissait pas bien. Ils étaient plus vieux que Xavier et Gabrielle. Leur appartement était plein de meubles fragiles qu'ils entretenaient avec un soin jaloux. Ces antiquités leur provenaient de parents assez lointains dont ils parlaient avec respect.

Catherine était leur unique petite-fille. Comme elle était vigoureuse, aussitôt qu'elle fut remise de la traversée elle se mit à explorer son nouveau domaine. On dut soustraire moult bibelots à ses menottes. Les parents de Delphine eurent droit à un vibrant exemple du tempérament Lavergne lorsque la fillette réclama à cor et à cri qu'on lui redonnât ce qu'on venait de lui enlever.

Quelques jours après son arrivée, Catherine jeta par terre une petite chaise antique en acajou. Le dossier percuta une table au dessus en marbre et la lampe qui s'y trouvait se fracassa au sol. Pire encore, le dossier de la chaise, dont le bois se desséchait, cassa comme une allumette. Le grand-père de Catherine l'attrapa par un bras et lui flanqua une gifle. Jules se sentit extrêmement malheureux. Ces manières un peu trop vieille Europe lui déplaisaient. Ses beaux-parents haussèrent les sourcils lorsqu'il exprima sa désapprobation, et Delphine ne prit pas son parti. Jules, qui souffrait d'insécurité depuis son enfance, se figura que ses beaux-parents le croyaient incapable d'élever sa fille.

Jules surprenait parfois des conversations au cours desquelles Delphine laissait entendre qu'elle ne se plaisait pas aux États-Unis. Un jour, le jeune homme entendit son beau-père traiter les Américains d'incultes. Il s'imagina que ces remarques le visaient directement. La confiance de Jules l'abandonna et, comme chaque fois que cela lui arrivait, il se referma sur lui-même.

Jules avait espéré faire un petit tour des environs avec sa famille, mais Delphine se cantonna à la maison, jacassant avec sa mère et avec des amies retrouvées. Jules partit seul, en touriste, visiter des musées et assister à des concerts. S'éloigner de ses beaux-parents était pour lui à la fois un soulagement et une torture. Il était heureux de se distraire, mais ne pouvait s'empêcher d'imaginer qu'en son absence on le critiquait sans arrêt.

Jules et sa famille restèrent en Belgique pendant six semaines. Leur budget étant limité, ils n'allèrent pas une seule fois à l'hôtel et très rarement au restaurant. Ils firent tout de même quelques sorties chez des parents de Delphine, des gens âgés pour la plupart. Le couple eut peu d'intimité. Catherine partageait leur chambre et elle avait le sommeil léger. Jules aurait voulu se rapprocher de sa femme et qu'ils fassent l'amour, mais cela ne se produisit pas.

Le moment du départ arriva. Le voyage avait déçu Jules. Delphine rechignait à l'idée de partir. Jules se mit à craindre que les vacances ne se terminent par une séparation. Il imagina sa honte de revenir seul à Lexington et d'annoncer à ses parents la désertion de sa femme et de sa fille. Il présumait que Delphine en réclamerait la garde, car c'était ce que la plupart des femmes voulaient. Jules ne réalisait pas que Delphine n'avait jamais désiré Catherine et qu'elle ne lui était pas attachée.

Delphine revint aux États-Unis avec son mari, qui en déduisit que l'idée d'élever Catherine seule l'épouvantait. Il se résolut à tenter, encore une fois, de sauver son mariage.

Mais si Delphine avait décidé de ne pas rester en Belgique, c'était parce qu'elle était de plus en plus décidée à reconquérir Érik Lavergne.

* * *

Moushika et GI Joe se comportèrent fort honorablement à Churchill Downs. Ils ne gagnèrent aucune course, mais ils remportèrent une bourse à chacune de leurs sorties.

Arnaud, Pascale, Elias, Martha et les chevaux déménagèrent ensuite à Ellis Park, l'hippodrome d'Henderson, toujours au Kentucky. Une bonne partie de la faune qu'ils avaient côtoyée à Churchill Downs prit le même chemin. Xavier décida de joindre l'impétueux Barachois à son équipe, ce qui enchanta Pascale. Barachois avait déjà été emmené dans un hippodrome, le printemps précédent, mais il n'avait jamais obtenu les documents nécessaires pour courir, malgré les efforts d'Elias. Pascale était bien décidée à remédier à la mauvaise réputation qu'avait acquise l'alezan brûlé auprès des officiels de la Commission des courses.

Les séances de dressage effectuées par Gabrielle avaient porté fruit. Désormais, Barachois comprenait les signaux manuels. Pascale n'eut qu'à le réhabituer à l'excitation de la piste.

La jeune fille avait toujours aimé le hongre, et elle l'appréciait de plus en plus, car c'était un compétiteur plein de mordant. Barachois ne supportait pas d'être derrière un autre cheval et, si son cavalier n'était pas vigilant, il chargeait au point de se brûler dans les premiers huit cents mètres. Pascale s'employa à corriger ce travers. Elle avait une volonté au moins égale à celle de Barachois. Sans gâcher le départ percutant de son protégé, elle lui enseigna à modérer ses ardeurs à la sortie des boîtes.

La Commission accorda à Barachois un document appelé *racing permit*. Pascale aurait pu être parfaitement heureuse, n'eût été le fait que sa licence d'apprenti jockey n'avait toujours pas été délivrée. La jeune fille se torturait à ce sujet. Les délais de traitement de sa demande étaient loin d'être anormaux, d'autant plus qu'on se trouvait en pleine période des vacances, mais Pascale était incapable de voir les choses sous cet angle. Elle avait tendance à s'imaginer le pire et elle se mit en tête que la Commission lui refuserait son permis.

Pascale n'était pas habituée à la bureaucratie. Lorsqu'elle téléphonait aux bureaux de la Commission, on lui fournissait des réponses vagues qui l'exaspéraient et alimentaient son angoisse. Plutôt que d'attendre avec patience, elle s'imagina qu'elle avait fait quelque chose pour se mettre la Commission à dos. Peut-être avait-on trouvé qu'elle montait de façon trop classique, ou alors trop hardie. Penchant tantôt vers une explication, tantôt vers l'autre, elle essaya de changer son style.

De nombreux chevaux entraînés par Don Morden se trouvaient à Ellis Park, dont Aerobic Nut. Bien que Pascale lui tapât franchement sur les nerfs, Morden retint ses services à plusieurs reprises car, admettait-il de mauvais gré, elle savait s'y prendre avec les chevaux. Une curieuse relation faite de respect accordé à contrecœur et de haine froide s'établit entre l'homme et la jeune fille. Il n'était pas rare qu'à la fin d'un entraînement ils s'envoient mutuellement promener, ou se promettent intérieurement de ne plus jamais avoir affaire l'un à l'autre. Comme la réponse à sa demande de licence tardait à venir, Pascale se mit en tête que Morden avait manœuvré afin qu'elle ne l'obtienne pas.

Arnaud arracha à Pascale une confession au sujet de l'angoisse qui la rongeait. L'ampleur de celle-ci n'étonna même pas le jeune homme; cette vision pessimiste était du Pascale tout craché. Arnaud lui expliqua que les délais de traitement de sa demande de licence étaient tout à fait normaux. Il s'évertua à rassurer Pascale, questionnant des jockeys qui avaient passé par ce processus, téléphonant lui-même aux bureaux de la Commission. Pascale s'efforçait de s'apaiser, mais elle n'y parvenait pas. Son angoisse la torturait et Arnaud souffrait de ses sautes d'humeur.

Parfois, le jeune homme soupirait et, en silence, il suppliait le ciel d'envoyer une licence à sa femme au plus tôt. Il espérait que le document serait délivré avant qu'il ne doive reprendre les classes et laisser Pascale seule sur les champs de courses. Arnaud était certain que sa femme obtiendrait sa licence. Quiconque l'avait vue monter partageait cette conviction; elle seule doutait. Les critères menant à l'obtention d'une licence d'apprenti jockey étaient connus de tous : il fallait avoir l'approbation d'un médecin, ne jamais avoir été reconnu coupable d'un acte criminel, savoir monter convenablement et peser moins de cinquante-neuf kilos. Parvenir à se faire accorder une licence était facile, relativement parlant; obtenir des contrats de monte était plus ardu, car la compétition était féroce.

Barachois fit ses débuts à Ellis Park dans une épreuve pour chevaux de trois ans n'ayant jamais gagné une course. Au *backside*, on appelait ces courses *maiden races*. On engagea sur place un jockey d'origine mexicaine. C'était un bon cavalier, mais il n'était pas habitué à Barachois.

L'alezan brûlé sortit des boîtes comme s'il avait l'enfer à ses trousses et se jeta carrément dans le peloton. Il gagna par plusieurs longueurs, mais les officiels le disqualifièrent pour interférence. Pascale et Arnaud ne protestèrent pas ; pour eux, la course avait été une victoire morale. Ils ne purent s'empêcher de penser que, si Pascale avait été le jockey, la bousculade à l'origine de la disqualification n'aurait jamais eu lieu.

Quelques jours plus tard, le même Mexicain monta GI Joe dans une épreuve serrée. À quatre cents mètres de l'arrivée, le hongre bai se mit à ralentir. On le sortit de la piste ; il venait de se blesser.

Le lendemain, comme GI Joe tenait à peine debout, Arnaud le fit ramener à Lavergne Farm.

* * *

La journée où GI Joe se blessa fut, pour Michael Harrison, fertile en émotions diverses.

Ce jour-là, le jeune homme était convoqué à la faculté de médecine vétérinaire de l'université du Kentucky. Alors qu'il cheminait vers ce lieu, le groom revivait, mentalement, les étapes de sa vie.

Michael provenait d'une famille ouvrière établie au New Jersey. Il était maintenant âgé de vingt et un ans. Depuis deux ans, il travaillait comme groom à Lavergne Farm.

Ce milieu de travail était stimulant pour lui, surtout à cause de la personnalité des gens qui l'entouraient. Michael s'était lié d'amitié avec Arnaud, puis avec Philip Davidson, le meilleur ami de ce dernier. Il avait eu l'occasion de fraterniser, pour la première fois de sa vie, avec des jeunes fréquentant une université. Leur simplicité et leur ouverture d'esprit l'avaient amené à croire qu'il pourrait, lui aussi, entreprendre des études, ce qu'il avait fait.

Quelques mois plus tôt, Michael avait entamé une formation scientifique dans un collège communautaire. Puis, il avait fait un geste audacieux, en demandant à être admis à la faculté de médecine vétérinaire de l'université du Kentucky.

Michael gagna Lexington, où était située l'institution, puis rencontra les dirigeants. Son bulletin de l'école secondaire était bon et ses notes du collège communautaire, encore meilleures. Cependant, il avait fait tardivement sa demande d'inscription et il ne possédait pas le bagage universitaire requis pour être admis. Michael exprima sa motivation à entreprendre des études, relata les conditions économiques de son enfance, fit comprendre qu'il avait dû abandonner l'école par nécessité plutôt que par choix. On lui prêta une oreille sympathique.

Lorsqu'il sortit des bureaux de la faculté, Michael se retenait pour ne pas esquisser quelques pas de danse, car il venait d'obtenir la permission d'assister à deux cours comme étudiant libre. Il se jeta sur le premier téléphone public et appela ses parents.

10

ASHANTI OF AFRICA se tenait au sommet d'une petite butte; il dressa la tête un moment, regardant le soleil qui se levait sur Lavergne Farm. Des chevaux de son âge firent écho à son hennissement.

Un autre jour se levait, et Ashanti, après un goûter revigorant, se dirigea vers ses compagnons d'enclos. Il y eut de sourds hennissements, d'inévitables menaces de ruade, des coups de tête. Le soleil réchauffait le corps des pur-sang et, amicalement, ils se lancèrent un défi.

Ils coururent, par gaieté et par jeu, parce qu'ils étaient jeunes et rapides. Un observateur aurait pu se délecter de l'harmonie de leurs robes, du mouvement souple de leurs vigoureuses épaules, du balancement cadencé de leurs croupes. Mais il n'y avait personne pour les regarder; ils étaient seuls, ces poulains dont le sang en faisait des champions.

Plein de fougue et de flamme, Ashanti repoussa une épaule qui le collait de trop près. Il hennit, secoua la tête, força son allure. Autour de lui, les autres chevaux se tassèrent sans rouspéter. Plus souvent qu'autrement, les étalons pourvus de gènes susceptibles d'améliorer l'espèce sont dotés d'un tempérament qui leur permet de s'imposer. Il en était ainsi pour Ashanti.

Il galopait, l'encolure tendue vers l'avant, ses jambes frappant le sol en cadence : flexion, extension; ses poumons inspirant, puis expirant l'air du matin. De ses ancêtres sauvages, Ashanti tenait une rapidité, une endurance qui dépassaient les limites de son pré. Ces qualités, en milieu naturel, lui auraient permis de trouver des prairies fertiles, de traverser des steppes, d'échapper aux prédateurs. Aux vastes espaces, les humains entendaient substituer les champs de courses.

Poussé par un besoin de conquête, Ashanti courait plus vite que ses compagnons. Il était un étalon, et les règles du monde des chevaux exigeaient qu'il possédât une harde qu'il défendrait jusqu'à la mort. Ashanti avait deux ans et son développement sexuel était en train de se compléter. Les humains l'avaient séparé des juments. Autrement, on n'aurait pas pu obtenir de lui la concentration nécessaire pour qu'il coure convenablement. Mais les instincts qui pousseraient Ashanti à trouver des femelles qui ne seraient qu'à lui, à les entraîner dans d'interminables errances et à transmettre les gènes dont il était pourvu marquaient son cerveau de façon indélébile.

Lorsqu'il eut suffisamment distancé ses congénères, Ashanti passa au trot, puis au pas. Il dressait la tête et ses naseaux se gonflaient. Respectueux, les autres poulains restaient éloignés.

Ashanti baissa la tête pour croquer l'herbe ; il s'était approprié la meilleure pâture, celle qui était située en bordure d'un groupe d'arbres. Là, l'ombre et l'humidité régnaient. Le soleil du Kentucky brunissait l'herbe dans le reste du pré. Ashanti mangea.

Il y eut un mouvement de groupe lorsque Xavier et l'un de ses employés s'approchèrent de la clôture. Les chevaux avaient vu les hommes venir de loin. Ils s'étaient rassemblés, leurs têtes juvéniles posées sur la barrière. Ashanti quitta les abords du bosquet et traversa le pré au grand trot. Ses compagnons lui laissèrent la place. Il gardait la tête plus haut encore que tous les autres ; les humains étant ceux par qui les chevaux obtenaient abri et nourriture, il fallait qu'il soit le premier à les saluer.

Xavier saisit le licou d'Ashanti et le mena à l'extérieur du clos. Le poulain ne pouvait pas savoir que son propriétaire disposait d'un box libre dans un hippodrome à la suite de la blessure de GI Joe. Confiant, Ashanti s'éloigna, indifférent aux appels de ses congénères. Il anticipait l'avoine.

Il n'y eut pas d'avoine. Ashanti fut recouvert d'une couverture noir et vert, puis conduit à l'intérieur du van.

Ce fut long avant que le vent caresse de nouveau ses crins.

Il y avait une multitude d'odeurs, de bruits, dont aucun ne ressemblait à ceux qu'Ashanti connaissait. Mais il entendait la voix de Pascale qui lui parlait.

Il était à Ellis Park.

Ashanti était effrayé. Le premier jour, il ne mangea pas. Le deuxième jour, Pascale vint à son box très tôt, avant même qu'aucun autre humain eût passé à proximité.

Ashanti en sortit, la tête basse.

Pascale et le poulain traversèrent l'écurie. L'alezan doré serrait la queue contre sa croupe. Ellis Park le terrorisait. Ici, tout n'était que murs, et box, et chevaux entassés. Pascale l'emmena vers la piste. Ashanti sentit le sable sous ses sabots.

Sur la piste, il y avait une jument. Cette jument lui était familière, mais Ashanti, qui avait beaucoup évolué au cours des derniers mois, la voyait d'un nouvel œil. Elle était longue, fière, grise et soyeuse; c'était Moushika. Arnaud la tenait par la bride. Pascale monta sur son dos.

Docile, Ashanti suivit, tenu en longe, aussitôt qu'on le lui demanda.

Moushika trottait. Elle était amicale mais un peu froide aussi. Les chevaux prirent un galop léger, puis revinrent vers Arnaud.

Celui-ci était accompagné d'Elias, qui bâillait et grommelait. Martha n'était pas loin, une selle sous le bras. Pascale descendit de Moushika et s'approcha d'Ashanti. Le poulain fut sellé. Les muscles de sa croupe se crispèrent. Pascale lui parlait avec calme. Moushika, elle aussi, était calme.

Arnaud hissa Pascale sur Ashanti. Celui-ci eut un instant de panique et il couina. Pascale haussa la voix, une seconde seulement, puis reprit son incessant murmure. Ashanti constata son impuissance. On lui avait passé le mors.

Pascale parlait et les barres du mors ne tiraillaient pas les lèvres d'Ashanti; elles reposaient dans sa bouche, rappel discret, mais constant, de l'état de domination. Elias enfourcha Moushika puis partit au trot sur la piste.

Ashanti se lança dans le sillage de Moushika, intéressé, à défaut d'être enthousiasmé, par la manœuvre. Pascale gardait les rênes fermes et ne cessait de parler.

Les deux chevaux trottèrent; Ashanti se détendait. Au bout d'un moment, Pascale l'emmena dans une boîte grillagée.

Les portes s'ouvrirent et Ashanti se jeta en avant. D'abord, il ne vit rien, car ce galop furieux l'exaltait; puis il aperçut Moushika. Elle était loin devant lui et courait à toute vitesse. Ashanti grogna et précipita son allure.

Il tendit ses jambes, son encolure, sa tête vers la jument grise; elle filait comme le vent. Pascale parlait toujours, avec énergie maintenant : ses onomatopées frappaient les oreilles d'Ashanti, bondissaient dans sa tête, et il accéléra encore. Maintenant son épaule était tout près de celle de Moushika. Elle était plus grande que lui.

Ashanti allait la rattraper lorsqu'elle accéléra soudain, d'un mouvement aussi naturel que puissant. Ashanti grogna de nouveau. Il voulait être devant elle. Les deux chevaux passèrent le dernier tournant, Moushika tout près de la lice, Ashanti juste à l'extérieur. Les mains de Pascale avaient rendu le mors et Ashanti galopait à tombeau ouvert.

Quelqu'un cria dans le vent. Ashanti sentit que le poids de Pascale pesait davantage sur lui. Le mors bougea dans sa bouche. Le poulain alezan eut un moment d'impatience, car la jument était toujours devant. Le mors se fit plus insistant. Ashanti se laissait emporter par son élan. Il fut long à ralentir.

Pascale ramena le poulain à l'embouchure de la piste. Tous le caressèrent, tapotèrent son encolure; ils étaient groupés autour d'une montre et poussaient des exclamations. Ashanti soufflait, son cœur cognait sous la selle et chacune de ses veines était dilatée. Pascale mit pied à terre.

Ashanti tendit ses naseaux vers la croupe de Moushika. Les chaleurs de la jument étaient terminées, et elle afficha une odieuse indifférence.

11

PASCALE ET ARNAUD se trouvaient dans leur chambre d'hôtel en ce premier dimanche de septembre. La rentrée universitaire avait eu lieu voilà quelques jours, mais Arnaud était néanmoins resté à Ellis Park, dans le vain espoir que la licence d'apprenti jockey de Pascale arriverait.

Silencieusement, Arnaud faisait sa valise, car il quittait le *backside* ce jour-là pour entamer la troisième et dernière année de ses études universitaires. Pascale était assise dans un coin du sofa, une écharpe autour du cou, une tasse de bouillon de poulet à la main. Elle tentait de se débarrasser d'un interminable rhume de cerveau. Rocky haletait à ses pieds. Une pluie tenace, désagréable, inondait le Bluegrass depuis la veille.

Arnaud bouclait sa valise lorsqu'une quinte de toux plia Pascale en deux. Le jeune homme se retourna vers son épouse et la regarda, un peu inquiet. Pascale travaillait très dur. Le matin même, elle avait monté successivement Barachois, Ashanti et Moushika, puis avait accepté des contrats de monte pour Aerobic Nut et quatre autres chevaux. Comme cavalier d'exercice, Pascale connaissait du succès. Chaque matin, l'un ou l'autre des entraîneurs la sollicitait afin qu'elle entraîne leurs protégés.
Ces chevauchées duraient une vingtaine de minutes. On donnait à Pascale huit dollars pour chacune d'elles. Cette somme était identique à celle que recevaient les autres cavaliers d'exercice. Pascale se trouvait tout de même mieux nantie que

la plupart d'entre eux, car en plus de décrocher des contrats elle touchait un salaire versé par Xavier et un pourcentage des bourses récoltées par les chevaux de Lavergne Farm. Au *backside*, on commençait à la jalouser.

Arnaud la regarda de nouveau. Ses vêtements avaient été complètement trempés par la pluie au cours de l'entraînement. À son arrivée à l'hôtel, elle avait toussé si fort qu'elle avait rendu son petit déjeuner. À présent, elle était très pâle et affirmait qu'elle n'avait pas faim. Arnaud la vit caler ses pieds sous le corps de Rocky. «Quel mauvais moment pour partir», se dit-il.

Il n'avait fallu à Ashanti que deux semaines pour obtenir ses permis. On aurait donc pu l'inscrire à une course, mais Xavier et Arnaud tenaient à ce qu'il soit monté par Pascale lors de ses débuts. Cela n'était pas possible, puisque Pascale n'avait toujours pas de licence. Arnaud était convaincu que Pascale désirait passionnément monter Ashanti lors de sa première course, et ce, même si elle insistait pour qu'on pense au cheval et pas à elle-même.

Arnaud soupira. Cette attitude était typique de Pascale. Elle se culpabilisait de n'avoir pas encore obtenu sa licence, et niait ses propres désirs afin de rendre service à ceux qu'elle croyait déranger. Arnaud se désolait qu'elle se tourmente ainsi, et cette habitude, en plus de l'intriguer, commençait à l'exaspérer un peu. À sa tristesse, à ses questionnements et à son impatience, Arnaud appliquait la même recette : il secouait la tête et se persuadait que tout rentrerait dans l'ordre. Pourtant, Pascale avait été jusqu'à dire à Xavier qu'il perdait de l'argent à attendre après elle…

À cause de tout cela, Arnaud aurait préféré rester à Ellis Park, mais Pascale elle-même le pressait de partir. Arnaud savait bien pourquoi : elle se sentait responsable de chaque heure de classe qu'il manquait.

Le jeune homme déposa sa valise près de la porte de la chambre. Pascale avala une gorgée de bouillon qui lui brûla le gosier. Elle toussa de nouveau. Arnaud s'assit à côté d'elle et l'attira contre lui. Elle déposa la tasse de soupe sur une petite table.

– À bientôt, ma chérie, murmura Arnaud.

– À bientôt, répondit Pascale.

Sa voix avait tremblé et Arnaud la dévisagea, cherchant à voir si elle était émue. Pascale simula immédiatement une nouvelle quinte de toux. Elle ne devait pas avoir l'air de souffrir du départ d'Arnaud. Il ne fallait pas qu'elle le retienne ! Sinon, quel fardeau elle deviendrait pour lui !

Un peu déçu, Arnaud réprima un soupir. Il était marié depuis quatre mois et attendait toujours des mots d'amour.

– Je viendrai te voir aussi souvent que je le pourrai, promit-il.

– Il ne faut pas que tu manques des classes, protesta Pascale d'une voix très enrhumée.

– Oublie mes classes. Soigne ce rhume, et souviens-toi seulement que je t'aime.

Le jeune homme serra son épouse un peu plus fort et attendit. La respiration de Pascale sifflait dans son oreille, mais elle ne dit rien.

Arnaud se leva et, après un dernier au revoir, il quitta la pièce.

Lorsque le bruit de ses pas se fut éteint, Pascale tourna son visage vers la fenêtre. Elle vit Arnaud charger sa valise dans le pick-up et démarrer. Il disparut en quelques secondes.

Pascale ramena sous elle ses pieds frileux. Depuis qu'elle était descendue de cheval, elle ravalait ses pleurs. Le stress, le rhume, l'attente de sa licence avaient miné sa résistance ; le départ d'Arnaud achevait de lui enlever son courage.

Elle gémit à voix haute et des larmes douloureuses vinrent inonder son visage. Comme elle avait eu envie de supplier Arnaud de l'emmener avec lui ! Comme elle s'ennuyait de Lavergne Farm !

Pascale s'assit par terre et jeta ses deux bras autour du cou de Rocky. Impressionné, le boxer couchait ses oreilles et reniflait avec tendresse. Pascale trouvait auprès de lui un certain réconfort, mais elle se languissait de Vol-au-Vent. Depuis quelques mois, elle vivait dans une atmosphère hautement compétitive et ses nerfs étaient épuisés. Soudain, elle réalisa qu'elle n'aurait plus, le soir, le corps d'Arnaud…

Elle eut comme un sursaut de douleur. Ça y était, l'absence d'Arnaud l'affaiblissait. Plutôt que d'apprivoiser son désarroi, Pascale se mit en colère contre elle-même. Sapristi ! Si elle voulait avoir une carrière de jockey, qui l'emmènerait d'un hippodrome à l'autre, il fallait qu'elle soit plus indépendante que cela !

Rageuse, Pascale délaissa Rocky, puis se rassit dans le coin du sofa et avala une gorgée de bouillon. Une pensée qu'elle essayait de garder enfouie au fond de son cœur vint chatouiller sa conscience. Il y avait beaucoup de jeunes filles célibataires à l'université du Kentucky…

Beaucoup de jeunes filles qui, sans doute, seraient attirées par ce beau jeune homme dont l'épouse, fort opportunément, était au loin. La souffrance étourdit Pascale et elle se fustigea.

Les larmes et le découragement ne la quittaient pas. Elle se dirigea vers la salle de bains et avala deux cachets d'aspirine. Puis elle se mit au lit et s'endormit au bout de dix minutes.

* * *

Quelques semaines après son retour à Paris, Arnaud fut invité à visiter le logement de son ami Philip Davidson, situé presque en face de la faculté de médecine de l'université du Kentucky, à Lexington. L'appartement était au rez-de-chaussée et la porte d'entrée se trouvait à quelques mètres du restaurant chinois que Philip et ses amis avaient l'habitude de fréquenter. Enchanté de l'invitation, Arnaud demanda à son ami si celui-ci pouvait l'aider à résoudre quelques interrogations au sujet d'un exercice en physiologie. Philip accepta avec plaisir, et suggéra qu'ils partagent le repas du soir.

Arnaud arriva vers dix-huit heures, chargé de son cartable, d'une demi-douzaine de canettes de bière et d'un énorme gâteau au chocolat.

– Mais il est monstrueux ! s'écria Philip en désignant le dessert.

– Je croyais que Laurie serait ici, répondit Arnaud.

– Tu parles ! Elle mange comme un oiseau.

– J'ai envie de chocolat, grommela Arnaud.

Philip lança à son ami un regard de biais.

– On a prouvé scientifiquement que les gens en peine d'amour éprouvaient un irrésistible besoin de manger du chocolat, énonça-t-il.

– Tu veux que je l'admette ? Je m'ennuie.

Boudeur, Arnaud déposa son cartable sur la table de la cuisine et ouvrit une canette. Il la tendit à Philip, en saisit une autre et avala plusieurs gorgées de bière.

Philip suggéra à son ami de visiter les lieux. Le logement comportait une chambre, un séjour, une cuisine et une salle de bains. C'était plutôt exigu et on sentait perpétuellement les relents de cuisine chinoise qui provenaient du voisin. À cause de cela, expliqua Philip, on lui avait laissé l'endroit à bon prix.

Dans la chambre à coucher, Arnaud contempla le lit à deux places, la commode brune et terne, l'absence de tableaux sur les murs. Dans un coin, il y avait un bureau de travail croulant sous les livres. Arnaud chercha des yeux un indice de présence féminine et n'en trouva aucun.

– Est-ce que Laurie vient ici de temps en temps ? s'enquit-il.

Philip lui lança une œillade où la curiosité et l'embarras se mêlaient.

– Bien sûr que si, répondit-il. Je gage qu'elle t'a demandé de me parler.

Arnaud assura qu'il n'en était rien. D'un geste un peu impatient, Philip remonta ses lunettes sur son nez, puis il avala une gorgée de bière tout en se balançant sur ses pieds.

– Vois-tu, expliqua-t-il à Arnaud, Laurie voulait habiter avec moi et j'ai refusé. Elle dit qu'elle comprend, mais… enfin, hier, je l'ai surprise à pleurer toute seule.

Ahuri, Arnaud s'exclama :

– Mais tu es masochiste ou quoi? Si je pouvais avoir Pascale avec moi tous les jours…

Philip soupira. Il se souvenait, comme si c'était hier, du jour où son père avait été gravement blessé dans un accident de travail. Cet événement, et les interminables poursuites judiciaires qui avaient suivi, avaient pratiquement ruiné la famille Davidson. La situation financière de Philip était précaire. Il devait rembourser ses prêts étudiants, payer son logement, s'acheter des livres… Il était absolument incapable d'envisager de se charger de Laurie par-dessus tout cela. Celle-ci avait cessé de travailler chez les Lavergne depuis la rentrée. Elle subsistait grâce à l'aide financière de ses parents, mais ceux-ci verraient d'un mauvais œil qu'elle emménageât avec son petit ami. Philip raconta tout cela à Arnaud.

– Si Laurie s'installe ici, conclut-il, ses parents lui coupent les vivres.

– Mais, protesta Arnaud, vous serez tous les deux médecins dans moins de cinq ans! Vous pourrez alors éponger vos dettes.

Philip regarda son ami et lui envia sa désinvolture. Il éprouvait toujours une réticence à courir des risques financiers, ce qui n'était pas du tout le cas d'Arnaud, qui s'en tirait tout de même assez bien.

– C'est facile à dire pour toi, argua Philip. Pascale travaille, elle a un salaire.

D'une seule gorgée, Arnaud acheva sa bière. Il se dirigea vers la cuisine et, rapidement, ouvrit une deuxième canette. Philip était convaincu qu'Arnaud s'ennuyait réellement de Pascale. Ces deux-là n'avaient pratiquement jamais été séparés depuis leur rencontre. De plus, Arnaud était habitué à être très entouré par sa famille; il avait assurément un tempérament grégaire, ce qui n'était pas le cas de Philip. Celui-ci mit deux steaks à frire dans une poêle tout en répondant aux questions qu'Arnaud lui posait au sujet du cours de physiologie.

Philip cuisinait diablement mal et Arnaud, en riant, prit charge de la préparation de la viande, reléguant son hôte à la confection d'une salade.

– Tu mangerais beaucoup mieux, insista-t-il, si Laurie habitait ici. Pense aux petits plats qu'elle préparerait…

Philip pouffa de rire tout en déposant le bol de salade sur la table.

– J'ai besoin d'indépendance, dit-il. J'aimerais passer un an ou deux à vivre seul, pour apprendre justement à cuisiner et à tenir la maison…

– C'est bien toi, ça, railla Arnaud. Te priver d'amour pour des principes…

– Je ne suis pas privé d'amour, protesta Philip. Laurie passe la nuit ici de temps en temps. Quand elle ne peut pas me voir, elle me téléphone, parfois deux ou trois fois par jour, seulement pour me dire qu'elle m'aime.

Retournés d'un mouvement sec, les steaks grésillèrent dans la poêle. Arnaud cessa de regarder Philip qui, soudain, le scrutait avec attention.

– Pascale t'a-t-elle dit qu'elle t'aimait? s'enquit Philip d'un ton nonchalant.

– Elle m'aime, coupa Arnaud.

Son ton mécontent était plus éloquent que ses mots.

– Te l'a-t-elle dit? insista Philip.

Arnaud empoigna sa canette et avala une forte rasade sans même répondre.

* * *

C'était vendredi. Gabrielle eut une journée chargée. Un incident malheureux survint au manège alors que Xavier se trouvait à Lexington. Gabrielle dut accompagner un cavalier à l'hôpital.

À son retour, elle eut un entretien avec Michael Harrison. GI Joe, le pur-sang bai qui venait de se blesser en course, était fiévreux. Il refusait de s'alimenter. Gabrielle suggéra au groom d'appeler le vétérinaire.

Gabrielle rentra ensuite à la maison. Elle devait donner un cours d'équitation à cinq heures de l'après-midi. Gabrielle avait décidé de relancer ce petit commerce, mis sur pied par

Pascale un peu plus d'un an auparavant. Celle-ci avait dû cesser d'enseigner lorsqu'elle avait repris son métier de cavalier d'exercice et, du coup, ses déplacements dans les hippodromes.

Au cours de l'après-midi, Gabrielle téléphona chez Jules. Delphine lui répondit. Elle semblait très fatiguée. Jules devait passer la soirée à un récital, pour accompagner au piano une chorale locale. Gabrielle soupira; sa bru paraissait au bout de son rouleau et, sans penser à tout ce qu'elle avait à faire, Gabrielle lui offrit de garder Catherine. Celle-ci arriva à la ferme moins d'une heure plus tard.

Afin de distraire l'enfant, Gabrielle l'emmena sur le chantier de la future maison des Arvanopoulos. C'était un joli bâtiment de briques grises, comportant un sous-sol et un étage. Pendant un moment, Gabrielle s'entretint avec le contremaître.

Puis elle retourna à la maison. François et Sébastien étant revenus de l'école, Gabrielle confia Catherine à ses deux jeunes oncles et gagna ensuite l'écurie.

Ce n'est qu'après la leçon d'équitation qu'elle découvrit, au milieu du courrier, une lettre adressée à Pascale Lavergne, aux soins de Xavier Lavergne. Gabrielle la posa sur le meuble du vestibule. Elle croyait deviner ce que la lettre contenait. Et si c'était cela, Xavier serait drôlement heureux. Et tout le reste de la famille aussi.

«Ashanti of Africa à Keeneland!» se répétait Gabrielle intérieurement. Elle s'imagina Xavier vantant son poulain aux gens de Lexington, à ses collègues, à Trevor au magasin de spiritueux, et elle sourit toute seule.

* * *

Geneviève Lavergne était heureuse de rentrer chez elle, pas tant parce que sa journée était terminée qu'à cause de ses chaussures neuves qui lui blessaient les pieds. Avec soulagement, elle retira ses souliers, puis grimaça, car la friction du cuir avait déchiré un de ses bas de nylon. À la fin des vacances estivales, la Bluegrass Import-Export Inc. lui avait offert un emploi à temps partiel. Geneviève travaillait après ses classes. Elle était fatiguée.

Des cris enfantins provenaient de la cuisine. Geneviève s'y rendit. Catherine trotta allègrement vers sa tante en chantonnant : «Gevève, Gevève!» Gabrielle se retourna et constata la présence de sa fille.

Geneviève remarqua dans les traits de sa mère une certaine lassitude, et aussi un petit air pimpant. La jeune fille n'engagea pas la conversation; elle monta directement à sa chambre.

Une fois changée, elle redescendit à la cuisine. Ses frères François et Sébastien s'y trouvaient et ils taquinaient Diamond qui, furieux, aboyait sous la table. Geneviève avait mal à la tête. Un client mécontent l'avait appelée plusieurs fois au cours des dernières heures; elle savait que l'ire de l'individu n'était pas dirigée contre elle, mais, en bonne secrétaire, elle l'avait subie. Elle se retenait difficilement de crier à ses frères de se taire et d'envoyer le chien dehors. Au milieu de tout cela, le téléphone sonna. Geneviève fut déçue, car ce n'était pas Bruce.

Elle ravala son dépit, endossa une veste en jean et partit à pied vers l'écurie. Elle avait moins envie de voir les chevaux que d'être seule dans le silence.

Elle fut satisfaite, car l'écurie était déserte. Geneviève alla voir sa jument Mafalda, puis Vol-au-Vent qui quémandait vivement son attention. Elle s'apaisait; sa bonne humeur naturelle lui revenait. Reprenant sa promenade, elle aperçut Michael Harrison qui sortait GI Joe de son box.

Pendant quelques mois, Geneviève et Michael s'étaient fréquentés. Maintenant, ils étaient amis.

– Alors? fit le jeune homme. Ta journée?

Geneviève s'approcha, toucha la croupe frémissante de GI Joe, puis fit part de ses frustrations au jeune homme.

– Cette jambe n'est pas jolie, grinça le groom en se penchant sur l'articulation du crack, pas jolie du tout.

Michael enduisit le membre de GI Joe d'un liquide pâteux et très odorant.

– GI Joe est un hongre, réfléchit Geneviève à haute voix. Je me demande ce que mon père en fera s'il ne peut plus courir.

Soucieux, Michael secouait la tête.

– GI Joe guérira, s'écria Geneviève avec optimisme. Tu as vraiment un don pour soigner les chevaux.

Les deux jeunes se retournèrent en entendant un homme chanter en français. Michael et Geneviève se sourirent; c'était certainement Xavier qui venait dans leur direction. Sa ritournelle prenait des airs de charge militaire tant elle était énergique. Geneviève et Michael en déduisirent que l'arrivant était d'excellente humeur.

– Bonjour, docteur Lavergne, comment allez-vous? s'enquit Michael dans un français laborieux.

– Très bien merci, comme tu dois t'en douter, répondit Xavier en anglais. Savez-vous où est Arnaud en ce moment?

– Mais, il étudie chez Philip, non? répondit Geneviève.

– Il faut absolument que je lui parle, déclara Xavier en français. Ah! Mais comment vais-je résister?

– À quoi? demanda Geneviève dans la même langue.

– À l'envie de le dire à tout le monde, bougonna Xavier toujours en français.

Michael sourit au docteur. Il avait réussi à suivre le dialogue.

– Vous avez une nouvelle, une bonne et une grosse nouvelle, devina-t-il. Est-ce que Pascale…

– … est enceinte? souffla Geneviève.

Michael et Xavier éclatèrent de rire. Geneviève était une incorrigible romantique, et, gentiment, ils se moquèrent d'elle.

– Non, elle ne l'est pas, dit Xavier, et quelque chose me dit qu'elle ne le sera pas avant un moment. D'après toi, Michael, quelle est donc ma nouvelle?

– Pascale a obtenu sa licence d'apprenti jockey, débita Michael.

– Exactement, confirma Xavier. Pascale ne sait rien, alors tenez-vous cois. Je présume qu'Arnaud voudra aller à Ellis Park afin de la mettre au courant. Elle et Ashanti feront leurs débuts à Keeneland.

* * *

Elias et Martha sortirent du box de Barachois, qui restait immobile, sa tête tombante dirigée vers un coin de la stalle.

– Quelle sacrée merde ! pesta Elias.

– C'est le cas de le dire, renchérit Martha. Je ne sais pas ce qu'il a pu manger.

– C'est ses nerfs, dit Elias. Ce cheval sait qu'il va courir demain. Personne ne le lui a dit en langage de cheval, mais il le sait et ça le rend malade, c'est ça l'affaire.

Elias et Martha prirent le chemin de la cuisine de la piste où ils devaient retrouver Pascale. En passant, ils jetèrent un coup d'œil à Rocky qui somnolait dans le box de Moushika.

– La petite s'ennuie de son gars, affirma Elias.

– Mais, objecta Martha, elle ne parle jamais de lui.

Elias répéta son affirmation. Il se réjouissait qu'Arnaud eût annoncé son arrivée à Ellis Park pour la fin de l'après-midi.

Le couple entra dans la cuisine. Pascale était attablée, seule. Elias et Martha payèrent leur repas puis vinrent la rejoindre.

Ils mangèrent en silence tandis que Pascale fixait un point, quelque part dans la salle. Elle était fatiguée, et après le repas, Martha la conduisit à l'hôtel où elle se reposerait en attendant l'arrivée d'Arnaud.

Pascale venait de passer cinq jours et quatre nuits au *backside*. L'état des chevaux avait commandé cette assiduité. Les cheveux et les vêtements de Pascale avaient pris une teinte brunâtre ou grisâtre qui se confondait avec l'écurie elle-même. Elle était heureuse de disposer de quelques heures avant l'arrivée d'Arnaud.

Avec délice, elle envisagea un long bain, puis choisit mentalement les vêtements qu'elle endosserait lorsqu'elle serait convenablement récurée. Elle possédait une chemise de bonne qualité sur laquelle étaient brodés des chiens. C'était Arnaud qui la lui avait offerte parce qu'il y avait un chiot boxer parmi les animaux représentés. En entrant dans l'hôtel, Pascale s'imaginait quitter les lieux en compagnie d'Arnaud pour aller souper à l'extérieur.

Alors qu'elle se traînait les pieds dans les corridors de l'hôtel, Pascale se voyait, vêtue de sa chemise brodée et d'un pantalon marine, attendant Arnaud dans le hall tout en regardant la télévision. Elle lui offrirait l'image d'une épouse reposée et bien mise, et, sans doute, il serait content. Puis elle irait avec lui dans un restaurant tranquille où ils discuteraient des chevaux en français pour que les gens autour d'eux ne comprennent pas ce qu'ils se diraient. L'imagination de Pascale aurait pu aller plus loin et visualiser le retour à l'hôtel après ce bon repas, mais l'esprit indépendant de la jeune fille repoussait de telles pensées, dont elle s'interdisait jusqu'au parfum.

Pascale ouvrit la porte de sa chambre. Elle déposa son sac par terre et retira ses bottes tout en bâillant. La jeune fille avait gardé le regard baissé depuis qu'elle était entrée dans la pièce. Elle vit un rayon lumineux sur le tapis et se demanda quelle lampe la femme de chambre avait-elle oublié de fermer. Alors elle leva les yeux.

Arnaud s'était installé sur une petite table afin d'étudier en attendant que Pascale n'arrive. Lorsqu'elle était entrée, il s'était levé sans bruit. Maintenant Pascale restait figée, les mains crispées sur sa bouche, en proie à une émotion dont la violence la surprenait. Arnaud fut près d'elle en deux enjambées.

– Mais… tu es déjà là, souffla Pascale.

– Mon cours a été annulé, expliqua Arnaud.

– Je suis toute sale, voilà cinq jours que je n'ai pas quitté le *backside*, bredouilla Pascale.

Arnaud rit. Une sourde déception empêchait Pascale d'être heureuse. Ce n'était pas ainsi qu'elle avait voulu accueillir Arnaud. Elle se sentait sale, peu attirante; donc fautive, car imparfaite.

En plus d'être accablée par son perfectionnisme, Pascale était tourmentée par son souci d'indépendance. Au lieu d'être reposée et bien mise, elle se trouvait dans un état de fatigue qui donnait à Arnaud des raisons de s'occuper d'elle. Il était déjà trop tard pour résister. Beaucoup trop tard, car Arnaud avait posé ses mains sur elle, il la caressait, il la soulevait de terre et l'embrassait, et Pascale se sentait glisser vers son époux, comme si la beauté de son corps et la simplicité de son être lui enlevaient toute volonté.

Elle se mit à trembler, de peur et de désir à la fois; elle avait envie de pleurer son impuissance. Arnaud s'en aperçut. Il se demanda pourquoi Pascale était si tendue, puis chassa cette pensée, certain qu'elle céderait à ses avances. Il avait déposé sa femme sur le lit et l'étreignait fermement. Sans cesser de la tenir dans ses bras, il la fit rouler sur le dos et se pencha sur elle.

– Tu es fatiguée, dit-il, raconte-moi ce qui ne va pas.

– Barachois a été malade.

– Toi, insista Arnaud, parle-moi de toi.

– Je voulais être propre quand tu arriverais, gémit Pascale, je voulais prendre un bain…

– C'est légitime, fit Arnaud en riant.

Il embrassa Pascale, puis la toucha d'une façon qui provoqua une réaction immédiate chez elle : elle agrippa le col de la chemise de son époux dans un geste empreint à la fois de colère, d'hésitation et de sensualité brute; sa jambe serra la hanche d'Arnaud presque malgré elle. Il cessa aussitôt de l'embrasser. Il avait gagné. Bien que sa femme eût un esprit indépendant qui persistait encore à refuser l'amour, elle avait un corps qui échappait à son contrôle; ce n'était donc que physiquement qu'il pouvait la posséder, du moins jusqu'à maintenant.

– J'ai une surprise pour toi, annonça-t-il en se redressant.

Échevelée, Pascale s'assit elle aussi, mais plus lentement. Arnaud fouillait dans son porte-documents. Pascale le regardait en se mordant les lèvres. «Pourquoi, oh! pourquoi est-il aussi beau?» se demanda-t-elle avec rage.

– Regarde, dit Arnaud.

Il tendait un document. Pascale était à peine capable de lire.

– Je vais être jockey, bredouilla-t-elle au bout d'un moment, j'ai ma licence d'apprenti !

– Tu veux prendre un bain pour fêter ça ?

Le visage de Pascale se crispa et un drôle de hoquet la secoua.

Par la pensée, elle revivait son départ du Québec, son arrivée à Lavergne Farm. Sa lutte contre Érik, quand elle avait découvert sa liaison avec Delphine, puis quand il avait tenté de l'intimider et de la séduire, et, plus tard encore, quand il l'avait brutalisée pour qu'elle lui remette son argent ; cette lutte-là n'était pas tout à fait terminée, à cause de Catherine... Elle se rappelait aussi la terrible blessure qu'un cheval lui avait infligée, et la pénible réhabilitation qui avait suivi... Pascale avait triomphé de tout cela et elle était émue.

Elle ne devait pas pleurer, pourtant. C'était une bonne nouvelle qu'Arnaud lui annonçait ; il serait déçu si elle pleurait... Le jeune homme reprit son épouse dans ses bras et l'étendit de nouveau sur le lit. Elle se crispait, et il retint un mouvement d'impatience. Lui aussi pensait à Érik. Érik qui avait tenté d'embrasser Pascale et qui lui avait meurtri un sein...

Arnaud secoua sa tête blonde. « Sacré Érik ! » pesta-t-il tout bas. Il avait l'impression que son frère était présent dans la chambre, qu'il était en train de dérober leur bonheur, à sa femme et à lui. Pascale reposait là, hésitante, ses yeux grands ouverts – bleus, mais sans réelle douceur ; métalliques, tranchants comme une lame.

Arnaud secoua la tête. Ce sacré Érik, eh bien, il en triompherait !

– Pour moi, ça été trop long, dit-il, ces quelques semaines sans ma femme. Je crains que nous n'ayons quelque chose à faire tout de suite, avant ton bain... Cesse de réfléchir, laisse-moi seulement t'aimer.

Pascale ne répondit pas ; ce n'était aucunement nécessaire.

12

IL Y AVAIT foule à Keeneland en ce vendredi après-midi d'octobre. La saison des courses venait de débuter et certains amateurs avaient pris congé afin d'aller à l'hippodrome.

On spéculait en dépouillant le *Daily Racing Form*, publication entièrement consacrée aux courses de chevaux, et en scrutant à la jumelle la piste boueuse et profonde. À Keeneland, il n'y avait ni commentateur en direct ni haut-parleur bruyant. Le public avait accès à la piste pendant les entraînements du matin et on pouvait s'approcher du paddock où on sellait les chevaux. Ce lieu de mille stratégies était délimité par une haie large, cerclée d'une clôture basse. Chaque concurrent disposait d'un espace à proximité d'un arbre numéroté.

Pascale aimait Keeneland pour plusieurs raisons : pour la sociabilité discrète des gens, pour le classicisme de l'endroit, pour sa proximité avec Lavergne Farm, car c'était l'hippodrome de Lexington. En ce moment, Pascale était dans le vestiaire des jockeys et elle regardait dehors. Elle regardait le ciel gris et maudissait la nature d'avoir envoyé des averses sur le Bluegrass. Pascale était vêtue de la casaque noir et vert des écuries Lavergne et elle attendait qu'un valet vienne la chercher pour sa première course.

L'espace d'un instant, ses yeux quittèrent la fenêtre et se posèrent sur sa manche. Comme tous les propriétaires de chevaux de course, Xavier avait enregistré ses couleurs auprès des autorités chargées de l'administration du sport. Le vêtement que portait Pascale était donc exclusif à Lavergne Farm. Seul un jockey représentant l'écurie pouvait le porter en course.

Au loin, Pascale entendait la rumeur de la foule, et elle se demandait si Ashanti, de son box, l'entendait aussi. Moushika devait être sortie du sien à présent. Sans doute était-elle en route pour le paddock. Une fille entra dans le vestiaire. Elle était couverte de boue.

Pascale la salua d'un signe de tête. Les femmes avaient fait leur entrée dans la profession de jockey en 1968, à la suite d'une ordonnance judiciaire forçant l'État du Maryland à accorder une licence de jockey à Kathryn Kusner. Deux mois plus tard, une autre femme avait obtenu une licence pour courir au Kentucky. En février 1969, Diane Crump était devenue la première femme jockey à remporter une course en Amérique du Nord. Par la suite, elle avait participé au Derby du Kentucky, la plus prestigieuse course de plat des États-Unis. Trois autres femmes avaient pris part à cette épreuve; aucune n'avait jamais obtenu l'une des trois premières places.

Pascale pensa à ces pionnières avec gratitude. Même si la profession de jockey exigeait un petit poids qui convenait mieux aux athlètes féminins, elle était toujours dominée par les hommes. En fait, les femmes y étaient si peu nombreuses qu'il était exceptionnel que deux d'entre elles s'affrontent dans une même course.

Pascale poussa un soupir et reprit sa contemplation des nuages qui assombrissaient obstinément le ciel. À la fin de la saison d'Ellis Park, Ashanti, Barachois et Moushika avaient été transportés à Keeneland. Ils y étaient depuis quatre jours; quant à Pascale, elle voyageait entre Lavergne Farm et l'hippodrome. La jeune fille avait été heureuse de retrouver la ferme, l'écurie, sa chambre, ses amis Geneviève et Michael, Arnaud, et toutes ces petites choses qui font qu'on est à la maison, mais elle avait été préoccupée par les cracks et tiraillée entre eux et sa belle-famille. Les Lavergne faisaient grand cas des débuts de carrière de Pascale. Ils célébraient son audacieuse ténacité, mais ils ignoraient, Arnaud excepté, que l'intéressée était littéralement malade d'anxiété.

Pascale gigota, toute malheureuse, car elle était persuadée que son incapacité à contrôler son système nerveux était une source de mécontentement pour son époux. Bien sûr, lui et elle couchaient dans la même chambre – dans le même lit – et il avait forcément constaté qu'elle dormait à peine, rongée par le stress. Pascale avait perdu du poids et se sentait étourdie à l'occasion.

Cher Arnaud ! Comment faisait-il pour ne pas s'énerver, celui-là ? Sa tâche n'était pas plus légère que celle de Pascale. Il étudiait, commençait des stages, travaillait à l'écurie et entraînait les chevaux, tout cela en même temps. Et en plus Pascale le dérangeait la nuit. Pourtant Arnaud ne perdait son flegme que lorsqu'il était question d'Érik. Pascale évitait ce sujet, car elle n'avait nul besoin d'un élément perturbateur supplémentaire.

Pascale s'étira et bougea les orteils dans ses bottes. Pour se distraire, elle songea à Rocky. Le chien avait été tout heureux de revenir à Lavergne Farm. Lui et Diamond, le roquet jaune de Martha, s'étaient retrouvés et régentaient le reste de la population canine. Puis Pascale pensa à Vol-au-Vent. Elle s'ennuyait désespérément de son poney. Oh ! comme il pourrait la réconforter, avec sa combativité, son orgueil, sa désinvolture devant les difficultés ! Mais Vol-au-Vent était à Paris, dans son box peut-être, à soupirer après Mafalda.

On vint chercher Pascale. Elle sentit comme une sourde chute dans sa poitrine, une descente qui fit trembler ses genoux, mais elle mit son casque d'une main ferme, en boucla la mentonnière et, résolument, empoigna sa cravache.

* * *

Érik Lavergne eut un sourire moqueur en consultant le tableau. Le favori avait gagné, mais la mise de deux dollars ne rapportait que quarante cents. Érik se demanda s'il valait la peine d'attendre en file pour récolter cette maigre somme, puis décida que oui.

Le jeune homme était venu à Keeneland en compagnie de quelques collègues de bureau. Il ne pouvait gagner les loges réservées à sa famille, puisque celle-ci l'avait mis au ban, mais il s'en moquait, car il se plaisait, mêlé à la population lexingtonnienne. Il avait rencontré plusieurs personnes qu'il connaissait et s'amusait beaucoup.

Soudain, Érik vit dans la foule la silhouette de son frère Jules. Celui-ci eut tôt fait de s'approcher de lui.

– Bon sang ! s'écria Jules en français, je suis content que tu sois là.

Érik empocha son profit, puis les deux garçons s'approchèrent de la piste. Jules déplorait le fait que son frère ne pouvait s'asseoir dans les places réservées et il décida de lui tenir compagnie. De tous les enfants Lavergne, seul Jules montrait un désir réel de renouer avec Érik. L'intéressé s'en émouvait très peu, estimant cela à la fois ironique et désolant.

– Comment va Delphine ? demanda Érik par pure politesse.

Jules détourna aussitôt le regard. « Cher Jules, toujours aussi communicatif, railla intérieurement Érik. S'il savait ce que j'ai fait avec sa femme… Je me demande ce qu'il en dirait ! »

– Moushika doit être au paddock à présent. Allons voir, suggéra Jules.

Les frères Lavergne quittèrent les tribunes afin de gagner le paddock. Une foule dense se massait le long de la clôture. Moushika était là, sous un arbre, entourée de Martha, Elias et Xavier. Arnaud était debout dans la partie du paddock où les chevaux seraient montés.

Érik se demanda s'il ne valait pas mieux qu'il reste à l'écart, car il n'avait guère envie que son cadet l'apostrophe. Mais, raisonna-t-il, c'était jour de course et Arnaud n'aurait d'autre choix que de se conduire dignement auprès de tous les amateurs s'il ne voulait pas être exclu de la piste. Érik s'étira le cou, car les jockeys sortaient du vestiaire.

Il reconnut Pascale aussitôt qu'il la vit. Elle avait tressé ses cheveux et sa longue natte lui battait les épaules. Son visage était net, d'une froideur coupante ; il avait aussi quelque chose d'ascétique. Braqués droit devant elle, ses yeux brillaient d'un éclat métallique.

– Sapristi qu'elle est petite ! souffla Érik.

– Hum ! Elle toise Arnaud comme s'il n'était qu'un poteau de téléphone, fit remarquer Jules.

– Regarde ses jambes, s'écria Érik.

Jules dévisagea son frère, interrogatif. Pascale s'était approchée d'Arnaud. L'espace d'une seconde, le regard d'Érik croisa celui de Pascale, et il fut certain qu'elle l'avait vu. Oui, elle l'avait vu, mais elle restait là, aussi froide, aussi forte, aussi sûre d'elle que jamais.

Érik déglutit. Cette fille forçait le respect. Il se souvint du jour où elle s'était rendue à Lexington pour l'apostropher au sujet de Catherine. Il détestait ce souvenir. Ce jour-là, Pascale lui avait prouvé qu'il ne réussirait jamais à l'abattre.

Érik plissa les yeux. Il arrivait difficilement à croire qu'il avait été assez stupide pour frapper cette fille. C'était la drogue qui l'avait amené à faire ce geste, et ç'avait été une sacrée défaite. Érik n'aimait pas la défaite.

Malgré lui, il sourit. Un curieux lien l'unissait à Pascale. Hormis Delphine, elle seule savait qu'il était peut-être le géniteur de Catherine. C'était pour lui dire de se taire à ce sujet qu'elle était venue le relancer, à Lexington, tout de suite après qu'il eut complété sa cure de désintoxication. Ce jour-là, il y avait eu un pacte tacite entre eux : je me tais, tu te tais.

Le jeune homme observa Pascale et Arnaud qui se parlaient. Ils se faisaient face et ne se touchaient pas, comme deux associés qui discutent d'une remontée des actions de leur compagnie. Moushika arriva, menée à pied par Elias. Xavier suivait.

– Qu'est-ce qu'elles ont, les jambes de Pascale ? demanda Jules, perplexe.

Érik se tourna vers son frère. Sa gouaillerie d'adolescent lui revint, et il n'y résista pas.

– Elles m'ont toujours excité, fit-il sur un ton de confidence. Elle est explosive, cette fille.

– Sans doute, concéda Jules. Mais c'est bien tout ce qu'elle a.

* * *

Lorsque Pascale vit Érik dans la foule, elle cessa un moment de respirer, puis employa toute son énergie à conserver sur son visage une expression neutre. « Il est là, il est venu, le salaud, parce qu'il pense nous jeter à terre, Arnaud et moi ! » ragea-t-elle intérieurement. Pascale tourna la tête car Érik – comble de l'humiliation – ébauchait un sourire.

La jeune fille fixa son attention sur Arnaud. Elle était prise d'un désir intense de le protéger. Il ne fallait pas qu'il sache qu'Érik était là, car cela lui ferait perdre ses moyens.

Pendant un instant, la vue d'Érik avait ébranlé Pascale. C'était ce garçon qui l'avait frappée à coups de pied, lui avait arraché des cheveux et pincé cruellement un sein, et avait voulu l'embrasser de force. Pascale n'aimait pas que ces gestes lui reviennent à l'esprit. Ils étaient une insulte à ceux qu'elle réservait à son mari.

Mais Pascale était combative et d'être consciente de la présence d'Érik fouettait sa résistance. Elle s'approcha de Moushika sans l'ombre d'un tremblement. Arnaud et Xavier parlaient et Pascale les écoutait, grave et attentive. Elias paraissait plus anxieux que n'importe qui et Pascale souhaita vivement qu'il s'éloigne. Moushika savait ce qui allait se produire et elle soulevait les pieds, docile mais impatiente que tout soit terminé. Pascale caressa la jument. Arnaud embrassa furtivement sa femme sur la bouche ; ce fut si naturel que Pascale s'en rendit à peine compte. Elle se retourna vers Moushika et fléchit le genou. Arnaud la hissa en selle.

La foule applaudissait, car la parade se mettait en marche. Arnaud, Xavier, Elias, tous ces visages connus s'éloignaient. Pascale pensait au rapide baiser qu'elle venait de recevoir et qui lui inspirait des idées contradictoires. Les autres jockeys, les entraîneurs, les spectateurs allaient-ils penser que ce geste avait été déplacé ? Si elle avait refusé ce baiser, Arnaud aurait-il été fâché contre elle? Sapristi! Tant de tracas pour un petit baiser qui n'avait duré qu'une fraction de seconde! Les vies professionnelle et sentimentale de Pascale lui semblaient incompatibles, car elle se sentait toujours fautive, quoi qu'elle fasse!

Maintenant Pascale était seule avec Moushika, ou plutôt, seule sur Moushika, derrière sa casaque. Et la solitude, vive, oppressante, accabla le nouveau jockey.

Les autres cavaliers avaient été accueillants pour Pascale, qui était connue et respectée dans le milieu. Il existait une certaine solidarité parmi ces athlètes dont la profession était plus dangereuse que toute autre. Les statistiques compilées entre 1960 et 1991 indiquaient qu'en moyenne plus de deux d'entre eux mouraient chaque année sur les champs de courses. Des douzaines d'autres subissaient de graves blessures. Ainsi, Ron Turcotte, le jockey du fameux champion Secretariat, était maintenant confiné à un fauteuil roulant.

D'autres dangers guettaient les jockeys. Parmi eux, seulement un très petit nombre réussissait, à l'âge adulte, à maintenir un poids idéal tout en ayant une hygiène de vie décente. En conséquence, plusieurs souffraient d'anorexie ou de boulimie.

Pour compétitionner efficacement, les jockeys ne pouvaient peser plus de cinquante kilos. Avec ses cinquante-trois kilos, Laffit Pincay, deuxième derrière Willie Shoemaker au palmarès des victoires, faisait exception. Afin de maintenir leur poids, les jockeys utilisaient toutes sortes de méthodes. Les plus désespérés d'entre eux se faisaient vomir, et plusieurs passaient des heures à se déshydrater dans le sauna. Ces méthodes étaient découragées par la Guilde des jockeys, mais Pascale savait que certains les employaient tout de même. Dans le passé, elles avaient fait des victimes. Ainsi, on prétendait que le légendaire Isaac Murphy, un jockey afro-américain, était mort d'une pneumonie consécutive à une purge au cours de laquelle ses régurgitations avaient envahi ses poumons.

En raison de la difficulté de maintenir son poids dans les limites qu'imposait la compétition, combinée aux incessants déménagements d'un hippodrome à l'autre ainsi qu'aux blessures, une carrière de jockey ne durait, en moyenne, que deux ans. Les jockeys étaient responsables de leurs frais de transport. Ils arrivaient rarement à trouver une assurance médicale, vu les dangers de leur profession. La moyenne de leur salaire annuel se situait autour de vingt-cinq mille dollars américains. Ce n'était pas cher payé, compte tenu du fait qu'ils mettaient leur vie en jeu quotidiennement.

Les compagnons de Pascale l'avaient entretenue, avant l'épreuve, des dangers et des trucs du métier. Mais maintenant ils faisaient face aux mêmes périls et ne pensaient qu'à une chose : finir la course aussi bien que possible, sans accident. Étant montée par une apprentie, Moushika, conformément à une politique de la Commission des courses, portait quatre kilos et demi de moins que ses concurrents. On avait édicté cette règle afin d'inciter les entraîneurs à embaucher des apprentis jockeys car, théoriquement, un cheval chargé d'un poids plus léger devait pouvoir courir plus vite. Certains croyaient donc que Moushika bénéficiait d'un avantage important, et on se méfierait d'elle.

Pascale réchauffait à présent sa jument. La jeune fille sentait Moushika souple et déliée, éveillée et confiante. On acheva les canters et les concurrents furent dirigés vers les stalles de départ.

Pascale avait le numéro cinq et se trouvait en plein centre de ce peloton de douze chevaux. Moushika entra aisément dans la stalle. Pascale prit position pour le départ. Stridente, la cloche sonna, plus vite et plus fort que Pascale ne l'avait anticipé.

Moushika se lança en avant. Tous les jockeys crièrent, tous les chevaux se bousculèrent dans une vague de crins, de jambes, de corps batailleurs et enchevêtrés. Les nerfs de Pascale la trahirent, et elle ne s'occupa pas de se placer; elle avait peur. Brusquement, elle se souvenait de ce moment où, traîtreusement, Thriller avait rué sur elle, plus d'un an auparavant. Pascale revivait la douleur, la panique, le long marasme qui avait suivi l'opération, la pénible réhabilitation, et elle ne voulait pas risquer que quelque chose de semblable arrive de nouveau. Mais Moushika courait généreusement et Pascale se ressaisit.

La jeune fille pesta contre elle-même; elle avait perdu du temps et même si elle se trouvait en assez bonne position, elle était beaucoup trop à l'extérieur. Les chevaux abordaient le premier tournant. Pascale voulut rabattre sa monture à la corde. Un concurrent venait dans sa direction et elle choisit de maintenir sa bête en position afin d'éviter une collision. Dans le tournant, Moushika perdit beaucoup de terrain. Mais le rival dont Pascale appréhendait la remontée resta en place, et Pascale maudit son propre manque d'initiative. Vivement, elle ramena Moushika vers la corde. De la boue lui mitrailla le visage, projetée par les trois chevaux qui luttaient pour la tête.

«Mais qu'est-ce que j'ai fait là?» se disait Pascale, enragée. Moushika était fatiguée en raison du détour qu'elle avait dû accomplir et elle n'aimait guère recevoir les mottes de terre soulevées par ses rivaux. Pascale rabattit sous son menton ses lunettes souillées, car elle ne voyait plus rien. Elle en attrapa une autre paire placée sur son casque et la chaussa. Tous les jockeys procédaient de cette façon. Par temps humide, ils utilisaient, pendant une course, une quantité impressionnante de lunettes.

Indécise, Pascale se demandait si elle devait attendre qu'un des meneurs s'épuise et ralentisse, ou si elle pouvait envisager un dépassement par l'extérieur. Elle maintint sa jument en place, incapable de se décider, jusqu'à ce que deux chevaux la remontent dans le dernier droit.

Pascale faillit hurler de dépit. Elle était prise en sandwich entre les trois meneurs et les deux autres chevaux et ne disposait d'aucune marge de manœuvre; or, ce résultat ne s'expliquait que par son propre manque de jugement. La ligne d'arrivée approchait à toute vitesse. Les cravaches s'agitaient tout autour de Pascale qui n'avait d'autre choix que de retenir sa jument, car celle-ci risquait de bouler contre les sabots de la bête qui la précédait. Un des meneurs céda brusquement. Pascale poussa Moushika dans l'ouverture sans même regarder autour d'elle; cette manœuvre lui attira quelques injures, puis les concurrents croisèrent le poteau.

Pascale se dressa sur sa selle; Moushika continuait de courir, puis elle ralentit, obéissante. Des coups sourds ébranlaient la tête de Pascale. Elle ôta ses lunettes; la boue formait une croûte sur son nez et dégouttait sur ses joues. Dans une hallucinante cohue, Pascale s'approcha de l'embouchure de la piste. Elias boucla une longe sur la bride de Moushika tout en grommelant, mais Pascale ne comprit strictement rien à ce qu'il racontait. Elle cherchait Arnaud. Elle le vit soudain, tout souriant, qui arrivait au pas de course. Il lui toucha la jambe et elle mit pied à terre.

– Les gars t'ont coincée, n'est-ce pas? interrogea Arnaud avec bonne humeur. Ils se sont méfiés, ils savaient bien que Moushika était forte.

– Pardon? bredouilla Pascale.

– Tes concurrents se sont arrangés pour te bloquer le chemin, répéta Arnaud.

Pascale ouvrit la bouche pour parler, puis la referma. Ses pensées se bousculaient dans un grand désordre. Elle était torturée : Érik était dans les parages et elle craignait qu'il ne surgisse. De plus, elle ne comprenait pas qu'Arnaud justifie la défaite de Moushika par une stratégie de ses concurrents, car elle était convaincue d'en être l'unique responsable. «Arnaud évite de dire ce qu'il pense parce qu'il ne veut pas me faire de peine», conclut-elle intérieurement.

– Ça va, chérie? s'enquit Arnaud.

– J'ai pris un mauvais départ, j'aurais dû amener Moushika à l'intérieur et…

– Tu n'es pas contente?

– Non. Nous ne sommes pas placées.

– Vous avez terminé en quatrième position, c'est très bien.

– Mais c'est ma faute si…, insista Pascale.

Elle ne compléta pas sa phrase, car Xavier arrivait. Elias disparut avec Moushika, et Pascale s'en voulut de n'avoir ni remercié le groom ni félicité la jument.

– Bravo, gamine ! gronda Xavier. Si tu n'étais pas aussi sale, je t'embrasserais.

– J'ai mis Moushika le long de la corde et je n'aurais pas dû, murmura Pascale qui continuait de se blâmer.

– Voyons, petite, tu as bien couru ; nous ne nous attendons pas à des prodiges, dit Xavier en rigolant. Tu as manqué provoquer un beau carambolage à quelques longueurs du poteau d'arrivée. Réfléchis un peu plus quand tu seras sur Ashanti tantôt.

– J'essaierai, assura Pascale accablée.

Elle se sentait au bord des larmes, comme chaque fois que Xavier la critiquait, même lorsqu'il le faisait d'une manière constructive et d'un ton badin comme aujourd'hui. D'autres membres de la famille Lavergne vinrent les retrouver ; tous félicitèrent Pascale et blaguèrent au sujet de sa fin de course.

Cependant, la jeune fille ne cessait de s'en vouloir pour la performance de Moushika, qu'elle estimait piètre. Sans qu'il y paraisse, son moral était en train de s'écrouler. Obnubilée par le perfectionnisme, elle se laissait envahir par des pensées dévastatrices pour son estime de soi. Elle ne méritait pas d'être jockey, se disait-elle. Le risque de décevoir les Lavergne était trop lourd à porter. En quelques secondes, Pascale se convainquit qu'elle n'était pas à la hauteur pour monter un cheval aussi inexpérimenté qu'Ashanti, et, pour se punir, elle décida de se priver du moment qu'elle espérait depuis deux ans : monter le poulain en course.

L'impitoyable esprit de Pascale transformait son début de carrière en cauchemar. « Oui, décida-t-elle, Ashanti paraîtra mal à cause de mon inhabileté. Les Lavergne vont perdre leur investissement… » Or, ni le poulain chéri de Pascale ni sa belle-famille ne devaient porter le poids de ses erreurs.

Pascale se souvint d'un bon jockey qui n'avait pas d'engagement pour l'épreuve d'Ashanti.

Avec un détachement admirablement feint, Pascale suggéra à Xavier et à Arnaud de retenir les services du jockey libre. Ceux-ci protestèrent avec véhémence. Pascale se sentit flattée, mais déroutée aussi. Les Lavergne ne comprenaient donc pas ses hésitations ? Ne voyaient-ils pas qu'elle les appelait à l'aide ? Pourquoi la renvoyaient-ils seule au combat ?

Pascale était si abattue qu'elle n'était plus capable d'écouter la conversation. Elle se mit à craindre qu'Érik vienne les rejoindre et elle se fustigea pour son manque de fermeté. Elle ressentait le besoin d'être seule avec Arnaud, mais ne le verbalisa pas. Finalement, elle se dirigea vers le vestiaire pour se laver, car dans moins d'une heure elle devait monter Ashanti pour ses débuts.

* * *

Geneviève quitta un moment les tribunes pour se rendre aux toilettes. Les salles de bains de Keeneland étaient tapissées d'un papier peint à motif floral, et des dames afro-américaines portant un tablier blanc, y distribuaient le papier pour s'essuyer les mains. Ses ablutions terminées, Geneviève laissa un pourboire dans le récipient à cet effet. Quelque chose l'agaça dans le fait que toutes ces femmes qui portaient un tablier étaient noires, et elle pensa à son ami Michael.

Lorsque Geneviève sortit des toilettes, une jeune fille la salua. C'était Cindy Watson. Geneviève lui rendit la politesse et elles engagèrent gaiement la conversation.

– Aerobic Nut a très bien couru tantôt, commenta Geneviève.

Le poulain de Fred Curtis avait terminé deuxième dans une épreuve pour chevaux de son âge. Les deux jeunes filles croisèrent Bruce qui revenait du guichet, suivi de Philip et de Laurie.

– Moushika et Pascale m'ont fait perdre deux dollars avec cette quatrième place, se plaignit Bruce.

– Pauvre Bruce, le voilà sur la paille, se moqua Philip. Bonjour, Cindy.

– Tiens, Érik est avec vous? s'écria cette dernière.

Un franc malaise envahit le groupe aussitôt ces paroles prononcées. Érik s'approchait. Il marchait à pas longs, vifs et souples; Bruce saisit le bras de Geneviève, car celle-ci pâlissait brusquement.

– Salut, vous tous, dit l'arrivant avec calme.

Tous se troublèrent, sauf Bruce qui savait qu'Érik devait être à l'hippodrome ce jour-là, et Cindy qui croyait Érik réconcilié avec sa famille.

– Alors, s'enquit Bruce d'un ton aimable, tu as gagné quelque chose?

– Quarante cents sur un favori, qui ont ensuite été engloutis par la quatrième place de Moushika, railla Érik. Enfin, ce n'est pas grave. J'avais aussi misé sur Aerobic Nut et il m'a rapporté six dollars.

Cindy, enchantée, sourit avec grâce. Érik lui rendit la pareille, y mettant tout son charme. Cindy déclara qu'elle devait aller rejoindre Fred Curtis dans les loges et elle quitta les lieux après avoir salué tout le monde.

Geneviève restait plantée là. Que son frère ose s'approcher d'elle la sidérait. Avait-il oublié que la dernière fois qu'ils s'étaient vus, elle avait encaissé ses coups pour défendre Pascale, sa meilleure amie? Les images du drame revenaient, et elle se sentait figée, comme hypnotisée par la peur et la colère. Bruce poursuivait la conversation.

– Pascale n'a pas été chanceuse; sa position de départ était mauvaise, commenta-t-il. Qu'en penses-tu, Jenny?

– Je veux m'en aller, bredouilla Geneviève.

– Pascale a drôlement bien monté, affirma Érik. Écoutez…, ça vous ennuie de me faire la conversation?

Philip lui lança un coup d'œil peu aimable. Érik Lavergne avait jadis compté parmi ses amis. Mais tout cela avait changé le jour où Philip l'avait vu frapper Pascale, sa petite amie d'alors. Philip n'était pas un garçon rancunier, mais il trouvait regrettable qu'Érik montre, à son égard et à celui de Geneviève, cette désinvolture qu'il affichait en ce moment. Érik aurait dû savoir que sa présence gâchait leur journée. Il aurait dû s'efforcer d'être humble, plutôt que d'exhiber son assurance de mâle séduisant.

– Ça ne me réjouit pas tout à fait, répondit Philip à la question d'Érik.

– Je veux m'en aller, répéta Geneviève, obstinée.

– Laisse-moi t'embrasser, petite sœur, fit doucement Érik en français. Voilà une éternité que je ne t'ai vue. Tu es bien jolie maintenant.

– Va au diable, pesta Geneviève, en français aussi.

Érik resta impassible. Bruce resserra sa main sur le bras de sa petite amie. Geneviève avait envie de se dégager et de partir en courant. Laurie baissait les yeux et Philip, mal à l'aise, se balançait sur ses pieds.

– Ashanti est probablement en route pour le paddock, observa Érik en passant à l'anglais car il s'adressait à Bruce. Peut-être vaudrait-il mieux que toi et Geneviève retourniez dans la loge de mes parents.

– Oui, je crois que tu as raison, approuva Bruce en clignant de l'œil avec reconnaissance, car Geneviève ne se détendait pas.

– Dis bonjour à tout le monde pour moi, Jenny, dit Érik en anglais.

Geneviève ne répondit pas. Elle tourna le dos et partit, ses longs cheveux formant comme un rideau moiré sur ses épaules. Après avoir fait une moue éloquente, Bruce disparut à sa suite.

– Qu'est-ce que tu fais ici aujourd'hui? demanda Philip à Érik, d'un ton au travers duquel ne filtrait aucune sympathie.

– Je suis venu aux courses, répondit Érik. C'est un grand jour – celui des débuts de Pascale. Je l'ai vue tout à l'heure; elle avait l'air très calme. Qu'en penses-tu, Laurie?

– Moi? s'écria l'interpellée qui évitait depuis le début, de participer à la conversation. Eh bien… oui, Pascale avait l'air calme, et Arnaud aussi.

De plus en plus agacé par l'attitude d'Érik, Philip décida de lui laisser savoir qu'il ne l'approuvait pas.

– Écoute, Érik, fit-il avec fermeté, tu ne penses pas que tu ferais mieux de t'abstenir d'aller au paddock?

– Mais pourquoi? répliqua Érik, toujours avec la même désinvolture exaspérante. Il faudra bien qu'Arnaud accepte que j'existe. Je veux aller regarder Ashanti. Ce poulain est fascinant, je ne raterais pas ses débuts de carrière pour tout l'or du monde.

* * *

Pascale était montée sur Ashanti, en route vers une piste pour courir avec lui. Elle aurait dû être heureuse, et pourtant...

Elle serra le manche de sa cravache. Jamais elle ne s'était servie de cet instrument sur son poulain adoré. Au moment de quitter le vestiaire, elle avait hésité avant d'amener son fouet. Mais tous les autres jockeys en étaient munis.

Encore une fois, Pascale était tiraillée entre deux options, et, quel que soit son choix, la culpabilité l'attendait. D'une part, si elle utilisait sa cravache sur Ashanti, elle se sentirait fautive vis-à-vis de son poulain. D'autre part, si elle montait sans cravache, elle passerait pour une originale. Dans ses règlements, que Pascale avait tous lus, et relus attentivement, la Commission des courses mentionnait qu'un jockey a le devoir de s'efforcer de gagner la course. Or, que concluraient les commissaires de sa conduite si elle montait sans cravache?

L'esprit de Pascale balançait entre deux pôles sans pouvoir s'arrêter. Les commissaires... Le public... Les autres... Ashanti qui avait tellement confiance en elle et qu'elle était en train de trahir... N'allait-elle pas lui faire peur, avec cet instrument qu'il ne connaissait pas? Indécise, Pascale mit son poulain au canter.

Il transpirait légèrement et son ardeur était évidente.

Ashanti était le seul poulain du peloton à n'avoir jamais couru. Aucun de ses rivaux n'avait gagné d'épreuves. Les turfistes avaient choisi un favori à trois contre un. Ashanti était coté à neuf contre un; ce n'était pas si mal. Ses performances à l'entraînement avaient été publiées dans le *Daily Racing*

Form et il comptait des fans parmi les amis et connaissances de la famille Lavergne.

Les préférences des parieurs indifféraient Pascale; elle était convaincue que son cheval était le meilleur du groupe. Elle désirait désespérément qu'il s'illustre. Les pensées défaitistes qu'elle entretenait au sujet de ses compétences professionnelles revinrent la hanter, se mêlant à ses questionnements quant à l'usage de la cravache.

Les aides-starters poussaient les chevaux dans les stalles de départ. Ashanti y pénétra, puis dégagea ses sabots de la piste et attendit. Avec un soupir où l'indécision et la fatigue se mêlaient, Pascale prit sa position de départ. Le manche de sa cravache lui brûlait la paume. Elle se questionnait encore quand…

La cloche sonna, les portes s'ouvrirent et, brusquement, Pascale choisit Ashanti. La cravache tomba dans le sable et les sabots du poulain la piétinèrent.

Pascale ne voyait que la piste devant elle. Ashanti avait pris un excellent départ et il menait. «Voyons, pensa Pascale, ils sont tous derrière, mais ce n'est pas possible!» Ses mains étaient fermes sur les rênes et elle n'avait pas l'impression qu'Ashanti se donnait à fond. Elle devait ralentir son cheval; elle ne gagnerait pas en menant dès le début… «Mais, se dit-elle, je ne peux quand même pas le mettre au canter!»

Courbée sur l'encolure de son cheval, Pascale pencha la tête sous son bras afin d'apercevoir ses concurrents. Si elle avait regardé par-dessus son épaule, elle aurait pu perdre son fragile équilibre. Les rivaux d'Ashanti galopaient dans le désordre. C'était de jeunes chevaux de deux ans, peu disciplinés, souvent mal débourrés. Or, le dressage d'Ashanti avait été parfait…

«Parfait!» se répéta Pascale. Ce mot la réconforta, et une joie farouche envahit son cœur. Maintenant, elle jubilait. Sa recette fonctionnait. Elle récoltait les fruits issus de patients entraînements, d'un apprivoisement continu; Ashanti courait avec confiance… car il l'aimait! Ce jour était celui du triomphe de Pascale, d'Arnaud et de leur poulain adoré!

D'un mouvement puissant, superbement cadencé, Ashanti attaqua le dernier tournant. Il menait toujours. Deux concurrents le menacèrent à l'extérieur. Pascale rendit la main, car les rivaux se faisaient insistants.

«Mon amour!» cria-t-elle dans les oreilles d'Ashanti. Cette exclamation galvanisa le poulain et il chargea à une vitesse telle qu'il créa l'impression que ses rivaux reculaient. D'autres mots, plus tendres, plus passionnés les uns que les autres, jaillirent de la bouche de Pascale. La jeune fille étendit les bras, fléchit les genoux, aplatit son corps afin qu'il prenne l'angle de l'encolure de sa monture. Elle et Ashanti passèrent le poteau dans une rare harmonie.

Puis Pascale batailla, car Ashanti ne manifestait nullement l'envie de ralentir. Pascale sentit la brûlure de ses cuisses, qui avaient supporté tout le poids de son corps pendant l'épreuve. Sa joie et sa lassitude étaient telles qu'elle n'entendait plus rien.

La jeune fille reprit ses sens lorsqu'elle vit Elias qui, longe en main, sautait comme un fou à l'embouchure de la piste. Un véritable soufflet de forge secouait le corps d'Ashanti et Pascale avait envie de le faire trotter afin que son rythme cardiaque redescende à une allure raisonnable. Mais il n'était pas question de cela; une multitude de gens attendaient le poulain. Pascale s'étonna de l'agitation qui régnait en ce lieu. Tout ce tohu-bohu était hors de proportion avec l'importance de l'épreuve... Pascale cessa de se questionner à ce sujet, car elle voyait les Lavergne le long de la lice. Encore une fois, une pensée négative vint ternir sa joie. Elle voulut s'assurer qu'Érik n'était pas parmi eux. Ouf! il n'était pas là, mais il y avait Philip et Laurie, et Bruce, et des employés de la ferme, dont Michael qui embrassait Martha tout en trépignant. Un Afro-Américain clama d'une voix tonitruante : «Je te l'avais dit, doc, que ton poulain gagnerait!» Il envoya une claque dans le dos de Xavier qui encaissa en hurlant : «Tu avais raison, Trevor!» Pascale se tourna vers l'homme noir qui la regardait en souriant. Il dépassait tout le monde dans la foule, même Arnaud. Il leva la main dans un geste victorieux et s'écria : «Bravo à toi, Ashanti! Ashanti of Africa!»

Le poulain dressa la tête. Les appels se mirent à fuser dans la foule. Elias menait Ashanti dans le cercle du vainqueur; Pascale s'aperçut à peine qu'on prenait une photographie. Quelqu'un lui indiqua qu'elle pouvait mettre pied à terre et elle s'exécuta. Xavier l'attrapa et l'étreignit avant qu'elle ait pu faire deux pas. Embarrassée, Pascale chercha un moyen de repousser son beau-père, car elle brûlait d'envie de congratuler Elias. Le groom vilipendait les spectateurs afin qu'ils fassent place au nouveau champion. Pascale se faufila à travers la foule pour le rejoindre. Elias se retourna avec agacement quand elle lui toucha l'épaule. Quand il reconnut Pascale, il grommela à toute vitesse : «C'était bien, petite, tu nous en as mis plein la vue.» Puis, au grand désespoir de Pascale, il disparut.

Des mains inconnues effleuraient la casaque de Pascale, qui commençait à s'énerver car elle détestait être coincée dans une foule. Pascale joua des coudes pour rejoindre Michael; les deux amis s'embrassèrent, puis Michael fit pivoter Pascale sur elle-même et la poussa vers Arnaud.

Le jeune homme rit et posa ses mains sur les épaules de sa femme sans rien dire. Un moment passa; la cohue se dissipait, s'écartait devant le corps massif d'Arnaud qui guidait Pascale vers le vestiaire.

– Tu as fait une très belle course, ma chérie, murmura Arnaud.

– C'est Ashanti qui a tout fait, répondit Pascale. Il est parti comme une flèche; je n'en revenais pas.

Arnaud marqua une pause, regardant Pascale attentivement. Il aurait aimé qu'elle s'accorde, dans cette victoire, le mérite qui lui revenait, mais Pascale n'était pas ainsi. Arnaud voyait bien que, malgré ce qui venait de se passer, Pascale continuait à douter d'elle-même. «Lorsqu'elle aura gagné plusieurs courses, elle cessera de se tourmenter comme ça», se dit le jeune homme, optimiste.

– Tu te souviens de cet ancien jockey devenu commentateur sportif pour la chaîne NBC? dit-il au bout d'un temps. Je le vois là-bas... Quelque chose me dit qu'il te cherche pour t'interviewer.

Pascale sursauta et regarda tout autour d'elle. Elle n'avait jamais réfléchi à cet aspect de sa profession. Arnaud étirait le cou en direction d'un téléviseur.

– Voilà, constata-t-il, c'est officiel. Toi et Ashanti, vous avez retranché près d'une seconde au record…

– Lequel ? souffla Pascale, ahurie.

– Celui de l'épreuve.

Abasourdie, Pascale s'immobilisa. Quoi ? Ashanti et elle avaient battu un record de piste à leur première sortie ?

– C'est le meilleur chrono de l'année chez les chevaux de deux ans, poursuivit Arnaud. Si vous continuez de cette façon, blagua-t-il ensuite, vous vous qualifierez pour le Derby du Kentucky…

13

DANS LES HEURES qui suivirent la victoire d'Ashanti, le téléphone se mit à sonner à Lavergne Farm.

L'industrie des courses de plat, dont la popularité souffrait de la concurrence des casinos, était à la recherche d'histoires émouvantes qui éveilleraient l'intérêt des amateurs. Or, en Pascale, Arnaud et Ashanti, elle trouva un véritable filon.

Au lendemain de leur victoire, ils firent la une du *Daily Racing Form*. On ne publia pas la photographie prise dans le cercle du vainqueur, mais une autre croquée plus tard. Il s'agissait d'un cliché de Pascale et d'Arnaud, debout face à face et se souriant, alors qu'ils douchaient Ashanti. L'image avait été obtenue à l'aide d'un puissant téléobjectif.

À Lexington, tout le monde parlait du poulain prodige du docteur Lavergne. La population ne se fit pas prier pour alimenter les journalistes, Pascale et Arnaud étant depuis longtemps un sujet de conversation dans la région. Ainsi, les détails entourant l'arrivée de Pascale au Kentucky, son accident et la brouille qui avait suivi les fiançailles du couple furent étalés dans de nombreux quotidiens.

Quelques jours après la victoire d'Ashanti, Barachois et Pascale remportèrent une épreuve pour chevaux de trois ans. Cela apporta encore de l'eau au moulin de la presse à sensation. Les bureaux administratifs de Keeneland furent submergés d'appels téléphoniques. De partout, on voulait savoir quand Ashanti courrait de nouveau.

Cette agitation flatta l'orgueil des Lavergne, mais elle eut tôt fait de devenir agaçante. Xavier décida, afin d'apaiser tout le monde, de ramener ses chevaux au bercail pour une semaine.

À la ferme, les appels redoublèrent. Xavier fit changer la ligne téléphonique de la maison pour un numéro confidentiel. La famille Lavergne se munit également d'un appareil qui permettait à la maisonnée de filtrer les appels.

Prise au milieu de toute cette commotion, Pascale était assaillie par des vagues d'émotions contradictoires. La performance d'Ashanti avait dépassé ses espoirs et elle était terriblement fière du poulain. «Mon rêve est réalisé, je devrais donc être heureuse», se disait-elle. Mais elle était discrète de nature, et le raffut médiatique que la victoire d'Ashanti suscitait la déroutait. Qu'on s'intéressât au cheval, à son père et sa mère, aux techniques d'entraînement qui avaient été appliquées ou aux habiletés de son jockey, passe encore; mais Pascale ne comprenait pas l'intérêt des médias pour sa vie personnelle. «Je veux qu'ils se limitent à ce que j'ai fait», répétait-elle. Or, les journalistes la questionnaient moins sur sa façon de monter que sur son mariage, et cela la fâchait.

De plus, elle craignait que quelqu'un ne parle du jour où Érik l'avait battue. Elle imaginait comment la presse à sensation se jetterait sur cette histoire. D'ailleurs, elle avait entendu Xavier et Gabrielle s'inquiéter à mi-voix de cette perspective. À son habitude, Pascale se sentait, bien absurdement, responsable des soucis de ses beaux-parents. Elle regrettait de leur causer tant d'embarras. Ce mode de pensée était d'autant plus destructif que, dans toute cette regrettable affaire, Pascale avait été la victime, pas la coupable.

De son côté, Arnaud ne s'énervait pas. Un journaliste le suivit à l'université; il l'envoya tout simplement promener. Parfois, des inconnus l'abordaient dans la rue, mais cela ne l'ennuyait pas vraiment, car la plupart de ces gens étaient bien intentionnés.

La semaine de vacances passa très rapidement. Elias et Martha visitèrent le chantier de leur future maison, laquelle serait habitable pour Noël.

Les deux grooms, de même que Xavier, Arnaud et Pascale, étudièrent le programme des saisons de courses à venir. D'importantes épreuves seraient tenues dans l'État de New York. Bien que les bourses fussent tentantes, on convint de ne pas emmener les chevaux dans cette région. Ils étaient habitués au climat du Kentucky et un refroidissement pourrait les incommoder. On préféra les inscrire à Churchill Downs, l'hippodrome de Louisville, au Kentucky.

Le groupe partit donc, avec armes et bagages, toujours accompagné de Rocky. Churchill Downs était à deux heures de route de Lavergne Farm. Xavier resta à Louisville jusqu'à ce que les entraînements débutent, puis il regagna son domicile.

À Churchill Downs, Pascale se sentit très seule. Elle s'était réhabituée à la présence continue d'Arnaud et elle réalisait avec agacement qu'il lui était de plus en plus difficile de s'en passer. L'attention médiatique dont elle faisait l'objet ne s'apaisait que très peu. Rocky était constamment à ses côtés, surtout lorsqu'elle circulait en ville, là où des inconnus étaient susceptibles de l'aborder.

Face à la presse, Pascale montrait une réserve polie au travers de laquelle sa gêne transparaissait. Cette attitude ne nuisait pas à sa popularité; au contraire. On encensa sa simplicité, on la qualifia de «vedette accessible». Lorsqu'elle circulait dans le *backside*, les gens la saluaient gentiment et lui souriaient avec bienveillance.

Avec l'automne, les rhumatismes d'Elias s'éveillèrent, et monter lui devint pénible. En l'absence de Xavier et d'Arnaud, le groom agissait comme entraîneur. L'équipe de Lavergne Farm connaissait de plus en plus de gens du milieu et trouvait aisément des partenaires d'entraînement.

Moushika courait honorablement, mais elle n'avait jamais été très motivée, et de plus en plus, elle montrait des signes de fatigue. Ashanti se comportait fort bien. Il mangeait comme un ogre et ses sabots brûlaient la piste. Par ailleurs, les juments le distrayaient. Pascale dut le discipliner à quelques occasions. Ce travers n'échappa pas aux observateurs, et on ne tarda pas à le signaler dans le *Daily Racing Form.*

Barachois se révéla à Churchill Downs. Il n'avait rien perdu de son impétuosité et Pascale se devait d'être extrêmement vigilante lorsqu'elle le montait. Ses chronométrages progressaient constamment, de sorte que, bientôt, il devint éligible à des épreuves dont les bourses étaient plus substantielles. Barachois n'était pas aussi gracieux ni aussi talentueux qu'Ashanti. Il était lourd, sa tête était très expressive et, souvent, il montrait son exubérance en ruant et en sautant sur la piste. Barachois avait l'habitude de dresser la tête, de se crisper sur le mors et de regarder les amateurs en donnant de brefs coups de tête. Il y avait dans ce geste quelque chose de gamin, d'indiscipliné qui faisait que les gens l'aimaient.

Pascale avait récolté des sommes importantes grâce aux victoires d'Ashanti et de Barachois. À titre de jockey, elle touchait dix pour cent de la bourse chaque fois qu'une de ses montures gagnait, et cinq pour cent lorsqu'elle se classait deuxième ou troisième. Si le cheval ne se classait pas parmi les premiers, on lui donnait une somme forfaitaire de quarante dollars par épreuve. En plus des trois chevaux de Xavier, Pascale continuait d'entraîner d'autres animaux lors des entraînements du matin. Elle n'appréciait pas beaucoup ces chevauchées, mais elle en tirait plusieurs avantages : elle constatait la vitesse, les qualités et les défauts de plusieurs de ses concurrents à venir. Elle commença même à noter ces détails dans un cahier.

Pour la première fois de sa vie, l'argent s'empilait dans son compte bancaire. Elle acheta de nouvelles bottes, un nouveau casque, et commanda une selle de course noir et vert sur laquelle figureraient ses initiales. Chaque jockey devait acheter son propre équipement, appelé *tack* aux États-Unis, et voir à son entretien; Pascale n'échappait pas à cette règle.

Lorsque ses besoins professionnels furent comblés, Pascale gratifia Rocky d'un collier de cuir tressé et Vol-au-Vent, d'un licou neuf. Restait Arnaud.

Pascale désirait offrir quelque chose à son mari. Depuis le début de leurs fréquentations, il lui avait souvent fait de petits cadeaux. Parce qu'elle avait un budget limité, Pascale n'avait pu lui rendre la pareille, mais ce n'était plus le cas. Elle ressentait maintenant le besoin de gâter son époux, comme le faisait toute épouse exemplaire.

Cependant, Pascale ignorait tout à fait comment s'y prendre. Arnaud possédait à peu près tout ce qu'il désirait. Pascale ne prisait pas beaucoup le magasinage, et en plus, elle doutait d'avoir suffisamment de goût pour trouver quelque chose qui plairait à Arnaud. Un soir, celui-ci lui téléphona. Pascale était décidée à lui demander ce qu'il aimerait recevoir en cadeau, mais la conversation ne prit pas le tour qu'elle espérait. Arnaud venait d'entreprendre un stage à l'hôpital de l'université du Kentucky. Il était impatient de raconter ses expériences à Pascale et il lui fournit moult détails.

– J'ai une patiente formidable, dit-il, qui s'appelle Claudia…

La main de Pascale se crispa soudain sur le récepteur. Arnaud était en train de dire que Claudia, qui était une grande sportive, s'était fracturé la hanche en jouant au tennis. «Hanche?» se répéta Pascale intérieurement. Arnaud parlait des exercices et des massages qui avaient été prescrits, et Pascale l'imagina, seul derrière un rideau d'hôpital avec une jeune personne à peine vêtue.

Cette image lui causa tant de peine qu'elle ne dit pas un mot pendant un moment. Arnaud, tout à son récit, ne s'en aperçut pas. Pascale ne parvenait pas à écarter Claudia de son esprit. Jamais Arnaud ne lui avait parlé d'une femme avec autant d'enthousiasme. La jalousie et la peur broyèrent le cœur de Pascale. Eut-il soupçonné son trouble, Arnaud l'aurait rassurée rapidement; mais, craignant encore une fois de déplaire à son mari, Pascale dissimula son angoisse. D'une voix ferme, elle annonça à Arnaud qu'elle avait de l'argent à dépenser.

Le jeune homme mentionna alors qu'il envisageait l'achat d'un véhicule. Il était heureux de pouvoir discuter de cela avec Pascale, car une telle dépense, disait-il, nécessitait l'assentiment des deux composantes d'un couple. Catastrophée, Pascale cessa de parler. Une voiture? Arnaud voulait une voiture? Mais pourquoi n'utiliseraient-ils pas l'une des camionnettes? Mentalement, Pascale calcula ses avoirs, puis imagina ce qu'il en resterait une fois l'automobile achetée.

Elle ne savait plus quoi dire. Comment Arnaud pouvait-il envisager de flamber une telle somme avec autant de désinvolture? Il parlait d'aller visiter les concessionnaires avec sa femme pendant les week-ends. Pascale serra les dents. Rien ne l'intéressait moins que de magasiner pour une voiture. «Achète donc ton auto tout seul!» faillit-elle s'écrier. Mais, plutôt que d'exprimer son opposition, ou au moins ses hésitations face au projet, elle donna son accord.

Arnaud lui annonça sa visite pour le vendredi soir suivant.

* * *

Laurie Yasaka lisait religieusement toutes les petites annonces affichées sur le babillard de l'université. Ce jour-là, elle y trouva ce qu'elle recherchait : un logement à partager.

L'annonce avait été rédigée par une fille prénommée Pamela, étudiante en droit. Laurie nota son numéro de téléphone dans son agenda.

Lorsque ce fut fait, elle soupira. Peut-être Philip changerait-il d'idée au sujet de leur cohabitation, si elle lui en parlait de nouveau…

C'était l'heure du repas et Laurie se dirigea vers le café étudiant de la faculté. Elle ne vit pas Philip, mais cela ne l'étonna pas. Vers la fin de la période de repos, le jeune homme arriva, l'air fatigué, traînant un cartable prêt à exploser. Laurie l'embrassa, soucieuse.

– J'ai été retenu à la fin du cours. Un camarade en difficulté…, expliqua Philip.

Laurie ne fit pas de commentaire. Philip sortit un sandwich de son cartable et l'avala sans presque mâcher. Il avait l'air terriblement préoccupé; Laurie se demandait même s'il l'écoutait. Elle parla de l'annonce.

– Voilà une bonne idée, dit Philip. Tu préférerais sûrement un logement à la résidence universitaire.

Déçue, Laurie se mordit la lèvre inférieure.

– Philip…, dit-elle, hésitante. Avant d'appeler cette fille, je voulais te demander une dernière fois…

– D'habiter avec moi ? l'interrompit Philip un peu brusquement.

Laurie se tut et, plissant les yeux, elle hocha la tête. Philip la considéra avec un brin d'impatience.

– Tu ne vas pas te mettre à pleurer ? siffla-t-il entre ses dents. Avec tout ce monde qui nous regarde, la faculté entière jaserait !

Mortifiée, Laurie baissa la tête.

– Laurie, reprit Philip en soupirant, j'ai besoin d'habiter seul. Peut-être l'automne prochain… Je suis désolé, chérie. Je t'ai déjà donné toutes mes raisons.

– Je les comprends, affirma Laurie, mais j'ai de la peine.

– Pense à Pascale, suggéra Philip que l'émotivité de Laurie déconcertait. Elle court le pays avec ses chevaux et elle ne voit Arnaud qu'une fin de semaine sur deux. Pourtant, je n'entends pas dire qu'elle se plaint.

Brisée, Laurie se tourna vers le mur. Les larmes étaient à la veille de couler sur ses joues.

– Pascale est peut-être capable de vivre ainsi, mais moi pas. Et puis…

Soudain, Laurie se fâcha.

– Et puis, Arnaud pense à elle, ça se voit. Toi, tu ne penses qu'à ta carrière… Avant longtemps, tu me diras qu'il vaut mieux ne pas faire l'amour pendant la période des examens…

– Laurie ! s'écria Philip vivement, mais à voix basse afin de ne pas attirer l'attention.

La jeune fille se renfrogna. La main de Philip était déjà refermée sur la poignée de son cartable. Pas de doute, il ne pensait qu'à quitter les lieux, aussitôt qu'il serait débarrassé de cette discussion… et de sa petite amie. Laurie souffrait.

Philip avait d'excellentes raisons de bûcher ainsi, mais elle était lasse d'être compréhensive et d'attendre. Voilà qu'il était en train de lui répéter combien ses études étaient ardues, qu'il devait travailler fort, obtenir de bonnes notes, toute l'histoire... Il parlait de jours meilleurs, de vacances à deux dans quelques années, d'une maison, quand l'argent commencerait à rentrer. Laurie tenta de se calmer. Philip regardait de plus en plus souvent vers l'horloge. À un moment donné, il embrassa Laurie rapidement, puis s'en alla à toute vitesse.

Laurie soupira, puis souleva son cartable. Il était très lourd. La jeune fille se souvint du travail qu'elle avait à faire et elle gémit intérieurement. Philip avait raison : c'était de pénibles études qu'ils effectuaient là... Laurie croyait qu'à deux elles auraient été plus faciles à mener, alors que Philip était persuadé du contraire.

Le soir venu, Laurie, résignée, communiqua avec Pamela, l'étudiante en droit qui avait affiché l'annonce. Pamela se montra intéressée et les deux filles convinrent de se rencontrer le lendemain à la faculté de droit. Laurie trouva Pamela assez sympathique. C'était une fille plutôt grande, mince, très maquillée, qui paraissait bien diriger ses affaires. Elle portait un téléavertisseur à la ceinture car, expliqua-t-elle, elle travaillait pour un cabinet d'avocats et devait être joignable en tout temps.

Les deux étudiantes se rendirent à l'appartement en question, situé non loin. Laurie n'y trouva rien à redire. Elle était heureuse d'avoir déniché un logis convenable mais, en même temps, elle se sentait déprimée. Le prix du loyer était abordable et Pamela paraissait être une personne bien. Laurie accepta de devenir sa nouvelle colocataire.

Laurie et Pamela regagnèrent la faculté de droit et s'assirent à la cafétéria afin d'établir les modalités du déménagement de Laurie. Elles discutaient autour d'un café lorsque Érik Lavergne s'approcha.

Aussitôt, Pamela se trémoussa sur sa chaise. Elle portait une jupe assez courte et Laurie eut l'impression qu'elle tentait de montrer ses jambes, qu'elle avait jolies. Érik salua Pamela fort poliment, puis il sourit à Laurie avec tant de chaleur que la jeune fille en fut émue. Pamela sortit un paquet de cigarettes de son sac à main. Cela déplut à Laurie. Elle n'avait pas cru que sa nouvelle colocataire fût une fumeuse. Avec des gestes étudiés, Pamela alluma sa cigarette, puis en offrit une à Érik, qui refusa.

Pamela expliqua à Érik comment elle avait rencontré Laurie. À son tour, celui-ci révéla qu'il connaissait Laurie parce qu'elle avait travaillé chez son père. Pamela blagua au sujet de la réputation de tombeur d'Érik, puis fit des allusions assez directes sur les liens qui pouvaient exister entre lui et Laurie. Cette dernière comprit rapidement qu'Érik lui avait tapé dans l'œil. Laurie protesta, informant Pamela que son cœur était pris ailleurs.

Le téléavertisseur de Pamela bourdonna et la jeune fille se leva pour aller téléphoner. Sans le moindre embarras, Érik prit place à la table qu'occupait Laurie.

– Alors, tu as l'intention de me laisser en pâture à cette Pamela ? fit Érik d'un ton badin.

– Toi, et tous les autres garçons de la terre, Philip excepté, déclara Laurie qui ne voyait dans cette remarque qu'une innocente taquinerie.

Érik sourit. Qu'il avait donc un joli sourire ! se dit Laurie. Elle demanda à son interlocuteur ce qu'il savait de Pamela. Érik confirma qu'elle était inscrite en droit, mais il ne connaissait pas le cabinet qui l'employait. Selon ce qu'il connaissait d'elle, Pamela était une personne fiable. Laurie se sentit rassurée. Les deux jeunes parlèrent ensuite de chevaux. Érik était spirituel. Il fit beaucoup de blagues au sujet de la publicité qui entourait Ashanti. Laurie ne put s'empêcher de rire. Il fallait bien avouer qu'Érik avait une conversation agréable et un sourire à faire fondre le cœur le plus endurci.

La jeune fille se hâta ensuite de regagner la faculté de médecine, car sa discussion avec Érik lui avait fait manquer les premières minutes de son cours.

* * *

La mine basse, Michael Harrison contempla GI Joe, qui tenait sa tête obstinément tournée vers le coin de son box.

Le vétérinaire venait de confirmer ce que Michael soupçonnait depuis un moment : GI Joe ne courrait plus jamais. Sa jambe, irrémédiablement blessée, ne pourrait supporter un tel stress.

Michael s'approcha du hongre bai et toucha tendrement l'épaule haute et robuste qui commençait à se décharner. Il revit l'animal, fier, fort, musclé, piaffant sur la piste, et il se sentit très malheureux.

Le groom jeta un coup d'œil vers le râtelier de GI Joe. Le pur-sang n'avait pas d'appétit. Habitué à une vie active, à une routine structurée, il s'ennuyait à mourir et, en plus, sa jambe le faisait souffrir. Triste sort pour ce cheval, le premier des écuries Lavergne à remporter une course.

Triste sort pour ce hongre qui n'était plus utile à Lavergne Farm… Dans l'état où il était, Xavier le ferait sans doute abattre.

Il était cinq heures de l'après-midi. Michael disposait de quelques heures avant que Xavier ne vienne faire sa visite quotidienne à l'écurie. Le jeune homme décida de gâter GI Joe. D'abord, il le pansa avec soin, évitant de toucher à sa jambe malade. GI Joe soufflait avec reconnaissance. Michael tira quelques brins de foin du râtelier et les offrit au cheval.

Il se souvint d'une discussion qu'il avait eue avec Arnaud et, après avoir consulté le dictionnaire de médecine vétérinaire de Xavier, il tenta une petite expérience. Il frictionna d'abord la jambe du cheval à l'aide d'un analgésique, puis employa un tissu large, rigide, afin de la bander très solidement. GI Joe montra son inquiétude au cours de ces manœuvres. Michael passa beaucoup de temps à le rassurer. Puis, il poussa sur la hanche de l'animal, obligeant celui-ci à s'appuyer sur son membre affaibli. Même si GI Joe collaborait peu au début, Michael ne craignait pas d'être mordu. Il s'occupait de GI Joe depuis longtemps et il savait que le pur-sang ne lui ferait aucun mal.

Au bout d'un moment, il parut évident que GI Joe arrivait à se supporter sur sa jambe. Michael se questionnait. Il cherchait un moyen de renforcer l'articulation endommagée en stimulant la musculature qui l'entourait. Depuis que le cheval était au repos, celle-ci s'était beaucoup atrophiée.

Lorsque GI Joe en eut plus qu'assez, Michael réajusta le bandage puis quitta le box. Il se dirigea vers le bureau de Xavier.

Celui-ci s'y trouvait et il accueillit son employé avec chaleur. Les deux hommes parlèrent d'abord de l'université. Michael s'y plaisait beaucoup, mais il avait de la difficulté à s'adapter à la somme d'étude requise, car il avait perdu l'habitude des activités intellectuelles. Lorsqu'ils eurent épuisé ce sujet, Michael prit un ton aussi neutre que possible afin de faire part à Xavier du verdict du vétérinaire au sujet de GI Joe.

– Hum, grogna Xavier, embêté.

Pendant un moment, il se renversa sur son siège et observa le plafond. Michael avait les yeux rivés au plancher. Il était très attristé par le sort de GI Joe, mais il admettait qu'il était raisonnable de l'abattre. Sa carrière sur les champs de courses était terminée. Xavier parvenait à recycler certains hongres dans le concours hippique, mais l'état de GI Joe ne permettait pas d'envisager cette avenue. La réhabilitation du cheval serait longue et, même si on réussissait à le réchapper, elle coûterait plus cher que ce que l'animal rapporterait. Michael serra les dents. GI Joe finirait sur l'étal d'un boucher, comme tant d'autres pur-sang malchanceux dont la carrière avait mal tourné.

– Tout éleveur américain consciencieux le ferait abattre, dit Xavier en regardant le groom.

– Oui, répondit Michael en levant les yeux.

Xavier posa ses deux coudes sur son bureau et cala son menton au creux de ses mains.

– Eh bien, je ne suis ni américain ni consciencieux. Je suis français et sentimental.

– Que dites-vous?

– J'ai une meilleure idée. Je te le donne.

– Mais, docteur…, bredouilla Michael.

Il remarqua, dans les yeux de Xavier, une lueur pleine d'ironie.

– GI Joe m'a rapporté plusieurs milliers de dollars, expliqua Xavier. Ce serait parfaitement égoïste de ma part de le sacrifier pour des considérations monétaires. L'orthopédie équine t'intéresse ?

– Oui, dit Michael.

– Alors, il est à toi.

– Docteur ! s'écria Michael. Je n'ai pas les moyens de payer la pension d'un cheval.

– Qui a parlé de pension ?

Estomaqué, Michael laissa éclater un rire incrédule.

– Cet animal a couru pour moi et je lui offrirai une retraite décente, trancha Xavier. Il y a ici des montagnes de foin qui n'attend qu'à être mangé, des acres de pâturages qui n'attendent qu'à être broutés. Un cheval de plus ici, ce n'est rien pour Lavergne Farm.

– Je ne suis pas qualifié…, protesta Michael.

Xavier l'interrompit d'un geste.

– Je te charge de GI Joe. C'est pour moi un investissement dans la formation d'un futur vétérinaire. Ce cheval sera ton cas pratique. Soigne-le. Guéris-le si tu peux. Et n'essaye pas de me faire croire que tu n'es pas content.

* * *

Ce soir-là, Arnaud quitta le service de physiothérapie de l'hôpital afin de gagner Churchill Downs. C'était une soirée assez fraîche, et il emporta avec lui un anorak ainsi que d'autres vêtements chauds. Il emporta également son cartable, bien qu'il ne comptât pas pouvoir étudier beaucoup. Pascale et Ashanti devaient courir le lendemain.

Le jeune homme chantonna tout le long de la route. Il était impatient d'être avec Pascale. Son stage à l'hôpital de l'université du Kentucky était ardu, mais drôlement intéressant. Arnaud avait hâte d'en discuter avec sa femme.

Il trouva Pascale dans le hall de l'hôtel. Lorsqu'elle se leva pour l'accueillir, il se sentit ému. L'épaisse chevelure de Pascale était nouée et son visage dégagé paraissait très mince. Maintenu par une laisse fixée à son nouveau collier, Rocky se trémoussait à ses pieds. Pascale regardait Arnaud à petits coups brefs, pleine d'angoisse et d'incertitude. «Elle se figure probablement qu'il y a un journaliste dans les parages», en déduisit Arnaud. Bien qu'il en eût très envie, il ne l'embrassa pas, puisqu'ils se trouvaient dans un lieu public.

– Je suis content de te voir, dit-il simplement, en français.

Pascale, qui continuait à promener son regard de tous les côtés, répondit par une ébauche de sourire.

– Allons à la chambre. Je dois déposer mes valises, suggéra Arnaud.

Pascale resserra sa main sur la laisse de Rocky. Si Arnaud et elle se rendaient à la chambre, elle savait bien ce qui arriverait... Pascale sentit son corps se raidir, car un nom l'obsédait : Claudia! La souffrance, brièvement, lui déforma le visage. À cause de sa tendance au négativisme, Pascale s'était pour ainsi dire persuadée qu'Arnaud avait une liaison, et elle ne savait pas du tout comment réagir face à cette situation. Sa moue n'échappa pas à Arnaud qui fronça les sourcils, interrogatif. Pascale s'écria :

– J'ai épouvantablement faim.

Arnaud crut cette explication. Suivi de Rocky, le couple prit place dans le pick-up et partit en direction d'un petit restaurant. Arnaud remarqua que Pascale avait l'air préoccupée, mais il ne s'en inquiéta pas outre mesure, pensant que cette angoisse avait pour source la course du lendemain. «Elle gagnera encore et elle cessera bientôt de se tourmenter», songea le jeune homme que la triste mine de sa compagne agaçait tout de même un peu.

Pascale et Arnaud entrèrent dans le restaurant où, heureusement, personne ne les reconnut. Rocky resta étendu sur la banquette du pick-up. Pendant le repas, Arnaud parla beaucoup. Pascale écoutait, hochait la tête et posa même quelques questions. Chaque fois qu'Arnaud prononçait le nom de Claudia, son cœur se déchirait. Pas de doute, Arnaud avait une maîtresse et c'était cette femme. Il ne cessait de louer son courage. Pascale se fustigea : Arnaud avait sans doute remarqué les doutes et les hésitations qui la taraudaient sans cesse, et il lui avait préféré une femme plus forte. Quand le jeune homme précisa que Claudia était cultivée, qu'ils discutaient ensemble de littérature et de cinéma, le désarroi de Pascale monta encore. Qu'avait-elle à offrir à Arnaud, elle qui avait quitté l'école à seize ans ?

La fin du repas approchait et la figure de Pascale s'allongeait. Quand le couple retourna à l'hôtel, Pascale eut envie de demander à Arnaud de la laisser seule, ou encore de laisser éclater sa colère, mais elle se retint, car elle craignait la scène qui s'ensuivrait. Elle suivit son époux dans la chambre. Un battement sourd résonnait derrière son front. Arnaud déposa sa valise. Pascale pressentit qu'il allait s'approcher d'elle et, dans un geste de défense, elle sauta sur le sofa et se lova dans un coin.

– C'est la course de demain qui t'énerve ? s'enquit Arnaud avec un sourire à la fois indulgent et perplexe.

– Oui, mentit Pascale.

Arnaud s'assit à côté d'elle et lui massa tranquillement les épaules. Presque malgré elle, Pascale demanda :

– Est-ce que tu fais ça à Claudia ?

– Non. Je soigne sa hanche seulement. Ses épaules sont en bonne condition, bien qu'elle souffre un peu d'ostéoporose.

Pascale en eut presque le souffle coupé. Arnaud accentua la pression sur ses trapèzes. Ce massage était efficace. Voilà que Pascale se détendait enfin.

– Claudia est chanceuse, car son mari l'aide beaucoup, ajouta Arnaud. Il l'accompagne souvent à la clinique, et chaque fois il me demande des nouvelles des chevaux. T'ai-je dit qu'ils avaient cinquante-quatre ans, tous les deux ?

14

À Churchill Downs, Ashanti obtint une troisième place, puis une victoire. Barachois termina deuxième dans les deux épreuves auxquelles on l'avait inscrit. Moushika courut aussi, mais ne se classa pas.

Xavier décida de ramener la jument à Lavergne Farm afin qu'elle profite d'un repos bien mérité. Ashanti, Barachois, Pascale, Elias, Martha et Rocky quittèrent Churchill Downs pour gagner l'hippodrome de Florence, Turfway Park. Ils effectuaient, une nouvelle fois, l'un de ces perpétuels déménagements propres au monde des courses de plat.

Décembre arriva et, à Lavergne Farm, les activités ralentirent beaucoup. On ferma la piste d'entraînement et, comme tous les ans, une partie de ses usagers déménagèrent à un centre d'entraînement situé non loin, appelé le Kentucky Horse Center. D'autres descendirent plus au sud. Les poulains du printemps étaient presque tous sevrés.

Ce jour-là, Arnaud alla voir Vol-au-Vent. Il tenait un morceau de papier dans sa main, et Vol-au-Vent souffla dessus, puis tendit la lèvre supérieure comme s'il essayait de le déchirer. Arnaud mit le papier dans sa poche. Sébastien y avait noté le nom d'un journaliste de la Société Radio-Canada qui désirait s'entretenir avec lui. À la lecture des chiffres composant le numéro, Arnaud avait deviné que l'appel provenait de Montréal.

Sa mère, Gabrielle, était originaire de cette ville. Petit garçon, Arnaud l'avait visitée. Elle lui avait laissé peu de souvenirs, sinon celui d'un endroit où les gens parlaient français. La connaissance qu'avait Arnaud de la province d'origine de sa mère et de sa femme n'était pas très étendue.

Au cours des années précédentes, les Lavergne avaient, épisodiquement, accueilli des parents de Gabrielle. Ceux-ci, en route vers la Floride, profitaient de l'hospitalité des Lavergne pour faire une pause durant leur long voyage. Arnaud se souvint de ses cousins, avec lesquels il avait fraternisé à ces occasions. Certains d'entre eux avaient justement manifesté le désir de venir à Lavergne Farm pour y célébrer la prochaine fête de Noël.

Il y avait un paddock libre, juste à côté de celui qu'occupaient les poulains de moins d'un an, et Arnaud décida d'y emmener Vol-au-Vent. «Il ne mérite pourtant pas de traitement de faveur», se dit le jeune homme alors que le poney bai lui emboîtait joyeusement le pas. Le matin même, Vol-au-Vent avait désarçonné Mme Miller, une cavalière particulièrement impulsive, pendant une leçon d'équitation donnée par Gabrielle.

Arnaud arriva à proximité du paddock libre. Les poulains nouvellement sevrés, flanqués de la jument Seymour, leur nounou, s'approchèrent de la clôture. Fol Espoir était parmi eux. Arnaud le regarda avec amusement. Par instinct, tous les poulains devaient savoir que Vol-au-Vent était un étalon. Certains d'entre eux battirent prudemment en retraite lorsque le poney bai passa sa tête insolente par-dessus la barrière. Mais pas Fol Espoir. D'autres chevaux lui bloquaient l'accès, alors il chargea dans le tas, hennissant, décochant des coups de pied. Les poulains se dispersèrent. Séparés par la lice blanche, Vol-au-Vent et son fils se firent face.

Arnaud tenait fermement Vol-au-Vent par son licou. Fol Espoir se dressa sur ses membres postérieurs et appuya ses sabots avant contre la clôture afin de se hausser au niveau de son géniteur. Vol-au-Vent perçut ce geste comme un défi, et il fit connaître son mécontentement. Arnaud tira sur son licou. Il n'avait pas envie que cette rencontre se termine en bataille rangée. Il mena donc Vol-au-Vent au paddock voisin et l'y enferma.

Fol Espoir se mit à aller et venir en poussant des hennissements claironnants. Cette démonstration n'impressionna pas Vol-au-Vent. Le poney bai tourna le dos à son rejeton et se mit à brouter.

Fol Espoir continua son va-et-vient pendant un moment. «Quelle tête dure!» se dit Arnaud. Au printemps, il faudrait castrer ce poulain, si on voulait en tirer quelque chose.

Arnaud quitta les paddocks et se dirigea vers le manège intérieur. Il y retrouva ses jeunes frères qui entraînaient leurs chevaux.

Arnaud sortit le papier de sa poche et fit signe à Sébastien, qui s'approcha.

– Qu'est-ce que ce journaliste voulait savoir? s'enquit Arnaud.

– Il m'a demandé si Ashanti allait courir en Floride. J'ai répondu que j'ignorais quels étaient les plans de son entraîneur.

Jusqu'alors, Ashanti n'avait participé à des compétitions qu'au Kentucky.

– Ce journaliste parle français avec un accent identique à celui de maman, ajouta Sébastien. Il m'a posé des questions sur toute la famille, alors je lui ai parlé de tout le monde...

Arnaud ne changea pas d'expression.

– Je lui ai dit que j'avais un frère musicien, un autre qui allait devenir physiothérapeute et un autre, avocat.

Soudain, Sébastien eut l'air tellement triste qu'Arnaud en fut frappé. Jusqu'alors, il n'avait pas été particulièrement attentif à la sensibilité de son cadet. Sébastien détourna la tête, et sa mâchoire, qui ressemblait de plus en plus à celle d'un homme, se contracta. Lui et François grandissaient tellement qu'on commençait à croire qu'ils rattraperaient bientôt Arnaud. C'était de beaux garçons blonds tous les deux. Sébastien parla un peu sèchement.

– Maman veut inviter Érik pour Noël.

– Elle t'a demandé de m'en parler? siffla Arnaud.

– Non. J'y ai pensé tout seul.

Dans le manège, François et son cheval continuaient à tourner.

– Papa et maman sont ennuyés parce que toi et Geneviève, vous vous braquez, poursuivit Sébastien. Et Geneviève s'entête parce que tu t'entêtes...

– Je ne peux pas demander à Pascale d'endurer la présence d'Érik.

– Mais ta femme, elle, ne te demande rien ! s'écria Sébastien.

Il fit pivoter sa monture et regagna le centre du manège. Arnaud se sentit fort malheureux. Sébastien lui laissait voir clairement qu'il désapprouvait sa façon d'agir. Il devait en être de même pour François, se dit-il.

Jusqu'alors, il avait réussi à ne pas réfléchir à la tension perceptible qui envahissait la maison à l'approche de Noël. Gabrielle voyait rarement ses frères et sœurs. Elle était la seule exilée de cette famille unie. Ses parents ignoraient tout de l'empoignade survenue entre Érik et Pascale. Par ailleurs, ils étaient impatients de rencontrer la jeune Québécoise qu'Arnaud avait épousée. Gabrielle se réjouissait à la perspective de revoir sa famille, mais elle redoutait ce qui risquait d'arriver lorsque tout ce beau monde serait sous son toit. Comment expliquerait-on alors l'absence d'Érik ?

Arnaud ne ressentait aucun scrupule à l'idée de déclarer à ses oncles, tantes et cousins qu'Érik était un ex-drogué qui avait rudoyé son épouse ; c'était la stricte vérité. Mais il savait qu'une telle révélation briserait le cœur de sa mère, sans compter qu'elle gâcherait les réjouissances. Alors qu'il se dirigeait vers la maison, le jeune homme repensait à Sébastien. Son frère semblait prêt à revoir Érik, comme François, Jules, Xavier et Gabrielle. À leurs yeux, Arnaud portait maintenant toute la responsabilité de la brouille.

Peut-être vaudrait-il mieux partir en voyage avec Pascale pendant les vacances, se dit Arnaud. Mais non, Pascale courait la campagne depuis quelques mois et elle répétait souvent combien elle avait hâte d'être à la maison.

Le jeune homme décida de rappeler le journaliste de Radio-Canada, qui lui répondit aussitôt. Il se nommait Jean-Denis Boyer.

– C'est un de vos cousins, Marc Lagacé, qui m'a parlé de vous tous, expliqua-t-il.

Arnaud hocha la tête. Son cousin Marc avait l'âge d'Érik et il étudiait en journalisme. Jean-Denis Boyer paraissait fort heureux d'avoir déniché une famille d'origine québécoise active dans le domaine des courses de plat. Il désirait tourner un reportage télévisé dont les Lavergne seraient les vedettes.

– Votre Ashanti est-il aussi fort que Northern Dancer? demanda Boyer.

Arnaud éclata de rire. Vainqueur du Derby du Kentucky en 1964, Northern Dancer était un cheval canadien. Après sa retraite des champs de courses, il avait connu une extraordinaire carrière de reproducteur, au point où on disait qu'il avait profondément marqué la génétique des pur-sang.

– C'est trop tôt pour le dire, répondit Arnaud prudemment.

– Si vous êtes d'accord, je viendrai filmer et vous interviewer, disons le... 2 janvier.

Arnaud demanda des précisions. Boyer mentionna qu'il s'agissait d'un reportage de trente minutes. Arnaud promit d'en parler à Pascale.

Après avoir raccroché, Arnaud s'assit un moment pour réfléchir. La réputation d'Ashanti – et, par la même occasion, celle de Pascale et de toute la famille – avait franchi la frontière. À la télévision canadienne, il faudrait que les Lavergne donnent l'image d'une famille unie. Boyer connaissait l'existence d'Érik.

«Sacré Érik, pensa Arnaud en silence, on revient toujours à lui!»

* * *

Laurie se sentait bien en peine. Elle venait d'acheter un énorme bureau de travail dans une vente-débarras, mais le meuble était tellement lourd que jamais Pamela et elle ne parviendraient à le hisser au deuxième étage.

Le lendemain de cet achat, Laurie fit part à Philip de ses difficultés. Le couple devait aller manger au restaurant chinois avec Geneviève, Bruce et Arnaud dans les jours à venir. Philip suggéra que les garçons déménagent le meuble avant le repas. Ils se réunirent donc chez Philip, puis allèrent chercher la nouvelle acquisition de Laurie et la chargèrent à l'arrière du pick-up d'Arnaud. Rendus au logement de la jeune fille, les garçons peinèrent dans l'escalier étroit, mais réussirent enfin à monter le bureau jusqu'en haut. Amicale, Pamela offrit des rafraîchissements. Laurie fit les présentations.

– Vous êtes le frère et la sœur d'Érik, fit Pamela en saluant Arnaud et Geneviève.

Ceux-ci le confirmèrent avec une réserve qui échappa à leur hôtesse. Pamela avait entendu dire qu'Arnaud Lavergne était l'un des plus beaux garçons de la région. C'était peut-être vrai, mais ce n'était pas le genre d'homme qui plaisait à Pamela. Quant à Philip, qu'elle connaissait déjà, il était trop cérébral pour jamais l'attirer. Par ailleurs, Bruce lui plaisait. Son style rappelait celui d'Érik.

– J'ai rencontré votre frère à l'université, poursuivit Pamela. Justement, je l'ai revu le jour où Laurie a décidé de venir habiter ici…

Et Pamela de raconter comment Érik leur avait fait la conversation, à Laurie et à elle. Embêtée, Laurie se taisait. Elle décelait clairement le malaise de Geneviève et d'Arnaud. Laurie ne réalisait pas à quel point le passage à tabac de Pascale avait été traumatisant pour eux. Pour sa part, elle comprenait difficilement qu'Érik ait pu faire une chose pareille. Il lui paraissait tellement normal !

Le groupe prit congé de Pamela et se rendit au restaurant. Geneviève avait organisé cette rencontre afin de distraire Arnaud. Celui-ci était très pris par ses examens et il se morfondait, car il n'avait pas pu aller voir Pascale depuis trois semaines.

Le repas terminé, Arnaud attira Philip à l'écart.

– Alors, demanda-t-il à mi-voix, Laurie est amie avec Érik ?

Philip poussa un soupir.

– Ce n'est pas exactement cela, expliqua-t-il. Elle l'a rencontré à la faculté de droit par hasard. C'est Pamela qui s'intéresse à lui.

– Phil, je ne sais plus quoi faire, confessa Arnaud.

Le jeune homme parla de la visite imminente de sa famille du Québec, du journaliste Jean-Denis Boyer, de Noël. Philip hochait pensivement la tête.

– Je ne t'envie pas, dit-il. Pour ma part, je peux me permettre de ne plus jamais fréquenter Érik si ça me chante, mais pour toi, c'est différent. C'est ton frère.

– C'est surtout l'homme qui a rossé ma femme.

– Qu'est-ce que Pascale dit de tout cela?

– Je ne lui en ai pas parlé... Je la connais. Elle ne veut surtout pas déplaire à mes parents, alors elle prétendra que ça ne lui fait rien alors que ça la déchire et...

– Tu te trompes, l'interrompit Philip.

Arnaud interrogea son ami du regard.

– Pascale ne prétendra rien, assura Philip. Elle cache souvent ce qu'elle ressent, mais elle ne ment pratiquement jamais. Demande-lui ce qu'elle veut et fais-le. Tu heurtes sa fierté, à la ménager de cette façon.

Arnaud fut surpris par la vigueur de ce commentaire. Les garçons abandonnèrent le sujet car leurs compagnons s'approchaient d'eux.

Arnaud et Geneviève montèrent dans la camionnette et prirent le chemin de la ferme. Ils roulèrent un moment en silence, puis Geneviève demanda :

– Tu penses à Érik, n'est-ce pas?

Arnaud regarda sa sœur, à la fois tourmenté et reconnaissant. Il devait régler le problème que posait Érik. Geneviève l'appuierait quoi qu'il fasse. Arnaud parla de leur mère avec émotion. Il se dit désolé de la voir souffrir. Après toute la commotion qui avait entouré le mariage d'Arnaud, Gabrielle n'avait-elle pas droit à un peu de paix? Le frère et la sœur se demandèrent s'il ne fallait pas consentir à une trêve; autrement, la visite de journalistes québécois viendrait encore attiser les feux.

À leur arrivée à la maison, Arnaud et Geneviève montèrent à la chambre de cette dernière et appelèrent Pascale. Geneviève parla longuement à sa belle-sœur. Elle décrivit les réjouissances familiales à venir et mentionna la visite probable des journalistes de Radio-Canada. Pascale montra de l'enthousiasme à cette perspective. C'était exceptionnel, puisqu'elle tendait à fuir la presse; elle expliqua qu'elle aimerait rencontrer des gens de sa province natale. Puis, Geneviève révéla que Gabrielle se faisait du mauvais sang au sujet de la venue d'Érik à la maison pendant les vacances de Noël. À un moment donné, Geneviève demanda à Pascale ce qu'elle ressentait à l'idée de revoir Érik.

– Certainement pas beaucoup de plaisir, répondit Pascale. Mais ça ne me fait pas peur.

«Sapristi! se dit-elle, quelqu'un va bien finir par deviner qu'Érik est le père de Catherine... Ou l'est-il? S'il fallait qu'Arnaud...»

Pascale ignorait que son mari écoutait la conversation à l'aide d'un autre appareil. Il intervint alors et relata la discussion qu'il venait d'avoir avec Geneviève au sujet d'Érik.

– Je suis contente que vous me demandiez mon point de vue, dit Pascale avec chaleur.

Il y eut un silence, puis elle déclara fermement :

– Arnaud, Geneviève, dites à votre mère d'inviter Érik si cela lui chante. Je ne serai pas particulièrement heureuse de le revoir, mais j'en serai parfaitement capable.

«Capable de me taire, encore une fois...», pensa-t-elle.

15

Le matin du 23 décembre, Elias reçut du docteur Lavergne les clés de sa nouvelle maison. Il les regarda longuement avant de les empocher. Il venait de descendre du van qui le ramenait de Turfway Park. Grommelant des mots pratiquement inaudibles qui se voulaient des remerciements, il déposa son sac pour serrer la main de son employeur.

Pascale, elle, était toujours juchée dans la cabine du véhicule. Rocky sauta allègrement au sol, car Arnaud arrivait, suivi de Vol-au-Vent tenu en longe et de Diamond qui zigzaguait autour des jambes de chacun en aboyant frénétiquement. De nombreux grooms se trouvaient sur les lieux. Ashanti et Barachois avaient brillé à Turfway Park. Mieux, ils avaient humilié leurs rivaux. Les employés de Lavergne Farm se disputèrent le privilège de sortir leurs champions du van. Instinctivement, Pascale chercha Michael des yeux, puis se souvint que son ami était allé au New Jersey pour passer les vacances avec sa famille.

Arnaud s'approcha du véhicule, mit le pied sur la longe de Vol-au-Vent et tendit les bras. Pascale se sentit épouvantablement embarrassée. Elle avait l'impression que tout le monde la regardait; or, le beau visage d'Arnaud, ses yeux bleus levés vers elle la troublaient énormément. Cet anorak vert forêt lui allait si bien ! Tout en tentant de se débarrasser de sa raideur, Pascale laissa son mari la saisir.

Arnaud étreignit Pascale, dont le désarroi augmenta, car elle avait envie de pleurer de joie. Brièvement, la jeune fille dissimula son visage dans l'épaisseur du veston d'Arnaud. Du coin de l'œil, elle vit Gabrielle qui les regardait en souriant.

Pascale caressa chaleureusement Vol-au-Vent. Mené par un groom, Ashanti sortit du van.

Tous les regards se portèrent sur Ashanti. Ses jambes étaient bandées, et sa couverture noir et vert le drapait somptueusement. En voyant Vol-au-Vent, il aplatit ses oreilles sur son crâne. Quant au poney bai, il se montra prudent. Jusqu'alors, les deux étalons s'étaient bien entendus tant qu'il n'y avait pas eu de jument dans les parages. Mais depuis peu, la croissance d'Ashanti avait changé leurs rapports. C'était un étalon jeune, fort, combatif, désireux de conquêtes, et Vol-au-Vent était un rival à éliminer. Le groom éloigna Ashanti des lieux.

Tout guilleret, Elias invita Xavier, Gabrielle, Pascale et Arnaud à venir visiter sa maison. Un autre groom prit la longe de Vol-au-Vent afin de le ramener à l'écurie.

Tous gagnèrent la demeure des Arvanopoulos, y compris Rocky et Diamond. Arnaud gardait Pascale serrée contre lui et chuchotait des blagues à son oreille, si bien que la jeune fille était prise d'un fou rire continu. Très maîtresse de maison, Martha ordonna à Elias de retirer ses bottes sales sitôt le seuil franchi. L'homme obéit. Il fit le tour de la maison en chaussettes trouées, ouvrant et fermant les interrupteurs et les robinets, ravi de ce qu'il découvrait.

Pascale et Arnaud étaient très dissipés. Ils demandèrent à être excusés, sous prétexte que Pascale devait ranger ses affaires. Ils quittèrent les lieux, laissant sur place Rocky, fort occupé à tout renifler. Elias les regarda disparaître, un sourire satisfait sur les lèvres.

– La petite s'est drôlement ennuyée de ton gars, expliqua-t-il à Xavier sur le ton de la confidence.

Il tira le rideau afin d'observer le couple qui s'éloignait.

– Vous êtes bons pour nous, monsieur et madame Docteur, dit Martha, rayonnante de bonheur. Est-ce que je pourrai inviter mes filles ici ?

Martha avait deux enfants issus d'un premier mariage. Leur père était décédé depuis une dizaine d'années.

– Mais certainement, répondit Gabrielle. C'est votre maison, vous inviterez qui vous voudrez.

Xavier avait placé un vieux tapis dans le séjour de la nouvelle demeure, et Diamond, qui avait inspecté la résidence de fond en comble, s'y coucha triomphalement. Elias continuait à regarder par la fenêtre. Il émit un grognement de contentement; au loin, Arnaud tirait Pascale vers la porte du sous-sol de la maison des Lavergne. Elias ne s'était pas demandé longtemps pourquoi ils n'avaient pas emmené Rocky avec eux. Gaiement, il tira l'oreille du boxer, qui s'était assis à côté de Diamond.

Les Lavergne restèrent un moment. Martha invita tout le monde à s'asseoir sur le plancher du séjour et promit qu'à leur prochaine visite il y aurait des meubles et du café.

Lorsque les Lavergne les quittèrent, suivis de Rocky, Elias et Martha explorèrent leur cuisinette, puis défirent leurs bagages. Soudain, Martha s'écria :

– Ce soir, j'aimerais qu'on aille au K-Mart.

– Pourquoi ?

– Pour acheter un sapin.

– Mais, objecta Elias, on n'a presque pas de meubles.

– C'est Noël, insista Martha. Il faut un sapin. Juste un petit sapin artificiel.

D'un pas décidé, elle se dirigea vers la cuisine. Elias lui bloqua le chemin. Il se haussa sur la pointe des pieds afin d'embrasser son épouse sur la bouche.

– Tu l'auras, ton sapin, grommela-t-il. Joyeux Noël, ma femme.

* * *

Lovée contre Arnaud, Pascale réfléchissait, ses longs cheveux étendus sur l'oreiller. Pour la dixième fois, elle jeta un coup d'œil vers l'unique fenêtre de la chambre. Une toile opaque la masquait totalement. Pascale se sentit rassurée.

Personne ne pouvait rien apercevoir, ni elle, ni Arnaud, ni les vêtements épars qui jonchaient le plancher.

Pascale bougea un peu et Arnaud, qui somnolait, la serra plus fort. Un moment, Pascale goûta la bienfaisante sensation de détente qui l'envahissait, puis elle poursuivit sa réflexion.

Elle tentait de savoir exactement ce qu'elle ressentait pour Arnaud. Cette question la préoccupait depuis plusieurs semaines. Pascale, hautement soucieuse de l'honnêteté, ne parlait jamais à la légère. Elle avait toujours été franche avec Arnaud et elle entendait continuer à l'être.

Or, depuis un moment, Pascale se demandait si elle aimait Arnaud et aussi si elle devait le lui dire. Mais au fait, s'interrogeait-elle, qu'était-ce qu'aimer? Pascale pensa à ce qui venait de se passer, et elle sentit qu'elle rougissait. Si aimer c'était désirer un homme, alors, sans l'ombre d'un doute, elle aimait Arnaud.

Mais, raisonnait Pascale, l'amour allait au-delà de l'attirance physique; c'était avec cette dimension qu'elle éprouvait des difficultés. «Arnaud est mon meilleur ami, constata-t-elle soudain. Oui..., un ami encore plus précieux que Michael. J'ai du respect pour lui.» Amitié? Respect? Une sourde incertitude envahit Pascale, et elle gigota avec malaise. Désir? ajouta-t-elle à la liste. Était-ce cela, aimer?

Devant son incapacité à répondre à cette interrogation, Pascale tenta d'analyser autre chose. À plusieurs occasions, Arnaud lui avait répété qu'elle pouvait tout lui dire. Tout? Sûrement pas! se disait Pascale. «Sûrement pas ce qui pourrait lui faire de la peine! Et puis... Catherine?»

Tourmentée, Pascale fit une petite grimace. Il lui tardait de revoir l'enfant, mais, en même temps, elle ressentait de l'amertume et de l'appréhension à cette idée. Pascale n'aimait pas la façon dont Delphine traitait Catherine. Elle lui parlait peu, et sèchement la plupart du temps. Tous pensaient que Delphine n'était qu'une mère maladroite, mais Pascale savait qu'elle n'aimait pas sa fille, et pourquoi. Jules n'agissait guère mieux que sa femme. Il paraissait toujours absorbé dans ses réflexions, au point de se montrer indifférent face à la petite. En fait, Jules évitait Catherine, car il redoutait qu'on critique sa façon de s'en occuper. Pascale ne le réalisait pas, mais à bien des égards elle se comportait de façon tout à fait semblable.

Alors ? Que devait-elle faire avec son secret accablant ? «Me taire», décida-t-elle une nouvelle fois. Elle pensa à tout le mal que la révélation de ce qu'elle savait ferait aux Lavergne, à Arnaud, et elle se félicita d'ignorer l'invitation de son époux à tout lui dire.

Elle sentit le souffle d'Arnaud sur son cou, puis elle frémit, car il l'embrassait sur l'épaule. Ses préoccupations au sujet de l'amour lui revinrent. «S'il fallait que je dise à Arnaud que je l'aime alors que ce n'est pas vrai, je lui ferais beaucoup plus de mal que de bien !» Quand, comment saurait-elle si elle aimait Arnaud ou non ?

Elle abandonna ce douloureux questionnement, car Arnaud lui parlait.

– Tu as encore maigri, constata-t-il en posant la main sur sa hanche.

Arnaud savait que Pascale était obsédée par son poids. Pour un jockey, ce n'était pas inhabituel. Mais Pascale, qui se maintenait aisément sous les quarante-cinq kilos, aurait pu se contenter de conserver ce poids. Mais non. Elle continuait à se faire maigrir, car elle avait atrocement peur d'engraisser. Arnaud soupira en se demandant pourquoi Pascale n'était jamais satisfaite d'elle-même. Son perpétuel régime devenait dangereux pour sa santé. Arnaud lui en avait déjà parlé. Il avait l'impression que sa femme ne cherchait pas réellement, en se privant de nourriture, à perdre du poids. Elle obéissait plutôt à son perfectionnisme ; maigrir apaisait ses obsessions.

Pascale s'écria :

– Demain soir, c'est le réveillon. J'ai un cadeau pour toi.

Arnaud sourit. Pascale adorait Noël.

– Moi aussi, dit-il tranquillement, j'ai un cadeau pour toi. Tu seras heureuse, même si Érik est là ?

– Oui, lui assura Pascale. Il y aura beaucoup de monde, alors je ne serai pas obligée de lui parler.

«Moi seule sait qu'Érik est peut-être le père de Catherine, se dit-elle, et ça ne paraîtra même pas sur mon visage!» Pascale fut fière de son impassibilité.

Encore une fois, Arnaud poussa un soupir. Son frère n'aurait-il pas pu leur faire la faveur de les laisser tranquilles pour leur premier Noël comme mari et femme?

– Il y a des choses à préparer pour le réveillon, murmura Arnaud.

– Ah! fit Pascale, tes parents ont besoin d'aide?

– Ils seraient prêts, si je ne les avais pas empêchés de tout terminer.

– Mais, fit Pascale, étonnée, pourquoi as-tu fait cela?

– Parce que je me suis souvenu de ta grande passion pour les sapins de Noël.

Une bouffée de joie envahit Pascale, et elle se redressa. Arnaud la contemplait avec tendresse. Il existait une tradition chez les Lavergne : on décorait toujours l'arbre de Noël en famille. Arnaud avait veillé à ce que Pascale fût incluse dans la cérémonie. Depuis la fin de son enfance, elle n'avait connu qu'un seul Noël en famille. Arnaud la revit, un an plus tôt, perchée sur un escabeau avec des boules de verre à la main et une guirlande autour du cou. Il se souvenait clairement de son bonheur, et il désirait lui redonner cette joie toute simple.

– Nous allons décorer le sapin tous ensemble, annonça Arnaud. Toi, moi, Geneviève, Bruce, François, Sébastien, mon père et ma mère. Le sapin est déjà installé dans le séjour et, je t'assure, c'est un bien joli sapin. J'ai facilement convaincu mes parents qu'il fallait t'attendre pour le décorer.

Avec une fougue peu habituelle, Pascale jeta ses bras autour du cou d'Arnaud.

– Comment as-tu deviné que je voulais être là? s'écria-t-elle, pleine de reconnaissance.

– Ce doit être parce que je t'aime, répondit Arnaud.

La joie de Pascale se ternit quelque peu. «Moi, se dit-elle désespérément, je ne devine jamais ce que veut Arnaud.» Il faudrait qu'elle soit plus perspicace que cela pour prétendre aimer Arnaud… Afin de ne pas paraître ingrate, Pascale déclara passionnément :

– Comme tu es gentil !

* * *

Érik regarda vers la maison de ses parents. Les lumières de Noël scintillaient dans les arbustes et de nombreuses silhouettes se découpaient derrières les draperies du salon. Plusieurs véhicules étaient alignés dans le stationnement. Pas de doute, la fête battait son plein.

Érik descendit de l'automobile de Bruce. Ce dernier avait convenu d'emmener son ami à la réception, et d'en repartir avec lui, puisque tous deux habitaient Lexington. Ils sortirent du véhicule sans parler, grimpèrent les marches du porche et appuyèrent sur la sonnette.

Geneviève vint ouvrir. Érik ressentit un choc à sa vue. Geneviève s'approcha de Bruce, l'aida à se débarrasser de son manteau, puis l'embrassa sur la bouche. Bruce était tout joyeux.

– Tu es vraiment jolie, Geneviève, dit Érik avec sincérité.

Il se sentait honteux au souvenir des incessantes moqueries dont il avait accablé sa sœur dans le passé. Par ailleurs, il fallait admettre que rien, dans l'apparence de Geneviève à seize ans, n'aurait laissé deviner un avenir aussi prometteur. Sa beauté ne répondait pas aux canons modernes, car elle était justement d'un classicisme qui défiait les modes et le temps. Érik posa la main sur l'épaule de Geneviève.

– Je t'en prie, ne me touche pas, glapit-elle en français.

Érik retira aussitôt sa main. Il vit, dans les yeux de sa sœur, de la colère, du dégoût et, aussi, un soupçon de crainte. Le jeune homme se souvint qu'elle avait lutté contre lui quand il avait attaqué Pascale. Et qu'il lui avait rendu les coups.

– Je comprends, murmura-t-il.

Il se maudit intérieurement. Force lui était de reconnaître que ses gestes à l'endroit de Pascale continuaient à marquer l'esprit de ceux qui en avaient été témoins. Or, il aurait bien aimé qu'on les oublie. Presque deux ans s'étaient écoulés depuis cette journée fatidique. Érik trouvait exagéré qu'on continue à l'accabler à ce sujet.

Comme l'une de leurs tantes s'approchait, Geneviève et son frère ne poursuivirent pas davantage leur dialogue. Tout en discutant avec sa nouvelle interlocutrice, Érik fit des yeux le tour du salon.

Il reconnut plusieurs personnes. Cindy et Fred Curtis étaient là, de même que d'autres amis de la famille. Avant de trouver Pascale, Érik vit Arnaud.

Il serra les mâchoires tout en observant son cadet. Celui-ci était vêtu d'un pantalon beige comme en portaient beaucoup de jeunes au Kentucky, d'un veston et d'une cravate. Il paraissait bien, et Érik sentit que cela l'intimidait. Il se souvint des conseils des thérapeutes qu'il avait rencontrés lors de sa cure de désintoxication. Tous ses problèmes passés étaient nés de sa jalousie envers Arnaud. Par réflexe, Érik chercha à se valoriser. Jamais son frère ne serait aussi élégant que lui dans un complet. Sitôt cette pensée formulée, Érik se rendit bien compte qu'elle était ridicule et, afin de la contrer, il se répéta que la présence d'Arnaud ne diminuait en rien sa propre valeur.

Arnaud, un verre à la main, discutait avec un éleveur du voisinage qui tournait le dos à Érik. Plus loin dans la pièce, le jeune homme aperçut Pascale.

À demi assise sur une table, elle conversait avec un garçon qu'Érik reconnut : son cousin Marc Lagacé. Pascale était vêtue d'un chandail en lainage et d'une jupe droite à mi-genou. Ses cuisses musclées tendaient le tissu. Elle portait des bas foncés et des escarpins. Jamais, décida Érik, elle ne serait gracieuse. Chez elle, les angles et les courbes formaient de curieux contrastes; lorsqu'elle était en public, ses mouvements étaient gauches. Elle dégageait cependant une grande énergie et paraissait toujours digne. Le bleu acier de ses yeux illuminait son visage qui, sans cela, aurait été très ordinaire.

Érik constatait aussi que la sensualité de Pascale était évidente, même si ce n'était pas une séductrice.

Érik se fondit dans l'assemblée. Ses oncles, ses tantes, ses cousins s'approchèrent de lui. Jules et Bruce l'entourèrent. Érik fut quelque peu embêté par la présence de son aîné, car cela signifiait que Delphine n'était pas loin. Effectivement, elle arriva bientôt, tenant par la main une Catherine fort agitée. Érik détestait voir l'enfant. Elle lui ressemblait terriblement, et elle incarnait ses pires gaffes. Que dire de Delphine, alors ! Elle lançait à Érik des regards tantôt soumis, tantôt rageurs, mais toujours amoureux. « Bon sang ! Que faut-il donc que je fasse pour qu'elle me laisse la paix ? » Encore cette semaine, il avait reçu une lettre d'elle.

Érik décida de coller aux talons de Jules, car en la présence de son mari, Delphine n'avait d'autre choix que de se montrer réservée. S'il avait été plus scrupuleux, il aurait peut-être réalisé qu'il abusait honteusement de la bonne foi de son frère, qui tentait si fort de le faire réadmettre dans le cercle familial, mais il n'y pensa pas.

On servit un buffet. Jusqu'alors, Érik et Arnaud s'étaient soigneusement évités. Soudain, ce ne fut plus possible, car le hasard fit qu'ils se retrouvèrent l'un derrière l'autre dans la file des invités. Ils se servirent sans dire un mot, puis, comme les gens les observaient, Arnaud laissa échapper sèchement :

– On dirait que tu te portes bien.

Érik se mit à l'écart afin que personne ne puisse saisir leur conversation.

– Tu ne sais pas combien je regrette…

– Ne commence pas, coupa Arnaud.

– Ça va. Je voulais te féliciter, pour Ashanti. Je l'ai vu courir à Keeneland.

Arnaud jeta un coup d'œil à son frère.

– Tu es venu à Keeneland ? demanda-t-il vivement.

– Mais bien sûr. Pascale m'a vu. Elle ne t'en a pas parlé ?

Arnaud ne répondit pas. Il paraissait mécontent ou contrarié. Pascale était toujours en grande conversation avec Marc Lagacé. Elle riait aux éclats, et Arnaud se souvint que son cousin avait un excellent sens de l'humour.

Quant à Érik, il oublia soudain toutes ses bonnes résolutions. Voir Arnaud embêté lui procura une forme de satisfaction, de sensation de pouvoir. Sans prendre le temps de réfléchir, il voulut prolonger le plaisir.

– Regarde-la dans cette jupe, dit-il. Tu te souviens comme je disais qu'elle avait les cuisses assez fortes pour étouffer un homme ? Enfin, peut-être pas toi, mais si j'étais Marc, je me méfierais.

Puis Érik se mêla à la foule tout en se blâmant intérieurement. Il ressentait un besoin irrésistible de tourmenter Arnaud ; cela voulait dire qu'il souffrait toujours d'un complexe d'infériorité à son endroit.

Poussé de tous les côtés par les invités, Érik finit par se retrouver près d'où se tenaient Pascale, Geneviève et Marc Lagacé. Rocky, dont le collier de cuir était orné de rubans de Noël, sommeillait sous la table. Marc Lagacé salua son cousin et le tira par le bras.

Pascale ne bougea pas d'un poil, mais Rocky bondit sur ses pattes et se mit à aboyer frénétiquement. Pascale regarda son chien avec étonnement puis, comme il ne se calmait pas malgré ses ordres, elle l'attrapa par le collier. Soudain, Pascale comprit pourquoi son chien se comportait de cette façon. Pour lui, Érik était un ennemi à tout jamais, car il avait attaqué sa maîtresse adorée. À l'époque où cela s'était produit, Rocky était jeune et impressionnable, et il était à présent incapable de tolérer la présence d'Érik.

Arnaud fut sur place en deux enjambées. Sans rien dire, il tira le boxer hors de la pièce. Pascale le suivit dans le corridor tout en s'excusant. La colère de Rocky était impressionnante. Pascale et Arnaud mirent plusieurs minutes à l'apaiser.

Lorsque le chien eut cessé de japper et de se débattre, Arnaud dit :

– Il se souvient, comme nous. Et il n'a pas à se retenir, le chanceux.

Le jeune homme regarda sa femme qui, accroupie, grattait affectueusement le pelage bringé de l'animal. Il remarqua comme les quadriceps de Pascale saillaient. À cause de sa position, la jupe était retroussée à mi-cuisse. Arnaud se sentit agacé. Il avait pourtant choisi cette jupe avec Pascale. Elle avait l'habitude de se vêtir plus sobrement, et Arnaud se demanda si la jupe convenait à sa personnalité.

– On ferait mieux d'enfermer Rocky en bas, suggéra Pascale.

– Je préférerais qu'il reste près de toi.

– Pourquoi ?

– Parce que Érik sera ainsi obligé de rester loin.

Le ton était coupant et Pascale décida d'abandonner le sujet. Elle n'avait toujours pas mangé. De la porte de la salle à manger, Marc Lagacé lui faisait signe. Il avait garni une assiette pour elle. Pascale répondit au salut du jeune homme. Arnaud était tendu, et, à cause de cela, elle avait envie de s'en éloigner.

Pascale gagna donc l'endroit où se trouvait Marc ; Rocky resta soudé à son genou. Encore une fois, Arnaud se sentit ennuyé et, pendant un moment, il demeura seul dans le corridor. Il alla ensuite s'assurer que tout fonctionnait bien dans la cuisine puis rejoignit Pascale et Marc.

Arnaud fut fort surpris de découvrir que sa femme, qui était généralement réservée en public, blaguait sans répit avec Marc. Ils parlaient de hockey, des Canadiens de Montréal, de politique, de tempêtes de neige, bref, du Québec, sujet qu'Arnaud connaissait peu. Il ne tarda pas à se sentir exclu de la conversation. Pascale riait si fort que des larmes perlaient à ses paupières. Marc la taquinait au sujet de son accent gaspésien et elle répliquait, singeant l'accent montréalais de son interlocuteur en l'exagérant.

Après le dessert, les invités se dispersèrent. Érik et Bruce furent parmi les derniers à partir. Xavier et Gabrielle paraissaient très heureux. La réception étant terminée, tous gagnèrent leurs quartiers afin de se coucher.

Rendue au sous-sol, Pascale retira ses souliers avec soulagement. Rocky dormait déjà, roulé en boule sur son coussin à côté de la chaudière. Pascale se changea en silence.

– Alors, demanda Arnaud, tu as apprécié la compagnie de mon cousin ?

– Oui, répondit Pascale. C'est amusant de rencontrer des gens du Québec.

La main d'Arnaud se referma sur son poignet.

– Tu ne m'as jamais dit, fit-il soudain, que tu avais vu Érik à Keeneland.

Pascale se retourna pour faire face à Arnaud.

– Tu ne me dis jamais ce qui t'émeut, la gronda–t-il.

– Mais, protesta Pascale, pourquoi t'aurais-je parlé d'Érik à cette occasion ? Ça aurait gâché ta journée...

– J'aurais pu te soutenir. T'aider.

– Mais moi, je voulais éviter de te nuire, fit Pascale gauchement. Je n'avais pas besoin d'être rassurée, alors...

– Tu n'as jamais besoin de moi.

Saisie, Pascale se tut. Arnaud se distança d'elle. Il s'assit sur le lit et retira ses souliers.

– Je suppose que si Marc Lagacé t'émeut tu ne me le diras pas non plus, siffla-t-il.

Pascale se sentit cruellement attaquée. Elle éprouva de la culpabilité pour tout le plaisir qu'elle avait eu au cours de la soirée. Elle crut qu'elle avait mal agi.

– Arnaud, je ne savais pas...

– Même Erik a remarqué ton comportement.

Pascale faillit éclater en sanglots et se jeter aux pieds d'Arnaud. Le commentaire la brisait, mais elle se raisonna, car elle en percevait l'injustice. Arnaud n'avait aucune raison de douter d'elle. Pascale se tordit les mains, serra les lèvres, puis affirma :

– Tu te trompes. Érik se trompe. Marc m'a parlé de sa « blonde » presque toute la soirée.

– Sa « blonde » ?

– Oui. Au Québec, on dit ça au lieu de « petite amie ».

Arnaud regarda sa femme et se souvint du commentaire de Philip : « elle cache souvent ce qu'elle ressent, mais elle ne ment pratiquement jamais. »

Le jeune homme se leva. Revoir Érik l'avait bouleversé, et Pascale le déroutait, par le mélange de force et de vulnérabilité qui surgissaient en alternance. Un peu vivement, Arnaud l'attira à lui. La jeune fille eut un mouvement de défense. Elle aussi était secouée. Elle aurait aimé entendre des excuses, ou au moins des explications. Elle avait envie de repousser Arnaud. Ç'aurait été salutaire pour eux de discuter, mais le manque d'habileté amoureuse de Pascale l'empêcha de parler.

Quant à Arnaud, son insouciance naturelle l'aveugla; il ne réalisa pas qu'une brèche s'ouvrait entre Pascale et lui.

* * *

Les jours qui suivirent furent, pour Pascale, une torture secrète.

Plutôt que d'aller en Floride avec ses parents, qui y possédaient un condominium, Marc Lagacé resta à Lavergne Farm. Il logeait dans l'ancienne chambre d'Érik. Le jeune homme, étudiant en journalisme, servait de lien entre la famille Lavergne et l'équipe de Radio-Canada, et il ne voulait pas manquer cette occasion unique de faire ses preuves dans un domaine où il désirait faire carrière.

C'était un garçon serviable, qui aimait les chevaux, et qui savait monter convenablement. Plutôt que de se comporter en invité passif, Marc participa à toutes les activités de la maisonnée, incluant l'entretien de l'écurie. En conséquence, Pascale se retrouvait en sa présence à toute heure du jour. Or, la jeune fille ne savait plus du tout comment se comporter à son égard.

Dès le lendemain de l'amère discussion sur l'attitude de Pascale à l'endroit de Marc, Arnaud oublia complètement le sujet et n'en parla plus du tout. Quant à Pascale, elle avait passé la nuit à souffrir de ce qu'elle percevait comme un reproche de son mari. Elle ne voulait plus lui donner de raisons de la blâmer. Pascale faillit aborder la question avec Arnaud, puis se ravisa, croyant qu'il la soupçonnerait d'infidélité si elle se conduisait en coupable.

Tourmentée et malheureuse, Pascale se tut, réagissant à l'humour de Marc par des sourires retenus et s'éloignant aussitôt qu'ils risquaient de se retrouver seuls. Pascale n'éprouvait pourtant aucune attirance envers Marc ; toute sa tendresse était exclusivement réservée à Arnaud. Elle ne craignait pas de faire quelque chose de mal. Ce qu'elle redoutait, c'était le jugement des autres, plus particulièrement celui d'Arnaud.

Les vacances ne lui procurèrent pas la détente dont elle avait si désespérément besoin. Le 2 janvier, les journalistes de Radio-Canada arrivèrent à Lavergne Farm. Pascale était fière de figurer dans un reportage à la télévision canadienne. Quelque chose pourtant l'inquiétait à ce sujet, mais seulement un peu. Son grand-père, condamné pour l'homicide de Brigitte Vladek, sa mère, avait sans doute fini de purger sa peine. Peut-être verrait-il Pascale à la télévision et tenterait-il de la contacter. Deux ans plus tôt, Pascale aurait tremblé à cette perspective, mais elle avait maintenant en Elias une figure paternelle fort satisfaisante, et elle se sentait la force d'envoyer son aïeul au diable, si jamais il se manifestait.

Depuis son départ du Québec, Pascale s'était efforcée d'oublier sa province natale et surtout son village, Bonaventure, car elle n'y repensait pas sans que l'amertume l'envahisse. Elle avait complètement coupé les ponts avec son ancien lieu de résidence, et avait longtemps souhaité que personne, là-bas, ne sache où elle se trouvait désormais. Pascale avait évolué sur ce plan. Maintenant, elle désirait laisser savoir aux gens de Bonaventure qu'elle avait lutté et triomphé. Cela démontrerait qu'elle avait pris sa revanche sur son enfance brisée. Elle se délectait lorsqu'elle s'imaginait les habitants de Bonaventure la reconnaissant à la télévision et se disant qu'elle avait fait du chemin.

Érik, Jules, Delphine et Catherine se rendirent à la ferme pour les fins du tournage. Érik se montra très discret, ne parlant que si on s'adressait à lui, restant sagement éloigné de Rocky et, conséquemment, de Pascale. Comme chaque fois qu'elle voyait Catherine, Pascale résista à l'envie de la prendre dans ses bras. Elle pensait souvent au curieux lien qui, à cause de l'enfant, l'unissait à Érik et à Delphine. «Que la vérité ne soit jamais connue!» se disait la jeune fille alors que l'équipe de télévision filmait la famille assise dans le salon.

L'équipe de tournage partit vers le milieu de l'après-midi. Marc était fort heureux du reportage. Il n'avait pas remarqué le changement d'attitude de Pascale à son endroit, ni la tension qui envahissait la ferme aussitôt qu'Érik y mettait les pieds. C'était un insouciant, comme son cousin Arnaud.

Après le départ des journalistes, Arnaud suggéra à Marc et à Pascale une balade à cheval, car c'était une journée ensoleillée. Pascale fut enchantée par cette proposition. Elle brûlait d'envie de monter Vol-au-Vent. De plus, elle désirait s'éloigner de la maison, puisque Érik y était. Lorsque les trois jeunes passèrent dans le séjour, Gabrielle leur demanda d'emmener Catherine et de la remettre à ses parents, qui étaient partis se promener dans les sentiers.

Pascale, Arnaud et Marc se chargèrent joyeusement de la petite fille. Vêtue de son anorak, elle trépignait en répétant : «Ceval, ceval...» En route vers l'écurie, le groupe vit Elias qui, à la demande d'un propriétaire, faisait faire des exercices de manège à un sauteur qui se remettait d'une blessure.

Catherine battit des mains lorsqu'elle aperçut l'animal. Comme elle se précipitait vers la clôture, Pascale lui attrapa la main, la hissa dans ses bras, puis l'assit sur la clôture. Elias était de fort belle humeur; il approcha sa monture des arrivants. Ce cheval étant notoirement paisible, Pascale le laissa tendre ses naseaux vers Catherine, qui ne tenait plus de joie.

Soudain, Elias se rappela le jour où, pour la première fois, il avait mis Arnaud sur un cheval. C'était une journée d'hiver. Gabrielle lui avait tendu son enfant par-dessus la clôture d'un manège et il l'avait assis devant lui sur l'arçon de sa selle. La clarté du souvenir étonna Elias. Il revit les boucles blondes d'Arnaud dépassant de sa tuque de laine et ses mains gantées qui lui disputaient les rênes. C'était peu de temps avant ou après Noël; Arnaud n'avait pas encore deux ans. «Il devait être encore plus jeune que Catherine, puisqu'il est du 20 avril et elle, du début de mars», se dit Elias.

– Tu veux faire un petit tour de cheval? offrit-il joyeusement à Catherine.

Sans hésiter, Pascale et Arnaud hissèrent Catherine vers l'homme.

Ils s'interrompirent, car un cri strident les fit sursauter. Tous aperçurent Delphine qui arrivait au pas de course. Jules restait derrière, hésitant à intervenir.

– Ne touchez pas à ma fille! hurla Delphine en anglais à l'intention d'Elias.

Marc fut surpris de la réaction de Delphine, qui lui paraissait tout à fait hors de proportion avec la situation. La jalousie, mêlée au désir de faire souffrir Elias et Pascale, poussait Delphine à les humilier devant Marc. Sa préoccupation pour la sécurité de sa fille n'était qu'un prétexte. Elle se glissa entre Pascale et Arnaud et, vivement, attrapa Catherine qui protesta à pleins poumons.

– Voyons, madame Jules, commença Elias.

– Vous, sale voleur, taisez-vous.

Honteuse, Pascale tourna la tête vers le manège et vit l'expression d'Elias. L'espace d'un instant, la large face du groom laissa paraître une immense détresse, puis l'homme serra les lèvres, fit pivoter son cheval et quitta les lieux en jurant.

Une vague de fureur secoua Pascale de la tête aux pieds. Que cette pimbêche s'en prenne à elle, passe encore, mais qu'elle bafoue Elias devant un étranger, c'était inacceptable! Outrée, Pascale revoyait la peine du groom et elle se sentit soudain coupable, car elle n'avait pas eu la présence d'esprit de prendre sa défense. Oui, elle l'avait bien laissé tomber, lui qui, depuis deux ans et demi qu'elle habitait Lavergne Farm, avait pris son parti dans toutes les circonstances. Pascale eut envie de sauter au visage de Delphine et de la rosser.

– À quoi pensais-tu? dit Delphine en s'adressant maintenant à Pascale, en français.

Elle évitait soigneusement de vilipender Arnaud.

– Confier Catherine à ce repris de justice! Il a fait dix ans de taule pour des vols à main armée, expliqua-t-elle en se tournant vers Marc, que la scène embarrassait beaucoup.

Delphine s'éloigna avec Catherine qui continuait à protester. Arnaud tapota les épaules de Pascale alors que Marc contemplait ses bottines.

Ils reprirent le chemin de l'écurie, où ils sellèrent les chevaux, puis se promenèrent pendant une heure. Pascale montait mécaniquement. Son cœur n'y était plus.

Lorsqu'elle revint vers la maison en compagnie des deux garçons, elle fut soulagée de voir que le véhicule de Jules n'était plus dans le stationnement. Cela signifiait qu'Érik aussi était parti. Heureuse de rentrer à la chaleur, Pascale inspira profondément; elle adorait l'odeur qui se dégageait du sapin. Alors qu'elle franchissait le vestibule, la jeune fille vit son beau-père s'avancer.

Xavier souriait et, avant même qu'il ne parle, Pascale sut qu'il avait une surprise. Elle et Arnaud le suivirent dans le séjour, où Gabrielle se trouvait déjà. Marc fut invité à se joindre au groupe.

– Je viens de recevoir quelques appels importants, annonça Xavier. Un, entre autres, de Don Morden.

– Morden? répéta Pascale avec une grimace.

Le sourire de Xavier s'accentua encore et ses yeux espiègles taquinèrent son interlocutrice. Il n'ignorait pas que Pascale et Morden pouvaient difficilement se souffrir.

– J'ai décidé, fit Xavier, que mes chevaux courraient en Louisiane, puis en Floride.

– Qu'est-ce que cela a à voir avec Morden? s'enquit Arnaud.

– Morden cherche un bon jockey pour monter un candidat au Derby du Kentucky, expliqua Gabrielle. Son cheval se trouve à Fair Grounds, l'hippodrome de La Nouvelle-Orléans. Nous avons pensé faire d'une pierre deux coups; si Pascale est d'accord, nous irons la reconduire là-bas avec les chevaux, et quand la saison sera terminée, nous nous arrangerons pour leur faire gagner la Floride.

À l'intention de Pascale qui restait un peu figée, Xavier ajouta :

– Morden est pressé de t'avoir, petite. Son crack court dans cinq jours.

– Comment s'appelle-t-il ? demanda Pascale.

L'ayant déjà deviné, Arnaud répondit :

– Aerobic Nut.

16

À Fair Grounds, Aerobic Nut, monté par Pascale, courut et gagna.

Ce fut une victoire importante. Pour la première fois de sa carrière, Pascale avait monté pour une écurie autre que Lavergne Farm. Elle avait prouvé ses compétences hors du Kentucky. Comme jockey, elle acquérait davantage de respectabilité.

Aerobic Nut lui parut très fort. Certains pensaient qu'il pourrait gagner le Derby du Kentucky, qui devait être disputé le premier samedi de mai. Or, le poulain de Fred Curtis n'avait jamais égalé le chronométrage d'Ashanti dans la première course qu'il avait remportée à Keeneland en octobre. Le cœur de Pascale criait qu'Ashanti était le plus rapide des deux, mais son perpétuel négativisme rétorquait qu'elle se trompait sûrement.

Doté d'une bourse d'un million de dollars, le Derby du Kentucky est, aux États-Unis, la plus prestigieuse des courses pour chevaux de trois ans. L'hippodrome de Churchill Downs, à Louisville, en est l'hôte depuis 1875. N'y courent que des pur-sang de grande qualité, provenant d'écuries connues et sérieuses, dont les propriétaires paient des frais d'inscription exorbitants : trente mille dollars américains ou, dans le cas d'une inscription tardive, cent cinquante mille. Don Morden, Fred Curtis et Aerobic Nut possédaient la réputation et les qualités requises pour entrer dans le clan élitiste des participants au Derby. Pascale n'avait jamais envisagé que quiconque en penserait autant d'Ashanti. Or, cela était en train de se produire.

Ashanti courait, gagnait et attirait les foules grâce à ce halo romanesque que la presse avait créé autour de lui. Lorsque le public réalisa que Pascale le montait sans cravache, sa popularité augmenta encore. Churchill Downs avait intérêt à ce qu'on parle du Derby dans les pages sportives et s'arrangea pour que ça soit le cas. Au Kentucky et ailleurs, une véritable campagne s'organisa afin qu'Ashanti soit inscrit à cette course, surnommée *Run for the roses*.

On la désignait ainsi en raison d'une tradition qui y était liée : lorsqu'on amenait le cheval victorieux dans le cercle du vainqueur, on posait sur son garrot une couverture tissée de roses rouges. Cette couverture, qui faisait la renommée du fleuriste choisi pour la confectionner, était exhibée au public le jour du Derby, puis remise au propriétaire du gagnant.

Les partisans d'Ashanti vantaient sa constance, son extraordinaire chronométrage du mois d'octobre et les méthodes progressistes des Lavergne, qu'on comparait à celles d'un entraîneur californien réputé qui avait parfait le dressage des chevaux de la reine d'Angleterre. On réclamait qu'Ashanti affronte des candidats au Derby, dont Aerobic Nut. Ashanti avait aussi des détracteurs. Ceux-ci prétendaient qu'il n'était pas un vrai cheval de course, mais plutôt une créature médiatique façonnée à partir d'une épreuve peu importante et d'une romance d'hippodrome. «Ashanti a eu le meilleur temps chez les chevaux de deux ans et il l'a obtenu sur une piste boueuse», répliquaient ses partisans. «Ce poulain n'a pas une ascendance de qualité», arguaient ses détracteurs en rappelant que sa mère, Nosie, n'avait jamais couru et que son père, Robaïyat, n'avait engendré aucun champion.

Discrètement, Don Morden alimentait les adversaires d'Ashanti, car il désirait que Pascale monte Aerobic Nut au Derby, ce qui serait évidemment impossible si Ashanti y prenait part. Lorsque Pascale réalisa que Morden envisageait de lui confier son protégé pour une épreuve aussi importante, elle en resta bouche bée.

Pascale évitait soigneusement de donner son point de vue sur le débat entourant Ashanti, bien qu'on la sollicitât plus souvent qu'à son tour. Lorsqu'on lui demandait lequel, d'Ashanti ou d'Aerobic Nut, était le plus rapide, elle répondait invariablement : «Mon mari est l'entraîneur d'Ashanti et j'ai des contrats pour monter les deux chevaux; il est préférable que je ne fasse pas de commentaires.» Xavier, qui ne s'encombrait pas de ce genre de réserves, déclarait à qui voulait l'entendre qu'Ashanti et Pascale étaient capables de battre n'importe qui.

Les performances d'Ashanti dépassaient, et de loin, ce que Xavier avait envisagé. En engageant ses chevaux dans des épreuves, Xavier avait réalisé un vieux rêve. Or, en plus d'être plaisante, son entreprise s'avérait rentable.

Xavier s'était montré assez audacieux dans son projet. Aux États-Unis, il existait plusieurs étapes à franchir avant de pouvoir participer à des courses aussi prestigieuses que le Derby du Kentucky. La plupart des éleveurs commençaient leur carrière en engageant un cheval dans ce que les Américains appelaient les *claiming races*. Dans ces compétitions, qui regroupaient généralement des chevaux de qualité moyenne, tous les concurrents étaient à vendre. On achetait son favori avant le début de l'épreuve et, qu'il gagne, perde, se blesse ou s'écroule sur la piste, on en devenait propriétaire aussitôt qu'elle avait été courue. L'acheteur du gagnant, ou son propriétaire s'il n'avait pas été acheté, récoltait la bourse. Xavier n'avait jamais participé aux *claiming races*, qu'il n'appréciait pas.

Ses chevaux avaient fait leurs débuts dans des courses aux bourses modestes, appelées *maiden races*, parce qu'elles étaient réservées aux chevaux n'ayant jamais remporté une épreuve. Par la suite, les bêtes de Lavergne Farm avaient pris part à des courses plus importantes, appelées *allowance*.

Des rencontres plus prestigieuses, nommées *stakes*, servaient en quelque sorte de qualifications au Derby du Kentucky. Ces courses richement dotées étaient classées selon trois niveaux de difficulté. Le Derby du Kentucky était un *stake* de niveau I. Jusqu'à maintenant, aucun des chevaux de Xavier n'avait été engagé dans un *stake*. Lorsqu'il réalisa que certains désiraient qu'Ashanti prenne part au Derby du Kentucky, Xavier se hâta de l'inscrire à un *stake* de niveau III.

Ashanti courut cette épreuve à Fair Grounds et termina deuxième. Ses détracteurs notèrent une perte de vélocité en fin de parcours ; ses partisans arguèrent qu'il y avait eu interférence. L'issue de la course ne satisfit ni les uns ni les autres, car la performance d'Ashanti n'avait été ni extraordinaire ni mauvaise.

En février, Aerobic Nut quitta la Louisiane pour se rendre en Californie. Ashanti, Barachois, Pascale, Elias et Martha gagnèrent la Floride. Pascale était soulagée que les deux poulains soient séparés, car elle craignait que Xavier cède aux pressions des médias et oppose Ashanti à Aerobic Nut. Le cas échéant, Morden engagerait un jockey de prestige, supposait Pascale, et Ashanti et elle seraient battus, ce qui serait très humiliant ; à son habitude, elle était pessimiste.

Tout le monde, sans cesse, lui parlait du Derby. « Le Derby ! Vous n'y pensez pas ? » avait-elle envie de hurler. Pascale aurait dû, logiquement, être la première à plaider en faveur de la participation d'Ashanti mais, à cause d'une combinaison de facteurs, elle ne le faisait pas.

Bien qu'elle fût l'un des jockeys les plus talentueux du circuit, Pascale était convaincue qu'elle n'était pas à la hauteur pour participer au Derby. Elle avait l'impression que les Lavergne se laissaient emporter par une vague d'optimisme qui n'avait rien à voir avec la réalité. Le Derby était une épreuve âprement disputée, réservée aux champions, aux jockeys aguerris. Elle n'était qu'une jeune fille de vingt ans, jockey depuis moins de six mois.

Lorsqu'elle disait cela à Arnaud, il citait l'exemple de Steve Cauthen. En 1978, ce jockey et Affirmed, sa monture, avaient gagné non seulement le Derby, mais aussi les deux autres courses de ce qu'on appelait la Triple Couronne, alors que Cauthen n'avait que dix-neuf ans. «Mais c'était un homme!» pensait Pascale tout en s'en voulant d'entretenir des préjugés contre son propre sexe. «Ashanti est né en août tandis que tous les autres poulains sont nés quelques mois avant; ça compte beaucoup, ces quelques mois», insistait Pascale, reprenant les arguments des détracteurs de son cheval. «Mais il est meilleur que tous les autres», répliquait Arnaud avec une conviction inébranlable.

Les émotions diverses auxquelles était soumise Pascale ne cessaient de la dérouter. Quoi! on parlait de lui faire courir le Derby – le Derby! Quel jockey n'aurait pas voulu courir le Derby! – et cela ne la comblait pas? Sous les arguments rationnels qu'elle soulevait, elle cachait son manque de confiance en elle et sa peur de décevoir.

Elle n'avait pas revu Arnaud depuis la fin des vacances de Noël et cela l'attristait et la soulageait à la fois. Elle s'ennuyait de lui et de la ferme, mais leur dispute au sujet de Marc Lagacé l'avait tellement blessée qu'elle était plutôt soulagée qu'il se trouve au loin. S'il avait été avec elle, il aurait fallu attaquer ce début de corrosion qui rongeait leur couple. Affronter Arnaud effrayait Pascale plus que tout. Elle préférait plonger dans le travail plutôt que de réfléchir à ce qui l'empêchait d'atteindre le bonheur.

Le congé scolaire devait avoir lieu à la fin de février. Barachois et Ashanti étaient inscrits à des épreuves pendant cette période. Fébrile, anxieuse et impatiente à la fois, Pascale attendait la visite d'Arnaud.

* * *

Ce soir-là, Arnaud devait prendre un vol de nuit en direction de la Floride. Son avion décollait de Lexington à une heure du matin. Geneviève, Michael et lui se rendirent au logement de Philip, où ils retrouvèrent, outre leur hôte, Bruce et Laurie. Le groupe avait convenu de partager un repas.

C'était l'époque des inscriptions à l'université. Philip et Laurie poursuivraient leurs études alors qu'Arnaud et Bruce obtiendraient leur baccalauréat au printemps – ainsi qu'Érik, fit remarquer Bruce. Geneviève attendait une réponse des départements d'ergothérapie et de physiothérapie, entre lesquels elle ne parvenait pas à se décider. Michael, lui, entretenait l'espoir d'être admis pour de bon à la faculté de médecine vétérinaire.

Tous se rendirent au restaurant chinois et y mangèrent. Plus tard, lorsqu'ils se séparèrent, Geneviève repartit vers la ferme avec Michael, au volant d'un pick-up. Arnaud resterait chez Philip jusqu'au moment où il gagnerait l'aéroport en taxi.

Arnaud s'attendait à ce que Laurie vienne passer la soirée chez Philip, mais ce ne fut pas le cas. Le jeune homme s'éloigna du couple au moment des adieux, car il croyait comprendre qu'encore une fois une mésentente existait à ce sujet. Philip entra dans son logement, disant avoir beaucoup de travail à faire.

Après avoir ramené Michael à la ferme, Geneviève revint à Lexington. Ses parents étaient partis en Floride quelques jours plus tôt. Aussi avait-elle décidé de passer la nuit chez Bruce.

Geneviève avait eu dix-neuf ans au début du mois. Elle gara son véhicule dans une rue secondaire afin que personne ne le remarque. Bruce la taquina à ce sujet.

– Tu as peur que quelqu'un raconte à ton méchant papa que tu couches chez ton petit ami ?

Geneviève soupira, honteuse et indécise à la fois. Bruce remarqua son air malheureux et il chercha à l'apaiser.

– Voyons, chérie, fit-il en l'étreignant, cesse de te tourmenter au sujet de ta réputation. Tes parents savent que nous avons passé l'âge d'être chastes.

– Je me sens obligée de faire semblant que je le suis, car je ne veux pas leur faire de peine, expliqua Geneviève.

– Mais pourquoi auraient-ils de la peine ? demanda Bruce.

Geneviève se déchaussa et s'installa sur le divan du salon. Elle aimait l'appartement de Bruce. Il était beaucoup plus joli que celui de Philip. Tout en ramenant ses pieds sous elle,

Geneviève tenta de s'analyser. Elle ressentait le besoin d'être plus indépendante face à ses parents, et, en même temps, leur jugement la préoccupait beaucoup. Sans doute parce qu'elle les aimait et parce qu'ils avaient subi toutes sortes de tracas depuis deux ans.

– Jenny..., dit Bruce en prenant place à côté de son amie. Voilà plus d'un an que nous nous fréquentons. Je te l'ai répété des dizaines de fois, tu es la fille la plus formidable que je connaisse. J'aurai bientôt mon baccalauréat et d'ici quelques mois je travaillerai à temps plein. J'aimerais t'avoir auprès de moi.

Geneviève tressaillit.

– Tu veux dire..., bredouilla-t-elle.

– Je désire, dit Bruce tranquillement, que tu viennes habiter ici.

Geneviève serra ses mains l'une contre l'autre. C'était la première fois que Bruce abordait le sujet et elle ne sut que répondre.

– Il me semble que nous serions très heureux, continua Bruce.

Geneviève faillit s'écrier : « Qu'est-ce que mes parents vont dire ? », mais elle se retint. Elle avait dix-neuf ans. Personne ne pouvait l'empêcher de vivre là où elle le désirait. Elle et Bruce pourraient partager leurs jours, leurs nuits, leurs sommeils et leurs réveils. Ils seraient des conjoints de fait. Geneviève s'imagina annonçant à son père qu'elle quittait la maison.

– Je souhaite, poursuivit Bruce, que tu emménages ici aussitôt que les classes seront terminées.

– Je ne pourrai pas beaucoup t'aider avec le loyer et les dépenses, dit Geneviève.

– Je sais. Je gagne bien ma vie, Jenny. Et puis... l'argent est moins important pour moi que pour notre ami Philip.

Les deux jeunes rirent tout en éprouvant un peu de peine. « Pauvre Laurie, se disait Geneviève, comme elle aimerait être à ma place ! »

Par la pensée, Geneviève revécut son adolescence. Elle s'était longtemps sentie peu dégourdie par rapport à ses compagnes de classe. Fréquenter Bruce l'avait libérée de ses complexes. Grâce à lui, elle travaillait, avait de beaux vêtements, de l'argent à dépenser. Elle n'était plus une petite fille traînant en salopette dans l'écurie de son père. Son père... Elle pourrait lui rendre visite, une, ou deux fois par semaine.

Geneviève eut presque envie de pleurer. À cause de l'embonpoint qui avait gâché son adolescence, les filles de son âge l'avaient tenue à l'écart. C'est elle, maintenant, qui serait la gagnante, lorsqu'elle quitterait la ferme pour s'établir dans ce logement avec ce beau garçon qui l'aimait.

– Oh! Bruce, ce sera difficile, gémit-elle.

– À cause de tes parents?

Geneviève hocha la tête en reniflant. Bruce lui lança une œillade malicieuse.

– Eh bien! dit-il, je t'aiderai.

* * *

Lorsque Arnaud gagna l'hôtel le matin de son arrivée, Pascale était déjà debout et prête à partir pour le *backside*. Le jeune homme titubait de fatigue. Le travail scolaire l'accablait en cette fin des études de baccalauréat. En plus de ses cours, il effectuait des stages, et il avait commencé à débourrer Makatoo. L'énergie débordante qu'affichait Pascale le dérouta quelque peu. Elle paraissait impatiente d'aller travailler; elle trépignait presque. Bien qu'il eût aimé passer plus de temps avec elle, Arnaud ne fut pas trop déçu de la voir s'éloigner, car il avait désespérément besoin de dormir.

Ce matin-là, Pascale monta plusieurs chevaux, puis partagea le petit déjeuner avec ses beaux-parents. Par la suite, elle procéda à un nettoyage complet des box de Barachois et d'Ashanti, puis elle doucha et pansa en profondeur les deux animaux.

Lorsque Arnaud vint la rejoindre en après-midi, elle était occupée à cirer ses bottes. Il faisait très chaud; l'écurie était étouffante. La nouvelle selle de course de Pascale, toute noire, avec les lettres «P. V.» qui s'y détachaient en blanc, reposait sur le montant du box d'Ashanti, de même qu'une bride neuve, noire elle aussi. Pascale les nettoya avec un soin maniaque alors qu'Arnaud, qui n'avait pas beaucoup d'énergie, restait assis sur un petit banc.

Pascale paraissait à la fois préoccupée et enthousiaste face aux tâches qui l'attendaient, et Arnaud n'osa pas lui demander de revenir à l'hôtel, bien qu'il eût envie d'intimité. Vers dix-sept heures, le couple se rendit dans un restaurant. Pascale mangea à peine. Elle courait le lendemain. Elle était bien en deçà du poids requis, mais parvenait quand même à s'inquiéter à ce sujet. Elle ne parlait que de sa course.

Arnaud ressentait du dépit, qu'il cacha. Il était heureux de retrouver Pascale, mais elle lui paraissait totalement obsédée par ses affaires et très peu intéressée par les siennes. Bien sûr, les activités d'Arnaud avaient moins de panache que celles de sa femme, mais elles méritaient tout de même un peu d'attention. Même lorsqu'il parla de Makatoo, Pascale écouta distraitement. Arnaud ignorait que Pascale était beaucoup plus préoccupée par leur retour à l'hôtel que par l'épreuve du lendemain. Sans cesse, la scène au sujet de Marc Lagacé lui revenait, et elle tentait désespérément de cacher sa douleur derrière un paravent d'enthousiasme. Sa crainte de décevoir Arnaud avait pris, depuis l'incident, des proportions gigantesques. Arnaud, ce soir-là, avait douté d'elle; lui faisait-il confiance à présent? ne cessait-elle de se demander. Allait-il la questionner au sujet des rencontres qu'elle avait faites au cours des dernières semaines? Ou, pire encore, quelqu'un, au *backside*, avait-il remarqué une faute de sa part et l'avait-il rapportée à Arnaud?

Ce questionnement obsessionnel n'était basé sur aucune donnée rationnelle, mais cela, Pascale ne le réalisait pas. Elle ne se rendait pas compte du caractère anormal du tourment que lui causait sa conscience. Selon une habitude prise longtemps auparavant, sa conscience cherchait toujours, quoi qu'elle fît, des choses à lui reprocher. Lorsque Pascale faisait une erreur, sa conscience la blâmait sans pitié. Lorsqu'elle n'en faisait pas, sa conscience en inventait pour l'accabler encore. Cette voix qui, sans cesse, lui répétait qu'elle commettait des fautes n'obéissait pas à la rationalité mais à son inconscient. Or, Pascale n'arrivait pas toujours à faire la distinction entre ces deux pôles.

Le souper terminé, Pascale, qui ne voulait pas se retrouver seule avec Arnaud, suggéra qu'ils aillent au *backside* pour vérifier l'état des chevaux. Arnaud trouvait cette démarche complètement inutile. Les chevaux n'avaient pas besoin d'eux et Pascale le savait très bien. Encore une fois, Pascale se sentait obligée de faire quelque chose, non pas pour les chevaux, mais pour apaiser son souci de perfection, croyait Arnaud. Bien que cette habitude commençât à lui tomber franchement sur les nerfs, Arnaud acquiesça à la requête de Pascale, soucieux qu'il était qu'elle aborde l'épreuve du lendemain l'esprit en paix.

Lorsque le couple revint à l'hôtel, Arnaud se sentait complètement brûlé. Pascale prit un bain interminable; lorsqu'elle eut terminé, Arnaud dormait.

* * *

Pascale se rendait à la piste, juchée sur Barachois. Avec vigueur, elle caressa l'encolure puissante du hongre. Il était gaillard et Pascale, pleine d'orgueil, le laissa donner quelques coups de tête.

Beaucoup de chevaux participaient à cette épreuve mais Pascale n'était pas inquiète. Rien, en ce moment, ne l'angoissait, sauf d'être avec Arnaud. La parade et les canters d'essai se déroulèrent bien. Barachois résista à l'entrée des boîtes et fut le dernier cheval à y être enfermé.

Presque aussitôt après que les aides-starters l'eurent poussé à l'intérieur, le départ fut donné. Maintenant fermement les rênes, Pascale freina l'élan de Barachois et le plaça en quatrième position. Elle entendit le commentateur massacrer le nom de son cheval.

Sa rencontre – ou son évitement stratégique – avec Arnaud s'était bien déroulée et elle était soulagée, si bien qu'elle se sentait plus détendue ici, au milieu du danger, qu'elle ne l'avait été depuis l'arrivée de son mari. Les meneurs abordèrent un tournant et, soudain, Pascale sentit que Barachois chutait.

Pascale fut projetée très loin et le sable lui piqua les yeux. C'était sa première chute en course; un voile noir, combinaison du choc lorsqu'elle toucha terre et de la peur qui l'envahissait, l'empêcha de voir ou de réaliser ce qui se passait. Elle eut le réflexe de rouler sous la lice, mais un sabot heurta son casque lorsque le peloton la dépassa.

Gémissante, elle resta étendue sur le sable, cherchant à reprendre son souffle. D'un peu partout, des gens accouraient vers elle. Elle tenta de répondre aux questions du médecin de piste alors qu'on la chargeait sur une civière. «Mais où est donc Arnaud?» se demandait-elle, soudain saisie d'une envie folle d'être avec lui. Elle l'aperçut une seconde avant que l'ambulance ne l'emporte.

Le jeune homme s'était rendu sur les lieux de l'accident à bord de l'ambulance équine. Des sons affreux provenaient de Barachois. Il tentait désespérément de se relever, mais ses jambes antérieure et postérieure gauches ne lui obéissaient pas et lui causaient d'atroces douleurs. Arnaud et le vétérinaire eurent une grimace où la compassion et le dégoût se mêlaient. Il faudrait revoir le film de la course pour comprendre comment Barachois s'était infligé pareilles blessures; deux de ses jambes étaient brisées et les extrémités pendaient, inutiles, alors qu'elles n'étaient que force et vitesse pures quelques secondes plus tôt.

«Abattez-le», ordonna Arnaud sans hésiter.

Lorsque Xavier et Gabrielle le rejoignirent, Barachois était déjà mort.

* * *

Quelques minutes après la chute, l'état de Pascale revint à la normale. À bord de l'ambulance, on ignorait le sort de Barachois.

Arnaud rejoignit sa femme aux urgences d'un hôpital local. Toujours casquée et vêtue de sa casaque, elle attendait, étendue sur une civière, l'air très ennuyé; le médecin de piste exigeait des radiographies et Pascale, qui ne voulait pas risquer de perdre sa licence de jockey, acceptait de s'y soumettre de mauvais gré.

Elle avait du sable partout; dans ses vêtements, dans ses bottes, dans ses cheveux, et elle en crachait encore. Elle fit un petit signe à Arnaud qui s'approchait, mais un médecin arriva et, avant que le couple puisse se parler, Pascale fut transférée en radiologie.

Arnaud alla s'asseoir dans la salle d'attente. La fatigue et la peine l'accablaient. Pendant les quelques secondes au cours desquelles ils avaient été ensemble, il avait vu la peur et la déception de Pascale. Il désirait la protéger. Demain, elle affronterait de nouveau le danger, avec Ashanti cette fois. «Dire qu'elle était si positive hier», pensa Arnaud. Il soupira en anticipant sa réaction lorsqu'il lui annoncerait la mort de Barachois.

Mécaniquement, il tendit le bras vers un petit téléviseur, car Pascale tardait à revenir. Une émission sportive montrait les courses qui se déroulaient à Gulfstream Park. Arnaud se rapprocha de l'écran, car on allait rediffuser la course de Barachois.

Il regarda l'alezan brûlé jaillir des boîtes, se placer, puis s'effondrer soudain. On montra la scène une seconde fois et, à un moment donné, Arnaud comprit comment l'accident s'était produit. Barachois se trouvait quatrième, juste derrière les meneurs, collé sur la lice. Il avait dû mal évaluer la distance qui le séparait de la clôture, car c'est en la frôlant de son épaule gauche qu'il avait perdu l'équilibre. Sa jambe antérieure avait dû se briser à ce moment-là; quant à la postérieure, elle s'était fracassée contre la lice lorsqu'il avait tenté de se remettre debout. C'était une bonne chose que Pascale ait été projetée si loin, autrement Barachois, en se débattant, aurait pu l'achever à coups de sabot.

Par la pensée, Arnaud revit les yeux horrifiés du hongre, son encolure palpitante, la souffrance qui irradiait de tout son corps. Juste avant que Barachois ne meure, le jeune homme avait tenté de l'apaiser en lui caressant la crinière, mais le cheval avait hurlé comme un fou. Le vétérinaire lui avait injecté un liquide et sa tête était tombée dans le sable. Dans ce cadavre tordu et disgracieux, il ne restait plus rien du pur-sang alerte, généreux et faraud qu'Arnaud avait obtenu, deux ans plus tôt, en échange d'une remise de dette.

Arnaud se leva car Pascale, sur ses pieds cette fois, revenait vers lui. Alors qu'elle s'approchait, des gens l'abordèrent et lui demandèrent un autographe. Arnaud les éloigna avec autorité et, tenant Pascale fermement par un bras, il se hâta de la faire monter dans la voiture.

Il claqua les portières et démarra vivement. Un peu surprise, un peu effrayée aussi, par le visage grave de son mari, Pascale se taisait. La voix de son inconscient la taraudait déjà : sans doute Arnaud allait-il lui reprocher quelque chose...

Pascale avait retiré son casque et ses cheveux défaits pendaient autour de son visage. Elle avait l'air sonnée, vulnérable, et en même temps tellement combative qu'Arnaud en avait la gorge serrée. «Quand elle aura eu le temps de se laver, je lui dirai ce qui est arrivé à Barachois», décida-t-il.

Il échangea quelques banalités avec elle. En arrivant à l'hôtel, ils gagnèrent rapidement leur chambre.

Arnaud s'étonnait un peu du fait que Pascale ne lui eût pas encore demandé des nouvelles de Barachois. Il ne pouvait savoir qu'elle consacrait toute son énergie à ne pas se trahir. Aux ennuis qu'elle avait déjà avec Arnaud s'ajoutait la terreur qu'elle venait de vivre; cette première chute ébranlait sa volonté, auparavant implacable, d'être un jockey professionnel. Or, elle ne voulait pas qu'Arnaud se rende compte de cette nouvelle hésitation. Si elle avait réalisé son rêve, c'était en grande partie grâce à lui. Lui laisser voir qu'elle doutait, à présent, comme ce serait ingrat! Comme il serait déçu! Pascale s'appliquait tant à se maîtriser qu'elle en avait complètement oublié Barachois.

Elle se changea, se doucha, semant du sable partout où elle allait. Puis elle rejoignit Arnaud, qui était assis sur un des lits, et commença à démêler ses mèches rebelles.

– Pascale, il faut que je te dise... J'ai une mauvaise nouvelle.

Pascale se redressa. Soudain, elle s'inquiéta du sort de Barachois. Elle eut un pincement au cœur. Mais comment avait-elle pu l'oublier?... Comment avait-elle pu penser seulement à elle..., seulement à Arnaud?...

– Barachois..., murmura-t-elle.

– Il est mort, annonça Arnaud en s'approchant.

Pascale se figea. Arnaud voulut lui toucher le bras mais Pascale, qui désirait à tout prix se maîtriser, glapit :

– Ne me touche pas !

– Comme tu veux, fit Arnaud sans rancune.

Il relata son arrivée sur les lieux de l'accident et décrivit l'état de Barachois. Pascale fixait le papier peint et ses narines se gonflaient et se dégonflaient rapidement.

– Alors, dit-elle, quand tu m'as vue à l'hôpital, tu savais qu'il était mort et... tu ne m'en as pas parlé ?

– Non, admit Arnaud aussitôt. Tu avais l'air tellement ébranlée, et il y avait tous ces gens autour de nous... Je n'aurais pas voulu qu'ils te voient pleurer, ou quelque chose de semblable.

– Moi ? Pleurer ? siffla Pascale.

Ainsi, criait sa voix intérieure, Arnaud avait redouté qu'elle le couvre de honte dans un accès de sensibilité !

– Pourquoi as-tu fait abattre Barachois ? demanda Pascale agressivement. Pourquoi as-tu fait ça sans m'en parler ? Il me semble que j'avais le droit de savoir.

– Mais je ne pouvais pas t'en parler, se défendit Arnaud. Pouvais-je te demander ton point de vue alors que tu venais de tomber ? Je ne voulais pas t'accabler, alors...

– Tu m'as ménagée, fit Pascale sur un ton de dérision.

– Mais... oui. Barachois souffrait horriblement. Ses blessures n'auraient jamais guéri, c'était très évident.

Pascale se tut. La voix lui martelait le crâne. Ainsi, Arnaud avait eu pitié d'elle. Mais elle ne voulait pas qu'Arnaud ait pitié d'elle ! Elle voulait qu'il la respecte !

– Je vais t'expliquer ce qui s'est passé, continua Arnaud qui tentait de l'apaiser. À l'entrée du tournant, Barachois était trop proche de la clôture. Il l'a touchée avec son épaule gauche…

Arnaud poursuivit son exposé. Les pensées de Pascale tourbillonnaient dans une ronde infernale ; la voix jetait le blâme sur elle en hurlant. Barachois était trop proche de la clôture… Arnaud ne l'avait pas consultée, parce qu'il la trouvait trop sensible… Arnaud pensait qu'elle aurait dû éloigner Barachois de la clôture… Barachois était mort… Ashanti ! Ashanti qui devait courir demain, s'il fallait… Arnaud l'avait cru amoureuse de Marc Lagacé… Elle avait oublié Barachois, parce qu'elle pensait trop à Arnaud… Arnaud pensait que Barachois était mort à cause d'elle, voilà pourquoi il avait cet air moche en sortant de l'hôpital… Pendant la course, dans ce tournant, c'était à Arnaud qu'elle pensait ! Et maintenant, il la blâmait ! Ce n'était pas juste ! Soudain, elle explosa.

– Alors, tu me tiens responsable de cet accident ?

– Je n'ai pas dit ça, dit Arnaud, étonné.

– C'est pourtant ce que tu penses ! cria Pascale. C'est ce que tu es en train de me dire : j'étais trop proche de la clôture… Tu n'as jamais eu confiance en moi.

– Qu'est-ce que tu racontes ? protesta Arnaud.

– Tu as fait abattre Barachois sans même m'en parler ! Parce que tu me prends pour une enfant qui pleure pour un oui ou pour un non !

– Pascale, calme-toi, coupa Arnaud. Je n'ai rien voulu te cacher.

– Il est mort par ta faute, cracha Pascale, et maintenant tu essaies de m'en faire porter la responsabilité !

Cette accusation injuste, fruit de la sensibilité exacerbée de Pascale plutôt que d'un jugement rationnel, mit Arnaud en furie. Sèchement, il suggéra à Pascale de réfléchir à ce qu'elle disait. Mais elle avait déjà perdu la tête. Les frustrations issues des incompréhensions qui les séparaient explosèrent, et Pascale les lança au visage d'Arnaud comme un serpent crache son venin. Le jeune homme prit le relais, accusant Pascale de le négliger, de ne s'intéresser qu'à elle-même et d'être obsédée par sa carrière, au point de frôler la folie. Au milieu de tout cela, le téléphone sonna. C'était Xavier et Gabrielle qui annonçaient leur venue.

Pascale et Arnaud furent forcés de clore le débat. À leur arrivée, Xavier et Gabrielle mirent leurs visages tendus au compte du drame survenu plus tôt. Les deux couples sortirent pour le repas du soir. Xavier parlait de faire participer de nouveau Moushika à des courses. Comme un automate, Pascale manifesta son accord.

– Si Ashanti gagne demain, je te promets un *stake* de niveau II, petite, annonça Xavier qui voulait mettre un peu de baume sur le cœur de Pascale. Et un gros!

Au cours du souper, Arnaud se détendit. Les ennuis qu'il avait avec Pascale n'étaient que des vétilles, aimait-il penser. Il avait gardé son insouciance d'adolescent, et il se convainquit qu'une fois rentrée à l'hôtel Pascale aurait tout oublié de leur amère discussion.

Le repas terminé, Pascale et Arnaud regagnèrent leurs quartiers. La porte à peine franchie, Arnaud attrapa Pascale par la taille, désireux de l'étreindre. Mais elle bondit comme une chatte en colère.

– Ne me touche pas, je te l'ai déjà dit! cracha-t-elle.

Arnaud fut fort déçu. Aucune des autres compagnes qu'il avait eues ne l'avait jamais repoussé. Il se sentit terriblement blessé. Voilà des mois qu'il attendait que Pascale lui dise qu'elle l'aimait. Et maintenant, à cause d'un cheval mort... Ne comprenait-elle pas qu'il souffrait, lui aussi? Qu'il avait aimé Barachois, peut-être pas aussi farouchement que Pascale aimait ses chevaux, peut-être plus doucement, de façon plus saine, mais tout autant? N'aurait-il pas fallu qu'ils se soutiennent mutuellement dans cette perte douloureuse, plutôt que de s'entre-déchirer?

– Pascale... commença-t-il.

– Tais-toi et laisse-moi dormir. Je cours demain.

Pascale attrapa son pyjama et s'enferma dans la salle de bains. Pensif, Arnaud se changea. Il n'aimait pas réfléchir à ce qui allait mal; il préférait penser que le temps arrangeait tout. Manifestement, Pascale était surmenée. Elle avait eu une très mauvaise journée, une des pires de sa vie, sans doute. Elle serait plus amène demain, surtout si Ashanti gagnait. Il suffirait d'attendre encore un peu et tout rentrerait dans l'ordre.

Arnaud se coucha dans l'un des deux lits. Plus tard, il entendit Pascale monter dans l'autre.

– J'aime mieux dormir ici ce soir, siffla-t-elle, vindicative.

– Comme tu veux, répondit Arnaud, décidé à ne pas la contrarier.

Cette attitude désinvolte dérouta Pascale. Elle avait voulu punir Arnaud, et la placidité de son ton la privait de cet effet.

Le temps passa. La respiration d'Arnaud devint longue et paisible. Lovée sous les couvertures, Pascale attendit le sommeil, qui ne venait pas. Sans cesse, la sensation de Barachois s'écroulant sous son corps lui revenait à l'esprit. Aussitôt qu'elle s'assoupissait, des images cauchemardesques surgissaient : Ashanti tentant de galoper avec une jambe qui pendait dans le vide, puis couché dans le sable; Ashanti mort, sa grâce perdue, sa jeunesse envolée, Ashanti fauché en pleine foulée... Son poulain! Demain, elle le jetterait dans le même péril que celui qui avait tué Barachois!

Les mots cruels qu'elle avait lancés à Arnaud revenaient aussi la hanter. Oh! Qu'avait-elle fait là? Elle regrettait ce qu'elle avait dit. Surtout, elle regrettait la façon dont elle avait parlé. Comme elle se sentait seule, sans la chaleur d'Arnaud, sa tendresse... Comment lui demander pardon, maintenant? Elle ne pouvait tout de même pas le réveiller. Et puis, elle n'avait pas envie de relancer le débat qui avait fait rage entre eux. Cette sacrée vie de couple, comme c'était difficile! Non, demain, elle ferait comme si elle avait tout oublié...

Soudain, Pascale crut avoir trouvé la solution. Arnaud était tellement fier de ses prouesses à cheval! «Autour des chevaux, nous nous entendons facilement.» Penser ainsi était rassurant pour Pascale. Ça lui permettait de faire coïncider la solution à ses ennuis avec ses obsessions.

Pour tout régler d'un seul coup, il suffisait que demain elle soit parfaite. Qu'elle fasse cadeau à Arnaud d'une belle course avec Ashanti.

L'aube pointait et Pascale n'arrivait toujours pas à dormir. Elle se mit à pleurer sans bruit, puis de plus en plus fort. Elle souhaitait qu'Arnaud l'entende, qu'il vienne près d'elle et la réconforte, qu'il la prenne dans ses bras et lui dise ce qu'elle avait besoin d'entendre. Mais il continua à dormir.

Plus tard ce jour-là, Ashanti remporta sa course, battant nettement ses rivaux, avec un excellent chronométrage.

Xavier annonça à Pascale qu'il inscrivait son poulain au Bluegrass Stakes, une course importante qui devait être disputée à Keeneland, l'hippodrome de Lexington, au début d'avril.

En 1964, Northern Dancer avait remporté cette même épreuve, puis le Derby du Kentucky.

17

SATISFAIT, Elias referma la porte du box d'accouchement. Nosie, mère d'Ashanti et de Fol Espoir, venait de donner le jour à une pouliche baie, grande et forte, qui tétait goulûment. Tout s'était bien déroulé.

L'homme s'accouda sur la demi-porte du box et resta là, un moment, à regarder la nouveau-née et sa mère. C'était ici, presque trois ans plus tôt, qu'Ashanti était né. Trois ans... Aujourd'hui Ashanti était un étalon de plus de seize paumes, rapide et intelligent, qui intimidait les autres chevaux. Elias ressentit une vague de fierté qui lui réchauffa le cœur. Lavergne Farm était maintenant célèbre, car tout le pays parlait d'Ashanti.

Elias s'éloigna du box. Il était une heure et demie du matin. Martha dormait dans leur nouvelle maison. Elias eut un sourire de dérision en pensant à Pascale. Il s'attendait à ce qu'elle lui fasse une scène au cours de la journée, car il ne l'avait pas réveillée pour assister à l'accouchement de Nosie ainsi qu'elle le lui avait demandé. Elias n'avait pas l'intention de mentir à ce sujet. Il dirait carrément : «Je ne voulais pas te voir à l'écurie.»

C'était le jour du Bluegrass Stakes, et elle devait être parfaitement reposée.

Pensif, Elias regagna sa demeure. Martha s'éveilla lorsqu'il entra et elle alluma sa lampe de chevet. Ses cheveux gris étaient décoiffés et sa chemise de nuit fleurie, froissée.

Elias lui sourit, heureux du seul fait de sa présence. Il l'aimait tendrement.

– Tu n'as pas l'air en forme, dit Martha. Il n'y a pas eu de drame, j'espère ?

– Non, répondit Elias.

Il décrivit l'accouchement de Nosie, sa pouliche, puis ajouta :

– C'est Pascale qui m'inquiète.

– Tiens, murmura Martha, toi aussi ?

Elle éteignit la lampe et Elias se glissa sous les draps. Le couple était revenu d'Hialeah Park, en Floride, depuis moins d'une semaine. Moushika avait couru à Hialeah, de même qu'Ashanti, qui avait battu un record de piste. Les deux chevaux se trouvaient maintenant à Keeneland.

Pascale et Arnaud ne s'étaient pas revus entre le congé scolaire de février et le retour de l'équipe au Kentucky à la fin de mars. C'était pendant cette période qu'Elias avait commencé à s'inquiéter au sujet de sa protégée. Pascale lui avait paru brisée par la mort de Barachois et il avait voulu en discuter avec elle, mais elle s'était murée dans le silence. Son assiduité au travail avait décuplé ; elle se privait régulièrement de sommeil. Elle devançait Elias et Martha, insistait pour tout faire, s'absorbait dans des nettoyages fastidieux et peu utiles. Lorsque Elias remettait en question la nécessité des tâches qu'elle s'assignait, elle répondait évasivement. L'homme devinait qu'elle était perpétuellement insatisfaite d'elle-même.

Mais il n'y avait pas que cela. À cheval, Pascale était devenue téméraire. Elle avait toujours été soucieuse du bien-être des chevaux malgré sa hardiesse. À présent, elle semblait prête à tout pour gagner une course. Les autres jockeys commençaient à parler d'elle en termes moins flatteurs ; certains disaient que la gloire lui montait à la tête et qu'elle se croyait invulnérable. Elias, lui, pensait plutôt qu'elle désirait se prouver quelque chose, mais quoi ? Qu'elle n'avait pas peur ?

Et Arnaud, dans tout cela ? Voilà presque un an que Pascale l'avait épousée, et elle ne parlait jamais de lui. Elias se souvenait comme elle avait été heureuse de le retrouver à Noël. Mais cette fois-ci… Elias avait perçu son malaise. Il avait aussi remarqué l'air malheureux d'Arnaud. Elias connaissait Arnaud depuis sa naissance et il ne se souvenait pas de lui avoir vu un air aussi malheureux auparavant. Elias pesta entre les dents contre Xavier qui, tout excité par la performance de son cheval, ne devinait rien de la détresse de ses enfants.

Étendus dans le noir, Elias et Martha discutèrent de tout cela.

– Laissons le Bluegrass Stakes passer, suggéra Martha, et après, si ça ne va pas mieux, on parlera au doc.

– Mais après le Bluegrass, il y aura le Derby, ronchonna Elias. Tu penses qu'on pourra parler au doc quand Ashanti sera inscrit au Derby ?

– Le Derby ? répéta Martha. Tu penses vraiment qu'Ashanti va courir le Derby ?

– Le courir, j'en suis sûr, affirma Elias. Quant à le gagner…

* * *

À quatre heures du matin, Michael Harrison quitta le dortoir du *backside* pour se rendre à l'écurie.

Il était trop tôt pour que Keeneland soit en effervescence. Michael s'arrêta un moment pour respirer l'odeur de l'herbe fraîche, des lilas et des pommiers qui commençaient à fleurir.

Du bout des doigts, il toucha l'enveloppe pliée en quatre qu'il avait mise dans la poche de son jean. Il ne voulait pas se séparer de cette enveloppe. Elle contenait la lettre de son acceptation à la faculté de médecine vétérinaire, et il la portait comme un talisman.

Le gravier crissa sous ses semelles alors qu'il se dirigeait vers l'écurie. Il avait offert à Xavier de veiller les chevaux cette nuit-là, car Martha, Elias et Pascale étaient épuisés par leurs incessants voyages.

Michael trouva Moushika calme mais alerte. Quant à Ashanti, il avait passé sa tête dorée par-dessus la demi-porte et lançait, par la voix, des défis aux jeunes étalons qui l'entouraient. Michael s'appliqua à le calmer, puis décida de le sortir de son box pour le distraire un peu.

Ashanti suivit le groom. Malgré sa jeunesse et son ardeur, il obéissait merveilleusement bien dès qu'on lui passait un licou, car son dressage avait été très poussé. Michael marcha en rond autour de l'écurie. Bien qu'il ne tentât pas de se sauver, Ashanti tenait la tête très haute et interpellait ses congénères au passage.

«Comme il est beau!» pensa Michael. L'étalon avait un corps parfait, mais aussi une personnalité qui brillait d'un éclat encore plus franc que celui de sa robe. C'était un cheval né pour mener, et cela expliquait en grande partie pourquoi il gagnait tant de courses. Jamais Michael n'avait connu d'animal aussi sûr de ses moyens.

De nouveau, Michael tâta sa poche. Ceci l'amena à penser à Pascale, et une légère déception l'envahit. Michael avait voulu qu'elle soit la première, après ses parents, à apprendre son entrée à l'université du Kentucky. Après tout, elle était sa plus vieille amie et tous deux s'entraidaient depuis si longtemps. Or, lorsqu'il lui avait annoncé la nouvelle, Pascale avait à peine écouté, puis l'avait félicité du bout des lèvres.

Michael avait été blessé. Il s'était toujours efforcé d'encourager Pascale et lui avait téléphoné après chacune de ses courses. Il avait même demandé à Geneviève de lui enseigner quelques mots de français pour pouvoir la féliciter dans sa langue. Chaque fois que Pascale avait couru, Michael avait communiqué avec elle et lui avait dit : «Je te félicite, Pascale»; et ce, peu importe le résultat qu'elle avait obtenu.

Entrer à l'université était sans doute moins prestigieux que d'être jockey, mais tout de même, pensait Michael, le chemin du succès n'avait pas été moins ardu pour lui qu'il ne l'avait été pour son amie. Cette indifférence de Pascale était bien ingrate. En fait, elle lui avait carrément gâché sa joie.

Michael ramena Ashanti dans son box. Il examina soigneusement ses jambes. Ses pensées dérivèrent ensuite vers GI Joe, son cheval. «Moi, Michael Harrison, propriétaire d'un pur-sang!» GI Joe progressait lentement, mais sûrement. Michael l'avait emmené nager dans un petit lac à truites, situé à Lavergne Farm, et l'équipée, épique et salissante, avait soulevé l'hilarité des habitants de la ferme. Peu importait à Michael. Son cheval savait maintenant nager et, grâce à cette activité, sa jambe devenait plus forte. Michael en avait parlé à Arnaud, qui l'avait encouragé à continuer.

Arnaud... Michael serra les lèvres. Arnaud faisait souvent des blagues au sujet des succès professionnels de Pascale et du fait qu'elle n'avait plus de temps à lui consacrer. Michael savait que, sous cet humour, il cachait une douleur véritable. «Lui et Pascale ont tellement voulu participer à ces sacrées courses, et voilà qu'elles les rendent malheureux!»

D'autres grooms arrivaient sur les lieux. Michael ajusta ses lunettes, replaça sa casquette noir et vert et salua les arrivants.

– Tu as un candidat pour le Bluegrass? lui demanda quelqu'un.

– Mieux que ça, répliqua Michael. J'ai le gagnant.

* * *

Sans bruit, Pascale s'habilla puis quitta la chambre pendant qu'Arnaud dormait encore. Elle appela Rocky; le molosse, encore endormi, s'étira en ouvrant la gueule dans un bâillement impressionnant.

Dehors, il faisait doux et sec; à Keeneland, la piste serait rapide.

Pascale marcha vers le pré où se trouvait Vol-au-Vent. Le poney bai l'accueillit avec bonne humeur. Il était au vert depuis un moment, et Pascale remarqua qu'il avait engraissé. La jeune fille passa sa main sur le flanc bombé de l'animal. À son habitude, Vol-au-Vent, qui avait une nature indépendante, s'éloigna un peu pour brouter.

Pascale le suivit. Avec amertume, elle réalisa qu'elle n'avait pas monté son poney depuis les vacances de Noël. Elle ne montait plus par plaisir; seulement par devoir...

Rocky, qui était habitué à manger dès son lever, affichait un faciès mécontent. « Vol... », murmura Pascale alors que le poney bai, d'un air décidé, s'éloignait d'elle.

Pascale poussa un gémissement, puis renversa la tête en arrière. Elle ne comprenait pas tout à fait la détresse qui l'envahissait. On se trouvait le 3 avril et, dans quelques heures, le Bluegrass Stakes serait couru. Elle allait prendre part à une épreuve prestigieuse, comme elle en rêvait depuis l'enfance, mais ce qu'elle n'avait pas prévu dans ses fantasmes, c'était l'affreuse peur qui lui gâchait tout.

Les larmes coulèrent sur ses joues. Pourquoi, après l'avoir désiré si fort, avait-elle perdu l'envie d'être jockey ? Elle ne cessait de penser à la possibilité qu'Ashanti s'estropie. Après tout, c'était arrivé à GI Joe et à Barachois, deux des quatre chevaux de Lavergne Farm qui avaient couru. Pascale s'imaginait que la terreur inscrite dans son cœur se lisait sur son visage. Aussi s'efforçait-elle de paraître très sûre d'elle, au point d'afficher, en course, une attitude téméraire. Cela valait mieux que de laisser deviner sa faiblesse.

Pascale avait tenté, indirectement, de dire aux Lavergne ce qu'elle redoutait. Elle avait encore une fois allégué son manque d'expérience, surtout pour courir un *stake* de niveau II comme le Bluegrass Stakes. Elle aurait dû être flattée par la confiance qu'ils lui témoignaient ; au contraire, elle lui pesait. Comme c'était souvent le cas, Pascale versait dans le négativisme et se sentait abandonnée.

« Vol-au-Vent », répéta-t-elle à son cheval qui s'éloignait de plus en plus. Elle le suivit et, impatient, il la repoussa de l'encolure. « Aide-moi », gémit-elle. Vol-au-Vent continua à brouter. Rocky tentait d'entraîner sa maîtresse vers la maison, là où se trouvait sa pâtée. Le chien exaspéra tellement Pascale qu'elle manqua lui envoyer un coup de pied.

« Mais vous ne comprenez pas ? cria-t-elle dans le silence du matin. Ils m'envoient courir le Bluegrass Stakes avec Ashanti ! » Vol-au-Vent dressa un peu la tête. Pascale se jeta sur son encolure, la serrant des deux bras, et sanglota dans sa crinière. «Aide-moi, Vol-au-Vent, aide-moi! supplia-t-elle. Il ne faut pas que j'aie peur... Il faut que je fonce... Que je gagne... Pour qu'Arnaud soit content de moi...»

Pascale était à bout, complètement obnubilée par la voix de sa conscience. Or, celle-ci ne se satisferait que de la perfection : rien de moins.

Le discours de Pascale émouvait fort peu Vol-au-Vent qui, d'un geste décidé, s'éloigna pour aller brouter plus loin. Pascale resta agenouillée dans l'herbe humide de rosée. Elle sanglotait toujours, et Rocky s'approcha pour lui barbouiller le visage avec sa langue interminable.

En colère contre elle-même, Pascale se remit sur ses pieds. Elle s'en voulait de s'être laissée aller à se plaindre, fût-ce à deux animaux. La voix le lui reprochait vivement et, en conséquence, elle sécha ses larmes et durcit son visage.

Elle marcha longuement, les mains calées au fond des poches, flanquée de Rocky qui soupirait après son petit déjeuner. Pascale savait ce qu'il lui fallait accomplir. La voix le lui répétait sans fin. Elle devait se concentrer, monter avec enthousiasme, et gagner, à tout prix...

En s'approchant de la maison, presque malgré elle, Pascale s'arrêta. Arnaud était à l'intérieur. Depuis quelques jours, il lui demandait pourquoi elle était incapable de se détendre quand...

La réponse tenait en quelques mots : Érik, Marc Lagacé, Barachois, tous ces conflits non réglés, ces disputes qui faisaient en sorte qu'elle redoutait constamment de décevoir Arnaud... Croyant bien faire, Pascale s'obstinait à se taire. Lorsque son mari s'approchait d'elle et que malgré ses efforts, elle se raidissait, elle alléguait le stress engendré par les courses. C'était une excuse commode, mais Arnaud était-il dupe? se demandait Pascale. Son impitoyable conscience l'entraînait, à ce sujet aussi, vers des pensées apocalyptiques qui n'avaient plus rien à voir avec sa raison. Oh! mais si la situation ne se corrigeait pas, et rapidement, Arnaud la soupçonnerait de quelque infidélité...

Avec lui aussi, il fallait foncer et être enthousiaste, suggéra la voix.

Pascale, de nouveau, durcit son visage.

* * *

Laurie était fort embêtée. Philip, qui disait être trop pris par ses études, ne pouvait assister au Bluegrass Stakes. Pamela offrit à Laurie de l'y emmener. Or – et c'était ce qui désespérait Laurie – Pamela avait convenu de rejoindre Érik Lavergne à la piste.

Pour ajouter à ces ennuis, Laurie avait mal dormi. Pamela avait organisé une fête qui avait duré tard dans la nuit. Laurie y avait assisté pendant quelques heures, puis elle avait tenté d'étudier, mais ç'avait été peine perdue. Le pire dans tout cela, c'était que Pamela avait juré que si Ashanti remportait le Bluegrass Stakes elle réunirait les fêtards de nouveau le soir même.

Deux parties en deux soirs – quand même! se disait Laurie. En plus d'être bruyants, les amis de Pamela parsemaient le logement de mégots de cigarettes et de bouteilles de bière vides. Pamela promettait de tenir une autre réunion pour célébrer le Derby du Kentucky. Laurie se demandait où elle trouverait refuge à cette occasion.

Les deux jeunes filles se rendirent donc à Keeneland. Pamela portait une jupe courte, très mode, et des bijoux voyants. Elle s'était un peu trop maquillée; Laurie en déduisit qu'elle tentait de dissimuler les excès de la veille. Érik Lavergne attendait Pamela près d'une des entrées de la piste. Il portait un pantalon beige, un veston assorti et une chemise au col déboutonné. «Qu'est-ce qu'il est élégant!» se dit Laurie. Encore une fois, elle se demanda ce qui lui avait pris le jour où il avait battu Pascale.

À peine eut-elle salué Érik que Jules arriva.

– Il y a de la place dans la section réservée, annonça-t-il. Mon père vous invite à vous joindre à nous.

Jules était tout heureux, car il avait convaincu Geneviève d'accepter la présence d'Érik.

Mal à l'aise, Laurie regarda ses souliers, tandis que Pamela acceptait l'invitation avec enthousiasme.

– Arnaud reste au *backside*, expliqua Jules à Érik en français. Allons, viens, tu es le bienvenu.

À vrai dire, Érik aurait préféré rester là où il se trouvait, car il n'avait pas envie de voir Delphine. En chemin, Jules lui expliqua que celle-ci était restée à la maison car Catherine souffrait de coliques. Soulagé, Érik se dirigea vers la loge de sa famille.

Xavier et Gabrielle parurent très heureux de voir leur fils. Cramponnée au bras de Bruce, Geneviève affichait un sourire de commande et évitait de parler. Érik se plaça entre les jumeaux. Ces deux-là ne demandaient qu'à rire et, avant longtemps, le trio se mit à blaguer. Pamela était assise à côté de Xavier. Cela flattait son ego de se trouver dans la loge d'un éleveur. Soucieuse de faire bonne figure, elle posa à Xavier des questions sur Lavergne Farm et sur Ashanti. Le docteur Lavergne répondit de bon gré. Il se demandait si Pamela fréquentait Érik et la jaugeait. Elle lui sembla dynamique et sûre d'elle, et c'était sans contredit une jolie fille, mais Xavier ne se gêna pas pour lui demander de s'abstenir de fumer.

Au cours de la journée, Xavier changea de siège pour s'approcher de Laurie, qui était plutôt silencieuse. Xavier la questionna au sujet de ses études. La gorge serrée parce que Philip lui manquait terriblement, Laurie répondit par bribes. Désirant la réconforter, Xavier lui tapota le genou. Il lui offrit un emploi à la ferme pour l'été, dès la fin des classes. Laurie, qui désirait rester dans la région afin d'être avec Philip pendant la saison estivale, accepta aussitôt.

Vers la fin de l'après-midi, on appela les concurrents du Bluegrass Stakes.

Les Lavergne se rendirent tous au paddock. Érik forgea une excuse pour demeurer hors de l'enceinte. Pamela, qui ignorait tout du conflit qui l'opposait à Arnaud, se mêla à la foule avec lui. Ne sachant pas trop où se mettre, Laurie les accompagna.

À la pesée, le poids de Pascale était si bas qu'elle-même en fut étonnée. Elle pesait un peu moins de quarante-deux kilos. Le plus léger de ses compétiteurs en pesait presque quarante-sept. On lesta fortement sa selle, car Ashanti, comme tous les chevaux mâles, devait porter une charge de cinquante-cinq kilos.

Martha, Elias, Michael et Arnaud entouraient Ashanti au paddock. Les Lavergne en gagnèrent la partie gazonnée, là où se tenaient généralement les propriétaires. Tous avaient l'air tendus; l'heure était grave pour Lavergne Farm. Si Ashanti gagnait, l'élevage connaîtrait la gloire. S'il terminait en queue de peloton, les journalistes ne manqueraient pas de dire que Xavier avait surévalué son cheval, et sa réputation serait ternie.

Lorsque Pascale sortit du vestiaire, des applaudissements fusèrent dans la foule. Les femmes, surtout, lui rendaient hommage. Il n'y avait pas de commentateur à Keeneland, mais une rumeur circulait selon laquelle le Bluegrass Stakes avait attiré une foule record. On avait l'impression que toute la ville de Lexington était venue voir courir Ashanti, son champion. Grâce à lui et à ceux qui l'entouraient, la population américaine connaissait un regain d'intérêt pour l'industrie qui faisait la fierté de la région. Ashanti fut donc chaleureusement applaudi; il dressa sa belle tête et, de son œil vif, parcourut la foule. Il était splendide. Érik était persuadé qu'il allait gagner.

Arnaud embrassa Pascale, puis la hissa en selle et la parade se dirigea vers la piste sous les exclamations enthousiastes des spectateurs massés le long du parcours. Les Lavergne regagnèrent leur loge, à l'exception d'Arnaud qui assisterait à la course avec Michael, Elias et Martha.

Il y avait dans l'air plus d'émotion que Gabrielle se souvenait en avoir jamais ressenti à l'occasion d'une course. La foule se tut lorsque les chevaux furent enfermés dans les boîtes de départ. Et lorsque le départ fut donné, elle explosa.

Un peloton en désordre passa devant les tribunes puis s'engagea dans le tournant. Fébrilement, Laurie chercha Ashanti des yeux. Xavier avait des jumelles et il décrivait ce qu'il voyait à mesure que la course se déroulait, il était excité et il parlait en français. Érik traduisit pour Laurie, Bruce et Pamela. Les chevaux galopaient de l'autre côté de la piste et même Xavier ne pouvait voir où Ashanti se trouvait. Puis la rumeur monta des tribunes pourvues de téléviseurs : Ashanti menait par une encolure ! Dans leur loge, les Lavergne se mirent à trépigner.

Les chevaux arrivaient au dernier tournant ; les spectateurs qui se trouvaient à cette hauteur du parcours se levèrent et on entendit crier : «*Ashanti of Africa by a length!*» Un cheval gris, nommé Iron Willy, s'approcha de l'alezan et quelque chose de magique se produisit. Pascale rendit le mors, et Ashanti donna l'impression de s'envoler.

Seul, complètement détaché de ses concurrents, Ashanti parcourut la dernière ligne droite sous les acclamations frénétiques de la ville dont il était désormais le prince.

* * *

«*Ashanti of Africa : Heart of gold and legs of iron*», titrait un hebdomadaire à grand tirage le lendemain de la victoire du poulain. Sur la même page figurait une photo d'Aerobic Nut. Il avait gagné le Wood Memorial, un *stake* de la même importance que celui que venait de remporter Ashanti, mais disputé à l'hippodrome d'Aqueduct, dans l'État de New York.

Le battage médiatique qui entourait Ashanti depuis le début de sa carrière s'était transformé en cirque. Xavier avait ramené l'étalon à Lavergne Farm aussitôt après la course afin de lui éviter d'être harcelé. Il avait même été forcé de retenir les services d'une agence de sécurité pour monter la garde devant les grilles de sa propriété.

Pascale était submergée de demandes d'interviews. Or, elle ne paraissait pas en forme et elle admit qu'elle avait besoin de repos. À Lavergne Farm, on veilla à ce qu'elle ne soit pas dérangée. Elle ne fit qu'une brève apparition à la réception qui suivit le Bluegrass Stakes. Le lendemain de la course, elle dormit presque toute la journée.

À travers le pays, la presse sportive se déchaînait. Certains ne tarissaient pas d'éloges pour l'envolée finale d'Ashanti, d'autres persistaient à dire qu'il n'était pas un candidat sérieux pour le Derby. Après sa victoire au Wood Memorial, Fred Curtis avait confirmé la participation d'Aerobic Nut au Derby, et la presse était sur les dents, car Xavier n'avait pas encore annoncé ses couleurs.

Même l'administration de Churchill Downs était divisée. Certains dirigeants de l'hippodrome ne souhaitaient pas qu'Ashanti participe au Derby. Les Lavergne évoluaient dans le monde des courses depuis deux ans seulement et leurs méthodes d'entraînement étaient peu orthodoxes. De plus, Ashanti ne possédait pas un pedigree très noble. Le poulain ne s'inscrivait donc pas dans la «tradition» du Derby, alléguaient ses dirigeants à l'esprit conservateur, qui dissimulaient, sous leurs arguments, une forme de discrimination envers Xavier, à cause de ses origines étrangères.

Par ailleurs, Ashanti amenait avec lui un vent de fraîcheur et de renouveau qui séduisait les membres plus libéraux de l'administration de Churchill Downs. Le cheval était bon et le public le réclamait. Et puis, il y avait Pascale. L'extraordinaire énergie de cette petite femme, qui était partie de si loin et avait surmonté tant d'épreuves pour se retrouver là où elle était, forçait le respect. Aucune femme jockey n'avait encore remporté le Derby. Pascale Vladek sera-t-elle la première? se demandait-on. On discutait fort à ce sujet, car, selon la rumeur, Don Morden voulait retenir ses services pour monter Aerobic Nut.

Le surlendemain du Bluegrass Stakes, Pascale, Arnaud, Elias, Martha, Xavier et Gabrielle se réunirent sur la terrasse adjacente à la maison, afin de discuter des courses à venir.

– Churchill Downs vient de m'appeler, annonça Xavier. Ils veulent qu'Ashanti coure le Derby.

Il y eut un silence. Pascale était très pâle. Jusqu'alors, elle avait refusé de prêter attention à toutes ces discussions au sujet du Derby du Kentucky. Elle s'était refusé le droit de croire que le succès pouvait lui arriver si vite, si facilement. Ça n'était plus possible. Churchill Downs lui-même réclamait Ashanti ! Le poulain était extrêmement talentueux, plus encore qu'elle ne l'avait cru. Des journalistes le comparaient à Secretariat, et la comparaient, elle, à Willie Shoemaker, l'un des jockeys les plus célèbres de tous les temps.

Quant aux gens de Lexington, ils avaient trouvé en Ashanti le crack de leurs espoirs. Ils n'avaient plus besoin de chercher un nouveau Secretariat, depuis qu'ils avaient découvert Ashanti of Africa – et la petite démone qui le montait.

– Moi, fit Elias d'un ton décidé, je suis d'accord pour qu'Ashanti aille à cette course-là. Sapristi ! doc, il a couru le Bluegrass Stakes comme s'il avait été un avion à réaction. Martha et moi, on s'en occupera et, tu verras, il sera fin prêt le jour du Derby.

Elias s'arrêta pour pousser un grognement, puis poursuivit :

– Pascale a souvent dit qu'elle n'avait pas assez d'expérience pour monter dans des grosses courses. Je ne pense pas que le problème soit l'expérience, mais je crois que tu devrais engager un autre jockey, doc.

Pascale sursauta. Elle ne s'attendait pas à être citée ainsi. La voix de sa conscience, qui l'avait poussée à plaider son inexpérience, lui reprochait maintenant de s'être mise en position de faiblesse.

– Je pense ça, continua Elias, parce que la petite est trop fatiguée après la saison qu'elle a eue. Les autres jockeys qui courront le Derby, ils font juste monter en course. Elle, elle s'occupe des chevaux, elle les monte à l'entraînement, elle travaille comme une folle et elle ne mange pas assez. Regarde un peu comme elle est maigre. Alors moi, je dis : qu'on l'écoute enfin et qu'on engage un autre jockey pour le Derby.

Mortifiée, Pascale était réduite au silence, car Elias ne faisait que reprendre ses propres arguments en y ajoutant son interprétation personnelle. Or, n'eût été sa conscience qui lui empoisonnait la vie, Pascale aurait adoré la vie de jockey. Son cœur hurlait : «Mais je ne veux pas qu'un autre jockey monte Ashanti ! Je ne veux pas qu'il reçoive des coups de cravache ! C'est mon poulain, mon cheval à moi ! Laissez-moi le monter ! » Une autre voix, plus insidieuse, se levait. Pascale avait cru que sa victoire au Bluegrass Stakes effacerait toutes les difficultés qu'elle avait avec Arnaud. Or, le malaise persistait entre eux. Pascale ne savait pas du tout comment le dissiper. Elle se mit en tête qu'une participation au Derby les réconcilierait, Arnaud et elle, et que si elle ne montait pas Ashanti au Derby Arnaud serait déçu.

– C'est vrai que Pascale est fatiguée, dit Arnaud.

– Pas tant que ça, se défendit l'intéressée.

– Si, tant que ça, répliqua Arnaud fermement, et Pascale interpréta ce commentaire comme une impitoyable critique. Il s'agit qu'elle se repose, poursuivit Arnaud, et elle sera parfaitement capable de monter Ashanti au Derby... et de le gagner si Ashanti doit le gagner.

Gagner le Derby ! Arnaud s'attendait à ce qu'Ashanti gagne le Derby ! Pascale eut l'impression que son mari la chargeait d'un immense fardeau. Ainsi, interprétait sa conscience qui, jamais, ne la laissait en paix, elle décevrait énormément Arnaud si elle ne gagnait pas le Derby !

– Que penses-tu de tout cela, petite ? demanda Xavier gravement.

Pascale attendit avant de répondre. Selon elle, ou plutôt selon la voix qui la poussait sans cesse vers le négativisme, une seule chose pourrait satisfaire Arnaud : qu'elle coure le Derby et qu'elle le gagne. Mais... si elle n'y prenait pas part, la déception d'Arnaud serait moins grande que si elle y participait et ne l'emportait pas. La conscience de Pascale la mettait, encore une fois, devant une décision impossible à prendre : elle se sentirait coupable, quoi qu'elle décide. Or, ce n'était pas Arnaud qui avait des attentes élevées, c'était Pascale ou, plutôt, son perfectionnisme poussé à l'extrême. Elle avait envie de participer au Derby et d'y faire de son mieux, mais la crainte de ne pas être à la hauteur la poussait à battre en retraite et la privait du plaisir auquel elle avait droit. Torturée, Pascale dit :

– Je ne sais pas quoi penser, docteur.

– Eh bien, voici ce que je pense, moi, fit Xavier d'un ton décidé. Je ne croyais pas que j'aurais si tôt un cheval suffisamment rapide pour participer au Derby du Kentucky, mais c'est le cas et, franchement, l'occasion est trop belle. Nous venons de gagner trois cent mille dollars avec le Bluegrass Stakes. Ça couvre largement les frais d'inscription au Derby et, de toute façon, les questions d'argent sont secondaires. Depuis la naissance d'Ashanti, Arnaud me répète qu'il sera plus fort que les autres chevaux de course parce qu'il a développé un lien unique avec Pascale, son jockey. Je n'ai pas réellement accordé foi à cette théorie jusqu'à avant-hier. Maintenant, conclut Xavier, j'y crois.

L'homme marqua une pause.

– J'y crois, répéta-t-il avec conviction, et je pense qu'avec Pascale Ashanti pourra honorablement compétitionner dans le Derby du Kentucky. Cependant, petite, écoute-moi bien. Je sais que Don Morden t'offre un contrat pour Aerobic Nut. C'est une offre que tu ne dois pas dédaigner.

Monter Aerobic Nut ? La tâche serait tellement moins lourde ! se disait Pascale. L'entourage de ce poulain était composé d'étrangers ; ce serait donc beaucoup moins accablant de les décevoir. Mais Ashanti... et, surtout, Arnaud...

– Que ferez-vous avec Ashanti si... ? demanda Pascale.

– Il ne courra pas, répondit aussitôt Xavier. Il courra avec toi, ou il ne courra pas.

Pascale aurait voulu hurler. Ainsi, les Lavergne lui faisaient porter l'odieux de la décision ! Sapristi ! Elle n'avait guère le choix. Sa voix intérieure lui interdisait de les laisser tomber.

– Vous voulez un Derby ? Vous aurez un Derby, siffla-t-elle un peu sèchement.

« J'espère que si je gagne Arnaud sera content », se dit-elle.

Xavier eut un large sourire et lui toucha affectueusement l'épaule. Elias regarda son visage. Elle serrait les mâchoires, avec ce que Xavier croyait être une détermination féroce, mais

Elias savait que Pascale luttait pour cacher sa terreur. Arnaud prit la parole.

– J'ai pensé à une chose, dit-il. Je n'ai pas pu être présent auprès des chevaux depuis quelques mois, à cause de mes études. Je vais demander à la faculté la permission de passer quelques examens à l'avance. Ainsi, je pourrai être au *backside* le jour du Derby…

– Mais, intervint Gabrielle, auras-tu le temps de te préparer suffisamment ?

– Je l'espère, répondit Arnaud. Cela suppose que je mettrai les bouchées doubles pendant les prochaines semaines…

– Tu es bien courageux, dit Gabrielle tendrement.

Arnaud regarda vers Pascale. Elle savait mieux que quiconque à quel point ses études étaient prenantes, et elle aurait dû apprécier cet effort qu'il faisait pour elle. Arnaud espéra, en vain, une manifestation sa gratitude. Mais non, quand il s'agissait des affaires d'Arnaud, Pascale affichait une complète indifférence. En silence, le jeune homme souffrait.

– Alors, tout est réglé, fit Xavier dont les yeux brillaient d'excitation. Je vais immédiatement communiquer avec Churchill Downs.

* * *

Arnaud poussa un soupir exprimant son découragement. Les livres s'empilaient sur son bureau de travail. D'une main, il se frotta le cou, tentant de chasser l'engourdissement qu'il ressentait.

Il étira les bras au-dessus de sa tête, bougea les jambes, fit tourner ses chevilles. Puis il bâilla. Rien à faire : il était à bout. Il se leva et se dirigea vers la porte de la pièce dans laquelle il se trouvait.

Cette pièce, c'était sa chambre de jeune homme…, celle qu'il avait occupée avant son mariage. Maintenant, il y venait pour étudier.

Pendant un moment, Arnaud resta debout sur le seuil de la porte. Il songeait à son ancienne vie. Au temps où tout était si facile…

Il secoua la tête, descendit l'escalier et gagna la cuisine. La maison était silencieuse, car il était passé dix heures du soir. Arnaud était en train de se préparer du café lorsque sa mère entra dans la pièce.

Elle souriait, un livre à la main. Arnaud vit le titre : *Bonheur d'occasion.*

– Alors? demanda Gabrielle. Ça progresse, ton étude?

– Couci-couça.

Gabrielle regarda sa montre.

– Tu te fais du café à cette heure-ci? dit-elle, étonnée.

– Je n'ai pas le choix, répondit Arnaud d'un ton las. J'en ai encore pour plusieurs heures, et je cogne des clous.

Gabrielle invita son fils à venir la rejoindre au séjour lorsque le café serait prêt. Arnaud accepta.

Portant une tasse, il gagna l'endroit où se trouvait sa mère. Elle lisait, lovée dans un fauteuil. Gabrielle portait des lunettes pour lire; lorsque Arnaud entra, elle les remonta sur son front, ce qui repoussa les mèches de sa chevelure autrefois blonde.

Arnaud se sentit apaisé à la vue de sa mère. À l'aube de la cinquantaine, Gabrielle conservait cette beauté faite de sensibilité et de force qu'elle avait toujours eue. Elle ferma son livre et contempla son fils en souriant. Arnaud se laissa crouler dans un fauteuil.

– Plus que quelques jours avant le Derby, fit Gabrielle.

Arnaud détourna la tête; Gabrielle décela son exaspération.

– Tu t'ennuies de Pascale? demanda-t-elle, car celle-ci était déjà à Churchill Downs.

«Non, justement», eut envie de répondre le jeune homme. Il n'avait pas envie d'avoir devant lui le visage tendu de Pascale; il ne voulait pas la voir affairée, fébrile, courant d'un endroit à l'autre, travaillant sans relâche et souvent en vain, recommençant des tâches déjà accomplies; il ne voulait pas voir le bleu acier froid et coupant de ses yeux qui ne s'arrêtaient jamais sur lui. Il posa plutôt une question.

– Maman, penses-tu que Pascale soit heureuse?

Gabrielle ne répondit pas immédiatement, mais ses yeux se plissèrent. Arnaud observait la couverture de son roman. L'illustration montrait des cheminées qui fumaient, des toits d'entrepôts couverts de neige. Arnaud savait que l'action de *Bonheur d'occasion* se déroulait à Montréal. «Peut-être comprendrais-je mieux Pascale si je lisais des trucs qui viennent du Québec», se dit-il.

– Je ne sais pas, dit Gabrielle au bout d'un moment. Mais j'ai l'impression que toi, tu le sais.

Arnaud baissa les yeux. Serein et doux, le regard de Gabrielle se faisait insistant. Elle était en train de sonder son âme, de guetter sa douleur. Arnaud se jeta à l'eau.

– J'ai l'impression que Pascale n'est jamais vraiment heureuse, confessa-t-il. Elle n'est jamais contente d'elle-même, poursuivit Arnaud. Même quand moi, je suis content, que vous êtes contents, elle ne l'est pas. Maman, je... je ne sais plus quoi faire. Son malheur me rend malheureux.

Toujours lovée dans son fauteuil, Gabrielle ne bougea que pour incliner la tête.

– Arnaud, dit-elle, Pascale mène une vie très difficile. C'est le stress qui...

– Non, interrompit Arnaud. Monter des pur-sang en course, ça ne lui fait pas peur. C'est autre chose. On dirait qu'elle ne se donne pas le droit au bonheur. Je n'ose pas te le dire, mais... je me demande si Érik...

Gabrielle secoua la tête en signe de dénégation. Elle attrapa ses lunettes et les posa sur une table basse.

– Arnaud, demanda-t-elle, as-tu déjà pensé à Bonaventure?

– Bonaventure? répéta le jeune homme.

– Oui, fit Gabrielle. As-tu pensé à l'effet que cela a pu avoir sur Pascale, de voir mourir sa mère?

– Mais c'était il y a longtemps, protesta Arnaud. Tandis qu'Érik...

De nouveau, Gabrielle fit «non» de la tête.

– Les drames ont souvent des effets étonnants, inattendus, dit-elle. Après son empoignade avec Érik, Pascale a commencé à nous faire confiance – à te faire confiance, entre autres. Parce que nous avions pris son parti. Bien sûr, elle n'aime pas Érik et c'est normal, mais, somme toute, ce qu'il lui a fait a eu une conséquence plutôt positive…

– Comment oses-tu dire cela? protesta Arnaud.

– Ne te fâche pas, poursuivit Gabrielle avec calme. Je n'essaie pas d'excuser ton frère. Je dis seulement que ta femme a bien géré cette affaire, remarquablement bien; je lui rends hommage. Pour ce qui est arrivé à Bonaventure, c'est une autre histoire. Elle a perdu quelque chose lorsque sa mère est morte. Quelque chose dont elle n'a pas fait le deuil.

– Oui, sa mère. Mais…, fit Arnaud qui s'efforçait de comprendre.

– Sa mère, bien sûr, renchérit Gabrielle, mais aussi une partie d'elle-même.

De nouveau, Arnaud regarda la couverture de *Bonheur d'occasion*. Le discours de Gabrielle ne le convainquait pas. Il était persuadé que les problèmes de Pascale avaient Érik pour source. C'était rassurant pour Arnaud que de croire cela. Ainsi, il avait quelqu'un à blâmer, à détester, tandis que Bonaventure ne correspondait à rien pour lui.

– Tu ne penses vraiment pas qu'Érik… ? demanda-t-il.

– Non, répondit Gabrielle avec conviction. Parce que Pascale refusait le bonheur même avant qu'il ne la frappe.

18

PLUS QUE TROIS COURSES avant le Derby du Kentucky, compta mentalement Xavier.

Il jeta un coup d'œil flatteur sur Gabrielle, qui lui sourit en retour. Elle était vêtue d'un tailleur bleu clair qui lui seyait particulièrement bien. Le jour du Derby, les femmes portaient un chapeau ; c'était la tradition à Churchill Downs. Celui de Gabrielle n'était ni grand ni extravagant. Il projetait juste assez d'ombre sur son visage pour qu'elle n'ait pas à plisser les yeux pour résister au soleil éclatant.

Xavier adressa un signe de la main à Fred Curtis, le propriétaire d'Aerobic Nut, qui occupait la loge voisine de la sienne. Les deux hommes entretenaient une saine amitié. Ils étaient heureux de participer au même Derby, et, bien que leurs chevaux fussent en compétition l'un contre l'autre, ils s'étaient mutuellement souhaité bonne chance. Cindy Watson, la fiancée de Curtis, agita le bout de ses doigts gantés en direction du docteur Lavergne. Elle portait une robe griffée un peu voyante. « À qui me fait-elle penser ? se demanda Xavier. Ah oui ! À Pamela. »

L'homme se tourna vers son fils Érik. Il était assis, un verre de *mint julep* à la main. Cette boisson, mélange de bourbon du Kentucky, de menthe et de glace pilée, était traditionnellement vendue dans des verres aux couleurs du Derby, que les gens collectionnaient. Érik discutait amicalement avec Bruce. Geneviève leur tournait le dos dans une attitude un peu obstinée, mais elle n'avait rien dit ou fait de désagréable.

Quant aux jumeaux, ils sirotaient les *mint juleps* qu'Érik leur avait refilés en douce. Il fallait avoir vingt et un ans pour consommer de l'alcool au Kentucky; François et Sébastien n'avaient pas encore célébré leur seizième anniversaire. Xavier se promit de tenir ses benjamins à l'œil. L'alcool ne ferait peut-être pas bon ménage avec ce soleil qui leur tapait sur le crâne.

Xavier se pencha pour ramasser le chapeau de paille de Catherine qui, pour la vingtième fois de la journée au moins, avait glissé par terre. Puis, il attrapa la fillette, la cala dans son siège et lui remit son couvre-chef. Jules, qui était absorbé dans la lecture d'un journal, ne remarqua rien. Quant à Delphine, elle marmonna quelque chose d'un ton exaspéré. Xavier se retint pour ne pas la houspiller.

Le docteur Lavergne passa ses doigts derrière le col de sa chemise. Toute sa famille était là et il était heureux. Bien sûr, Arnaud ignorait froidement Érik et passait plus de temps que nécessaire au *backside*. Mais Pascale, malgré la lourde responsabilité qui pesait sur ses épaules, avait pris la peine de venir saluer tout le monde dans les loges.

Xavier la revit par la pensée. Elle lui avait paru très petite, et terriblement sérieuse. Il lui avait dit qu'il serait fier d'elle, même si elle terminait en queue de peloton. Elle n'avait pas répondu, mais ses yeux criaient : «Je vais gagner!» Xavier, que sa hardiesse effrayait un peu, l'avait incitée à la prudence.

L'homme regarda les tribunes bondées. Là où il se trouvait circulaient propriétaires, magnats d'entreprises, vedettes de cinéma. Un peu plus loin étaient assises des personnes plus modestes qui, aimant les courses et désireuses de se payer une sortie, avaient acheté des billets dans les places réservées. À l'aide de ses jumelles, Xavier regarda à l'intérieur de l'ovale déterminé par la piste, dans cette enceinte gazonnée qu'on appelait le *infield*. C'était en quelque sorte le quartier populaire de Churchill Downs. Pour trente dollars américains, le bon peuple y avait accès et pouvait regarder la course sur écran géant ou apercevoir une partie de la piste, juché sur une chaise ou grimpé sur une clôture.

Partout, les buvettes et les boutiques de souvenirs étaient assiégées. Le Derby était plus qu'une course; c'était une immense fête populaire qui comptait un lot de gens ivres et braillards. Évidemment, cet aspect des choses serait soigneusement dissimulé à la télévision.

«La télévision!» songea Xavier. Une importante délégation de la presse canadienne s'était installée à Churchill Downs. Xavier se rappela qu'en 1964 un escadron des Cavaliers du Gouverneur général du Canada était venu honorer Northern Dancer au Preakness Stakes, la deuxième épreuve de la Triple Couronne, après que cet étalon originaire de l'Ontario eut remporté le Derby du Kentucky. Pascale était canadienne, elle aussi; sans doute la première femme jockey canadienne à participer au Derby du Kentucky. Elle méritait bien plus qu'un escadron : «Toute une armée! pensa Xavier. Une armée de journalistes, au moins», se dit-il encore en souriant intérieurement.

Marc Lagacé était revenu au Kentucky après le Bluegrass Stakes. Il logeait à Lavergne Farm. Aujourd'hui, il se promenait dans la tribune de la presse, un énorme casque d'écoute sur les oreilles. Les images de la famille Lavergne traverseraient encore une fois la frontière canado-américaine… et peut-être d'autres. Tous ses membres s'efforçaient de bien paraître, et Xavier était fort satisfait de cela.

Le Derby du Kentucky débordait du cadre de Churchill Downs. À Louisville, un important dispositif de sécurité avait été mis en place. Des maisons modestes – parfois même des bicoques – entouraient l'hippodrome. Les propriétaires louaient leurs espaces de stationnement et vendaient des hot-dogs aux passants. Dans tout l'État, l'heure était aux réjouissances. Keeneland transmettrait le Derby en direct sur de multiples écrans installés un peu partout dans l'hippodrome. Conséquence de la popularité d'Ashanti dans la région de Lexington, une foule monstre s'y était présentée.

Une autre partie de la population lexingtonienne était venue à Louisville pour applaudir le poulain alezan. Trevor, le tenancier de la boutique de spiritueux, avait fermé son commerce pour assister au Derby à Churchill Downs. Il devait se trouver quelque part dans le *infield.*

Xavier redressa fièrement la tête. Aujourd'hui, en ce premier samedi de mai, Ashanti of Africa, son cheval, serait parmi les partants du Derby du Kentucky. Peut-être récolterait-il la couverture de roses tant convoitée…

* * *

Arnaud et Michael sortirent Ashanti de son box. Elias et Martha l'avaient longuement pansé, et il était propre comme un sou neuf.

Affectueusement, Arnaud caressa l'épaule puissante de l'étalon alezan. De peine et de misère, le jeune homme avait passé son dernier examen la veille. Quelque chose de sournois lui perça le cœur lorsque l'image de Pascale lui vint à l'esprit. Évidemment, elle n'avait rien remarqué de ses efforts ni de sa fatigue. Elle ne l'avait même pas félicité d'avoir terminé ses études de baccalauréat.

Arnaud saisit l'une des jambes d'Ashanti, l'étira, puis, avec tendresse et patience, la massa. Michael connaissait cette technique qu'Arnaud lui avait enseignée, mais arrivait à peine à l'appliquer à Ashanti, tant sa musculature était développée et puissante. Le groom regarda les mains épaisses de son compagnon, ses doigts qui pétrissaient le cuir de l'alezan doré. Puis il leva les yeux vers le visage d'Arnaud. Comme il avait l'air sombre ! Peut-être craignait-il que Pascale se blesse…

Il y avait autre chose, un grand nombre d'autres choses que Michael ignorait, mais qu'il percevait, en ami sensible et perspicace qu'il était. Depuis plus d'un an, Arnaud attendait que Pascale lui dise qu'elle l'aimait, et les déceptions répétées qu'il subissait commençaient à lui peser drôlement. Tous ces mois de soutien patient, d'attente, de travail dans l'ombre, que lui avaient-ils apporté ? Rien. Seulement le succès d'un cheval, mais cela n'était pas assez pour lui.

Michael ne pouvait savoir que quelque chose de très grave était en train de se produire dans l'esprit d'Arnaud. Depuis longtemps, celui-ci résistait à la rancœur, mais soudain, pendant qu'il massait Ashanti avant le Derby du Kentucky, il abandonna la lutte. Tout le monde ménageait les nerfs de Pascale et lui simplifiait la vie; considérait-on jamais ses besoins à lui ? Même Pascale – surtout Pascale – n'y pensait pas.

«Pascale n'est pourtant pas à plaindre», songea Arnaud qui, pour la première fois depuis qu'il connaissait sa femme, ne voulait plus justifier son attitude par ses malheurs passés. Quoi ! Pascale avait accédé à la carrière dont elle avait toujours rêvé. Elle connaissait un succès hors du commun. Dans sa profession, elle comptait parmi les privilégiés, car, plutôt que d'avoir à vendre ses services d'un hippodrome à l'autre, elle se voyait garantir des contrats par Lavergne Farm.

Grâce à cela, un grand nombre de difficultés courantes pour les jockeys étaient évitées à Pascale. Contrairement à la majorité de ses confrères, elle n'avait pas à assumer les frais de transport. La plupart des jockeys retenaient les services d'un valet pour veiller sur leurs casaques et leur équipement. Martha remplissait cette tâche auprès de Pascale, et c'était Xavier qui payait son salaire. De plus, Pascale n'avait pas besoin d'un agent. Les autres jockeys faisaient affaire avec un intermédiaire qui négociait pour eux des contrats de monte avec les entraîneurs et propriétaires. Les jockeys remettaient à leur agent un pourcentage de leur bourse. Pascale conservait cette somme. De toute évidence, elle était choyée. Qu'elle ne reconnaisse pas toute l'aide qu'Arnaud lui fournissait était décevant pour lui.

Au cours du dernier mois, Arnaud avait essayé, sans succès, d'expliquer à Pascale son insatisfaction. Il avait voulu discuter d'Érik, et même tenté de parler de Bonaventure, même s'il n'accordait pas foi à la théorie de sa mère. Pascale lui opposait une réaction agacée et répondait toujours : «Mais je vais courir le Derby, tu n'es pas content?» Lorsqu'il l'avait invitée à une discussion plus poussée, elle avait répliqué d'une façon odieuse : elle avait prétendu ne pas avoir le temps de réfléchir et désirer se concentrer sur ce sacré Derby.

Tant d'égoïsme avait aigri le cœur d'Arnaud. Oui, Pascale était bien ainsi : elle ne s'occupait que des chevaux et de la gloire qu'ils lui apporteraient. Arnaud se sentait utilisé.

Le jeune homme s'était lassé de la froideur de sa femme. Depuis deux semaines, il ne l'approchait plus. D'abord, il s'était dit qu'il valait mieux laisser passer le Derby. Maintenant, il réalisait qu'il n'en avait tout simplement plus envie. Pascale ne disait rien; en fait, devait admettre Arnaud avec une colère croissante, la chasteté avait l'air de lui convenir.

Arnaud avait besoin de recevoir quelque chose de la part de Pascale, et vite, car il regrettait à présent l'insouciance de l'avant-Pascale. À cette époque, il avait eu des compagnes qu'il ne se préoccupait pas vraiment de satisfaire ou de décevoir, et cela, à cause du dépit qu'il ressentait maintenant, lui paraissait plus séduisant que le constant défi que posait la vie avec sa femme. Arnaud était beau et il le savait. À l'université, au *backside*, dans les loges des propriétaires, partout il y avait des filles disponibles, équilibrées, prêtes à s'efforcer de lui plaire, disposées à l'aimer en retour de son amour.

Le jeune homme s'arrêta pour secouer ses poignets endoloris par l'exercice. Un mince espoir lui vint à l'esprit. Une fois la course terminée, peut-être que Pascale...

Elias surgit, muni d'une longe.

– Ashanti est prêt, annonça simplement Arnaud.

* * *

Portant les harnachements, les valets quittèrent le bâtiment qui servait de vestiaire aux jockeys. Il y avait une femme parmi eux : Martha. Sous le bras, elle portait la selle noire, marquée des lettres «P.V.», qui serait posée sur le dos d'Ashanti.

Des barrières métalliques contenaient la foule, formant un corridor que les jockeys emprunteraient pour se rendre au paddock. Seize hommes, puis une jeune fille s'y engagèrent.

Debout le long de la clôture, Xavier retenait son souffle. Pour la première fois depuis 1875, les couleurs de Lavergne

Farm figuraient parmi les concurrents de ce qu'on appelait aux États-Unis *the greatest two minutes in sports* : le Derby du Kentucky.

Pascale avançait, vêtue de la casaque noir et vert des écuries Lavergne. Ces couleurs ne lui allaient pas et lui donnaient l'air encore plus froide qu'elle ne l'était réellement. Personne n'aurait deviné à quel point son cœur cognait, ni qu'elle avait à peine mangé ou dormi depuis une semaine. Elle paraissait aussi dure, aussi acérée que les petits hommes maigres mais agiles et musclés qui la précédaient.

Au dire de plusieurs experts, les jockeys étaient, gramme pour gramme, les athlètes les plus complets du sport professionnel. Leur profession requérait de la puissance, de l'agilité, un parfait équilibre, et aussi un jugement très sûr, car toute erreur dans l'appréciation de la distance ou de la vitesse pouvait leur être fatale.

Des cameramen, dont l'un représentait une société de télévision canadienne, suivaient Pascale au pas de course, braquant leurs appareils sur son visage. Pascale avait l'impression de porter une multitude de fardeaux. Celui de son pays d'origine. Celui de la région de Lexington. Celui des femmes. Celui des Lavergne. Celui, surtout d'Arnaud…

Arnaud ! cria son cœur tourmenté. Voilà que ce nom venait la déranger, saper son énergie, bousculer sa concentration ! Voilà qu'elle réalisait un rêve d'enfance et qu'elle était malheureuse – oui ! plus malheureuse qu'elle ne l'avait jamais été – à cause de lui. Mais rien, rien ne fonctionnait avec lui ! Elle n'avait pas réussi à le combler avec le Bluegrass Stakes… Leur relation n'avait fait qu'empirer… Qu'arriverait-il si, aujourd'hui, Pascale le décevait ?

Arnaud n'aurait jamais dû l'aimer ! pensait Pascale avec rage. Il aurait dû l'écouter, se résigner, quand elle lui avait dit que l'amour, c'était trop difficile pour elle.

Et Marc Lagacé qui était revenu… Depuis ce temps-là, Arnaud faisait une si mauvaise tête. Il voulait lui parler de leurs ennuis, et elle repoussait l'échéance, cherchant désespérément à deviner ce qu'elle avait pu dire ou faire qui lui avait déplu… Souhaitant désespérément qu'elle gagne le Derby et qu'enfin, enfin ! il soit satisfait d'elle.

D'un pas ferme, qui ne trahissait rien de sa détresse, qui dissimulait la folle cavalcade dans laquelle son esprit obsessionnel était entraîné, Pascale entra dans le paddock. Les Lavergne s'y trouvaient tous, y compris Érik – télévision oblige. Il n'allait pas l'effrayer, ce sacré Érik, oh non !

Derrière, il y avait la foule et, tout près, les autres propriétaires et entraîneurs, dont Fred Curtis et Don Morden. Pascale se tourna de ce côté.

Sur la façade des bâtiments, Churchill Downs avait fait inscrire les noms des gagnants de sa course-reine. Pascale les parcourut brièvement du regard. Cela commençait en 1875 avec Aristides. 1915 : Regret. La première pouliche… montée par un homme. 1930 : Gallant Fox. 1941 : Whirlaway. 1948 : Citation. 1963 : Châteauguay, comme la ville québécoise. 1964 : Northern Dancer, ce cheval canadien qui avait connu une extraordinaire carrière de reproducteur, et qui avait été le premier à courir la distance de un mille et quart en deux minutes. 1973 : Secretariat, monté par Ron Turcotte et entraîné par Lucien Laurin, deux Canadiens français ; un précurseur, lui aussi, puisqu'il avait abaissé la marque de Northern Dancer à une minute, cinquante-neuf secondes et deux cinquièmes. 1977 : Seattle Slew. 1984 : Swale, mort quelques semaines après sa victoire. 1980 : Genuine Risk, et 1988, Winning Colors, deux autres femelles, les premières depuis Regret, toujours montées par des hommes. Aucune femme jockey n'avait jamais obtenu l'une des trois premières places au Derby du Kentucky. 1995 : Thunder Gulch…

Lirait-on l'an prochain, sur une des façades de Churchill Downs, le nom d'Ashanti of Africa ? se demanda Pascale. Verrait-on ce nom imprimé sur les verres de *mint julep* ? Ou serait-il oublié à jamais, au profit d'Aerobic Nut, par exemple ?

Aerobic Nut ! Pascale le vit passer, sa robe roux foncé luisant sous le soleil, sa tête, mince et fuyante, dressée dans une attitude de défi. Elle avala sa salive. Elle connaissait ce poulain et le redoutait, de même que son jockey. Fred Curtis avait retenu les services de Patrick May, un vétéran qui, depuis plusieurs années, dominait le circuit. Aujourd'hui, ces deux-là étaient les rivaux à battre.

Pascale s'approcha d'Ashanti. Son nom et son numéro, le «8», se détachaient sur son tapis de selle. Arnaud, Michael et Elias entouraient le poulain; Pascale ne les salua pas. Elle tendit la main et, énergiquement, gratta Ashanti sous la crinière. Un cheval gris vint prendre place dans la stalle voisine. Arnaud le suivait des yeux.

– Méfie-toi de ce poulain, dit-il à Pascale en français, à voix basse.

– Iron Willy? répondit Pascale avec surprise.

Elle tendit le cou. Le jockey d'Iron Willy était un très jeune homme d'origine hispanique. Pascale chercha son nom : Francisco Cortez.

– Méfie-toi de lui, répéta Arnaud. Son accélération est excellente. Il a terminé deuxième au Bluegrass Stakes, souviens-toi.

Pascale ne répondit pas. Elle scrutait le visage de Cortez; celui-ci, qui devait avoir son âge, était très pâle. «Il est nerveux», pensa Pascale. Elle l'était aussi, mais elle tirait une grande fierté de son impassibilité, et elle ajouta intérieurement : «Ça paraît beaucoup.» Iron Willy et Cortez? Ils ne lui faisaient pas peur. Elle les avait laissés en plan, au Bluegrass Stakes...

Le signal fut donné. Pascale tendit son genou à Arnaud qui la hissa en selle. Il ne l'embrassa pas, comme il le faisait avant chaque course, mais Pascale n'eut pas l'air de s'en apercevoir.

Les chevaux s'engagèrent dans le corridor clôturé autour duquel la foule se massait. Pascale y jetait des regards. Des spectateurs, issus de toutes les couches de la société, la saluaient. Vainement, elle chercha à quel groupe s'identifier. Était-elle de ces gens riches qui pouvaient, sans se ruiner, élever et faire courir des pur-sang? Ou faisait-elle partie du peuple, de ceux qui avaient peu mangé, peu grandi, et qui montaient ces pur-sang pour le plaisir des nantis ? Juchée sur Ashanti, elle eut l'impression de n'appartenir à rien ni à personne, et elle s'en alla, seule et désemparée, vers l'épreuve.

Les concurrents gagnèrent la piste. Des tribunes, du *infield*, de partout, les spectateurs applaudissaient les chevaux.

Concentré qu'il était sur Ashanti, l'esprit de Pascale tentait de se fermer à tout ce qui se passait autour d'elle. Mais, à un moment donné, les notes de *My Old Kentucky Home*, joué par une fanfare installée non loin du cercle du vainqueur, percèrent sa carapace. Une vague, chaude et douloureuse à la fois, déferla sur son cœur ; elle s'ennuyait de Lavergne Farm, de Vol-au-Vent, de Rocky ; de sa vieille maison au Kentucky... De cet endroit où elle était chez elle. C'était aux écuries de Lavergne Farm qu'elle appartenait ! Et elle les avait quittées pour venir chercher, sur les champs de courses, la gloire ; la gloire qui était combien éphémère, combien décevante ! Mais... Lavergne Farm serait-elle jamais sa maison ? Pourrait-elle jamais y vivre en paix, avec Arnaud ?

Pascale serra les dents. Ce n'était pas le temps de penser à Arnaud et de perdre ses moyens. Les aides-starters tiraient les chevaux vers les boîtes de départ. Docilement, Ashanti prit place dans l'espace qui lui était réservé. À travers le grillage, Pascale regarda la piste. Certains jockeys utilisaient leur cravache pour pousser leur monture dans les boîtes. Pascale se sentit fière de ne pas être munie de cet instrument. Elle entendit la voix du commentateur dans les haut-parleurs : «*They're at the post.*»

La cloche sonna et les grilles s'ouvrirent : le départ du Derby du Kentucky était donné, et, pour la première fois de son histoire, la casaque noir et vert de Lavergne Farm brillait dans le peloton.

Partie en plein centre de ce groupe de dix-sept chevaux, Pascale vit une partie de ses rivaux converger vers la lice. Elle chercha Aerobic Nut des yeux. Il se trouvait devant elle, à deux longueurs peut-être, derrière les cinq ou six chevaux qui se disputaient la tête. Pascale jeta un coup d'œil sous son bras gauche. Une tache grise collée à la lice – Iron Willy – venait derrière elle, alors que deux autres chevaux galopaient entre Ashanti et la clôture.

Pascale décida de rester là où elle se trouvait. Elle aurait aimé être plus près de la lice, pour qu'Ashanti ait moins de distance à parcourir, mais il valait mieux ne pas déclencher immédiatement la poursuite contre Aerobic Nut, car la course était jeune. Elle avait confiance qu'Ashanti sèmerait les deux chevaux qui se trouvaient à sa gauche; déjà, l'un d'entre eux perdait pied.

La stratégie de Pascale était simple : coller aux sabots d'Aerobic Nut et le dépasser avant le dernier tournant. Ainsi, Ashanti déboucherait, seul, dans l'ultime ligne droite. Sur Aerobic Nut, Patrick May ne bougeait pas. Il devait attendre l'ouverture…

Un des meneurs fut déporté vers l'extérieur et Aerobic Nut prit la troisième position. Pascale sollicita Ashanti, puis jura tout haut, car le cheval qu'Aerobic Nut venait de dépasser lui coupait soudain la voie. Vivement, elle engagea Ashanti à l'extérieur. Au prix d'un bel effort, l'alezan parvint à contourner son rival.

Pascale et Ashanti se trouvaient immédiatement derrière Aerobic Nut, si bien que Pascale voyait briller ses fers. Le dernier tournant approchait… Pascale voulut ramener Ashanti vers l'intérieur, mais un concurrent prit sa place. Aerobic Nut et d'autres rivaux formaient un mur compact devant elle. «Il faut que quelqu'un lâche pied et me laisse passer!» souhaita intérieurement Pascale qui ne voulait pas engager Ashanti dans un autre dépassement par l'extérieur.

Le dernier tournant approchait de plus en plus et Pascale vit, juste derrière elle, sur sa droite, deux chevaux qui se lançaient à sa poursuite. Si elle ne dépassait pas le peloton de tête maintenant, ces deux-là allaient coincer Ashanti. «Tant pis!» cria Pascale dans le vent. Puis, elle hurla, en français : «À toi, mon amour! À toi, Ashanti!»

Dans un fracas de sabots, les chevaux abordèrent le dernier tournant. Dirigeant Ashanti vers l'extérieur, Pascale lui imposait une tâche herculéenne. En effet, dépasser dans un virage signifiait qu'Ashanti aurait à parcourir plusieurs mètres de plus que ses rivaux. Mais il se détendait dans une foulée formidable. Patrick May leva sa cravache. Le duel était engagé…

Aerobic Nut sema aisément ses rivaux; à l'extérieur, Pascale suppliait son cheval. Ashanti constata qu'Aerobic Nut le devançait, et il chargea de toutes ses forces pour le rejoindre. Très audacieusement, Pascale coupa devant un rival pour ramener Ashanti vers l'intérieur. La dernière ligne droite approchait; Aerobic Nut et Ashanti of Africa se trouveraient bientôt flanc contre flanc, et leurs jockeys, botte contre botte!

Les mots que Pascale avait maintenant pour Ashanti tenaient de la déclaration d'amour passionnée et peut-être de l'appel à l'aide. Elle sentit son poulain tressaillir, et réalisa que Patrick May, en cinglant Aerobic Nut de sa cravache, fouettait le visage d'Ashanti, qui se trouvait à la hauteur de la croupe de son concurrent.

Il ne fallait pas qu'il perde confiance! Pascale attrapa les deux rênes dans sa main droite et posa sa main gauche sur l'encolure brûlante d'Ashanti; elle sentit les violentes contractions de ses vaisseaux dilatés. Portant les rênes loin en avant, elle s'aplatit sur l'encolure alezane et sa voix se fit douce, caressante, rassurante : «Vas-y, Ashanti, et nous serons seuls en piste!»

Le miracle était en train de se produire. À l'entrée de la dernière ligne droite, Ashanti avait pris une encolure à Aerobic Nut, et il était à l'abri des coups de cravache qui l'avaient labouré pendant son dépassement. Ses foulées furieuses résonnaient dans le corps de Pascale; elle regarda le membre antérieur gauche d'Ashanti, imagina les chocs que cette jambe supportait, et s'en voulut d'en exiger tant de son cheval. Mais ce serait bientôt terminé. Aerobic Nut était derrière!

Une bombe grise surgit soudain à la gauche d'Ashanti. Iron Willy, qui s'était sagement collé à la lice pendant toute la course, avait réussi à se frayer un chemin et voilà que, frais et dispos, il prenait la tête! Pascale vécut un moment d'incrédulité qui lui coûta cher. Elle se rappelait ce qu'Arnaud lui avait suggéré au paddock. Bon sang! Elle allait être battue parce qu'elle n'avait pas tenu compte de ses conseils!

La déception et le désarroi de Pascale furent tels qu'elle resta coite et immobile; elle parut avoir abandonné la partie. Mais Ashanti, lui, ne tolérait pas qu'un autre étalon lui dame le pion de cette façon; jetant à tous vents ses ultimes ressources, il se lança à sa poursuite, le remonta, centimètre par centimètre, le dépassa... Avant ou après la ligne d'arrivée? Cela, Pascale ne le savait pas plus que les milliers de spectateurs qui regardaient la course.

Le Derby du Kentucky était terminé. Ahuris, Francisco Cortez et Pascale Vladek se dévisageaient. Des murmures indécis parcouraient l'hippodrome. Sur le tableau électronique, on afficha le mot : «photo».

– Toi et moi, on les a tous battus, dit Cortez à Pascale d'une voix un peu nasillarde, en désignant les autres jockeys.

Une rumeur explosa dans la foule. Pascale se retourna vers le tableau d'affichage, et elle crut que son cœur s'émiettait. Le numéro 8 était en deuxième position. Iron Willy venait de gagner le Derby du Kentucky.

Toujours juché sur le poulain gris, Francisco Cortez les bras en l'air hurlait de joie. Pascale resta muette, pleine de douleur, de dépit, puis, se ressaisissant, elle cria au gagnant des félicitations qu'il n'entendit pas. Alors, Pascale et Ashanti rejoignirent le reste du peloton et, tandis que la foule acclamait le nouveau champion, ils marchèrent vers la sortie.

Écrasée par la déception, Pascale vacillait presque. Ainsi, le nom d'Ashanti ne figurerait jamais sur la façade de Churchill Downs. Ni ne s'ajouterait à la liste des gagnants imprimée sur les verres de *mint julep*. Un autre cheval serait drapé dans la couverture de roses. Évidemment, Pascale oubliait que plusieurs chevaux – Man'O'War, Forego, John Henry, Cigar, Mr. Prospector, pour ne citer que ceux-là – avaient connu d'extraordinaires carrières sans pour autant remporter le Derby du Kentucky, ou même y participer.

Mais il y avait bien pire que tout cela. Comme Arnaud serait fâché, maintenant qu'elle avait perdu cette course, ce prestigieux Derby, et ce, justement devant le rival dont il l'avait invitée à se méfier ! Distraitement, Pascale caressait Ashanti, tentant de maîtriser le tremblement que lui causait sa crainte de la réaction d'Arnaud. À cause des préoccupations démesurées qui l'envahissaient, cette défaite était aussi accablante, pour elle, qu'une sentence capitale l'est pour un condamné.

Soudain, une multitude de gens se précipitèrent sur Pascale. Elias et Martha attrapèrent la bride d'Ashanti et Xavier, qui souriait d'une oreille à l'autre, lui toucha la jambe. Elle sursauta. Des équipes de télévision venaient en courant et elle se sentit agressée.

– Ça va, gamine ? lui demanda Xavier, intrigué par son air absent.

Pascale était si pâle que Xavier crut qu'elle allait s'évanouir.

– Foutez-lui la paix ! cria-t-il à un journaliste qui s'approchait.

Vivement, il saisit Pascale par la taille, la tira en bas d'Ashanti et la déposa par terre.

– Ça va, gamine ? insista Xavier alors que les flashs crépitaient.

– J'ai perdu, bredouilla Pascale, je m'excuse.

Elle se retourna vers Ashanti, qu'Elias et Martha entraînaient vers les écuries.

Xavier lui enserra les bras, juste en haut des coudes, et la regarda d'un air grave.

– Ce que je vais te dire est très important, fit-il doucement. Je sais que cette deuxième place est un crève-cœur, mais, je t'en prie, ne la laisse pas te décourager. Apprécie plutôt ce que tu as fait. Je suis diablement fier de toi ! Une deuxième place dans le Derby du Kentucky, mais penses-y un peu ! Tu es la première femme à en faire autant ; profites-en ! Quand tu t'es mis en tête de contourner les meneurs dans le dernier tournant, c'était l'hystérie dans les tribunes.

– Mais Iron Willy a gagné, insista Pascale.

– Il a été plus chanceux que toi. Je suis convaincu que Cortez lui-même le reconnaîtrait, affirma Xavier. Si les autres chevaux ne s'étaient pas épuisés à courir après Aerobic Nut, ils n'auraient pas lâché pied, et Iron Willy serait resté coincé le long de la clôture.

– J'ai perdu parce que je ne l'ai pas vu venir, pesta Pascale, furieuse contre elle-même.

Xavier lui serra les bras plus fort et la secoua un peu. Cette façon qu'elle avait de se rabaisser constamment commençait à l'agacer.

– Pascale, ressaisis-toi, dit-il avec une fermeté où la tendresse n'était pas absente. Allons, je suis là à te faire la morale et tu as sans doute envie de voir ton mari. Arnaud! appela-t-il.

Pascale se raidit très perceptiblement, et Xavier lui lança un regard surpris. L'amitié que lui témoignait son beau-père touchait Pascale, et elle eut soudain l'impression que, si elle se jetait dans ses bras et lui expliquait tout ce qui n'allait pas avec Arnaud, il pourrait tout arranger. Mais Dieu sait que le moment était mal choisi! Xavier, qui la regardait avec une attention croissante, se souvint brusquement d'une discussion qu'il avait eue avec Elias, une ou deux semaines plus tôt; le groom avait prétendu que les courses rendaient Arnaud et Pascale malheureux, mais Xavier ne l'avait pas écouté... L'homme écarta de son esprit son cheval, l'argent qu'il venait de gagner, la réception prévue à Lavergne Farm le soir même, et il chercha le visage de son fils dans l'entourage.

Arnaud s'approchait avec un manque d'enthousiasme qui frappa Xavier.

– Arnaud, viens t'occuper de ta femme, grommela le docteur Lavergne entre les dents. Tu ne vois pas qu'elle a besoin de toi?

Les regards d'Arnaud et de Pascale se croisèrent, mais ne se rencontrèrent pas. «Sapristi! pesta Xavier tout bas, mais qu'est-ce qu'il leur arrive donc ?» Arnaud ne félicita même pas Pascale, et Xavier trouva cela particulièrement ingrat. Visiblement, elle était atterrée ; elle marchait comme un automate, à côté d'Arnaud.

Un reporter d'une chaîne quelconque la tira à l'écart. Les caméras furent braquées sur elle.

– Quelle course ! s'écria l'interviewer. Vous êtes sûrement déçue.

– Bien sûr, répondit Pascale.

– Comment expliquez-vous cette défaite ?

– Iron Willy nous a battus, fit Pascale un peu niaisement.

– Évidemment, enchaîna le commentateur qui riait de tant de candeur. Pensez-vous prendre votre revanche dans le Preakness Stakes ?

Le Preakness Stakes, qui serait disputé à Baltimore dans quelques semaines, était le deuxième joyau de la Triple Couronne. Le Belmont Stakes suivrait. Depuis 1875, seuls onze chevaux avaient réussi à remporter le Derby du Kentucky, le Preakness Stakes et le Belmont Stakes, et, conséquemment, la Triple Couronne. Secretariat était parmi eux.

Soudain, Pascale aperçut le visage d'Arnaud. Elle croyait, à tort, qu'il lui en voulait parce qu'elle avait perdu le Derby. Elle avait entretenu l'espoir qu'une victoire arrangerait leurs ennuis ; cela n'arriverait pas. Son esprit affolé était en quête d'une façon de satisfaire Arnaud. Plutôt que de se résoudre à faire face à son mari, Pascale saisit au vol l'échappatoire que lui offrait le journaliste. Il existait un moyen de se racheter : gagner le Preakness et le Belmont ! Obéissant à un réflexe, Pascale se chargea de ces fardeaux.

– Le Preakness ? répéta-t-elle, ressentant déjà le stress d'une participation à une autre course de prestige. Je crois bien que nous pourrions le gagner, si le docteur Lavergne veut y participer.

– Vous êtes la première femme à vous classer dans le Derby du Kentucky. Félicitations ! Vous devez être très fière de cela !

– Pour être honnête, répondit Pascale qui n'était pas vraiment d'humeur à accorder une entrevue, j'aimerais qu'on cesse d'insister sur le fait que je suis une femme. Je suis un jockey, c'est tout.

– Comme vous êtes modeste ! Nous savons que vous avez travaillé très fort pour arriver là où vous êtes…

Et le journaliste de réciter toutes les étapes de la vie de Pascale : son adolescence en famille d'accueil, son départ du Québec avec Vol-au-Vent, son arrivée au Kentucky, son embauche à Lavergne Farm, sa blessure, son mariage avec Arnaud… Pascale hochait la tête sans rien dire.

– Je suppose, conclut le commentateur, que vous avez des tas de gens à remercier pour ce que vous avez accompli aujourd'hui ?

Pascale devait répondre quelque chose, et vite. Or, depuis un moment, elle ne pensait plus qu'au Preakness Stakes.

– Euh… oui, bredouilla-t-elle, étourdie. J'aimerais remercier nos grooms, Elias, Martha et Michael, et aussi… la famille Lavergne…

Arnaud se détourna pour cacher son dépit. Pascale trouvait le moyen de l'oublier à la télévision nationale ! Un peu plus, et elle pensait à remercier Rocky et Vol-au-Vent avant lui ! Dire qu'il avait espéré qu'une fois la course terminée elle s'occuperait un peu de son mari. Eh non ! Le jeune homme serra les poings, tremblant de rage et de déception. Il avait l'impression que Pascale était en train de fermer le couvercle du cercueil de leur amour.

– Malheureusement, le temps dont nous disposions est maintenant écoulé, fit l'interviewer. Au revoir et félicitations, madame Vladek.

* * *

Quatre heures après le Derby, Ashanti était de retour à Lavergne Farm. Elias et Martha le pansèrent et examinèrent soigneusement ses jambes ; il était en excellente condition. Les deux grooms enveloppèrent l'animal dans sa couverture noir et vert, puis l'entraînèrent vers la maison des Lavergne.

Une foule joyeuse se pressait dans les salons, où un buffet était servi. La maison était décorée aux couleurs de l'écurie. Lorsqu'on annonça l'arrivée d'Ashanti, les invités se rendirent sur la terrasse.

Pascale ne les suivit pas. Elle s'approcha d'une fenêtre et observa Ashanti qui, tranquillement, broutait la pelouse. Quel appétit il avait ! Et quelle énergie il dégageait ! Pascale aurait bien aimé être seule avec lui, plutôt qu'au milieu de tous ces gens qui l'embarrassaient avec leurs interminables félicitations et leurs questions indiscrètes.

Pascale avait très envie d'aller se coucher, mais en même temps elle craignait la fin de la réception, car alors elle se retrouverait seule avec Arnaud. Laurie, qui l'avait rejointe, lui dit :

– Comme tu dois être fatiguée !

– Oui, admit aussitôt Pascale. Enfin..., il faut bien que je sois ici, ça fait tellement plaisir aux Lavergne.

Elle était heureuse que Laurie lui fasse la conversation. En fait, elle s'était appliquée à ne parler qu'à des femmes pendant toute la soirée. Cela, parce que Arnaud avait fait un commentaire...

Tout avait commencé après l'interview qu'elle avait accordée à la télévision américaine. Marc Lagacé était venu la rejoindre et, avant qu'elle puisse réagir, il l'avait embrassée sur les deux joues. Des caméras le suivaient. En moins de deux, Marc avait conduit une entrevue avec Pascale, en français, pour Radio-Canada. D'autres journalistes étaient ensuite venus rencontrer Pascale. Lorsqu'elle avait enfin réussi à s'en débarrasser, elle était revenue vers Arnaud, qui lui avait glissé : « Tu te fous de ma gueule ? »

Pascale s'était creusé la tête pour trouver sa faute, et elle en avait conclu qu'il lui en voulait de sa familiarité envers Marc Lagacé. Elle se trompait sur toute la ligne. Ce qu'Arnaud déplorait, c'était qu'elle ne lui ait manifesté aucune reconnaissance, ni directement ni à la télévision. Le jeune homme était persuadé que Pascale ne pensait jamais à lui. Pourtant, c'était tout le contraire ! Elle était obsédée par toutes les déceptions qu'elle croyait lui causer. Elle pensait à lui souvent, constamment, mais presque toujours de la mauvaise façon.

Laurie se pencha à la fenêtre et regarda là où regardait Pascale, c'est-à-dire vers Ashanti.

– Comme il est beau ! observa Laurie. Je me suis souvent demandé comment tu faisais pour faire tous ces voyages, loin d'Arnaud...

Pascale ne répondit pas.

– Maintenant qu'il a terminé son baccalauréat, je présume que ta vie sera moins difficile, continua Laurie. Vous pourrez aller ensemble à Baltimore pour le Preakness.

Pascale se tortilla, embarrassée. Xavier avait annoncé la participation d'Ashanti à cette course. Pascale n'avait pas réfléchi au fait qu'Arnaud viendrait avec elle et serait là... tout le temps. Elle serra ses mains pour en retenir le tremblement. Il fallait absolument qu'elle gagne le Preakness ! Il le fallait, autrement sa vie continuerait à être un enfer !

– Pascale, j'ai un conseil à te demander, fit Laurie, mais j'aimerais que tu gardes ça pour toi... J'ai des ennuis avec Philip.

Pascale retint un sursaut. Que Laurie ait choisi de lui confier ses problèmes de couple la renversait. Philip avait entrepris une spécialisation en orthopédie et, à ce qu'on racontait, il travaillait pratiquement jour et nuit. À voir ses yeux cernés et son teint brouillé, Pascale n'avait pas de misère à le croire. Et voilà que Laurie se plaignait qu'il l'ignorait, qu'il était trop ambitieux ; elle craignait de ne plus l'intéresser...

– Tu comprends, continua Laurie, j'ai décidé de t'en parler parce que vous me paraissez tellement équilibrés, Arnaud et toi.

Pascale se mordit la lèvre. On lui demandait de l'aide alors que, justement, elle-même en avait tellement besoin...

– Je ne sais pas quoi te dire, souffla-t-elle, mais il me semble qu'il faudrait que tu lui parles...

L'arrivée de Geneviève la tira de cette épineuse discussion. La jeune Lavergne était toute souriante, et ses joues roses brillaient de l'éclat que procure un *mint julep* avalé trop rapidement.

Les trois filles se mirent à commérer à voix basse. Geneviève, manifestement, était en joie.

– C'est décidé, j'entre en physiothérapie, comme Arnaud, annonça-t-elle. Et puis… j'ai une autre grande nouvelle.

Laurie et Pascale s'approchèrent de leur interlocutrice.

– Je déménage chez Bruce à la fin du mois prochain. N'en parlez pas, papa et maman ne sont pas encore au courant.

Geneviève exultait, et elle ne remarqua ni l'air malheureux de Laurie ni celui, fort peiné, de Pascale. Laurie se tourna vers Philip en battant des paupières. Dire qu'il refusait encore de partager son logement avec elle, et qu'elle aurait à supporter Pamela, ses parties bruyantes et son éternelle cigarette pendant au moins un an de plus ! Quant à Pascale, elle regrettait déjà la joyeuse présence de sa meilleure amie, auprès de laquelle, depuis trois ans, elle avait pris l'habitude de se réfugier. Où irait-elle, maintenant, lorsqu'elle aurait besoin d'échapper à Arnaud ?

Arnaud… Où se trouvait-il, justement ? Pascale le chercha des yeux. Elle n'était pas la seule. Gabrielle se demandait aussi où était passé son fils. Xavier lui avait glissé un mot de ses constatations, un peu plus tôt, alors qu'ils revenaient de Churchill Downs. Gabrielle s'assura que la réception, qui achevait, se déroulait bien, puis elle monta à l'étage.

Arnaud se trouvait dans la chambre qui avait été la sienne jusqu'à son mariage. Il y avait un ordinateur sur le bureau. Surprise de trouver son fils à cet endroit, Gabrielle le salua, puis s'approcha. Elle aperçut un jeu vidéo sur l'écran de l'ordinateur, et en fut étonnée. Arnaud ne s'intéressait plus aux jeux vidéo depuis quelques années.

– As-tu besoin de quelque chose ? demanda Gabrielle.

– De rien, siffla Arnaud. Je n'ai jamais besoin de rien.

Il actionnait rageusement la souris et des bruits agaçants provenaient du haut-parleur. Affectueusement, Gabrielle posa ses mains sur les épaules de son fils. Elle le sentit frémir.

– Je pense, dit-elle doucement, que tu as besoin de parler à ta mère.

Arnaud fit brusquement pivoter sa chaise et, jetant ses bras autour de la taille de Gabrielle, il appuya sa tête contre elle en poussant un cri étouffé.

Gabrielle resta un moment saisie, puis elle regarda les lourdes épaules de son grand fils qui semblait soudain aussi vulnérable qu'un petit garçon. Quoi ! Arnaud, ce jeune homme d'ordinaire si joyeux, se réfugiait dans les bras de sa mère ? Arnaud, avec sa bonne humeur robuste, son moral inébranlable... Mais que lui arrivait-il soudain ?

Le cœur de Gabrielle se serra, et elle sut avec certitude qu'Arnaud vivait un drame dont Xavier et elle avaient grandement sous-estimé l'ampleur. Alors, elle fut douceur, écoute, volonté d'aide et de soulagement, sérénité et force.

– Maman, gémit Arnaud, il faut que tu m'aides ! C'est Pascale... Je crois que je ne l'aime plus.

Résolument, Gabrielle posa ses deux mains sur la tête blonde d'Arnaud, puis écouta sa confession.

* * *

Les invités étaient partis, Geneviève et les jumeaux montaient à leur chambre, et Pascale supposait qu'Arnaud avait déjà regagné la leur. Mais oui, il devait être couché ; sa fin de session l'avait beaucoup fatigué. Peut-être dormait-il, même. Si c'était le cas, Pascale se glisserait silencieusement dans leur lit ; sinon, elle se changerait, et irait à l'écurie sous prétexte de vérifier l'état d'Ashanti... Elle s'apprêtait à descendre au sous-sol lorsque Xavier surgit.

– Nous devons discuter petite, dit-il. Viens dans la cuisine, Arnaud est déjà là.

Pascale dissimula sa surprise et sa nervosité.

– Ça ne peut pas attendre ? Il est trois heures du matin, protesta-t-elle.

– Non, fit Xavier avec fermeté. Nous devons régler ça tout de suite. C'est très important, d'une importance capitale.

Pascale soupira. Croyant que son beau-père voulait l'entretenir du Preakness, elle entra dans la cuisine. Un sursaut, aussi violent qu'une décharge électrique, la secoua lorsqu'elle vit Arnaud.

Elle eut peur, car il ne ressemblait plus au jeune homme joyeux, épanoui qu'elle avait épousé. Il était assis, les coudes appuyés sur la table, le visage caché dans ses mains. Gabrielle était debout derrière lui. Instinctivement, Pascale s'arrêta sur le pas de la porte, mais Xavier, fermement, la poussa à l'intérieur. Inquiète et indécise, Pascale se laissa tomber sur la chaise que son beau-père venait de tirer pour elle.

– Pascale, commença Gabrielle doucement, nous avons appris que vous aviez des ennuis sérieux, Arnaud et toi.

Catastrophée, Pascale se figea, puis serra les poings. La honte l'accabla comme jamais auparavant. Arnaud s'était plaint d'elle à ses parents ! Oh ! Mais quelle bassesse ! En raison de son orgueil blessé, Pascale n'eut pas la retenue ni l'humilité que, dans les circonstances, il aurait été souhaitable qu'elle montrât.

– Tu peux bien te cacher le visage, cracha-t-elle à Arnaud.

Il laissa tomber ses mains sur la table, et le claquement que ce geste produisit glaça tout le monde.

– Tu continues à te foutre de ma gueule, fit-il avec dérision.

– Mais qu'est-ce qu'il faut que je fasse pour te plaire ? explosa Pascale. Ce n'est pas de ma faute si j'ai perdu le Derby !

– Je me fous du Derby ! s'écria Arnaud.

– Tu ne vas quand même pas te plaindre ? interrompit Pascale. Voilà des mois que je travaille comme une folle…

– Tu travailles pour toi. Juste pour toi. Toujours pour toi. Jamais pour moi. Dans tout ce que tu fais, il n'y a jamais rien pour moi !

– Tu mens ! protesta Pascale, mortifiée.

Bien que s'étant trompée au sujet des attentes d'Arnaud, elle avait, sincèrement, tenté de lui plaire, et elle était outragée qu'il ne l'ait pas compris.

– C'est pour toi que j'ai couru ce Derby ! Ça me rendait folle d'angoisse, j'avais peur qu'Ashanti se blesse, mais tu voulais que je gagne...

– Moi ? fit Arnaud, étonné. Je ne t'ai jamais demandé ça.

– Si, tu l'as fait. Et maintenant tu m'en veux parce que j'ai terminé deuxième et parce que Marc Lagacé m'a embrassée ! J'en ai assez de ta jalousie, je n'ai rien fait !

– Mais qu'est-ce que tu racontes ? demanda Arnaud.

À partir de ce moment, chacun vida son sac. De l'attitude d'Arnaud face à Érik au début de leur mariage, jusqu'à l'oubli de Pascale à la télévision, tout y passa : la scène de jalousie à Noël, la mort de Barachois ainsi qu'un tas d'autres événements furent relatés, et surtout déformés, soit par la nature obsessionnelle de Pascale, soit par celle, insouciante, d'Arnaud. Tous ces incidents étaient racontés pêle-mêle, dans l'affreux désordre que cause l'incompréhension. Accusations et dénégations fusaient avec tant de violence que Xavier, fort mécontent, y mit le holà.

– Un instant, vous deux ! fit-il. Dois-je comprendre que vous n'avez jamais discuté de tout cela avant ce soir ?

– J'ai essayé, mais elle ne veut rien comprendre ! se défendit Arnaud en désignant Pascale.

– On dirait bien que tu n'as pas essayé assez fort, commenta Xavier.

– Les courses me prenaient toutes mes énergies, affirma Pascale qui tentait de se disculper.

– Justement, constata Xavier.

Il y avait une curieuse douceur dans sa voix, et Pascale redressa la tête. Gabrielle intervint.

– Pascale, la situation est grave, dit-elle en pesant ses mots. Plus grave que tu ne le crois. Tout à l'heure, Arnaud était prêt à se séparer de toi.

Cette phrase laissa Pascale interdite. Elle était complètement interloquée; sa bouche s'ouvrit dans une moue qui la fit paraître plus jeune qu'elle ne l'était. Arnaud et elle, se séparer ? Mais voyons !

– Je l'ai convaincu de ne pas le faire, continua Gabrielle.

Son ton grave et las laissait entendre qu'elle n'avait pas eu la partie facile.

Ahurie, Pascale dévisagea sa belle-mère. Arnaud était à demi affalé sur la table et, de nouveau, il cachait sa figure dans ses mains. Les yeux bleu acier de Pascale firent le tour de la cuisine. Puis, par la pensée, elle imagina toutes les autres pièces de cette maison qu'elle aimait tant, ainsi que les pâturages de Lavergne Farm, les écuries, la piste, la quiétude des matins et des crépuscules… Sa maison ! Elle allait perdre sa vieille maison au Kentucky ! À cause du rejet d'un homme : Arnaud !

– Mais…, bredouilla Pascale dont l'esprit affolé s'accrochait à ses convictions malheureuses, me laisser parce que… j'ai perdu le Derby ?

– Elle ne comprend rien à rien, dit Arnaud en gémissant.

Gabrielle intervint encore.

– Pascale, j'ai l'impression que tu t'aveugles. Ce n'est pas du Derby qu'il s'agit.

– Mais… si, répondit Pascale qui, pour se protéger, persistait à croire que les difficultés qu'elle avait avec Arnaud ne concernaient que les chevaux. Si je gagne le Preakness…

– Il n'y aura pas de Preakness, dit Gabrielle.

Pascale manqua bondir. La panique se lisait sur son visage. Pas de Preakness ? Mais alors elle ne pourrait racheter sa défaite au Derby ! Comment se sortirait-elle de cette affreuse dispute avec Arnaud ? Elle eut l'impression qu'on venait de lui retirer toutes ses armes et qu'elle se retrouvait, les mains vides, en plein champ de bataille, entourée de tireurs embusqués qui la visaient de tous les côtés.

– J'ai dit tout à l'heure que j'avais convaincu Arnaud de ne pas te laisser maintenant, poursuivit Gabrielle. Il est évident que vous devez discuter ensemble. Xavier et moi… et Arnaud, à qui j'ai longuement parlé, continua Gabrielle en insistant sur le mot « longuement », croyons qu'il est nécessaire que tu t'éloignes de toute la commotion qui entoure les courses. Cela t'angoisse trop, Pascale, tu en oublies de boire et de manger et, surtout, tu en perds ton jugement. Tu ne monteras pas Ashanti au Preakness. Nous allons retenir les services de Patrick May.

Le désespoir de Pascale grandissait. Oh ! mais comme elle était coupable ! lui criait la voix de sa conscience, qui lui reprochait un tas de choses en vrac. Pourquoi avait-elle fraternisé avec les Lavergne ? Aucun de ces regrettables malentendus ne serait survenu si elle n'était restée qu'une simple employée ! Comment avait-elle osé épouser ce garçon dont elle n'avait jamais été digne ? Maintenant, elle allait tout perdre, par sa faute !

Il y eut un silence pesant. Arnaud posa ses mains sur la table. Il regarda Pascale ; dans ses yeux, l'optimisme avait disparu ; la compassion également. On y lisait plus que de la pitié, une expression d'agacement qui s'apparentait au mépris. Sa voix était si sèche que Pascale se mit à trembler.

– C'est pour faire plaisir à ma mère que je te donne une dernière chance, Pascale, siffla-t-il. Pas à toi. À elle. Nous partons en voyage demain matin. Quand tu te trouveras à des kilomètres de Lavergne Farm, peut-être réaliseras-tu enfin que j'existe.

– Mais, glapit Pascale, où irons-nous ?

– En Gaspésie, répondit Arnaud.

Ce fut au tour de Pascale de s'affaler sur la table.

– Non ! cria-t-elle. Je ne veux pas, je ne veux pas ! Laissez-moi courir le Preakness, je vous en supplie ! Ça va tout arranger, vous verrez…

– Ça suffit, Pascale, trancha Xavier avec sévérité. Les courses, ça ne réconcilie pas les couples, et tu es bien assez intelligente pour le savoir. Ce n'est pas que ta carrière qui est en jeu. C'est toute ta vie. Si tu ne fais pas la paix avec Arnaud, tu devras quitter cette ferme. Je sais ce que cela signifierait pour toi. Arnaud t'offre une chance ; prends-la, gamine. Ton mari est prêt à faire un effort sérieux pour sauver votre mariage. Nous nous attendons à la même attitude de ta part ; tu t'es suffisamment défilée jusqu'à maintenant.

La douleur vrilla atrocement Pascale. Elle explosa en sanglots amers.

– Je vous déteste, cracha-t-elle à Xavier.

L'homme ne cilla pas. D'une bourrade ferme et tendre à la fois, il força Pascale à se lever.

– Nous sommes encore tes alliés, Pascale. Ne l'oublie pas. Sans notre intervention, à Gabrielle et à moi, Arnaud aurait divorcé en moins de deux. À toi de jouer, maintenant.

19

ARNAUD jeta un regard glacial sur sa droite, juste là où se trouvait Pascale. Elle dormait ou, peut-être, prétendait dormir. Arnaud ouvrit le journal que lui avait prêté l'agente de bord. Les pages sportives parlaient du Derby du Kentucky, mais il ne les lut même pas. Il se demandait quand les médias découvriraient et publieraient l'évidence : plus rien n'allait dans le couple chéri des courses de plat.

L'avion allait se poser à Québec dans moins d'une demi-heure. De là, après avoir pris possession d'une voiture de location, Pascale et Arnaud gagneraient un chalet situé à Carleton. Arnaud s'était adressé à une agence de Lexington pour les arrangements du voyage. Même ces démarches avaient suscité, chez lui, de la rancœur, car Pascale ne s'y était pas intéressée.

Elle était restée muette, sinon pour lui dire de faire ce qu'il désirait. Dans ses lèvres serrées, ses mains qu'elle frottait sans cesse, Arnaud avait refusé de reconnaître la peur. Elle ne craignait jamais rien, cette petite femme maigrichonne qui grimpait sur un étalon de plus de quatre cent kilos et se lançait, froidement, devant le danger.

Le jeune homme soupira. Il regrettait déjà d'avoir entrepris cette mission impossible pour sauver son amour en perdition. Il se rappela sa mère, et la manière patiente, soutenue qu'elle avait utilisée pour le convaincre de faire ce voyage avec Pascale, et il eut l'impression de s'être laissé emberlificoter.

Bruyamment, Arnaud replia son journal, puis déploya une carte. À peu près cinq cents kilomètres séparaient Québec de Carleton. Pascale et lui n'arriveraient pas à destination avant la nuit. Arnaud s'en réjouit, car Pascale dormirait sûrement dans la voiture – ou alors, elle ferait semblant – et il n'aurait pas à lui adresser la parole.

«Mais dans quelle galère maman m'a-t-elle embarqué?» se demanda encore Arnaud. Si seulement Pascale lui avait donné quelque raison de penser qu'elle désirait se réconcilier avec lui. Mais non! Depuis leur départ de la ferme, elle restait toute droite, raide, cantonnée dans le silence, son visage dénué d'expression.

Eut-il été moins en colère, Arnaud aurait vu qu'elle était brisée, que sa conscience, sans répit, lui reprochait ses erreurs, réelles et imaginaires. Pascale ne savait plus quoi faire. Elle avait tenté de plaire à Arnaud et n'avait réussi qu'à le monter contre elle. Jamais de sa vie elle n'avait été aussi fatiguée. Son épuisement, physique et émotif, était tel qu'une simple discussion la crevait; aussi avait-elle opposé aux plans de voyage de son mari un silence plus épais qu'un mur. Elle avait également fait montre d'une soumission blasée qui ne lui ressemblait pas.

Arnaud tenait pour acquis que Pascale ne s'intéressait pas à la survie de leur couple. Ce n'était pas exact. Pascale était profondément découragée par l'ampleur des problèmes qu'ils vivaient. Elle avait peu confiance en elle-même et se croyait incapable de les régler. Cette attitude défaitiste, combinée à son extrême fatigue, se traduisait, lorsqu'elle parlait, par une sorte de négation du conflit, une indifférence qui insultait profondément Arnaud.

L'avion survolait maintenant Québec. Arnaud observa, par le hublot, le fleuve qui se déroulait, les ponts, puis les maisons coquettes. «Une partie de mes racines se trouve ici, dans ce pays», se dit Arnaud qui, de nouveau, pensait à sa mère. Ce Québec, il aurait désiré le découvrir dans des circonstances agréables… Tournant ensuite son regard vers Pascale, il eut l'impression qu'il la traînait comme un boulet. Tant pis pour elle. Arnaud était décidé à se payer au moins un peu de bon temps.

L'appareil se posa et Pascale cligna des yeux. Elle s'efforçait de ne pas trembler, de ne pas penser au fait qu'elle était revenue au pays, celui-là même qu'elle avait souhaité quitter pour toujours. Après qu'ils eurent récupéré leurs bagages, Pascale suivit Arnaud. Il ne lui parlait plus, ne la regardait plus, n'ouvrait plus les portes pour elle. Pascale avait l'impression que tout ce qu'elle faisait l'indisposait, aussi tentait-elle de se faire oublier.

Ça y était, pourtant. Elle était au Québec. Dans l'aéroport, on s'interpellait, on riait, on parlait en français; il y avait une multitude de sons, d'odeurs, de souvenirs qui envahissaient Pascale, la replongeaient dans son enfance gâchée. Elle avait envie de pleurer, de supplier Arnaud de la ramener à la maison. Mais elle le suivait sans rien dire. C'était ici qu'Arnaud avait désiré venir et, comme elle lui avait suffisamment déplu, elle se plierait maintenant à toutes ses exigences.

«On se croirait en Europe... Enfin, c'est comme ça que j'imagine l'Europe», se disait Arnaud. La vivacité des gens, leur spontanéité, leur sans-gêne le frappaient. Ils n'avaient pas cette réserve qu'affichent souvent les anglo-saxons. Ici, en se retrouvant, les gens trépignaient de joie, s'embrassaient. Et puis, il y avait l'omniprésence du français. En dehors de la maison de ses parents, Arnaud n'avait pour ainsi dire jamais entendu parler cette langue, et maintenant elle résonnait partout.

Peut-être ce français n'était-il pas toujours aussi pur que celui que parlait Xavier, mais il avait un charme bien à lui. Jusqu'alors, le français avait été, pour Arnaud, une langue un peu folklorique qu'il n'utilisait qu'à la maison. Il était américain et il vivait en anglais. Ici, on vivait en français.

Intrigué par cette pensée, Arnaud jeta un coup d'œil sur Pascale. Ils avaient toujours parlé français ensemble, dès leur première rencontre. Le jeune homme fit un parallèle entre eux deux et les habitants du Québec. Les uns comme les autres vivaient en français, dans une mer d'anglais. Ç'aurait été intéressant d'aborder ce sujet avec Pascale, si seulement elle avait été d'humeur à discuter un tant soit peu.

Pascale et Arnaud montèrent dans la voiture en silence, puis s'engagèrent sur la route. Pascale fermait obstinément les yeux. Elle résistait à l'envie de pleurer, car si elle pleurait, Arnaud comprendrait qu'elle n'était pas heureuse d'être là... Et puis, elle ne voulait surtout pas la voir, cette Gaspésie où le malheur l'avait si durement frappée ! Arnaud l'avait éloignée des lieux et des choses qui faisaient sa force : Lavergne Farm, Ashanti, Rocky, Vol-au-Vent... Vol-au-Vent ! Elle se trouvait à des milliers de kilomètres de Vol-au-Vent ! Elle se sentait faible comme jamais.

La voiture quitta Québec et s'engagea vers Rivière-du-Loup. Le soir tombait. Arnaud grelottait derrière le volant. Il s'arrêta brièvement à une halte routière, sortit un coton ouaté de sa valise et l'enfila. Pascale resta dans la voiture. Habitué aux doux vallons du Bluegrass, à ses lacs et à son climat tempéré, Arnaud resta un moment dehors, à s'étonner de l'omniprésence du fleuve, des montagnes et du vent.

Trois-Pistoles. Le Bic. Rimouski. Le vent du large sifflait autour de la voiture. Arnaud aurait bien voulu avoir des bas de laine. Mont-Joli. Le soleil couchant éclairait à peine la route. Maintenant, l'automobile tournait le dos à la mer pour s'engager dans la vallée de la Matapédia.

Sayabec. Val-Brillant. Amqui. La route s'étendait, noire et tortueuse. Des voitures doublaient celle d'Arnaud sur la route en lacets, le long de laquelle les villages s'égrenaient. «Sapristi ! Et moi qui croyais que les chemins du Bluegrass étaient sinueux», se dit-il. Lovée sur la banquette, Pascale somnolait, gardant ses yeux et son esprit obstinément clos. Causapscal. Routhierville. Restigouche. Escuminac. Autant de hameaux sombres, où ne brillaient que quelques enseignes. Comme ce pays était grand et sauvage ! constatait Arnaud. Était-ce parce qu'elle avait grandi ici que Pascale était si peu communicative ? Arnaud soupira. Les mystères qui entouraient sa femme ne l'intéressaient plus ; ils l'agaçaient, maintenant.

Nouvelle. Saint-Omer. Carleton.

Grâce à une brochure fournie par l'agent de voyages, Arnaud trouva aisément le chalet. Comme promis, la porte était déverrouillée et la clé se trouvait sur une petite commode.

Il entra. Pascale restait terrée dans la voiture. Elle songea un moment à n'en jamais sortir, plutôt que d'affronter l'horrible situation dans laquelle elle se trouvait. Finalement, cependant, elle s'y résigna.

L'odeur de la mer lui emplit la gorge, et elle eut l'impression qu'elle se noyait. Elle s'appuya contre l'automobile afin de ne pas vaciller. Sa rancœur contre son grand-père s'étendait aux lieux et aux choses, et, en ce moment, Pascale détestait la Gaspésie de tout son cœur. Elle refusait d'en apprécier la sauvage beauté. Les multiples événements heureux qu'elle y avait vécus s'étaient effacés de sa mémoire, n'y laissant que le souvenir de son désir de quitter sa région d'origine, de son refus d'y appartenir.

Au bout d'un moment, elle entra dans le chalet, sa valise à la main. C'était petit mais propret. Il y avait un salon avec foyer et une cuisinette attenante. Les plinthes électriques chauffaient.

Arnaud l'observait, se demandant si elle finirait par dire quelque chose. N'aurait-elle pas pu, au moins, lui demander pourquoi il avait choisi cette destination ? Excédé par son silence, Arnaud soupira. « Si elle est fâchée, pourquoi ne me le fait-elle pas savoir ? » Il aurait souhaité une bonne scène, des cris, des larmes, peu importe ! Tout, sauf cet air de statue de plâtre !

Le jeune homme voulu tester sa femme. Voir ce qui lui restait d'intérêt pour lui.

– J'ai choisi la chambre du fond, annonça-t-il. Tu peux prendre l'autre si ça t'arrange.

Sur le visage mince et fermé de Pascale, Arnaud chercha de la déception, de la peine ou au moins de l'inquiétude. Mais il n'y avait que de la fatigue. Arnaud ne perçut pas la détresse de Pascale. Elle ignorait comment répondre à son mari.

Personne ne lui avait jamais rien expliqué au sujet des relations de couple. Dans son enfance, elle n'avait eu aucun modèle. À cause de tout cela, Pascale eut le mauvais réflexe. Elle décida de ne pas contredire Arnaud et s'appliqua à cacher la douleur qu'il souhaitait tant voir. Pour leur malheur, cette dissimulation réussit admirablement.

– D'accord, souffla Pascale docilement, croyant satisfaire Arnaud.

Le jeune homme eut alors un mouvement d'impatience qu'elle ne comprit pas et qui lui fit peur.

– Je vais aller faire une balade en voiture, siffla-t-il. Ça ne devrait pas changer grand-chose à ta soirée, puisque après tout, tu ne m'aimes pas.

Pascale se figea, indécise. Elle eut soudain la certitude d'avoir commis une erreur; sa conscience le lui reprochait vivement. Que devait-elle faire à présent? Protester? Non! il ne fallait jamais avoir l'air de blâmer Arnaud! Supporter les sautes d'humeur de son mari et attendre que sa gaieté revienne? Oui! «Mais ça ne marche pas!» protesta sa nature éprise de vérité.

Pascale n'eut pas le temps de se décider. Avec des gestes qui montraient son impatience et sa colère, Arnaud enfila un blouson de cuir et sortit. Pascale entendit les pneus de la voiture crisser sur le gravier. Dans un élan dicté par la lucidité et la franchise, elle se précipita dehors afin de retenir Arnaud, mais il était déjà parti.

* * *

Il ne restait plus qu'un examen, et Geneviève aurait terminé ses études collégiales. Ce jour-là, elle se rendit à la bibliothèque et étudia en dilettante. Il faisait très beau.

Bientôt, elle reprendrait le travail à temps complet à la Bluegrass Import Export. Tout en étudiant, Geneviève laissait parfois son esprit vagabonder. Elle pensait beaucoup à son amie Pascale et à son frère Arnaud. Ses parents lui avaient raconté que ces deux-là avaient planifié un voyage pour célébrer leur premier anniversaire de mariage et qu'ils avaient quitté la ferme pour une destination secrète, désirant échapper aux journalistes. Geneviève avait avalé cette fable et trouvait toute cette histoire follement romantique.

La jeune fille reprit le chemin de Lavergne Farm en après-midi. Désireuse de voir son ami Michael, elle se rendit à l'écurie, où elle le trouva aux côtés de GI Joe, maintenant solide sur ses quatre jambes. Laurie aussi était là, et Geneviève s'en étonna. Laurie lui expliqua que Xavier lui avait demandé de travailler quelques heures, pour remplacer un groom malade.

– Et tu as accepté, s'écria Geneviève, alors que tu es en pleine période d'examens?

– J'avais besoin d'air, répondit Laurie à qui l'étude pesait énormément. Dis-moi, où sont donc passés Pascale et Arnaud?

Geneviève rit, se trémoussa, puis expliqua :

– Tu ne le sais pas? Ils ont quitté la ferme le matin suivant le Derby, pour un second voyage de noces. Ils avaient caché leurs plans à tout le monde, même à mes parents. Tu imagines!

– Les chanceux! s'exclama Laurie.

– Alors, dit Michael, Pascale et Arnaud n'iront pas à Pimlico pour le Preakness.

– Mais c'est vrai! Je n'y avais pas songé! s'écria Geneviève. Il faut dire que je pense beaucoup à mon déménagement.

* * *

Arnaud poussa la porte du bar; l'endroit était sombre, mais il apprécia la chaleur qui y régnait. Dehors, il soufflait un de ces vents! «Il doit encore y avoir de la neige dans les bois», se dit Arnaud. Il était venu en Gaspésie pour régler ses ennuis avec Pascale, mais puisque cela ne l'intéressait pas..., eh bien! autant faire un peu de tourisme.

Le jeune homme se demandait ce que faisaient les habitants du coin lorsqu'ils désiraient se distraire. Ici, pas de cinéma, à peine une petite salle de spectacles, même pas de centre commercial! Arnaud s'attendait à ce que le bar soit rempli.

Il regarda autour de lui. Dans un coin se trouvait un groupe de gens qui riaient beaucoup. Quelques jeunes étaient assis devant des machines à sous. Il attrapa un journal et prit place au comptoir.

La serveuse, la jeune trentaine, juste assez ronde, ses cheveux blonds remontés de sorte que des mèches coquines retombaient tout autour de son visage, lui demanda ce qu'il désirait commander. D'abord, il ne comprit pas ce qu'elle disait, car elle parlait très rapidement.

– Ça se voit que tu n'es pas d'ici, fit la fille en éclatant de rire.

Son accent rappelait à Arnaud celui de Pascale, en plus prononcé. Cet accent, c'était bien tout ce que cette fille avait en commun avec Pascale.

Elle fit le tour du comptoir. Elle portait un tee-shirt blanc, un jean bien coupé, des bottines de cuir. Les clients blaguaient avec elle; elle avait un bon sens de la répartie, mais n'était pas cinglante. Elle n'avait vraiment rien de Pascale. Elle semblait une fille équilibrée, qui se préoccupait de choses simples : son emploi, son salaire; qui n'avait ni d'ambitions démesurées ni l'obsession de la réussite. Une fille normale, quoi. Une belle Québécoise. Décidément, Pascale ne ressemblait pas au Québec ni à ses gens, détendus, amicaux. Assez rapidement, Arnaud termina sa bière, puis en commanda une autre.

– Qu'est-ce qui t'amène chez nous? lui demanda la fille.

Arnaud n'avait pas envie de répondre.

– Un petit voyage, fit-il avec un geste vague.

La fille rit, et n'en demanda pas davantage. À la taille, qu'elle avait bien définie, elle portait un ceinturon de cuir dans lequel elle mettait l'argent qu'on lui donnait. Elle avait l'air simple, bien dans sa peau. Plus Arnaud la regardait, plus l'image de Pascale s'effaçait de son esprit.

– C'est quoi ton petit nom? s'enquit la fille.

Les beaux mâles étrangers qui passaient à Carleton n'étaient pas légion, surtout en dehors de la saison touristique, et elle n'allait pas laisser filer une si belle occasion.

– Arnaud.

– Eh bien, moi, c'est Nicole.

– Enchanté, Nicole.

Arnaud tendit la main, et Nicole la serra. Elle se sentit émue. C'était une main douce, dans une poigne de fer. Qu'il était grand, cet Arnaud ! Cette paire d'épaules ! Et il était bien mis. Un jean de qualité, un tee-shirt sous une belle chemise, un veston de cuir qu'il portait avec désinvolture. Il bougeait avec l'aisance d'un fauve. Mais il avait l'air triste... Quant à sa crinière blonde, elle était de toute beauté ! C'était un fauve, cet Arnaud ; un fauve blessé.

– Es-tu français ? demanda Nicole.

– Non. Mon père l'est. Je suis américain.

Il n'avait pas l'air disposé à parler de lui-même. Qu'importe, Nicole s'en accommoderait.

– Bienvenue à Carleton, dit-elle avec un sourire engageant.

– Merci, répondit Arnaud.

Il avait bu plutôt vite et se sentait déjà très détendu. Ses yeux, une nouvelle fois, firent le tour du bar.

L'image de Pascale lui revint. «Mais pourquoi donc ?» se demanda Arnaud. Rien, ici, ne lui ressemblait, ne cessait-il de se répéter. Les gens dans le bar avaient l'air parfaitement équilibrés, ce que n'était pas Pascale. Gabrielle s'était trompée. Le comportement de Pascale n'avait rien à voir avec la Gaspésie.

Arnaud entama sa troisième bière. Sa brouille avec Pascale était insupportable ; il allait régler ça, et vite. Maintenant qu'il était loin de la ferme, de ses parents toujours aux aguets et des journalistes écornifleurs, il pouvait faire ce qu'il voulait de son mariage. Il n'y avait que deux solutions : se réconcilier, ou alors rompre. Dans le premier cas, il faudrait discuter, analyser, faire des sacrifices ; il n'y avait pas de garantie de réussite. Et puis, cette option nécessitait, de la part de Pascale, une participation à laquelle elle ne semblait pas prête.

Alors, pourquoi pas la séparation? se disait Arnaud. Il rejeta l'analyse de sa mère et, fidèle à son insouciance naturelle, il opta pour la facilité. Qu'importerait à Pascale une séparation, puisqu'elle ne l'aimait pas? Il avait suffisamment ménagé ses sentiments dans le passé; elle ne le méritait plus. L'alcool aidant, la nature indolente d'Arnaud s'écartait du processus complexe que ses parents avaient entamé, et adoptait la solution la moins difficile à réaliser, soit la fin de son mariage. Arnaud estimait que, depuis un an, il avait fait beaucoup d'efforts pour préserver son union, et n'avait récolté aucun bénéfice. Il en avait assez de s'obstiner.

À mesure qu'il buvait, Arnaud se sentait de plus en plus léger, voire réconforté. Il reprendrait son ancienne vie. Tout le monde oublierait ce mariage, cette folie de jeunesse. Quant à Pascale, eh bien…, sa carrière était lancée, elle avait de l'argent, maintenant. Rien ne l'empêcherait d'être le jockey de Lavergne Farm tout en habitant ailleurs.

«De toute façon, se dit Arnaud, pourquoi est-ce que je me préoccupe de Pascale? Elle se fout de moi.» Il souhaita vivement être débarrassé de sa femme. Ça ne tarderait pas. Déjà, il sentait qu'il reprenait l'enveloppe du mâle, jeune, beau, sûr de son pouvoir de séduction, celui qu'il avait été avant de la rencontrer. Il lui prouverait qu'il était redevenu lui-même. Ici. Ce soir. Sur le territoire même d'où Pascale était issue : la Gaspésie.

Le temps passait. Le bar se vidait. Nicole revint derrière le comptoir pour nettoyer des verres. Elle les saisissait habilement, les frottait avec un grand linge à vaisselle. Ses bras et son visage étaient bronzés. Elle était saine et naturelle – une bonne fille, avait décidé Arnaud. Des seins un peu gros, des hanches déliées, un ventre un peu rond. Elle était en âge d'avoir eu un enfant. Arnaud savait qu'elle ne s'embarrasserait pas de sentimentalité ou de pudeurs d'adolescente.

– Ça doit être dur, travailler tard comme ça, dit-il en regardant sa montre.

– Oui, répondit Nicole. Surtout depuis que j'ai eu ma fille. J'habite avec ma mère…

Elle regarda le visage d'Arnaud et y vit de la convoitise. Alourdis par l'alcool, les yeux n'avaient plus l'air tristes, seulement un peu perdus. Il tenait drôlement bien l'alcool, ce bel Arnaud.

– Pas de père dans le décor?

– Plus maintenant, fit Nicole.

Puis, sans réfléchir, elle raconta ses problèmes conjugaux à cet étranger. Il hochait la tête, amical, compréhensif. C'était curieux. Nicole était certaine que cet Américain-là avait des ennuis avec une femme. Elle était habituée à ce que les hommes lui racontent leurs querelles de ménage – ça faisait partie de son travail de serveuse. Ce soir, les rôles étaient inversés.

Ils parlèrent beaucoup, d'un grand nombre de choses. Arnaud se sentait bien. Il était simple, le désir qu'il éprouvait pour Nicole. Pas de passion à rendre fou, pas de battements de cœur désordonnés comme ceux qu'il avait eus pour Pascale. Juste une attirance tranquille, partagée, réciproque, entre deux adultes consentants.

L'amour, avec ses complexités, était bien loin.

Nicole, pour sa part, n'attendait plus l'amour. Elle avait perdu ses illusions face à ce noble sentiment. Enceinte, elle avait été abandonnée par un irresponsable, et maintenant elle travaillait dur pour élever seule sa fille. Ce soir, et peut-être aussi demain, elle pourrait recevoir un peu de tendresse, se distraire avec ce bel étranger. C'était une conquête dont elle serait fière. Elle se sentait à nouveau jeune et libre.

Arnaud avait l'impression de flotter sur un nuage. D'ici peu, il posséderait cette fille. Personne, ni ses parents ni ses amis, ne saurait jamais rien de cette aventure. Seule Pascale en serait informée. Très brièvement, Arnaud pensa à elle avec dérision. Il aurait aimé la faire souffrir avec cette révélation, mais cela n'arriverait pas. Elle avait le cœur trop dur pour qu'il soit jamais blessé; seul son orgueil souffrirait.

Dans le bar, il ne restait plus qu'Arnaud et Nicole. Cette dernière précisa qu'elle devait fermer. Arnaud se leva, mit une pièce de monnaie dans le juke-box. C'était un *slow*. Sans brusquerie, mais assez fermement, il saisit le poignet de Nicole.

– Viens danser avec moi.

«Le fauve passe à l'attaque», se dit Nicole.

Elle le suivit. La piste de danse était minuscule, mais ils n'avaient pas besoin d'un grand espace. Nicole aima les caresses d'Arnaud. C'était doux et fort à la fois.

Elle se demanda pourquoi et comment une femme pouvait lui causer des ennuis; il paraissait si parfait...

* * *

Xavier et Gabrielle étaient assis sur la terrasse attenante à leur demeure. Un téléphone sans fil reposait non loin d'eux, et des journaux s'empilaient sur une petite table. Ils sirotaient leur thé tout en discutant à voix basse.

– Xavier, cesse de te torturer, dit Gabrielle. Arnaud finira bien par appeler.

Elle poussa un petit soupir. Puis elle se tut, car Geneviève arrivait, suivie de Rocky et Diamond. Afin de se donner une contenance, le docteur Lavergne saisit un journal.

Tous les journaux parlaient du Derby, décrivant le formidable combat qu'Ashanti avait livré contre Aerobic Nut et Iron Willy. Ashanti aurait mérité la victoire et les journalistes ne se gênaient pas pour l'écrire. On parlait davantage de lui que du gagnant, Iron Willy. Sa défaite avait brisé le cœur de ses supporters, qui souhaitaient passionnément le voir remporter le Preakness. Même ses détracteurs les plus convaincus reconnaissaient qu'il avait sa place dans les grandes épreuves. Peut-être ne figurerait-il pas dans les statistiques du Derby, mais tous ceux qui l'avaient vu courir en gardaient le souvenir gravé dans leur cœur.

Xavier avala un soupir. Pauvre Pascale qui n'était pas là pour voir ces titres, pour guérir sa déception avec tous ces récits flatteurs pour son cheval adoré! Arnaud et elle étaient passés si près du bonheur! «Sacrée vie, sacrée jeunesse!» se dit Xavier.

Geneviève vint s'asseoir près de ses parents, se versa une tasse de thé, puis engagea la conversation. Elle relata qu'à la bibliothèque des gens l'avaient abordée pour lui dire combien ils admiraient Ashanti. À une question de son père, elle répondit que la nouvelle du départ de Pascale et d'Arnaud ne semblait pas avoir été ébruitée.

Depuis plusieurs jours, Geneviève se disait qu'elle devrait bientôt annoncer à son père et à sa mère son départ de la maison. Comme ils semblaient joyeux aujourd'hui, elle crut que c'était le bon moment. Avec une lueur d'enthousiasme dans ses yeux bistrés, elle décrivit le logement de Bruce, vanta les nombreux mérites de son amoureux, épilogua sur le bonheur qu'elle connaissait depuis le début de leurs fréquentations, puis lâcha le gros morceau : elle irait vivre avec lui.

Aussitôt cette nouvelle annoncée, la main de Gabrielle se crispa sur l'avant-bras de Xavier, ce qui eut pour effet de retenir la colère que ce dernier allait laisser exploser. Vivement, Xavier se tourna vers Gabrielle. Il vit dans son visage tout ce que lui-même ressentait : la crainte, la peine, l'inquiétude...

Geneviève s'attendait à ce que ses parents soient attristés de son départ imminent, et elle baissa les yeux.

– Tu es bien jeune, ma chérie, exhala Gabrielle d'une voix contenue.

– Peut-être, admit Geneviève, mais...

En tentant d'apaiser la douleur de ses parents, elle leur énuméra les avantages de sa nouvelle vie. Xavier et Gabrielle se taisaient. Geneviève n'était pas leur seule source d'inquiétude. Ils se préoccupaient au sujet de Jules et de sa famille. Le couple bancal que formaient leur aîné et son épouse Delphine allait s'écrouler à un moment ou à un autre, les Lavergne en étaient absolument certains. Il y avait aussi les problèmes d'Arnaud et de Pascale...

Et voilà maintenant que Geneviève quitterait le nid familial et se mettrait en ménage à son tour? Tout en écoutant discourir leur fille, Xavier et Gabrielle sentaient venir l'angoisse que leur causerait cette séparation. Ils joignirent leurs mains. Il était clair que Geneviève avait mûri sa décision et ne changerait pas d'idée, peu importe ce qu'en pensaient ses parents. N'avaient-ils pas affronté Arnaud dans une lutte éprouvante, un an auparavant? Ils n'avaient pas envie de recommencer. De plus ils s'étaient promis, à maintes occasions, de ne pas s'opposer à ce que leurs enfants quittent le foyer.

Geneviève se sentait très soulagée. Ses parents réagissaient mieux qu'elle ne l'avait cru. Elle se leva, les embrassa tous les deux, et retourna vers la maison, le cœur léger.

Rocky et Diamond s'étaient endormis, côte à côte, sous une chaise.

Aussitôt que Geneviève eut disparu, Xavier enfouit son visage dans ses mains et poussa un long gémissement.

– Il ne manquait plus que ça!

– Les enfants naissent, grandissent, puis quittent leurs parents, c'est normal, dit Gabrielle en soupirant.

Ils se remirent à discuter. Ainsi donc, en trois ans seulement, Jules, puis Érik, et finalement Geneviève auraient emménagé en dehors de Lavergne Farm. Et Arnaud? Compte tenu de son intérêt pour l'élevage, il y reviendrait probablement... Seul, ou pas? Et Pascale, elle? Dans un geste un peu possessif, Xavier attrapa la grosse tête de Rocky et lui secoua les bajoues. Il ne voulait pas être séparé de ses enfants ni de Pascale. Il n'y était pas prêt!

Au bout d'un moment, Xavier se leva. Il se sentait très tendu, et Gabrielle lui suggéra d'aller faire quelques achats à Paris afin de s'aérer l'esprit. Trouvant que c'était une bonne idée, Xavier se dirigea vers le stationnement. Diamond lui emboîta le pas. Gabrielle retint Rocky par son collier et cria :

– Attention, Xavier, Diamond te suit!

L'homme continuait à marcher. Tenant toujours le collier de Rocky, Gabrielle se leva à son tour. Elle était inquiète; lorsque Xavier était préoccupé, il regardait à peine autour de lui. De là où elle se trouvait, elle vit Diamond tournicoter autour de la camionnette dans laquelle Xavier avait pris place.

– Xavier, attention au chien!

– Pardon? cria l'interpellé en démarrant brusquement.

Diamond roula sous le véhicule, et son glapissement horrifia tous ceux qui l'entendirent.

* * *

Arnaud disparu, Pascale resta un instant debout sur le pas de la porte du chalet. Elle poussa un soupir en entendant rugir la mer. Comme elle était loin du Kentucky, de ses pâturages paisibles, de ses clôtures sagement alignées, toutes belles, toutes droites! Ici, le climat de l'Atlantique rongeait gens et choses, créant une impression de perpétuel désordre. «Sacré pays de misère!» pensa Pascale rageusement. Puis il lui vint à l'idée que sa réflexion était ingrate. Après tout, ni la Gaspésie ni les Gaspésiens n'étaient responsables de ses malheurs. Elle seule l'était... Une forte bourrasque secoua les épinettes qui entouraient le chalet; leurs branches s'entrechoquèrent, et leurs plaintes, sourdes, lancinantes, firent écho à celle de son âme.

Elle rentra dans le chalet. Elle aurait aimé pleurer, mais ce soulagement ne lui fut pas permis. Ses jambes tremblaient. Que pouvait-elle faire? Elle était prisonnière ici, seule, à attendre...

La fatigue et le désarroi la faisaient tituber. Elle eut peur de tomber et de se cogner contre un meuble. Prudemment, elle gagna sa chambre. Elle aurait aimé être réconfortée, et elle se languit passionnément de la tendresse d'Arnaud, de sa chaleur. Ses mâchoires se serrèrent dans une contraction douloureuse. Il était sorti seul, ce soir, et il ne voulait plus d'elle dans sa chambre...

Pascale s'écroula sur le lit. Elle dormit, du sommeil frustrant, entrecoupé de rêves, qu'entraînent l'angoisse et l'épuisement. Des idées torturantes, irrationnelles, des cauchemars lui traversaient l'esprit. Vol-au-Vent et Ashanti mouraient dans l'incendie de Lavergne Farm. Arnaud la montrait du doigt, accusateur. Elle se retrouvait enfermée dans une petite pièce avec son grand-père...

Pascale s'éveilla très tôt le lendemain matin, ruisselante de sueur. Elle avait dormi tout habillée et les plinthes exhalaient une chaleur sèche, étouffante. Dehors, le ciel était encore noir. Pascale s'assit sur le couvre-lit et ses doigts, fébriles, le triturèrent. Son esprit avait puisé suffisamment d'énergie dans cette période de repos pour parvenir à s'organiser. Elle prit le temps de se rassurer. «J'ai fait des cauchemars. Vol-au-Vent et Ashanti sont toujours vivants, la ferme n'a pas brûlé», se dit-elle.

Pourtant, l'inquiétude qui l'avait assaillie dès son réveil refusait de disparaître. Elle se leva. Le chalet était silencieux. Elle regarda dehors. La voiture louée n'y était pas.

Dans la chambre d'Arnaud, le lit n'était pas défait. Pascale regarda sa montre. Il était quatre heures et demie du matin.

Elle comprit qu'Arnaud n'était pas rentré, et l'idée lui vint qu'il pourrait être avec une autre femme.

Longtemps, Pascale avait tenu pour acquise la tendresse de son mari et, même depuis leur départ du Kentucky, elle avait réussi à se rassurer en se disant que, le temps aidant, il reviendrait à de meilleurs sentiments en ce qui la concernait; or la probabilité qu'il l'abandonne grandissait. Sa stratégie d'attente et d'aveuglement n'avait pas fonctionné. Pascale était en train de perdre l'amour d'Arnaud.

Ses genoux plièrent comme si on les avait brutalement fauchés, et elle s'agenouilla en gémissant sur le tapis tressé placé devant le foyer. Sa tête se renversa vers l'arrière : elle voulait hurler, mais ne parvint qu'à geindre.

L'ampleur de sa souffrance la déroutait. Elle appela à sa rescousse les images de ses chevaux, de ses triomphes professionnels. Mais celles-ci n'arrivaient pas à atténuer, même juste un peu, la douleur insoutenable que lui causait Arnaud. En moult occasions, pourtant, elles lui avaient procuré du soulagement; combien de fois s'était-elle dit, lorsque tout allait mal : «Au moins, j'ai Ashanti, j'ai Vol-au-Vent»? Elle était maintenant certaine que même une victoire d'Ashanti au Derby par vingt longueurs, même la présence de Vol-au-Vent n'exerceraient aucun charme; le talisman avait disparu.

Pascale se pencha, la face contre le tapis, et de ses poings serrés elle martela le plancher. Avait-elle déjà souffert autant?

Non…, ou plutôt si. Ses mains lui firent mal, et, soudain, elle se souvint de la mort de sa mère. Oui, ce jour-là, elle avait connu une détresse aussi intense que celle qui l'envahissait aujourd'hui. Parce que sa mère était morte. «Pourtant, raisonna Pascale, Arnaud n'est pas mort.» Mais qu'avaient donc en commun la mort de sa mère et la désertion d'Arnaud? Au moment de la mort de sa mère, elle avait découvert qu'elle l'aimait, et qu'il était trop tard…

Pascale se redressa. Mais oui, c'était cela. Elle pressa ses mains sur son cœur. La souffrance dans laquelle elle était plongée l'amena à reconnaître quelque chose qu'elle aurait dû admettre des mois plus tôt : elle aimait Arnaud. Sinon, comment expliquer que son absence la torture tant? Et maintenant qu'elle savait enfin qu'elle aimait son mari, il était trop tard!

Cette constatation déclencha une telle panique que, pendant un instant, elle en perdit le souffle. Puis, son esprit combatif resurgit et, lentement, elle se maîtrisa.

Elle se mit sur ses pieds et arrangea ses vêtements et ses cheveux. Puis elle ouvrit le réfrigérateur. Le propriétaire du chalet y avait laissé quelques victuailles. Pascale mangea une tranche de pain et avala un verre d'eau. Elle ne cessait pas de souffrir, mais elle savait que dans quelques minutes elle serait capable de réfléchir. Et qu'une longue réflexion s'imposait.

Pascale s'assit sur le divan moelleux face au foyer. Elle apprivoisait lentement sa douleur, dont la vivacité ne diminuait pas. La perte d'Arnaud lui était intolérable. Elle reprit, par la pensée, les étapes de sa relation avec lui. Au tout début de leurs fréquentations, elle ne s'était pas accordé le droit de l'aimer, par peur d'être déçue. Pendant les premiers mois de leur mariage, elle avait continué à nier ses sentiments parce qu'elle manquait de confiance en elle. Puis, après la mort de Barachois, son esprit avait adopté une curieuse tangente. Elle s'était préoccupée de plaire à Arnaud au point de devenir obsédée par cette question et d'oublier l'essentiel : l'amour.

D'où lui était donc venue cette conviction, combien erronée, qu'elle devait éblouir son époux avec une conduite parfaite plutôt que d'être à son écoute et d'avoir le courage, parfois, de le décevoir? Mal à l'aise, Pascale se tortilla. Elle avait voulu se simplifier la tâche. Faire face à Arnaud l'effrayait beaucoup plus que de monter en course; il lui avait été plus facile de chercher à le satisfaire par des prouesses équestres que de discuter avec lui. Et il n'y avait pas que cela. Elle avait voulu préserver son indépendance. Elle avait continué à obéir à ce système rigide qui, depuis la trahison de son grand-père, régentait ses liens avec les gens : ne pas s'attacher, ne dépendre de personne. Au fond, elle s'était laissée dominer par ses obsessions, tentant ainsi, fort égoïstement d'ailleurs, de se protéger…

Au milieu du désarroi qui ne la quittait pas, Pascale, avec le courage et l'énergie qui la caractérisaient, parvenait à se relever. Arnaud allait revenir. Dans un éclair, Pascale se souvint de ce qu'elle avait suggéré à Laurie lorsque celle-ci lui avait confié ses ennuis avec Philip; elle s'entendit lui dire : «Il me semble qu'il faudrait que tu lui parles.»

Eh bien! elle parlerait à Arnaud. Elle lui dirait qu'elle l'aimait et lui demanderait pardon pour les torts qu'elle lui avait causés. Puis elle eut un sursaut d'orgueil : Arnaud n'avait-il pas, lui aussi, péché? N'était-il pas en train de la tromper en ce moment même? «Qu'importe», se dit Pascale. Elle voulait regagner l'amour d'Arnaud, et s'il lui fallait, pour cela, s'accuser de tous les crimes et pardonner ceux de son mari, elle le ferait.

Car l'amour d'Arnaud était la chose la plus précieuse qu'elle connaîtrait jamais. Longtemps tenue en otage par les conséquences d'une série d'événements cruels, la nature franche et saine de Pascale triomphait enfin.

Elle s'étonna de se sentir mieux, bien que sa souffrance ne s'atténuât pas. Son esprit s'organisait pour la lutte. Elle savait qu'elle n'aurait pas la partie facile pour regagner l'amour d'Arnaud. Mais dût-elle le perdre, cela ne se produirait pas sans qu'elle ne combatte, et elle se préparait, droite et fière, à monter à l'assaut des barricades.

* * *

Arnaud essuya, sur le tapis de la voiture louée, le sable rouge qui collait à ses semelles. Rapidement, il passa sa main sur son visage envahi par une barbe blonde.

Il n'était pas tout à fait six heures du matin, heure à laquelle les entraînements débutaient à Lavergne Farm. Arnaud revit mentalement la piste, la douce luminosité du ciel, et sentit presque la chaleur de l'air.

Il gara son véhicule devant le chalet et en sortit. Le vent, piquant et vif, le frappa aussitôt, projetant dans ses narines les relents de bière et de parfum qui restaient sur sa chemise. Il cligna des yeux. Sur la mer, le soleil luisait avec une intensité agressive. Arnaud respira profondément. Comme l'air était frais, sec, plein d'iode ! Un peu étourdi, le jeune homme poussa la porte du chalet.

Il était certain que Pascale dormirait encore, aussi fut-il un peu décontenancé lorsqu'elle le salua, du fauteuil où elle était assise, une tasse de café à la main. Arnaud se racla la gorge. Il ne rêvait pas : Pascale s'était mise belle. Ses cheveux bien coiffés encadraient son visage mince.

Son visage ! Comme il avait changé, soudain ! La douleur qui s'y lisait aurait bouleversé n'importe qui, mais Arnaud, qui était bien décidé à ce que ce matin-là soit le dernier de sa relation amoureuse avec Pascale, écarta résolument l'émotion qui naissait en lui.

Un peu dérouté tout de même, il resta sur le pas de la porte, s'attendant à ce que Pascale lui demande où il avait passé la nuit. Ah ! comme il lui répondrait ! Et comme elle serait rapide, alors, cette séparation ! Pascale la suggérerait elle-même, car elle était trop orgueilleuse pour rester avec l'homme qui l'avait trompée ! Arnaud était soulagé d'avoir trouvé cette façon, sûre et même agréable, de mettre un terme à son mariage.

Pascale parla d'une voix sourde et contenue.

– Tu me reproches depuis longtemps de ne pas vouloir discuter de nos ennuis, dit-elle. Je m'en excuse. Tu avais raison, il est essentiel que nous en parlions.

Arnaud eut un rire de dérision, puis, cachant sa surprise dans un geste désinvolte, il retira sa veste de cuir et se laissa tomber sur le divan.

– Arnaud, continua Pascale, j'ai détruit notre mariage... et je te demande pardon.

– Quelle belle sincérité tardive ! railla Arnaud.

– Je t'en prie, insista-t-elle. Je t'ai négligé, Arnaud. Je t'ai surtout mal compris... parce que je t'ai mal écouté. J'ai eu peur de ton amour, et j'avais tort, car tu es un garçon formidable et...

– Je me passerai de tes compliments, coupa Arnaud.

Il lança, un peu à l'aveuglette, une accusation.

– Sois donc honnête pour une fois ! Avoue que tu veux gagner d'autres courses avec Ashanti, te couvrir de gloire et d'argent, pour que quand nous nous séparerons, tu sois plus riche que maintenant !

Pascale avait conscience de la gratuité d'une telle affirmation, car la cupidité ne faisait pas partie de ses défauts.

– Mes agissements passés pourraient laisser croire que c'est pour ma carrière que je désire faire la paix avec toi, admit-elle d'un ton paisible, mais je t'assure que ce n'est pas le cas.

Arnaud, furieux et impressionné malgré lui par la maîtrise que montrait Pascale, donna un coup de poing sur la table devant lui. Pascale ne tressaillit pas, et ses yeux gardèrent la même expression, digne, tranquille, repentante, qu'ils avaient depuis le début de l'entretien.

– Si ce n'est pas pour ça, rugit Arnaud, alors peux-tu me dire quelle en est la raison ?

– Parce que je t'aime.

Arnaud bondit sous le choc. Il se leva et se mit à arpenter la pièce. Ces paroles, qu'il avait attendues si longtemps, lui causaient un tel désarroi ! Lui qui désirait si fort ne plus ressentir d'amour pour cette petite femme, voilà qu'il sentait ce sentiment lui revenir, subtilement, par touches progressives... Il se souvint d'une phrase prononcée par Philip : «Pascale cache des choses, mais elle ne ment pratiquement jamais.» Arnaud se raidit. Toute la torture qu'il avait endurée au cours des derniers mois lui revenait à l'esprit. Philip avait tort! Pascale n'était pas honnête! C'était une manipulatrice, une ambitieuse...

– Je t'aime, répéta-t-elle en levant les yeux vers lui.

– Tais-toi! cria-t-il, étourdi par l'indécision. C'est trop peu, trop tard!

Il vociférait, plein de colère, déclarant qu'il en avait assez enduré, reprochant à Pascale tout leur bonheur gâché. Hochant la tête pour exprimer sa désolation, Pascale s'avouait responsable et persistait dans ses demandes de pardon. Mais pourquoi donc, se demandait Arnaud, n'était-il pas capable de l'amener à rompre? Elle l'ébranlait, avec son calme et son humilité. Mais il ne voulait pas de ça! Il voulait terminer cette relation malsaine, et il ne savait plus comment le faire! Il fallait absolument que Pascale se fâche contre lui.

– Quand bien même je te pardonnerais, dit-il d'un ton railleur, toi, tu ne me pardonneras pas ce que j'ai fait. Je viens de passer la nuit avec une fille que j'ai rencontrée hier soir. Elle s'appelle Nicole.

Les traits de Pascale s'altérèrent, et Arnaud crut qu'il avait gagné la partie. Il se rassit et se frotta les mains dans l'attente. Le visage de Pascale se tordit, enlaidi par un sanglot. Arnaud espérait, fébrile. Ça y était, ça venait, elle allait exploser, le traiter de tous les noms, lui dire de disparaître de sa vue! Il détourna les yeux. La peine de Pascale était insoutenable. Une plainte s'échappa de sa gorge.

Jamais personne ne lui avait fait aussi mal. Même pas son grand-père. La confirmation qu'Arnaud avait touché à une autre femme manqua vaincre la résolution de Pascale. Elle aimait son mari et il l'avait trompée. Pascale se souvint des baisers d'Arnaud, de ses caresses, de tous ces gestes d'amour qui lui avaient été réservés, et elle eut l'impression que leur beauté venait de s'envoler, qu'ils avaient été souillés, comme si quelqu'un les avait observés, Arnaud et elle, chaque fois qu'ils avaient fait l'amour. Non, jamais elle n'avait souffert autant, et pourtant elle devait surmonter sa douleur, tempérer son orgueil pour regagner l'amour de son mari. Elle renversa la tête en arrière et se demanda, pendant quelques secondes, si tous ses efforts ne seraient pas vains. Puis, elle serra les dents, forte de nouveau, convaincue que le jeu en valait la chandelle.

– Je te pardonne, dit-elle d'une voix ferme.

Arnaud, étonné, ne put que bredouiller :

– Quoi?

– Je te pardonne, affirma Pascale, parce que je t'aime.

Des larmes se mirent à couler sur son visage. Prestement, discrètement même, elle les essuya. Arnaud se détourna, car la vue de Pascale, si forte, si stoïque, qui pleurait ainsi, dignement, alors qu'il venait de lui dire qu'il l'avait bafouée, le chavirait. Derrière ses paumes réunies, il cacha son visage.

– Je te pardonne, Arnaud, répéta Pascale. C'est ma conduite qui t'a poussé à agir ainsi et je le sais. Je t'en prie, essaie d'être mon mari à nouveau.

– Qu'as-tu à m'offrir? cracha Arnaud dans une ultime tentative pour demeurer indifférent.

– Peut-être pas grand-chose, seulement mes efforts, admit Pascale sans fausse humilité. Mais sache bien ceci, Arnaud : je ne t'ai jamais trompé. Pas une seule minute, pas une seule seconde. Même pas par la pensée.

Arnaud baissa la tête. Il savait que Pascale disait vrai. Elle continuait à pleurer, sans éclats, de cette façon retenue, bouleversante. Arnaud se rassit sur le divan. Il était encore plein d'amertume.

– Hier soir, dit-il d'une voix sourde, je suis allé dans un bar, pas loin d'ici, adjacent à un motel. La serveuse s'intéressait à moi. J'ai bu et j'ai eu envie d'elle.

Pascale le regardait droit dans les yeux, mais sans agressivité. Arnaud fut incapable de soutenir la franchise de son regard.

– C'était une jolie fille, continua-t-il. Je suis resté seul avec elle à la fermeture du bar. On a dansé ensemble. Je l'ai caressée, elle m'a caressé…

Il prit d'abord plaisir à accabler Pascale de ces détails, puis il se tut, honteux.

– J'aimerais connaître la suite, fit Pascale d'un ton neutre.

Arnaud déglutit, embarrassé.

– On a dansé longtemps. Elle m'a pris la main, on est allés à la réception du motel. Elle voulait qu'on prenne une chambre…

Arnaud s'arrêta. Pascale l'encouragea d'un signe de tête.

– … et soudain, poursuivit-il avec une rage qu'il ne cherchait pas à dissimuler, je me suis souvenu de toi. Je voyais ton corps… J'avais beau essayer de les chasser de ma tête, ton corps, tes cheveux, ton sourire me revenaient sans cesse à l'esprit. J'ai su que je ne pourrais pas faire l'amour à Nicole, à cause de toi, de ton fantôme qui nous suivrait au lit. Alors je lui ai tout expliqué. Elle a été chic. Elle a immédiatement compris. Elle m'a dit de revenir, si je le voulais, quand j'aurais rompu avec ma femme…

Le visage d'Arnaud trahissait sa déception. Comme il avait souhaité que son insouciance triomphe de l'amour qu'il avait encore pour Pascale ! Comme il avait été déçu que cela ne se produise pas ! Il soupira. L'amour qu'il éprouvait pour Pascale en était un d'adulte. Y opposer sa frivolité d'adolescent était vain. Arnaud regretta cet aspect de sa jeunesse à jamais perdu.

Pascale, elle, se sentait soulagée. Elle ne remettait pas en question la véracité du récit d'Arnaud. Ainsi, il n'avait pas couché avec cette Nicole… parce qu'il l'aimait encore au moins un peu. Le cœur de Pascale se gonfla d'espoir. Arnaud poursuivit sa narration.

– Je suis allé reconduire Nicole chez elle… à pied. Ensuite, je suis allé marcher sur la grève longtemps…, pour me dégriser. Je gelais, là-bas. J'ai repris la voiture et je suis revenu. Tu sais tout, maintenant.

– Alors, demanda Pascale, tu acceptes d'être encore mon mari ?…

– Ai-je le choix ? explosa Arnaud, encore amer.

Puis il se raisonna.

– Je ne t'ai pas traînée jusqu'ici pour rien, fit-il. Comme tu le sais, c'est ma mère qui m'a convaincu de le faire. J'entretenais l'espoir que nous puissions nous réconcilier. Hier, je l'avais perdu. Et maintenant il est revenu. Après tout, tu es ma femme.

Malgré le peu d'enthousiasme que recelaient ces paroles, Pascale ressentit une joie immense. Elle étendit le bras et mit sa main sur celle d'Arnaud. Prestement, il la retira.

– Pardon, Pascale, souffla-t-il, mais ça, je ne suis pas encore capable.

– Je comprends, répondit-elle avec calme.

Elle resta coite un moment, bien que ce refus de tendresse la brisât.

– La route sera longue, énonça-t-elle.

– Je le crains, ajouta Arnaud en soupirant.

Ils restèrent assis quelques instants dans un pesant silence, puis Arnaud dit :

– J'aimerais bien faire un somme. En passant..., tu peux venir dans ma chambre. Pour dormir.

* * *

Tout en préparant un thermos de café, Gabrielle jeta un coup d'œil sur Rocky, affalé sur le plancher de la cuisine à côté de sa pâtée intacte. Elle poussa un soupir. Le boxer lui fit écho, et ses yeux bruns, éteints, exprimèrent sa détresse.

Gabrielle se pencha et gratta son col, juste sous son collier, là où il aimait être caressé. Il n'eut aucune réaction. Gabrielle se redressa. Pascale et Arnaud étaient partis depuis quarante-huit heures, et on était toujours sans nouvelles. Rocky devait se languir de leur présence. Et puis, depuis l'accident de son ami Diamond, il affichait cette mine pathétique, qui n'améliorait guère l'humeur de la maisonnée.

Gabrielle s'apprêtait à gagner la piste pour y rejoindre Xavier. Il avait décidé d'entraîner Ashanti et Makatoo, la pouliche française, et ce, même si c'était mardi, jour de congé des chevaux. Gabrielle secoua la tête. Ce pauvre Xavier s'inquiétait tant qu'il ne savait plus que faire de lui-même et cherchait à s'occuper par tous les moyens. Il se désolait du sort de Diamond, qui avait survécu à l'accident. Le roquet n'était pas joli à voir, car la camionnette lui avait brisé une patte et plusieurs côtes, et pratiquement arraché la mâchoire. Sa propriétaire, Martha, avait placidement déclaré qu'il valait mieux l'abattre, mais Xavier, maudissant son étourderie, avait décidé d'offrir une seconde chance au petit chien. Après une chirurgie complexe et coûteuse, entièrement défrayée par le docteur Lavergne, Diamond reviendrait à Lavergne Farm.

Gabrielle appela joyeusement Rocky, l'invitant à lui emboîter le pas. Les prunelles sombres du molosse se tournèrent vers elle, mais il resta obstinément couché. Décidée à le tirer de sa torpeur, Gabrielle accrocha sa laisse à son collier. Rocky, affichant une soumission qui n'était pas dans sa nature, la suivit comme un agneau qu'on mène à l'abattoir.

Ils allaient quitter la maison lorsque le téléphone sonna.

Quelques minutes plus tard, Gabrielle, haletante, tirant Rocky d'une main et de l'autre tenant un thermos fort secoué, arriva à la hauteur de Xavier, debout le long de la piste, des jumelles autour du cou.

– Xavier, oh ! Xavier ! s'écria-t-elle. Arnaud et Pascale…

– Quoi ? demanda l'homme vivement.

– Ils sont d'accord pour se réconcilier. Arnaud vient d'appeler !

Sur la piste, Ashanti, monté par Elias, effectuait un galop léger. Makatoo était promenée en longe par un autre groom monté sur un hongre.

Gabrielle avait de la difficulté à reprendre son souffle.

– Je suis tellement soulagée !

– Moi aussi, dit Xavier.

Il ouvrit les bras et Gabrielle s'y jeta. Rocky, l'air plus moche que jamais, se coucha dans l'herbe.

– Arnaud paraissait fatigué, et il est encore très fâché, poursuivit Gabrielle. Mais, Xavier…, il faut avoir confiance !

– Oui, approuva-t-il.

Elias remarqua que Xavier et Gabrielle s'étreignaient le long de la clôture. Il devina aussitôt que quelque chose d'important venait d'arriver et, sans hésiter, il dirigea Ashanti vers le couple. Martha, qui se tenait non loin, les rejoignit aussi.

– Il y a des nouvelles? s'enquit Elias.

Gabrielle le mit au courant de l'appel d'Arnaud. Elias grommelait, approbateur. Martha souriait.

– Alors, demanda Elias, est-ce que la petite va revenir pour le Preakness?

– Elle ne devrait pas. C'est bien loin, la Gaspésie, commenta Martha qui tentait de situer cette région sur la carte du monde.

– Je ne crois pas qu'elle revienne pour cette course, renchérit Gabrielle. Pascale et Arnaud ont besoin de temps et de repos.

– Bon. Alors, qu'est-ce qu'on fait? dit Elias, toujours préoccupé par les choses concrètes.

– On va à Baltimore, toi, moi, et nos deux femmes, répondit Xavier.

Makatoo passa à proximité d'Ashanti et lui adressa un hennissement coquin. Le groom tira sur la longe, mais la pouliche continuait, tout en trottant, à lorgner l'étalon alezan.

– Cette petite est amoureuse, commenta Xavier avec amusement.

– Ouais, dit Elias. Et lui, ajouta-t-il en tapotant l'encolure d'Ashanti qui remplissait ses naseaux de l'odeur de la pouliche, c'est un chaud lapin.

Le groom était tout heureux.

– Moi, dit-il, j'aimerais qu'on aille à Baltimore aussitôt qu'on le pourra. Il faut habituer Ashanti à la piste. Ce ne sera pas difficile, mais il faut le faire.

Elias rit.

– On peut mettre n'importe quel pantin dessus, et il va gagner, affirma-t-il. Il est rapide, il est fort, je n'ai jamais vu ça. Tiens-moi au courant pour le voyage, doc.

Satisfait, il repartit, monté sur Ashanti, splendide dans l'air du matin. Martha salua ses employeurs et quitta les lieux. Xavier et Gabrielle restaient enlacés. Toujours couché dans l'herbe, Rocky poussa un soupir à fendre l'âme. Xavier le regarda gravement, plein de compassion, comme il le faisait avec ses patients. Il ne doutait pas que l'absence de ses maîtres et de son compagnon Diamond sapait la bonne humeur de Rocky.

– Il faut, déclara Xavier avec énergie, que je fasse quelque chose pour tirer ce chien de cet état-là.

20

PASCALE ET ARNAUD se trouvaient dans cet état d'hébétude que causent le travail excessif et les nuits sans sommeil. Ils étaient soucieux de préserver la paix qu'ils venaient de conclure, et ressentaient une espèce de gêne l'un envers l'autre. Tous deux savaient qu'ils devaient discuter, revenir sur les épisodes douloureux qui les avaient séparés, mais aucun ne fit de démarche décisive en ce sens.

Ils dormirent côte à côte, mais ne se touchèrent pas. Dans leur couple, Arnaud avait toujours pris l'initiative des échanges amoureux, et maintenant il restait de son côté du lit. Pascale en souffrait profondément, mais elle évita de brusquer son mari. À un moment donné, elle se leva et alla dissimuler un accès de larmes dans le petit salon. Puis elle regagna la chambre.

Elle se recoucha, mais ne parvint pas à s'endormir. Depuis quelque temps, elle pensait à Jules et à Delphine.

Ce couple avait été, pour l'esprit inquisiteur et analytique de Pascale, un sujet d'attention. Elle s'était aperçue que Jules et Delphine se côtoyaient sans se voir ni s'entendre. Pascale eut peur. Bien sûr, elle avait remporté une importante victoire en persuadant Arnaud de ne pas mettre un terme à leur mariage. Mais la lutte n'était pas terminée. Maintenant, Pascale devait s'attaquer à l'indifférence. Il lui fallait trouver une façon d'amener Arnaud à s'intéresser à elle. Autrement, tous deux s'installeraient dans une morne cohabitation comparable à celle qu'elle avait observée chez Jules et Delphine; une telle situation tuait les couples tout aussi sûrement que le conflit, mais plus sournoisement, à petit feu.

Au bout d'un temps, Pascale se pencha à l'oreille d'Arnaud et lui murmura qu'elle avait besoin de prendre l'air. Le jeune homme grommela une vague approbation, puis se rendormit aussitôt.

Pascale se prépara à sortir. Elle redoutait le moment où elle foulerait de nouveau le sol de la Gaspésie, respirerait l'odeur de la mer. Curieusement, la rage qu'elle avait ressentie, la veille, à l'endroit de sa région d'origine s'était estompée. Peut-être était-ce parce qu'il faisait beau et que l'air vivifiant lui insufflait une bouffée d'énergie. Pascale aimait la beauté et, maintenant que son âme connaissait un apaisement relatif, elle devait bien admettre que la Gaspésie était fort belle. Elle marcha jusqu'à la grève, non loin du chalet.

Sous les feux du soleil éclatant, la mer brillait. Pascale se rendit jusqu'au bout du quai. Des gamins lançaient leurs lignes à l'eau. Pascale se tourna vers le large. Elle vit, au loin, des bateaux de pêcheurs.

«La saison du homard est-elle commencée?» se demanda Pascale. Elle eut soudain une idée, issue d'un questionnement qui la suivait depuis qu'Arnaud lui avait annoncé leur destination. Si Arnaud avait voulu venir ici, en Gaspésie, plutôt qu'ailleurs, c'était pour découvrir ce qu'elle était, son passé, l'endroit où elle avait grandi et qui l'avait façonnée, influencée.

Pendant un moment, Pascale secoua la tête, exprimant sa dérision. À son point de vue, il n'y avait rien de passionnant dans son passé; que le marasme et la douleur d'une enfant dont l'innocence avait été fauchée trop vite.

Mais Arnaud s'y intéressait. Peu importait ses raisons! Soudain, le visage de Pascale se détendit, et un sourire l'embellit. Elle venait d'amorcer, avec la Gaspésie, une réconciliation. Ce pays était devenu un lien, un pont entre Arnaud et elle, et cette dernière décida de s'y engager d'un pas ferme.

Cela lui sembla tout de même un peu curieux. Depuis quelques années, elle considérait la Gaspésie comme une ennemie, et voilà qu'elle devenait son alliée dans le combat le plus important de sa vie.

Elle quitta le quai, gagna la coopérative des pêcheurs de Carleton et acheta de quoi confectionner quelques mets.

À son retour au chalet, Arnaud dormait toujours. L'heure du repas du soir approchait. Dans un sac de plastique, Pascale avait rapporté deux homards vivants, des pétoncles, du riz, des épinards, des crevettes et de quoi faire des carrés aux dattes. Lorsque Arnaud s'éveilla, il trouva Pascale très affairée. Debout devant la cuisinière, elle lui adressa un large sourire.

– Bienvenue en Gaspésie ! s'écria-t-elle. Je suis en train de préparer un repas traditionnel d'ici.

Mutine, elle s'approcha de lui, revêtue d'un tablier. À son tour, Arnaud sourit. Pascale en fut si émue que ses yeux se mouillèrent.

Elle pirouetta sur ses talons, et souleva le couvercle d'une casserole. Arnaud inspira, intéressé.

– Ce sont des crevettes fraîches, expliqua Pascale. Regarde comme il fait beau ! J'ai pensé qu'on pourrait manger sur la terrasse..., je veux dire, si on met quelques chandails de laine.

Arnaud tendit le cou vers la porte-fenêtre et constata que Pascale avait dressé le couvert sur la petite table et allumé un lampion destiné à chasser les moustiques.

D'un pas décidé, Pascale s'approcha d'Arnaud, une spatule à la main.

– J'aimerais t'embrasser, dit-elle gauchement. Est-ce que je peux ?

Elle n'attendit pas la réponse, car elle craignait trop un refus. Elle se dressa sur la pointe des pieds et, résolument, planta une bise sur chacune des joues râpeuses de son époux. Bien qu'elle fût terrifiée par son audace, elle parvint à agir avec beaucoup de naturel. Arnaud, que la scène amusait, la suivit des yeux alors qu'elle retournait à ses fourneaux.

Elle déposa les crevettes dans deux assiettes qu'elle avait décorées d'une feuille de salade, retira son tablier, sortit par la porte-fenêtre et invita Arnaud à passer à table.

Ils mangèrent avec appétit. Le repas était plutôt réussi, surtout le homard. Ils rirent quand, en dépeçant les crustacés, ils s'éclaboussèrent mutuellement. Pascale avait acheté une bouteille de vin blanc. Elle avait pensé à tout. Arnaud lui témoigna son appréciation.

– Merci, dit-elle. Puisque tu as voulu venir ici, je me suis dit qu'il fallait que je fasse un effort pour te montrer ce qu'est la vie gaspésienne. J'ai tellement voulu oublier ce que c'était... Mais je suis née ici. J'ai grandi ici. Avec le vent. La mer. Les hivers...

Pascale s'interrompit, puis regarda Arnaud droit dans les yeux. La peur l'étourdissait, mais elle était décidée à avoir, avec son mari, la conversation qui s'imposait. Elle plongea sans regarder derrière.

– J'ai pensé à quelque chose, commença-t-elle. J'aimerais savoir comment tu vois... ton avenir. Je veux dire... notre avenir.

– Notre avenir? répéta Arnaud.

– Oui, fit Pascale. Tu auras bientôt ton diplôme de physiothérapeute... Je sais que je ne t'ai pas beaucoup parlé de ça, ces derniers temps, et c'était idiot de ma part. Mais... je suis fière de toi. Être un bon physiothérapeute, c'est sûrement aussi difficile que d'être un bon jockey.

Arnaud éclata de rire. Pascale sourit, puis poursuivit :

– Ce serait bête de ne pas te servir de cette formation à laquelle tu as consacré tant d'énergie. Je crois qu'il y aurait moyen de la concilier avec ta connaissance des chevaux...

Pascale exposa le projet qui lui était venu à l'esprit dans l'après-midi. Arnaud pourrait se spécialiser dans la réhabilitation des chevaux de course blessés. Ces derniers seraient accueillis à Lavergne Farm. Pascale décrivit les installations qu'elle avait imaginées, la piscine qu'on ferait creuser... Arnaud l'interrompit.

– Ton idée est excellente, dit-il, mais... toi? Que vas-tu faire, là-dedans?

– Je t'aiderai. Je monterai les chevaux quand ils seront guéris.

– Alors, fit Arnaud, plus de *backside*? Plus de courses?

Pascale retint un soupir.

– S'il le faut..., plus rien de cela.

– S'il le faut pour quoi?

– Pour qu'on soit heureux ensemble, répondit Pascale, prête à tout.

Arnaud la dévisagea. Elle soutint son regard.

– Je ne t'en demande pas tant, Pascale, protesta-t-il avec douceur.

– Mais... tu ne serais pas content? Ai-je encore mal compris?

Elle hoqueta et voulut dissimuler une larme, mais n'y parvint pas. Elle s'agita sur sa chaise et, découragée, tenta de se lever. Arnaud lui attrapa la main.

– Pascale, ce n'est pas grave si tu as mal compris, dit-il.

– Oui, c'est grave, affirma-t-elle sans pouvoir s'empêcher de sangloter. Je n'arrive jamais à savoir ce que tu veux! Oh! comme je suis maladroite! Je me trompe tout le temps!

– Mais non, Pascale. Aujourd'hui, tu as réussi beaucoup de choses. Tu as préparé ce repas pour moi, tu as entamé une discussion importante et difficile. Ça me touche beaucoup.

– Mais je viens de tout gâcher...

– Non! dit Arnaud, criant presque.

Le son de sa propre voix le fit sursauter. Il venait de découvrir ce qui, au cours de leur année de vie commune, l'avait tant agacé dans l'attitude de Pascale. C'était sa façon de se concentrer sur une seule chose et d'oublier le reste du monde. En ce moment, Pascale était en train de focaliser toute son attention sur sa réconciliation avec Arnaud, au point de nier ses propres intérêts. Elle était prête à faire le sacrifice de sa carrière, un sacrifice énorme, compte tenu des efforts qu'elle avait faits pour devenir jockey professionnel. Pourtant, ce sacrifice ne la rendrait pas heureuse; au contraire, elle en sortirait blessée, amère et déçue. Pascale entendait racheter ses supposées fautes en se punissant.

Au prix d'un grand effort, Arnaud tenta de chasser l'énervement qu'il ressentait et de comprendre pourquoi

Pascale était incapable d'envisager de régler ses problèmes autrement qu'en se mortifiant de la sorte. C'était certainement parce qu'elle ne se reconnaissait pas de valeur..., aucune valeur. Mais pourquoi raisonnait-elle ainsi ? Pourquoi se refusait-elle la commisération et le pardon ? Cela, Arnaud ne le comprenait pas encore. Un vent chargé d'embruns lui fouetta le visage, et il eut l'intuition que la clé du mystère se trouvait en Gaspésie, pas trop loin d'ici.

À son tour, il monta au combat. La survie de son couple ne dépendait pas tant de la volonté de Pascale que de sa compréhension d'elle-même.

– Tu n'as rien gâché, affirma Arnaud d'un ton mesuré. Tu proposes de faire d'énormes sacrifices, et je veux tout simplement t'amener à explorer d'autres voies.

Il serra la main de Pascale, en tritura brièvement les doigts entre les siens, puis la posa sur la table. Haletante, Pascale tentait de se maîtriser. Arnaud lui expliqua qu'il désirait poursuivre l'entraînement d'Ashanti, tant et aussi longtemps que celui-ci courrait. Cette déclaration étonna Pascale. Elle s'était persuadée qu'Arnaud en avait assez qu'elle soit jockey et que la vie au *backside* ne l'intéressait plus.

– Mais non, Pascale. Que tu sois jockey ou dentiste, peu m'importe, pourvu que tu sois heureuse. Alors, veux-tu être jockey, oui ou non ?

– Je ne sais plus, balbutia Pascale. Quand je ne gagne pas, j'ai tellement peur que tu sois fâché contre moi que ça me gâche tout mon plaisir.

« Mais où diable a-t-elle pêché cette idée ? » se demanda Arnaud qui luttait toujours contre l'impatience.

– Dis-moi, fit-il, t'ai-je jamais reproché d'avoir perdu une course ? Penses-y bien.

Pascale réfléchit brièvement, puis s'écria :

– Tu n'as jamais rien dit, mais j'ai pensé...

– Tu as tenu pour acquis, la corrigea Arnaud, que j'étais déçu. C'est cela ?

Pascale hocha la tête.

– Je t'assure, affirma Arnaud, que je n'ai jamais rien ressenti de tel.

– Mais... C'était comme une petite voix qui me disait...

«Une voix!» se dit Arnaud, soudain inquiet. Pascale entendait des voix? Non, ce n'était pas ce qu'elle avait voulu dire... Elle était rationnelle. Elle souffrait peut-être d'insécurité, mais pas de délire. Cette voix, ce n'était rien d'autre que sa conscience qui jacassait à tort et à travers.

– Pascale, efforce-toi de comprendre, insista Arnaud. Ce n'était pas moi qui exigeais que tu gagnes des courses. C'était ta conscience, ta conscience qui n'accepte pas l'imperfection. Et qui a réussi à te rendre malheureuse, même dans ce que tu aimes.

Pascale resta saisie par ces paroles.

– Cette voix qui te disait que tu devais gagner à tout prix, c'était celle de l'habitude que tu as prise, je ne sais ni où ni quand, de penser que tu ne vaux rien, sauf dans la réussite totale. Tout à l'heure, cette voix t'a soufflé à l'oreille d'abandonner ta carrière, tes chevaux, pour être une parfaite épouse, au détriment de tes ambitions. Quand je t'ai dit que je ne t'en demandais pas tant, elle t'a accablée, t'a reproché ton erreur avec tant de virulence que tu as oublié toutes les choses gentilles et réussies que tu as faites pour moi. Je t'en prie, Pascale, n'écoute plus cette voix. C'est elle qui te rend malheureuse, et moi aussi, par ricochet.

Il y eut un silence. Un peu interloquée, Pascale tentait de ravaler ses larmes. Elle ne comprenait pas exactement ce qu'Arnaud venait de lui dire. Il l'observait; il y avait, dans ses yeux, de la compassion et aussi un peu de lassitude.

Pascale entra dans le chalet et en ressortit avec les carrés aux dattes. Ils étaient délicieux.

Pascale se sentait tout de même un peu fière d'elle. Elle se souvint de son but : intéresser Arnaud à la Gaspésie et, par voie de conséquence, à elle.

– Il est encore tôt, remarqua-t-elle. Tu veux aller te promener sur le bord de la mer?

La mer. Rivale autant qu'alliée, elle tenait en esclavage ceux dont elle était le gagne-pain; les Gaspésiens, y compris Pascale, la redoutaient et l'aimaient à la fois.

– Voilà une excellente idée, répondit Arnaud.

Ils partirent après avoir rangé la vaisselle. Sur la grève, le vent chassait les moustiques. Le temps était sec et on sentait encore la chaleur du soleil. Pascale et Arnaud marchèrent de long en large pendant quelques heures, tout en discutant avec animation. Ce ne fut pas toujours une conversation agréable, car ils se confièrent leurs perceptions, souvent diamétralement opposées, des événements qui avaient creusé le gouffre entre eux.

À mesure que Pascale s'exprimait, Arnaud notait qu'elle avait toujours obéi au mode de pensée perfectionniste qu'elle avait montré au cours du repas. «Où et pourquoi a-t-elle pris cette habitude?» se demandait-il sans cesse. La réponse à cette question était, sans l'ombre d'un doute, d'une importance capitale.

Lorsque le soleil se coucha, ils prirent la direction du chalet. Arnaud s'écria soudain :

– J'ai envie que nous fassions une petite excursion demain. Ça te tente?

Le cœur de Pascale se gonfla de joie. Elle avait réussi quelque chose : Arnaud s'intéressait à elle, il avait envie de faire des activités en sa compagnie. Elle le suivrait n'importe où.

– Bien sûr, répondit-elle. Où désires-tu aller?

– À Bonaventure.

* * *

À l'entrée du village de Bonaventure, un panneau indiquait la direction à prendre pour gagner l'hippodrome.

– Quand j'étais petite, je venais ici, s'écria Pascale.

Arnaud la questionnait beaucoup à propos de son passé, et, bien que cela ne lui fût guère agréable, elle répondait. Puisqu'il désirait en savoir plus long à son sujet, eh bien! elle lui dirait tout.

Arnaud engagea l'automobile sur le chemin tortueux.

Le champ de courses était désert. Arnaud regarda les écuries et les tribunes faites de planches peintes en blanc. À peine quelques dizaines de personnes pouvaient tenir dans les estrades.

– Est-ce qu'on parie beaucoup, ici? demanda-t-il à Pascale.

– Non, pas du tout, répondit-elle. L'hippodrome n'a pas de permis.

– Alors pourquoi les gens viennent-ils?

– Mais pour voir les courses, dit Pascale comme si cela allait de soi.

Arnaud n'avait jamais entendu parler d'un hippodrome où on ne pariait pas.

Pendant un moment, il se questionna sur l'à-propos de l'existence de l'hippodrome de Bonaventure. Puis, il émit un petit rire. Cet endroit servait de lieu de rencontre familial; les gens s'y réunissaient pour passer du bon temps. Après tout, c'était là le vrai but du sport. Arnaud fut soudain rempli de respect pour les responsables de l'hippodrome de Bonaventure. Ici, on ne faisait pas de fla-flas comme sur les grands champs de courses américains, où les valeurs sportives cédaient le pas à l'argent et au profit.

À l'intérieur de l'ovale que formait la piste, qui paraissait dure, c'était un véritable champ de foin.

– Mais, demanda Arnaud, comment peut-on faire des profits sans les paris?

Pascale rit à son tour.

– On n'en fait pas.

Elle étirait le cou pour voir toutes les parties de ce lieu que, enfant, elle avait adoré. Là-bas, il y avait les écuries où elle allait avec Albert Simpson, son voisin et protecteur, et ses trotteurs... Et les tribunes où l'emmenait son grand-père, l'été... Elle serra les lèvres.

– Comment s'appelaient ces gens qui t'ont recueillie après la mort de ta mère? s'enquit Arnaud d'un ton innocent.

– Les Gallant, murmura Pascale.

– As-tu jamais communiqué avec eux depuis ton départ d'ici?

– Non.

Pascale resta silencieuse un moment, puis elle ajouta :

– Ce n'est pas très gentil de ma part. Jamais je ne les ai remerciés. Je n'avais pas la tête à ça... Je ne pensais qu'à m'en aller.

– Il n'est pas trop tard, dit Arnaud. Indique-moi où est leur maison, je t'y conduirai.

Pascale hocha la tête. Arnaud reprit la route, dépassa le barachois de Bonaventure que Pascale lui avait décrit, deux ans plus tôt, lorsqu'il avait fait changer le nom de Barrow's Choice pour Barachois, et aussi le musée acadien.

La voiture entra ensuite à l'intérieur des terres. Au bout d'un petit chemin se trouvait une ferme modeste. La maison, construite toute d'une pièce, était couverte de bardeaux de cèdre peints en vert, et les volets étaient blancs. Une véranda l'encerclait.

– C'est une maison gaspésienne typique, commenta Pascale, dont la gorge se serrait. Ma chambre était là.

Elle désignait un pignon, à l'étage.

Imelda Gallant était maintenant âgée de plus de soixante ans. Lorsqu'elle entendit arriver la voiture, elle quitta le jardin situé à l'arrière de sa demeure et, d'un pas alerte, se dirigea vers l'avant. Pascale sortit du véhicule. Mme Gallant pressa ses mains contre son cœur.

– Mon doux! s'écria-t-elle. C'est la petite Pascale qui est revenue!

– Bonjour, madame Gallant, répondit Pascale, tout intimidée.

– Et tu es venue avec ton beau mari, poursuivit la femme, visiblement émue.

Sans se demander comment Mme Gallant pouvait avoir appris qu'elle avait épousé Arnaud, Pascale se sentit inondée de fierté et elle déclara, d'un ton qui révélait la force de ce sentiment :

– Oui, c'est mon mari, Arnaud Lavergne. C'est le meilleur mari du monde !

Arnaud, que cette déclaration passionnée avait fait sourire, tendit la main. Tout en la serrant, Imelda Gallant gloussa.

– Il est encore mieux en personne qu'à la télévision, dit-elle en feignant la gouaillerie. Tu sais, Pascale, je t'ai vue à Radio-Canada, et puis toi aussi, Arnaud. Tout le village vous a regardés. Dis-moi, comment va Vol-au-Vent ?

Tout en discutant, Mme Gallant entraînait Pascale vers l'intérieur. Il faisait bon dans sa cuisine. Arnaud s'y assit et regarda le mobilier usé, puis le visage calme et serein d'Imelda Gallant. Était-ce ici que Pascale avait développé l'habitude de se dénigrer ? Arnaud ne le pensait pas. Mme Gallant n'avait pu lui faire que du bien. Peut-être pourrait-elle éclairer Arnaud sur le mystère entourant le comportement de Pascale. Il espéra pouvoir se retrouver seul avec elle pour lui en glisser un mot.

Un peu plus tard, Armand Gallant, le mari d'Imelda, entra dans la maison.

– Ah ben ! si c'est pas la petite Pascale ! s'écria-t-il. Avec son beau colosse de gars !

Arnaud ne saisit pas ce commentaire, car Armand Gallant parlait vite et son accent était très prononcé. Pascale souriait et ses yeux se plissaient. Arnaud était à présent convaincu qu'elle avait beaucoup aimé les Gallant, mais aussi qu'elle s'était efforcée de ne pas s'attacher à eux. Apparemment, ils n'avaient pas été dupes. Ils avaient visiblement envie de témoigner leur affection à Pascale, mais ils évitaient de le faire, respectant sa grande réserve.

Armand Gallant était un homme de taille moyenne, dont le visage buriné et le corps vigoureux rappelaient un peu ceux d'Elias. Ses yeux, intelligents, vifs, scrutaient la figure de Pascale. Il cherchait à la rejoindre, à l'attirer sur un terrain où elle serait à l'aise avec lui, ce qui, pour l'instant, n'était pas tout à fait le cas. À un moment donné, il trouva une issue.

– Figure-toi, dit-il à Pascale sur le ton de la confidence, qu'Albert Simpson vient d'acheter une pouliche…

Le visage de Pascale se détendit presque complètement. Armand Gallant décrivait la bête en des termes auxquels Arnaud ne comprenait quasiment rien, sinon qu'ils étaient flatteurs.

– Tu viens la voir? suggéra le père Gallant à Pascale.

– OK, dit-elle.

Imelda Gallant manœuvra très habilement pour garder Arnaud avec elle. Celui-ci fut à la fois satisfait et surpris de la perspicacité de son hôtesse. Pascale et Armand Gallant disparurent vers la demeure d'Albert Simpson, située non loin. Arnaud savait que cet homme avait secouru Pascale après la mort de sa mère, en achetant Vol-au-Vent au moment de la vente en justice des biens du grand-père de Pascale, puis en le lui redonnant lorsqu'elle avait quitté le pays. «Si jamais je le rencontre...» songea Arnaud.

À peine Pascale fut-elle sortie que Mme Gallant s'écriait :

– Quand on a vu où Pascale était rendue, et qu'elle était mariée avec toi, on n'en revenait pas. Par ici, personne ne connaît rien du Kentucky, à part le poulet du colonel Sanders.

Cette allusion, qu'il avait maintes fois entendue, fit pouffer Arnaud.

– Raconte-moi tout, lui demanda Mme Gallant.

Arnaud fut surpris de la facilité avec laquelle il lui donna des détails sur sa rencontre avec Pascale, leur mariage et les événements qui avaient suivi. Sans qu'il sache trop pourquoi, il n'avait pas l'impression qu'Imelda Gallant était une étrangère, et ce fut plus facile de lui faire comprendre ses difficultés de couple que cela ne l'avait été avec ses propres parents. À la fin de son récit, il avoua :

– En fait..., un peu plus, et on se séparait. Ma mère m'a convaincu de la ramener ici... pour en apprendre davantage sur elle. Pour comprendre pourquoi elle veut toujours être parfaite. Elle se détruit avec ça.

Mme Gallant étendit la main et, affectueusement, tapota celle d'Arnaud.

– Je ne suis pas sûre de pouvoir t'aider, mon grand, dit-elle avec humilité, et Arnaud ressentit un peu de découragement.

Quand Pascale nous est arrivée, on a essayé de la faire parler. On n'a jamais réussi. Elle a toujours été polie, et sa chambre était toujours en ordre... Elle m'aidait, elle aidait Armand. Elle essayait d'être parfaite, exactement comme tu viens de le dire. Je ne sais pas pourquoi.

Imelda Gallant soupira, et ses yeux reflétèrent une grande tristesse.

– Peut-être est-ce parce qu'elle a vu sa mère mourir. Penses-y un peu... Un meurtre, ici, à Bonaventure! Peux-tu imaginer ce que ça a représenté pour le village? On n'avait jamais vu ça. Et elle, la petite, elle s'est retrouvée au milieu du bouleversement qui a suivi, avec tout le monde qui la questionnait et qui lui demandait comment ça s'était passé. J'aurais payé cher, continua Imelda Gallant en laissant paraître sa colère, pour que son bon à rien de grand-père lui évite de témoigner en cour. Pascale a peut-être eu l'impression qu'on la traitait comme une coupable. Moi, je lui disais que ce n'était pas sa faute si sa mère était morte. Mais ce qu'elle pensait, elle, je ne le sais pas.

« Ainsi, se dit Arnaud, Pascale était perfectionniste avant même de venir habiter ici. »

– Je l'entendais parfois parler à Vol-au-Vent, ajouta Imelda Gallant, et j'essayais de comprendre ce qu'elle lui racontait, mais je n'en ai jamais été capable.

Encore une fois, Arnaud parcourut des yeux l'intérieur modeste, puis son regard se posa sur le visage de cette femme douce, simple et bonne.

– Je suis sûr, déclara-t-il avec conviction, que vous vous êtes efforcés d'aider Pascale, votre mari et vous. Peut-être avez-vous réussi plus que vous ne le croyez.

– Tu es gentil, un bien bon gars, répondit Imelda Gallant en caressant la main d'Arnaud. Tu vas réussir à sauver Pascale... si tu ne l'abandonnes pas. Je t'en prie, ne l'abandonne pas.

Elle se leva un peu brusquement et Arnaud eut l'impression qu'elle retenait des larmes.

– Elle est franche. Elle est bonne. Mais il faut qu'elle guérisse avant que tu lui fasses un enfant. Parce que si elle en a un, et qu'elle vise la perfection tout le temps, elle se rendra folle. Je vais te dire quelque chose qui va peut-être t'aider.

Imelda Gallant se rassit.

– Quelques mois après que Pascale et Vol-au-Vent eurent quitté le village, les services correctionnels ont communiqué avec nous. Le grand-père de Pascale, le meurtrier – il s'appelait Constantin Vladek, je pense que tu le savais –, était mort en prison, d'une crise cardiaque. Armand et moi, on a essayé de retrouver Pascale, parce qu'on pensait que ça pourrait lui faire du bien de savoir que son grand-père était mort. Elle avait peur de lui, pas parce qu'elle croyait qu'il lui ferait du mal, mais parce qu'elle l'aimait encore, malgré ce qu'il avait fait. Armand et moi, on se disait que, maintenant qu'il était mort, elle pourrait commencer une nouvelle vie. Mais on avait complètement perdu sa trace… jusqu'à aujourd'hui.

– Elle se trouvait déjà chez nous, à Lavergne Farm, murmura Arnaud.

Imelda Gallant avait recommencé à lui caresser la main, comme une mère l'aurait fait pour soulager son enfant d'un quelconque désarroi. Dehors soufflait un vent chargé d'iode; des nuages s'accumulaient à une vitesse folle, dans un coin du ciel. Arnaud était étonné de la violence des éléments. Pourtant, malgré ce climat extrême, la peau d'Imelda Gallant était douce et sa main, patiente.

– Alors il est mort, ce sacré grand-père, dit Arnaud. J'aimerais croire que, quand Pascale le saura, ses ennuis mourront aussi.

* * *

Lorsque Pascale revint, elle trouva Arnaud et Mme Gallant en grande conversation. Le jeune homme remarqua que sa femme paraissait émue. Il en conclut qu'elle avait été heureuse de revoir Albert Simpson.

Le jeune couple reprit place dans la voiture louée, tout en promettant de revenir le lendemain soir pour partager un repas avec les Gallant et Albert Simpson. Comme il était midi, Arnaud suggéra qu'ils aillent croquer une bouchée dans un petit café qu'ils avaient croisé, non loin du musée acadien. Pascale fut d'accord.

Lorsqu'ils arrivèrent sur les lieux, Pascale esquissa un geste pour descendre de la voiture, mais Arnaud la retint.

– Mme Gallant m'a chargé de te faire part de quelque chose, dit-il. Pascale, ton grand-père est mort.

– Quoi ? Quand ça ? souffla-t-elle, ahurie.

Arnaud lui répéta les détails fournis par Imelda Gallant.

Abasourdie, Pascale sortit du véhicule, puis entra dans le restaurant à la suite d'Arnaud. Elle était assaillie par divers sentiments. Elle n'aimait guère songer à son grand-père, mais son décès changeait bien des choses... Ainsi, elle avait fui la région, craignant de le revoir et de s'attacher de nouveau à lui, alors qu'il était mort et enterré ? Ça alors ! Quelle ironie ! Elle respira profondément. Il n'y avait plus de danger. Elle était en sécurité, même ici, à Bonaventure.

Dans le restaurant, tout le monde la reconnut. Elle était devenue une véritable célébrité à Bonaventure. Un peu intimidée, elle prit place à une table.

À la fin du repas, Arnaud lui dit :

– Mme Gallant m'a raconté que la maison où tu as grandi est maintenant à l'abandon.

– Elle avait été saisie par les huissiers. Je présume que personne n'a voulu y habiter, compte tenu de ce qui s'y est passé.

– J'aimerais la voir, dit Arnaud.

– Pourquoi ? fit Pascale, sur la défensive.

– Pour avoir une idée de l'endroit où tu as vécu, tout simplement, répondit Arnaud avec naturel.

Pascale ne protesta pas. Depuis qu'Arnaud l'avait entraînée dans cette tournée des lieux qui avaient marqué son enfance, elle se sentait attirée vers eux comme par un aimant.

La maison de Constantin Vladek était recouverte d'un revêtement d'aluminium qui, au temps de l'enfance de Pascale, brillait d'un jaune clair. Arnaud engagea l'automobile sur le chemin cahoteux qui y menait. La nature y avait creusé d'importantes ornières, et les herbes folles l'avaient envahi. Pascale frémit en regardant les fenêtres placardées. Après le drame, elle avait toujours refusé de revenir ici.

Arnaud descendit de la voiture, qu'il avait garée derrière la maison. Depuis qu'il connaissait Pascale, elle n'avait raconté la mort de sa mère qu'une seule fois. Mais les détails du récit revenaient à Arnaud avec une précision surprenante. Maintenant qu'il se trouvait sur les lieux du tragique événement, il était en mesure d'en imaginer les protagonistes avec une clarté qui l'effrayait un peu.

À quelques dizaines de mètres de la résidence, une grange, haute, sombre, à demi écroulée, semblait monter la garde. Constantin Vladek était dans ce bâtiment quand il avait poussé Brigitte, sa fille, dans le vide. En parcourant du regard le flanc de l'édifice, Arnaud aperçut une ouverture à quelques mètres du toit.

Pendant un moment, Arnaud observa Pascale. Elle semblait figée dans l'asphalte craquelé par les broussailles. Jamais, même dans les moments les plus dramatiques qu'ils avaient traversés, Arnaud n'avait vu sur son visage une expression traduisant un abattement aussi profond. Elle avait toujours été une lutteuse, une femme au caractère bien trempé, doté d'un extraordinaire ressort. Arnaud comprit qu'ici elle avait encaissé une défaite qui l'avait ébranlée, et dont elle ne s'était jamais remise.

Elle paraissait souffrir, et Arnaud songea à l'éloigner des lieux afin de l'épargner. Puis, il changea d'avis. L'intuition qui, la veille, lui était venue au cours du souper se confirmait. Cette intuition, c'était Gabrielle qui, la première, en avait semé le germe dans son esprit. Imelda Gallant l'avait validée. À présent, Arnaud était convaincu que les pensées défaitistes qui minaient Pascale avaient un lien direct avec la mort de sa mère. Lequel? Il l'ignorait encore, mais savait qu'il le découvrirait ici, à Bonaventure.

Le jeune homme avança jusque sous l'ouverture de la grange. Les paroles que Pascale avait prononcées, deux ans plus tôt, alors qu'elle revenait à la ferme après avoir été tabassée par Érik, résonnèrent dans sa tête avec une hallucinante clarté. Il tâtonna parmi les herbes hautes. Ses doigts rencontrèrent ce qu'il cherchait : les débris d'une échelle.

– N'y touche pas ! glapit Pascale d'une voix étranglée.

Arnaud obéit aussitôt. D'un pas énergique, il revint vers sa femme. Elle était en train de s'écrouler, comme elle l'avait fait, des années auparavant, en ce jour fatidique. Serrant ses bras sur son ventre, elle gémissait. Arnaud l'attrapa au moment où elle tombait par terre.

– Parle, ordonna-t-il avec fermeté. Parle, parle tout de suite, vite !

– Je suis arrivée trop tard…

– C'est ça ! Continue !

Il la secouait, pris d'un sentiment de nécessité, d'urgence.

– Raconte-moi, Pascale, vite !

– Maman était morte, il y avait du sang par terre… Juste ici…

– Parle encore !

Pascale se mit à hurler.

– Elle était morte ! Parce que je ne l'avais pas crue quand elle disait que mon grand-père buvait ! Elle est morte parce que je me suis trompée ! Je savais qu'elle allait tomber, alors j'ai voulu courir… Mais mes jambes ne couraient pas… Elle est morte parce que je ne suis pas arrivée à temps !

Arnaud eut l'impression qu'un éclair de lucidité éclatait dans son cerveau. Gabrielle avait raison. Imelda Gallant avait raison. Lui aussi, il avait eu raison de penser que Pascale était la victime d'un mode de pensée inconscient, destructeur, qui découlait d'un traumatisme, et non pas d'un choix. Là où il s'était trompé, c'était en croyant qu'Érik en avait été la source. Mais non ! L'explication était ici, à Bonaventure !

– Alors, dit-il, c'est à ce moment-là que la voix t'a parlé pour la première fois ?

– La voix ? répéta Pascale.

– Oui ! s'écria Arnaud. La voix de ta conscience qui est devenue un monstre, parce que tu as cru que tu étais responsable de la mort de ta mère !

– Mais je le suis, déclara Pascale, dont le corps se tordait.

Ses genoux pliaient sous la souffrance. Arnaud l'empoigna solidement, l'appuya sur lui et la remit sur ses pieds, puis s'exclama :

– Non, Pascale ! Non, tu ne l'es pas ! Cesse d'écouter la voix ! Je comprends ce qui t'est arrivé, maintenant.

Il secouait toujours Pascale, et elle leva enfin les yeux vers lui.

– Tu étais une petite fille, même pas une adolescente, reprit-il. Au moment où ta mère est morte, tu as dirigé ta colère sur toi-même. Dès lors, ta conscience s'est transformée en un horrible juge intérieur qui brandit un fouet au-dessus de ta tête. Ce juge intérieur s'applique à te punir, chaque jour, quoi que tu fasses. Il s'acharne à trouver des failles dans tes actes et, alors, il te cingle les épaules. Cesse de l'écouter, Pascale. Arrête ça maintenant, tout de suite ! Comprends-tu ?

– Je ne sais pas, bredouilla-t-elle.

Résolument, Arnaud la tira sous l'ouverture de la grange. Elle protesta, se débattit, le supplia ; rien n'y fit. L'intensité de son désarroi, de son égarement broyait le cœur d'Arnaud, mais il ne pouvait plus reculer. Il devait avancer, pour lui, pour son mariage, et surtout pour Pascale.

– Le juge intérieur se trompe, affirma Arnaud. Regarde. Lève les yeux, Pascale, regarde ! Jamais tu ne serais arrivée là-haut à temps ! Comment aurais-tu pu empêcher ta mère de tomber ?

– Si j'avais réussi à grimper sur l'échelle…

– Tu avais onze ans, Pascale, souviens-toi. Tu étais beaucoup plus petite que tu ne l'es maintenant. Demanderais-tu à une enfant de onze ans de retenir le corps d'un adulte qui tombe ?

Saisie, Pascale leva enfin les yeux sur l'ouverture. Arnaud insista :

– Réfléchis, Pascale. Essaie de revoir cette scène rationnellement… Tu es rationnelle, je le sais, affirma-t-il avec conviction. Supposons que ta mère est là-haut et que, toi, tu es debout sur cette échelle bancale; es-tu capable de la retenir?

– Peut-être… s'obstina Pascale.

– Non, Pascale, c'est surhumain, surtout pour une enfant de onze ans. Ta mère serait tombée quand même. Parce que là-haut il y avait un salaud qui la poussait. Ce salaud-là est mort et enterré, tu peux le détester de tout ton cœur sans lui faire aucun mal alors surtout ne te gêne pas. Voilà presque dix ans que le juge intérieur te fait payer à sa place. Ça suffit, Pascale. Fais taire la voix. Je suis sûr que tu en es capable.

Pascale agrippa la chemise d'Arnaud à deux mains.

– Alors, bredouilla-t-elle, tu crois vraiment que ce n'était pas ma faute?

– J'en suis absolument certain. Tu étais une enfant de onze ans, Pascale. À cet âge-là, on n'a pas le jugement nécessaire pour déceler l'alcoolisme, ni la force requise pour empêcher un adulte d'en tuer un autre. Tu étais une petite fille, une pauvre petite fille qui a vu mourir sa mère, puis qui s'est chargée du fardeau de sa mort. Tu es une adulte, maintenant, et tu sais que tu n'as plus à porter ce fardeau.

Pascale se pressa contre le corps d'Arnaud. Elle entendit son cœur battre sous sa chemise et, avec une sorte de langueur, elle écouta ce son, en emplit son cerveau, et il en chassa les réminiscences de culpabilité qui y flottaient encore. Car Arnaud, son homme, venait de lui faire comprendre qu'elle n'avait rien à se reprocher. Ces paroles, d'autres auraient pu les lui dire avant, mais elle n'y aurait pas cru, du moins pas autant; or aujourd'hui, elle y accordait foi, car elles provenaient de l'homme qui, à ses yeux, était le plus crédible, le plus valeureux du monde : Arnaud, son mari.

Son mari l'étreignait, et elle goûtait enfin cette tendresse qu'elle méritait tant. Elle eut l'impression que son esprit s'allégeait, qu'il se libérait, après presque une décennie, de la camisole de force dans laquelle les événements l'avaient enfermée. Elle pardonnait à l'enfant qui, impuissante, avait vu la mort faucher sa mère. Tout ça grâce à cet homme dont elle n'avait plus à craindre la désertion.

Elle fut plongée dans un moment d'euphorie intense, comparable à celui qui, deux ans auparavant, l'avait amenée à céder aux avances d'Arnaud, dans le box d'Ashanti. Cette euphorie, elle était faite de tendresse, d'admiration, de soutien, de partage, bref, d'amour; et, aussi, d'un désir mutuel, partagé, devant lequel l'incompréhension ne mettait plus de barrières.

Pascale se dégagea brièvement de l'étreinte de son mari. Elle pivota sur elle-même et, levant le poing au-dessus de sa tête, elle cria, en direction de la grange :

– Puisses-tu brûler en enfer, Constantin Vladek ! Traître ! Menteur ! Infanticide ! Je te déteste, je t'exècre !

Son visage s'adoucit, elle baissa le bras, puis, d'une voix assourdie, elle murmura :

– Au revoir, maman. Un jour, je te retrouverai.

Elle ne dit plus rien, car Arnaud l'avait saisie de nouveau. À la hâte, il la ramena vers la voiture, puis démarra en trombe. Pascale haletait, avide et impatiente. Arnaud et elle allaient regagner le chalet et, là, ils s'uniraient. Une bouffée de joie pure, chaude traversa le corps de Pascale. Rien n'altérerait son bonheur. Finies, la peur de ne pas se comporter adéquatement, celle de décevoir Arnaud, et toutes les autres.

Il faisait bon à l'intérieur du chalet. Mais Pascale et Arnaud y vivaient une tempête. Une tornade qui, loin d'être dévastatrice, effectuait dans leurs vies un ménage nécessaire.

Dans un chalet de Carleton, dans cette Gaspésie qui, par son charme et ses contrastes, les avait réunis, parmi des vêtements arrachés à la hâte et des draps froissés, Pascale et Arnaud s'aimèrent avec l'énergie de leur passion, de leur jeunesse; car, l'un de l'autre, ils étaient fous.

21

Exactement deux semaines s'étaient écoulées depuis qu'Ashanti of Africa avait terminé deuxième au Derby du Kentucky. À Lavergne Farm, une certaine fébrilité régnait, car on espérait que, ce jour-là, l'étalon alezan prendrait sa revanche lors du Preakness Stakes.

Xavier, Gabrielle, Martha et Elias se trouvaient à l'hippodrome de Pimlico, à Baltimore, dans le Maryland, là où serait disputée l'épreuve en après-midi. Geneviève s'était jointe à eux pour la fin de semaine. Elle avait réservé cette période à ses parents, qui désiraient passer quelques moments avec elle avant son déménagement. Bruce était donc resté à Lexington.

Érik s'était installé à Lavergne Farm depuis le départ de Xavier et de Gabrielle. Son père lui avait demandé de gérer l'entreprise en son absence et de veiller à la bonne conduite des jumeaux. «Tu as regagné ma confiance», avait-il déclaré à Érik en lui déléguant ces tâches. Cela n'était pas tout à fait vrai; en fait, Xavier avait hésité avant de faire d'Érik son mandataire. Il savait qu'il était salutaire pour son fils de se voir confier des responsabilités, mais il s'en méfiait encore. Par ailleurs, Xavier savait que son absence serait courte; trop brève pour qu'Érik puisse faire des ravages. La balance des avantages et des inconvénients avait penché en faveur d'Érik et il était devenu, pour quelques jours, le dirigeant de Lavergne Farm.

Même s'ils continuaient de s'inquiéter au sujet d'Érik, Xavier et Gabrielle reconnaissaient qu'il méritait des éloges.

Il avait terminé ses études de baccalauréat avec d'excellents résultats. Chez Whittaker et Davis, le cabinet d'avocats qui l'employait, on était très satisfait de lui. Il jouissait déjà, parmi les membres du barreau, d'une réputation enviable. C'était un négociateur habile, doté d'une prestance et d'un charme qui le destinaient à la plaidoirie. Malgré ses succès, Érik demeurait modeste, et cela réjouissait ses parents encore plus que ses réalisations professionnelles. Il menait une vie rangée. Son appartement était bien tenu. Il était évident qu'il ne consommait plus de drogues et son intention de s'en tenir éloigné semblait sincère.

Érik demeurait réservé au sujet de ses fréquentations. Plus jeune, il avait adoré qu'on parle de ses conquêtes féminines. Sa nouvelle discrétion ne nuisait pas à sa popularité; elle l'entourait d'un halo de mystère et de distinction fort séduisant. Pamela faisait des envieuses. De temps à autre, Érik partageait un repas au restaurant avec elle ou l'invitait aux réceptions que donnaient Xavier et Gabrielle.

Ces sorties mondaines ne satisfaisaient pas Pamela, qui désirait plus qu'une relation platonique avec Érik. Celui-ci ne réagissait cependant pas aux allusions de moins en moins subtiles qu'elle lui lançait.

En ce matin ensoleillé de la mi-mai, Pamela était bien loin des pensées d'Érik alors que, juché sur La Grande Vadrouille, il arpentait Lavergne Farm. La jument rouanne, monture personnelle de Xavier, avait un fort mauvais caractère. Mais cela n'impressionnait pas Érik. C'était un cavalier accompli, que l'affrontement n'effrayait pas.

À l'écurie, les grooms étaient occupés à seller les chevaux de course. Laurie Yasaka était parmi eux. Elle logeait occasionnellement dans le quartier des employés réservé aux femmes. Ç'avait été le cas la nuit précédente, car on lui avait demandé de travailler lors des entraînements, et elle devait se lever à quatre heures du matin.

Érik sourit. C'était un garçon doué d'un vif sens de l'observation, et il avait constaté que Laurie n'appréciait pas toujours Pamela. Il devinait que l'employée de son père n'était pas fâchée d'avoir l'occasion d'être éloignée de son logement et, conséquemment, de sa colocataire.

La piste était encore déserte. Érik immobilisa La Grande Vadrouille et, pendant un moment, il contempla l'œuvre de son père. Lavergne Farm était superbe et Xavier avait toutes les raisons d'en être fier. Remises en état depuis l'hiver, les clôtures étaient impeccables. On inspectait régulièrement les manèges, la piste, le parcours de cross-country et tous les pâturages. Les écuries étaient fonctionnelles, propres, accueillantes mais sobres, dépourvues du tape-à-l'œil que certains éleveurs aimaient afficher. Tout était pensé et organisé en fonction des souverains des lieux : les chevaux.

La magnificence des pensionnaires de Lavergne Farm contribuait largement à sa splendeur. Érik mit sa jument au trot. Dans son enclos, Al-Abjar, l'étalon bai cerise, lança un appel à La Grande Vadrouille. Mécontente, la jument couina. Elle détestait les étalons. Aucun n'avait réussi à la féconder; en fait, elle refusait farouchement de coopérer lors des accouplements. On pensait bien, à Lavergne Farm, qu'elle était stérile.

Plus tard, lorsque les entraînements du matin seraient terminés, on sortirait Al-Abjar de son paddock pour l'amener à l'étable d'accouplement. Al-Abjar était, pour l'instant, le seigneur de Lavergne Farm, mais Érik savait que les jours de son règne étaient comptés. D'ici quelques années, Ashanti prendrait sa place.

Érik sollicita La Grande Vadrouille qui, après quelques protestations, adopta le canter. Érik la dirigea vers l'enclos des yearlings. Poulains, pouliches et hongres s'y côtoyaient. Même de loin, on pouvait deviner, par leurs comportements, auquel des trois groupes chaque individu appartenait. Les pouliches étaient espiègles, les étalons, farauds, et les hongres, timides. Sauf Fol Espoir.

Le poulain avait été castré quelques semaines plus tôt. L'opération ne l'avait guère changé. Il était petit mais costaud et, à l'instar de Vol-au-Vent, son père, il affichait envers les autres chevaux un dédain hautain. Tout en longeant la clôture,

Érik observa Fol Espoir qui, menaçant des dents et des pieds ses compagnons d'enclos, se frayait un chemin parmi eux. Loin de fuir peureusement, comme l'aurait fait un autre poulain, devant La Grande Vadrouille qui lui montrait les dents, Fol Espoir la défia. La Grande Vadrouille fit mine de foncer sur lui. Fol Espoir se sauva, mais non sans avoir décoché une ruade provocatrice.

Érik continua sa tournée. Dans un paddock ombragé broutaient les poulinières nouvellement accouchées. Nosie, mère d'Ashanti et de Fol Espoir, était là, de même que sa pouliche baie, qu'on n'avait pas encore baptisée.

Érik regarda sa montre et bâilla. Il était temps pour lui de gagner la piste.

Affable, Érik salua les grooms et les propriétaires. Son attention fut attirée par un roulement de sabots furieux. Il porta son regard sur la piste et y vit Makatoo. La pouliche presque noire, importée de France par Xavier, était montée par un groom nommé Greg, et attaquait un tournant. Quelqu'un tendit des jumelles à Érik. Makatoo se braquait contre le mors, son encolure gracieuse tirant sur les rênes. Greg tenta de la maintenir le long de la lice, mais elle s'encapuchonna et dévia vers l'extérieur.

Les commentaires fusèrent. Makatoo avait du talent, mais elle était fantasque et difficile à manier. Érik entendit Greg pester alors qu'elle s'approchait de la clôture extérieure, passant juste devant lui. Greg donna un coup sur le mors et Makatoo se fâcha. Elle stoppa net, se cabra, puis plongea dans une ruade très acrobatique, catapultant Greg par-dessus son encolure.

Il atterrit bien, roulant sur lui-même. Après un moment de tension, les spectateurs éclatèrent de rire. Sur la piste, Makatoo piaffait, surexcitée et peut-être un peu fière d'elle-même. Quelqu'un l'attrapa par la bride. Greg s'approcha d'Érik.

– Il n'y a que Pascale qui arrive à monter cette chipie, dit-il avec humilité.

Érik lui adressa un sourire en coin. Il regardait Makatoo. Elle n'avait pas cessé de piaffer et de secouer sa crinière, qu'elle avait lourde. C'était une jument longue, taillée pour la vitesse, avec des jambes solides, un corps athlétique. «La jolie bête», murmura Érik en français. On avait baptisé la pouliche en l'honneur de Catherine, que Pascale appelait parfois «ma Catou»; l'image de l'enfant traversa très brièvement l'esprit du jeune homme.

Il regarda autour de lui et aperçut Laurie qui tenait la bride de Moushika. La jument n'avait pas couru depuis sa dernière saison à Keeneland, un mois plus tôt. On se préparait à l'envoyer à Belmont Park, dans l'État de New York, le mois suivant. Érik poussa un soupir. Il fallait discipliner Makatoo, ne serait-ce qu'en la promenant sur la piste.

– Attends un peu, Laurie, dit-il.

Toujours monté sur La Grande Vadrouille, Érik gagna l'endroit où se trouvait Makatoo. Un groom la dessella, puis attacha une longe à sa bride. Érik avança, traînant la pouliche en longe. Elle tenta bien de se dérober, mais La Grande Vadrouille l'admonesta à sa manière et, impressionnée, elle rentra dans le rang.

Satisfait, Érik retourna à l'endroit où se trouvait Laurie, tenant toujours Moushika. Non loin, Greg se frottait l'épaule. Sans le blesser, la chute l'avait étourdi, et il était préférable qu'il ne remonte pas à cheval ce matin-là. Embêté, Érik regarda autour de lui. Plus personne n'était disponible pour monter Moushika. Sauf…

– Laurie ! s'écria Érik. Que dirais-tu de faire ton baptême de l'air, si je puis dire ?

– Quoi ?

– Tu vas monter cette fusée. Greg n'est plus en état.

Laurie manqua prendre ses jambes à son cou. Elle, monter une jument de course pour un entraînement matinal ? Elle tenta de protester, mais tout le monde autour d'elle la poussait à accepter. Greg retira sa veste et la lui tendit. Quelqu'un d'autre lui enfonça un casque sur la tête. Plus convaincant que n'importe qui, Érik la rassurait :

– Voilà trois ans que cette jument court. Elle est moins difficile à monter que Vol-au-Vent, même si elle va beaucoup plus vite que lui... Rends-moi service, Laurie. Je t'accompagnerai sur la piste.

Avant d'avoir pleinement réalisé ce qui lui arrivait, Laurie fut hissée en selle par Greg.

Moushika et La Grande Vadrouille trottèrent, côte à côte, sur la piste. Laurie n'était pas habituée à monter avec des étriers raccourcis. Elle fut heureuse de passer au canter. Se balançant au rythme des foulées de sa jument, Érik se retournait sur sa selle et jetait à Laurie des regards encourageants. Moushika ne se laissait pas impressionner par La Grande Vadrouille. Voilà longtemps qu'elle se mesurait à d'autres chevaux, et elle avait acquis du tempérament.

Les deux bêtes accélérèrent. Érik restait assis, mais Laurie était debout dans ses étriers et ses jambes se fatiguaient. Elle se demanda comment Pascale et Elias faisaient pour monter ainsi pendant des heures.

– J'ai mal aux cuisses, cria-t-elle à Érik.

Le jeune homme ralentit l'allure. Les deux juments se mirent au pas.

– Repose-toi un peu, suggéra Érik.

Laurie respirait très fort. Elle déchaussa ses étriers et étira les jambes. La Grande Vadrouille tenta un écart en direction de l'écurie, et Érik la ramena fermement dans sa ligne. Cette maîtrise impressionna Laurie. Elle admirait les bons cavaliers et, sans contredit, Érik en était un. Il montait avec une élégance que Laurie n'avait jamais observée chez quiconque.

– Tu es prête à tenter un départ ? lui lança Érik.

– Non ! répondit Laurie, criant presque. Je ne veux pas aller dans les boîtes !

– Tu as raison, ce serait trop dangereux, dit Érik. Remets tes étriers et suis-moi. Quand tu en seras capable, dépasse-moi.

Laurie, qui venait d'avoir son lot d'émotions fortes, eut à peine le temps de chausser ses étriers. La Grande Vadrouille, mue par l'impulsion vigoureuse de son cavalier, s'était lancée sur la piste au grand galop. Un gémissement échappa à Laurie. Habituée à la compétition, Moushika n'attendit pas son signal; elle partit à la poursuite de la jument rouanne.

La Grande Vadrouille était assez loin devant et Érik la stimulait sans discontinuer. Elle avait connu une belle carrière sur les champs de courses dans sa jeunesse et, à dix ou douze ans, elle possédait encore une pointe de vitesse respectable.

Cramponnée aux rênes et subissant, dans ses jambes qui brûlaient, les chocs foudroyants des foulées de Moushika, Laurie avait envie de hurler sa peur. Moushika dépassa La Grande Vadrouille avec la même aisance que si elle avait doublé un âne. Laurie comprit à quoi Érik faisait allusion lorsqu'il avait parlé d'un baptême de l'air. Elle avait l'impression de voler.

Moushika continua à galoper ainsi, trop longtemps au goût de Laurie. À un moment donné, Érik et La Grande Vadrouille surgirent devant elle, venant à sa rencontre. Moushika ralentit. Étourdie par la crainte et la fatigue, Laurie fut emmenée hors de la piste. Les jumeaux se tenaient le long de la clôture.

– Alors, demanda Sébastien, qu'est-ce qui est le plus difficile ? La médecine ou l'entraînement des chevaux ?

Laurie mit pied à terre. Jamais elle n'avait ressenti autant de douleur dans les quadriceps. François et Sébastien s'approchèrent. Ils tentaient d'en faire un peu leur grande sœur, comme ils l'avaient fait pour Pascale, à son arrivée à Lavergne Farm. Tous deux allaient avoir seize ans bientôt. Depuis six mois, ils s'étaient mis en tête de devenir médecins, ce qui amusait bien leur père.

– La médecine, c'est plus facile, répondit Laurie en s'asseyant dans l'herbe.

Elle serra les dents en pensant à ses notes qui avaient beaucoup baissé dernièrement.

Érik descendit de cheval. Un groom ramena La Grande Vadrouille à l'écurie. Quelqu'un avait préparé un thermos de café. Érik s'en versa une tasse et en offrit une à Laurie.

– Tu vas regarder le Preakness Stakes avec Philip cet après-midi ? demanda François.

– Non, répondit Laurie. Il travaille.

– Mais alors, il faut que tu le voies avec nous, s'exclama Sébastien.

Érik se retourna vers eux. Il avait retiré son casque. Ses cheveux, très foncés, étaient tout bouclés, car l'air était humide. Il portait des *chaps*, ces jambières de cuir que les cavaliers mettent par-dessus leur jean. Laurie se demanda comment il faisait pour conserver son élégance malgré cette tenue.

– Mais oui, Laurie, joins-toi à nous, dit-il. Nous irons voir la course à Keeneland, sur l'écran géant.

Laurie soupira. Elle avait prévu regagner son logement jusqu'au lendemain. Elle imagina Pamela, entourée de ses innombrables amis, en train de fumer devant le petit écran, et tout à coup elle se sentit très triste. Dire qu'on était samedi et qu'elle ne pouvait même pas passer l'après-midi avec Philip ! La médecine, quel esclavage !

– Est-ce que Jules et sa famille iront à Keeneland avec vous ? s'enquit-elle innocemment.

Elle ne remarqua pas le silence embarrassé d'Érik. Lorsqu'il voyait Catherine, il avait l'impression d'avoir gâché sa vie à jamais. Et Delphine qui lui lançait ces regards amoureux, soumis, suppliants ! Mais quelle folie l'avait donc poussé à séduire cette femme, trois ans auparavant ?

Dieu merci, Michael Harrison ne travaillait pas ce matin-là. Son regard lourd, chargé de reproches, était pour Érik une véritable torture. Celui-là savait, car Pascale lui avait tout raconté. Érik se souvenait comment les deux amis l'avaient affronté, voilà plus d'un an. Il se demanda pourquoi Pascale n'avait rien confié à Arnaud. Ce n'était certes pas pour l'épargner, lui, Érik… Il eut peur. Peut-être qu'à la faveur de ce voyage…

Érik secoua la tête ; il ne pouvait rien faire pour se soustraire à cette pénible situation.

– Jules, Delphine et Catherine ? répondit-il avec un naturel admirablement feint. Ils préfèrent rester chez eux. C'est difficile, avec la petite, dans une foule…

Laurie, qui était toujours assise dans l'herbe, leva les yeux vers lui. Elle se demanda, pendant un bref instant, ce que les gens, et Philip en particulier, penseraient de cette sortie avec Érik Lavergne. Puis elle se dit que la présence des jumeaux écarterait tous les doutes qu'on pourrait avoir à son sujet.

Laurie venait de connaître une année universitaire pénible. Soudain, les efforts et le sérieux lui pesaient. Elle avait envie de s'amuser.

– J'irai avec vous, déclara-t-elle en souriant.

* * *

Le lendemain de leur visite à la maison de Constantin Vladek, Pascale et Arnaud quittèrent le chalet de Carleton. Comme promis, ils partagèrent un repas avec les Gallant et Albert Simpson.

Ce personnage haut en couleur laissa Arnaud sans voix.

Albert Simpson était irlandais d'origine et son français, aux oreilles d'Arnaud, était totalement incompréhensible. C'était un homme assez grand, pourvu d'une vaste panse et coiffé d'un chapeau crasseux aux larges bords qui masquaient un peu son regard. Il avait de petits yeux enfoncés et très bleus. Il faisait le commerce des chevaux, et Arnaud se demandait comment diable il arrivait à gagner sa vie dans un pareil coin de pays.

Entre autres activités, Albert Simpson sauvait certains animaux de l'abattoir et, après les avoir rendus présentables, les revendait. Il les accueillait dans son champ, un vaste espace presque aussi à pic qu'une falaise, venteux, rocheux, broussailleux, mais d'où on avait une vue imprenable sur la mer.

C'était un autodidacte, un aventurier d'une singulière débrouillardise et d'une générosité peu commune, compte tenu de ses moyens extrêmement limités. Arnaud était convaincu que cet homme avait profondément influencé Pascale. Auprès de lui, elle avait développé la capacité d'utiliser ses maigres ressources de façon optimale. Nul doute que l'originalité et l'anticonformisme de Simpson avaient déteint sur Pascale.

Si, au cours de sa vie, elle avait été capable de tourner le dos aux conventions qui limitaient bien des gens, elle en était redevable, en grande partie, à l'exemple de ce phénomène.

Comme Simpson et Arnaud étaient incapables de communiquer en français, ils essayèrent l'anglais. Ce ne fut guère mieux. Tous deux avaient des accents et employaient des régionalismes. Pascale, qui s'amusait fort de la situation, joua à l'interprète.

Pendant le souper, composé de poisson frais, de pain maison et de légumes du jardin, les villageois vinrent en reconnaissance. Tout le monde désirait revoir Pascale et rencontrer Arnaud. Plusieurs citaient les exploits d'Ashanti par le menu. Tous furent désolés d'apprendre que Pascale ne regagnerait pas les États-Unis à temps pour le Preakness Stakes. Lorsqu'on lui en demanda la raison, elle répondit qu'elle avait besoin de vacances avec son mari. Les Gaspésiens approuvèrent, et aucun d'eux ne sembla mettre en doute le bien-fondé de cette décision. On fit promettre au couple, qui comptait visiter la région, de revenir à Bonaventure pour regarder le Preakness. Le tenancier d'un hôtel possédait une antenne satellite, et le village se donna rendez-vous pour regarder la course dans son établissement.

Après le repas, Pascale et Arnaud attaquèrent la route. Ils se rendirent à Percé et louèrent une chambre au *Pic de l'Aurore*, un hôtel admirablement bien situé. À leur arrivée, un vent impitoyable soufflait, une pluie glaciale tombait et la mer était déchaînée. Mais la tempête, violente aux yeux d'Arnaud, n'impressionnait pas Pascale. Elle dit seulement regretter que la lune ne luise pas, ce qui aurait permis à Arnaud de voir le rocher Percé. C'était, selon elle, l'un des plus beaux paysages du monde.

Le lendemain, le jour se leva magnifique, et Arnaud constata à quel point l'affirmation de sa femme était fondée. Pascale l'entraîna à la découverte du village. La vie gaspésienne enchantait Arnaud. Il s'habituait progressivement à l'accent de la région. Lui et Pascale mangeaient plus de poisson qu'ils ne l'avaient fait depuis qu'ils se connaissaient. Ils prirent un bateau pour se rendre sur l'île Bonaventure, qu'ils arpentèrent de long en large. Après quelques nuits torrides au *Pic de l'Aurore*, ils poussèrent jusqu'au parc de Forillon, puis poursuivirent leur route le long de la côte.

Le terrain accidenté, les noms des villages et, surtout, la présence continue de la mer charmaient Arnaud. À Sainte-Anne-des-Monts, Pascale et lui pénétrèrent dans le parc de la Gaspésie. Ils s'arrêtèrent, au cœur du parc, à une auberge nommée *Le Gîte du mont Albert*, située face à la montagne du même nom.

Ils y trouvèrent le calme le plus parfait et, aussi, une excellente table. Étonné qu'une auberge aussi isolée puisse offrir un service et des mets d'une telle qualité, Arnaud exprima son admiration au personnel.

Le lendemain, Arnaud et Pascale firent l'ascension du mont Albert. Ils revinrent fourbus, mais heureux.

Quelques jours plus tard, ils étaient de retour à Bonaventure.

Armand Gallant désirait emmener Arnaud et Pascale à la pêche. La veille du Preakness Stakes, le couple coucha dans la chambre où Pascale avait logé pendant cinq ans avant de gagner les États-Unis. Puis ils partirent à l'aurore.

Le bateau d'Armand Gallant était plutôt une vaste barque, peinte en blanc et bleu, longue d'à peu près six mètres. C'était la saison du hareng, et Armand Gallant possédait un permis pour pêcher ce poisson. Assis sur un banc grossièrement taillé, Arnaud se demandait comment être utile. Pascale, debout en équilibre sur la proue de l'embarcation, scrutait l'horizon sous la visière de sa casquette. Arnaud tenta de faire de même ; la luminosité du soleil, qui se reflétait sur la crête des vagues, lui fut insoutenable.

Soudain, sans émettre le moindre son, Pascale pointa le doigt vers l'arrière du bateau. Arnaud regarda dans la direction indiquée. Un jet de vapeur creva la surface de l'eau. Armand Gallant fit tourner son moteur au ralenti pour qu'il fasse moins de bruit. Pascale sauta dans le bateau.

– C'est une baleine, dit-elle tranquillement. Je suis contente que tu puisses en voir une.

Arnaud pâlit. Quoi ! il se trouvait sur la mer, dans une coquille de noix, et voilà qu'un cétacé de quelques tonnes se promenait à dix mètres ?

– C'est pas dangereux *pantoute*, lui assura Armand Gallant.

L'animal ayant respiré, il replongea dans les profondeurs. Son dos fléchit et, avec une gracieuse lenteur, il exhiba son aileron, puis sa queue. Arnaud était fasciné. Armand Gallant se mit à lui parler des mœurs des baleines. Arnaud avait encore de la difficulté à le comprendre à cause de son accent et, comme le bruit du moteur couvrait partiellement sa voix, il ne saisit pas grand-chose à ses explications.

La barque d'Armand Gallant rejoignit l'endroit où étaient tendus les filets. D'autres pêcheurs s'y trouvaient déjà. Au-dessus d'eux, une multitude de goélands tournaient en hurlant, tentant de dérober des harengs qui se débattaient au fond des filets qu'on hissait dans les embarcations. Arnaud observait attentivement Pascale. Il s'était souvent demandé où elle avait acquis sa force, son extraordinaire résistance, son énergie au travail. En la regardant, elle, et les autres pêcheurs gaspésiens, il trouva la réponse.

Elle avait grandi dans une contrée où la vie était un combat constant. En ce moment même, elle bataillait contre les vagues, les mains dans l'eau glacée, la nuque cuisant sous le soleil. Ici, elle avait appris la patience et la persévérance. Elle s'était dépensée sans compter, pour quelques poissons que la mer, les éléments, les baleines, les phoques et même les goélands lui avaient disputés.

C'était ainsi qu'elle avait acquis la maturité qui lui avait permis de quitter son pays à dix-sept ans, avec son cheval. Arnaud savait qu'en raison de son enfance protégée, jamais il n'aurait pu développer la force nécessaire à la réalisation d'un tel exploit. Dut-elle passer le reste de sa vie au Kentucky, Pascale serait toujours, fondamentalement, une Gaspésienne, et Arnaud en fut fier. Elle avait cette persévérance, ce refus de la résignation qui permettaient aux gens de la région d'y vivre heureux malgré leur isolement.

En regardant sa femme chevaucher la marée, Arnaud se rendit compte qu'il l'aimait plus que jamais. Il frémit. Il s'en était fallu de peu pour qu'il la perde. Amèrement, il pensa à Nicole. Il avait été chanceux que Pascale lui pardonne cette escapade. À présent, il comprenait difficilement comment il avait pu agir avec tant de légèreté. Il aimerait toujours Pascale et lui serait fidèle.

Arnaud n'en revenait pas du travail qu'accomplissaient les pêcheurs. Pour sa part, le vent l'étouffait, le sel et la corde rêche des filets lui brûlaient les mains, et il était affligé d'un sérieux mal de mer. Sauf Pascale, les hommes qui l'entouraient étaient tous beaucoup moins costauds que lui, et pourtant ils abattaient une tâche herculéenne.

– Avec ça, cria Armand Gallant en désignant un tas de harengs, je vais faire de la bouette pour la pêche aux homards.

Arnaud lança à Pascale un coup d'œil interrogateur.

– Des appâts, traduisit-elle à mi-voix.

– Regarde la barge, là, dit encore le père Gallant, elle est drôlement bien greyée.

– Équipée, murmura Pascale.

– Il y en a qui peuvent se payer un meilleur rigging que moi, conclut Armand Gallant.

– Matériel de pêche, souffla Pascale.

Arnaud, qui avait l'estomac de plus en plus barbouillé, fut soulagé lorsque l'expédition prit fin.

En fin d'après-midi, Pascale et Arnaud gagnèrent l'hôtel où ils allaient pouvoir regarder le Preakness Stakes.

On les applaudit lorsqu'ils franchirent le seuil. Arnaud avait l'impression que tout le village était là. Lorsque l'émission commença, les vivats fusèrent.

On montra d'abord une reprise du Derby du Kentucky. Pascale regarda sa course avec un détachement tout nouveau pour elle. Elle en tirait, à présent, une saine fierté. Comme ils avaient lutté, Ashanti et elle !

Les commentateurs sportifs soulevaient toutes sortes d'hypothèses au sujet de l'absence de Pascale et d'Arnaud au Preakness Stakes. Ils révélèrent que Patrick May, qui avait piloté Aerobic Nut lors du Derby, monterait Ashanti pour le Preakness.

«Patrick May!» murmura Pascale, que la jalousie taraudait un peu. Elle serra les poings. Bon sang! comme les courses lui manquaient! Elle avait hâte de se retrouver sur la ligne de départ, pour sentir la force d'Ashanti, l'excitation de la foule..., pour être fière d'elle-même et de son champion!

L'animateur annonça une entrevue avec un membre de la famille Lavergne. Peu après, le beau visage de Geneviève apparut à l'écran. Pascale et Arnaud, surpris, éclatèrent de rire. On demanda à Geneviève pourquoi Pascale et Arnaud étaient absents, et elle raconta l'histoire du voyage secret avec une candeur propre à convaincre toute l'Amérique du Nord de la véracité de cette explication. Lorsqu'elle précisa au journaliste que Pascale et Arnaud se trouvaient en Gaspésie, des exclamations enthousiastes secouèrent la salle.

Les caméras se déplacèrent vers le paddock. Soudain, la silhouette vigoureuse d'Ashanti emplit l'écran. Pascale ressentit une émotion qui s'apparentait à un choc. Il était là, son poulain, ce champion qu'Arnaud et elle avaient façonné avec patience, amour et, autant le dire, succès! Pascale se cala contre l'épaule d'Arnaud. Depuis quelques jours, elle lui dispensait quelques gestes tendres en public, ce qu'il appréciait beaucoup.

– Regardez comme il est beau, notre cheval! cria-t-elle à la foule.

Arnaud ne s'était jamais trouvé au milieu d'une assemblée aussi joyeuse. Survoltés, les Gaspésiens en rajoutaient, renchérissaient sur les compliments au sujet d'Ashanti; à voir leur enthousiasme, on aurait pu croire que l'étalon alezan était né ici, à Bonaventure. Arnaud s'imagina l'ambiance qui devait régner, l'été, au petit hippodrome, et il eut envie d'y venir un jour.

Caressant d'une main l'épaule d'Arnaud, Pascale, les yeux rivés sur l'écran, jouissait de la fierté que lui procurait Ashanti. Il allait écraser ses rivaux. Elle en était certaine.

Les chevaux gagnaient les boîtes de départ. À la grande satisfaction de Pascale, Patrick May n'avait pas de cravache. Il n'en eut pas besoin. Ashanti suivit le peloton jusqu'au dernier tournant, puis il explosa.

Dans l'hôtel, ce fut le délire. Déchaînée, Pascale sautait et criait, laissant éclater sa joie. Ashanti remonta le peloton à une vitesse folle. Dans le dernier droit, il prit une dizaine de longueurs d'avance et croisa le fil d'arrivée seul, incontestablement le vainqueur.

Pascale se jeta dans les bras d'Arnaud. Les Gaspésiens s'approchaient d'eux pour les féliciter, mais reprirent leur siège, car Xavier allait être interviewé.

– Est-ce qu'Ashanti courra le Belmont Stakes ? demanda le commentateur après quelques questions insignifiantes.

Le Belmont Stakes était l'épreuve finale de la Triple Couronne, après le Derby du Kentucky et le Preakness Stakes.

– Sûrement, affirma Xavier.

– Est-ce que votre belle-fille et votre fils y seront ?

– Je l'espère, répondit Xavier. Ce sont mon entraîneur et mon jockey préférés.

La main menue de Pascale serra le bras d'Arnaud. Ils se regardèrent. Oui, ils iraient courir le Belmont Stakes à New York. Ils en avaient tellement envie !

Entourés d'un groupe de Gaspésiens extrêmement sympathiques, Pascale et Arnaud mangèrent à l'hôtel tout en parlant courses. Avec humour, Arnaud encaissa une multitude de blagues au sujet des restaurants de la chaîne Poulet Frit Kentucky. Il était forcément habitué à ce genre de railleries, mais il rit de bon cœur, car l'humour québécois était particulièrement bien épicé.

Plus tard, Pascale et Arnaud regagnèrent la maison des Gallant. Lorsqu'ils furent seuls, Arnaud demanda à Pascale :

– Ça doit tout de même te déranger un peu que Patrick May ait gagné avec Ashanti aujourd'hui alors que, toi, tu as été battue au Derby.

– On ne peut rien te cacher, avoua Pascale avec une moue moqueuse.

Elle fixa le plancher un moment, puis déclara :

– Même si j'avais couru et gagné le Preakness, ça n'aurait pas réglé les problèmes que nous avions comme ce voyage l'a fait. Tes parents et toi, vous avez bien fait de me retirer Ashanti.

Pascale souriait. Elle se mordit la lèvre inférieure, puis dit, d'un ton au travers duquel perçait un brin de crainte :

– J'espère que nous ne nous disputerons plus jamais.

Arnaud s'approcha d'elle. Voilà qu'elle visait encore la perfection. Il le lui fit remarquer, d'un ton badin, et ils firent quelques blagues au sujet des habitudes néfastes dont Pascale tentait de se débarrasser. Ils appliquaient à ce travers la stratégie qu'ils avaient choisi d'adopter, après en avoir discuté longuement.

Bien qu'elle eût trouvé la source de son perfectionnisme, Pascale n'en était pas pour autant guérie, et elle aurait vraisemblablement à combattre cette tendance pendant toute sa vie. Arnaud était persuadé que, si elle ne pouvait se débarrasser des fantômes qui avaient gâché sa jeunesse, Pascale parviendrait néanmoins à contrer leurs effets pervers.

– Je suis sûr, conclut Arnaud doucement, que nous nous disputerons encore, car notre couple, comme tous les autres, est et sera toujours imparfait.

Pascale fit entendre un petit rire; ses yeux, tristes un instant, avaient repris leur expression confiante et amoureuse.

– Alors, enchaîna-t-elle, j'espère que nous ne nous disputerons jamais aussi fort que nous l'avons fait depuis six mois.

– Ça, approuva Arnaud, c'est un souhait plus réaliste.

– Arnaud, retournons à la maison, demanda Pascale.

Ses yeux se mouillèrent, et elle ne chercha pas à le dissimuler.

– J'ai envie de voir Lavergne Farm avant d'aller à New York, expliqua-t-elle. J'aimerais qu'on se promène sur les sentiers, toi avec Aladin, moi avec Vol-au-Vent.

– Tu t'ennuies de ton poney, n'est-ce pas? s'enquit Arnaud.

– Oh oui ! admit Pascale. Je ne pourrais pas t'expliquer ce qu'il a de particulier, mais, lorsque je suis à ses côtés, je me sens plus forte.

– Je sais ce qu'il a de spécial, moi, répondit Arnaud. Il est Gaspésien. Il vient de Bonaventure. Vol-au-Vent, c'est ton petit morceau de vent, de mer, de courage… Ton coin de Gaspésie au Kentucky.

Pascale renifla.

– Tu te souviens de ce que tu m'as dit, il y a deux ans, quand tu es venu me chercher chez Fred Curtis après ma fuite de Lavergne Farm ? enchaîna-t-elle.

– Je t'y ramènerai, cita Arnaud, et t'y garderai.

* * *

Après qu'il eut remporté le Preakness Stakes, on ne ramena pas Ashanti à Lavergne Farm. Il fut envoyé directement à Belmont Park, près de New York.

Elias et Martha voyagèrent avec lui. Quant à Xavier et Gabrielle, ils regagnèrent la ferme et Érik retourna chez lui.

Ce matin-là, Catherine babillait dans la cuisine des Lavergne. Elle avait plus de deux ans et tenait d'assez longs discours. Xavier et Gabrielle étaient heureux de l'avoir avec eux, mais ils étaient un peu ennuyés aussi.

Delphine était malade. Elle avait abandonné son emploi de caissière dans une banque et passait ses journées au lit. Lorsqu'on lui demandait ce dont elle souffrait, elle restait avare de commentaires. « C'est de la paresse aiguë », avait glissé Xavier à l'oreille de Gabrielle. « Elle est peut-être très fatiguée », avait-elle répliqué, plus charitable.

Tous deux soupçonnaient leur belle-fille d'avoir inventé un prétexte pour leur confier la charge de son enfant.

Soudain, Catherine se précipita sur le bol de Rocky, s'accroupit et s'apprêtait à y plonger la tête lorsque Xavier l'attrapa et la semonça gaiement.

Rocky n'avait porté que peu d'attention à l'incident. En fait, il ne s'intéressait à quasiment rien, sinon à la nouvelle acquisition des Lavergne, une chienne boxer de six mois pourvue d'un corps admirable et dont il était complètement fou. Xavier et Gabrielle avaient acheté la chienne lors de leur séjour à Baltimore, dans l'espoir qu'elle tirerait Rocky de la tristesse dans laquelle l'accident de Diamond l'avait plongé. Leur démarche avait été couronnée de succès.

La nouvelle venue avait été baptisée Maya et Rocky affichait à son égard une attitude protectrice qui amusait bien les observateurs. Il avait repris ses patrouilles, entraînant sa compagne à la découverte de Lavergne Farm. Maya, qui était haute sur pattes, avait un pelage fauve et son joli museau s'ornait d'une tache blanche asymétrique. Xavier et Gabrielle s'étaient mis en tête d'accoupler les deux animaux lorsque Maya atteindrait l'âge de deux ans.

En ce moment, les Lavergne n'avaient pas l'esprit à l'élevage de chiens ; ils ne savaient plus trop quoi faire, car ils devaient aller à New York où Ashanti courrait le Belmont Stakes. Or, à cause de la supposée maladie de Delphine, Catherine passait ses journées et plusieurs de ses nuits chez eux. Delphine prétendait qu'elle et Jules ne pouvaient s'offrir une gouvernante ou le jardin d'enfants. Les Lavergne avaient donc décidé d'emmener Catherine avec eux à New York. Cela n'allait pas être facile, mais avec l'aide de Pascale et d'Arnaud, qui devaient revenir ce jour-là, et de Martha et d'Elias, qui adoraient jouer aux grands-parents, ils espéraient bien arriver à faire un séjour agréable.

Xavier et Gabrielle parlaient de la situation de Jules et de Delphine, mais à mots couverts, puisque Catherine était là. Ils discutèrent aussi de celle de Pascale et d'Arnaud. Le jeune homme avait téléphoné à ses parents à quelques occasions pendant son voyage en Gaspésie. Il leur avait assuré que Pascale et lui étaient réconciliés et plus heureux que jamais, mais, malgré cela, Xavier et Gabrielle s'inquiétaient. Pascale avait-elle évolué autant qu'Arnaud le prétendait ? À New York, elle prendrait part au Belmont Stakes, troisième joyau de la Triple Couronne américaine. Cette compétition assombrirait-elle son jugement comme l'avait fait le Derby du Kentucky ?

Une voiture remontait l'allée. Xavier tira le rideau; c'était celle qu'avaient utilisée Pascale et Arnaud pour aller à l'aéroport, quelques semaines plus tôt. D'un pas décidé, Xavier se rendit sous le porche de pierre. Gabrielle, portant Catherine, l'y rejoignit, suivie des chiens.

Après être sortis du véhicule, Pascale et Arnaud s'avancèrent, main dans la main. Le regard que Pascale posait sur ses beaux-parents ne contenait ni dissimulation ni équivoque. C'était celui d'une femme amoureuse, et Xavier et Gabrielle poussèrent simultanément un soupir de soulagement.

* * *

Quelques jours plus tard, Pascale et Ashanti prirent part au Belmont Stakes, qu'ils remportèrent de façon décisive.

La presse s'étendrait longuement sur la victoire de Pascale Vladek, l'une des premières femmes jockeys à gagner une épreuve de la Triple Couronne. Mais Arnaud savait qu'elle avait accompli bien davantage que cela.

Sa femme, dans son métier comme dans sa vie personnelle, était enfin épanouie; avec elle, il savoura ce nouveau bonheur, et goûta la fierté d'en avoir été l'un des artisans.

22

ENVELOPPÉE dans un parka couleur sable, Pascale contemplait les routes du Bluegrass. La voiture que conduisait Arnaud se dirigeait vers Lavergne Farm.

Le couple roulait en silence, suivant le van noir et vert qui ramenait Ashanti, Makatoo et Moushika au bercail. Elias et Martha se trouvaient dans ce véhicule. À bord du leur, Pascale et Arnaud échangeaient parfois un regard, ou une caresse. Ils étaient heureux de revenir à la maison.

Plus de six mois s'étaient écoulés depuis que Pascale et Ashanti avaient remporté le Belmont Stakes. Rêveuse, Pascale s'accouda sur la portière pour regarder le paysage d'hiver. Un paysage bien sage, bien paisible comparé à celui qui transformait la Gaspésie à l'approche de Noël.

Pascale resserra sur elle le col de son anorak. Elle aimait ce vêtement. Arnaud et elle l'avaient acheté ensemble, dans une des villes qu'ils avaient traversées. Pascale ne se souvenait même plus laquelle. Les mois qui avaient suivi la victoire d'Ashanti à Belmont Park étaient passés dans un éclair, et Pascale, silencieusement, en remonta le fil.

Arnaud et elle, ainsi qu'Elias et Martha, avaient voyagé d'hippodrome en hippodrome, sillonnant l'Amérique du Nord. Au cours de ce périple, Ashanti avait récolté plus que sa part de victoires. Il courait, gagnait, revenait au box dans une condition impeccable, courait encore, gagnait encore, affichant cette forme brillante qui suscitait la jalousie de ses concurrents.

L'étalon était devenu exclusif : il n'aimait pas être monté par un autre cavalier que Pascale. Celle-ci l'avait chevauché dans toutes ses courses. Occasionnellement, elle avait reçu des offres pour monter d'autres chevaux, mais n'en avait accepté que quelques-unes.

Moushika avait suivi Ashanti sur le circuit des courses de plat. Pascale eut une tendre pensée pour la jument grise. Elle restait toujours aussi régulière; à Lavergne Farm, on l'appréciait énormément.

Des barrières blanches défilaient le long de la route. Pascale colla sa joue contre la vitre de l'automobile et goûta la douceur du froid. Bientôt, elle serait à la maison... Elle n'avait pas revu Lavergne Farm depuis la saison d'automne de Keeneland.

«Bientôt, se disait Pascale, je reverrai Catherine.» Son cœur se serra, de joie et d'inquiétude à la fois, et elle jeta un bref coup d'œil sur le profil d'Arnaud. Au cours des derniers mois, la vie de Pascale s'était déroulée à un rythme trépidant. Cela lui avait permis de ne pas trop penser à l'enfant et à l'unique secret qu'elle persistait à cacher à son mari. Mais, maintenant, il était question d'une quinzaine de vacances à Lavergne Farm!

«Que ferait Arnaud, se demanda Pascale, si je lui révélais qu'Érik est peut-être le père de Catherine?» Elle frémit. Elle imagina les Lavergne se déchirant, Jules anéanti, Érik plein d'insolence, Delphine, dressée sur ses ergots, Arnaud... Arnaud, rempli de cette rage implacable que seul Érik pouvait susciter en lui... Elle secoua la tête.

Le souvenir de Catherine amena, par association d'idées, une autre préoccupation dans l'esprit de Pascale : Makatoo. Celle-ci avait aussi parcouru le circuit de turf en compagnie d'Ashanti et de Moushika. C'était une jolie jument, au caractère jeune et fantasque, qui s'avérait difficile à monter. Pascale ne savait pas trop quoi en penser.

En voyant les maisons où brillaient des lumières de Noël, Pascale se rappela que Xavier et Gabrielle lui avaient promis d'attendre son arrivée avant de décorer le sapin de Noël. Le souvenir de cette attention délicate réchauffa encore son cœur. À plusieurs occasions au cours des mois précédents, ses beaux-parents avaient quitté la ferme pour rejoindre leurs chevaux en tournée. Elias et Martha en profitaient pour regagner Lavergne Farm et prendre un peu de repos dans leur maison. Pascale sourit en pensant au groom. Il montait de moins en moins. Avec l'âge, être cavalier d'exercice devenait pénible pour lui.

Pascale se remémora certaines confidences que lui avait faites Gabrielle au sujet de Jules et de Delphine. Ceux-ci habitaient toujours le même logement à Lexington. Leur situation matrimoniale ne s'améliorait pas. Delphine avait passé quelques mois à la maison, soi-disant malade. Pendant ce temps, Xavier et Gabrielle s'étaient occupés de Catherine. Gabrielle avait expliqué à Pascale le dilemme devant lequel Xavier et elle se trouvaient : d'une part, ils avaient l'impression que Jules et Delphine abusaient de leur générosité; d'autre part, ils n'avaient pas envie de leur remettre la petite parce qu'ils les jugeaient de piètres parents.

«Si elle savait!» s'était dit Pascale en entendant ce qualificatif, qui l'avait fortement troublée. Gabrielle avait même ajouté qu'elle croyait Delphine et Jules moins aptes à élever un enfant qu'Arnaud et elle le seraient. Cette affirmation avait pratiquement renversé Pascale. Bien qu'elle eût vaincu certaines de ses tendances au négativisme, elle restait assez peu sûre d'elle-même, surtout sur le plan des relations humaines et sociales. Qu'une femme aussi perspicace que Gabrielle puisse croire qu'elle ferait une bonne mère la flattait et l'effrayait à la fois.

Xavier et Gabrielle s'étaient concertés et avaient décidé qu'il fallait rendre Jules et Delphine responsables de leur fille. Ils leur avaient donc annoncé qu'ils ne pouvaient plus se charger d'elle. Dans un revirement de situation un peu suspect, Delphine avait trouvé un emploi accaparant, dans un lieu éloigné de son domicile. Désespérés, les Lavergne avaient déniché un jardin d'enfants à Lexington, et y avaient inscrit Catherine.

Pascale réalisait que cette situation préoccupait beaucoup ses beaux-parents. Ceux-ci se demandaient pourquoi ni Jules ni Delphine ne prenait l'initiative de mettre un terme à leur mariage, ce qui aurait été plus sain que de poursuivre une vie de couple aussi irrémédiablement gâchée que ne l'était la leur.

Par ailleurs, les Lavergne redoutaient que Delphine reparte en Belgique avec leur petite-fille. Étant donné le jeune âge de cette dernière, un tribunal la confierait vraisemblablement à sa mère. Pascale redoutait cette éventualité autant que ses beaux-parents; en fait, elle en rêvait parfois, et ses cauchemars lui étaient d'autant plus douloureux qu'elle ne pouvait en parler à Arnaud. Elle espérait bien que si Delphine quittait le continent, elle laisserait Catherine derrière, mais cela n'était pas certain.

Pascale ressentait beaucoup de compassion envers ses beaux-parents. Chaque fois qu'ils discutaient des ennuis de Jules, elle serrait les dents et maudissait Érik en silence, tant pour le tort qu'il avait fait à Jules que pour le tourment qu'il lui causait à elle. Pascale savait que Xavier et Gabrielle hésitaient à s'éloigner de la ferme à cause de la situation précaire de Jules et des siens. Elle regrettait que ses beaux-parents ne puissent profiter des succès de leurs pur-sang autant qu'ils le méritaient.

Elle s'efforçait, sans trop savoir comment s'y prendre, de soutenir les Lavergne. Et, sans le réaliser vraiment, elle y arrivait. Xavier et Gabrielle aimaient se retrouver en compagnie de Pascale et d'Arnaud. Pascale aurait sans doute été gênée d'apprendre que le couple qu'elle formait avec ce dernier dégageait une sensualité presque palpable, ce qui était fort rafraîchissant comparé avec ce qu'on décelait chez Jules et Delphine.

Sous bien des aspects, Pascale n'avait pas changé. Elle se montrait toujours réservée envers la presse et timide en public. Son émouvante gaucherie ne l'avait pas quittée. Elle faisait toujours preuve de courage, d'entêtement féroce, et elle conservait la discipline de fer qui lui permettait de réussir là où d'autres jockeys échouaient. Mais elle était maintenant à l'affût des réflexes destructeurs qui avaient manqué causé sa perte. Elle savait, désormais, comment s'y prendre pour être heureuse.

Pascale bougea sur son siège. Lavergne Farm n'était plus loin. Son visage prit une expression un peu tendue; elle tentait de maîtriser sa joie, qui risquait de déborder en larmes de bonheur. Elle posa sa main menue sur la cuisse robuste d'Arnaud. Tous deux connaissaient, avec Ashanti surtout, un succès qui dépassait leurs espérances, et dont ils jouissaient pleinement. Ils avaient convenu, au cours d'une discussion sérieuse, de ne jamais s'en vanter. Ainsi, lorsqu'un journaliste les inondait de compliments au cours d'une entrevue, ils répliquaient invariablement qu'ils avaient été tout simplement chanceux de tomber sur un cheval aussi talentueux qu'Ashanti.

Le van franchit les grilles de Lavergne Farm, dépassa la maison familiale et se dirigea vers les écuries. Pascale baissa la glace de la portière et sortit sa tête échevelée à l'extérieur. Des grooms lui criaient des salutations. Les véhicules s'arrêtèrent. Rocky et Maya, surgis à la course, se disputaient le privilège d'accueillir les arrivants.

«Enfin ! Enfin!» se répétait Pascale tout en riant sans raison. Elle sortit de l'automobile et s'accroupit pour saluer les chiens. Ceux-ci lui manifestèrent si fort leur joie qu'elle tomba assise sur la mince couche de neige qui recouvrait le sol. Des gens arrivaient de partout. Arnaud attrapa Rocky, puis Maya, et souleva les deux boxers sous ses bras tandis que Pascale, prise d'une fébrilité joyeuse à laquelle elle ne résistait plus, se remettait sur ses pieds.

«Mike! Oh! Mike!» s'écria-t-elle en voyant son ami. Pour la première fois depuis qu'il travaillait à Lavergne Farm, Michael allait y passer le congé de Noël. Ses parents viendraient le visiter. Pascale avait hâte de les revoir et de leur témoigner sa gratitude, car ils l'avaient accueillie dans leur demeure peu de temps après son arrivée aux États-Unis.

Pascale était si heureuse qu'elle esquissa un trépignement qui se changea aussitôt en cette attitude malhabile qu'elle affichait quand sa réserve mettait un frein à son enthousiasme. Philip et Laurie arrivèrent à leur tour. Pascale avait discuté avec Laurie à quelques occasions au cours des derniers mois. Elle savait que la vie de couple de ses amis n'était pas toujours harmonieuse. En ce moment, cependant, ils paraissaient détendus et amoureux.

Pascale redressa la tête et regarda les gens qui l'entouraient. Philip et Laurie l'embrassèrent, de même que Xavier et Gabrielle, qui étaient arrivés sur ces entrefaites. Moushika et Makatoo avaient été sorties du van par des grooms souriants. L'un d'eux, Greg, un garçon spontané et charmant, déclara qu'il revenait à Pascale d'aller quérir Ashanti.

Celle-ci fut aussitôt d'accord. Éclatante de fierté, elle rejeta les épaules en arrière pour traverser l'attroupement et gagner la remorque. Lorsqu'elle en ressortit, tenant le licou de cuir d'Ashanti, des exclamations fusèrent.

Le pur-sang portait sa couverture noir et vert et, visiblement, il était heureux de sortir du van. Sa tête splendide se levait et s'abaissait, et son sabot impatient frappa le sol à répétition, mais il ne fit rien pour se libérer de Pascale.

Il avait perdu son air juvénile. Son poitrail avait élargi, ses épaules et sa croupe s'étaient musclées, et il était si impressionnant que certains eurent un instinctif mouvement de recul en le voyant. Pascale avait souvent constaté qu'Ashanti intimidait non seulement les chevaux, mais aussi les gens. Ainsi, ceux qui ne le connaissaient pas restaient prudemment à distance, car il dégageait une impression de domination et de puissance qui faisait peur.

Greg attrapa le licou d'Ashanti et l'emmena vers l'écurie, tandis que Pascale revenait vers ses amis.

– On a organisé une petite randonnée équestre, annonça Laurie. Toi, moi, Arnaud, Phil et Mike. J'ai sellé Vol-au-Vent. Il t'attend.

« Mon petit morceau de Gaspésie ! » se dit Pascale.

* * *

La journée suivant celle de l'arrivée de Pascale à Lavergne Farm se leva fraîche et ensoleillée.

C'était le 24 décembre, veille de Noël, jour de quasi-congé pour tous, chevaux inclus. Arnaud avait convenu de partager le repas de midi avec d'anciens amis que Pascale ne connaissait pas. Celle-ci resta donc à la ferme, en compagnie de Geneviève venue y passer la journée.

Comme Pascale s'y attendait, Geneviève avait beaucoup de choses à lui raconter au sujet de ses études en physiothérapie, mais encore plus sur sa vie en commun avec Bruce. Lorsqu'elle parlait de lui, ses yeux brillaient, ses joues se coloraient, bref, la joie l'illuminait.

Les deux filles s'emmitouflèrent et partirent à pied sur les sentiers. Rocky et Maya les suivirent au trot.

– M'endormir près de lui... Me réveiller près de lui... Faire l'amour avec lui ! récita Geneviève, les bras levés au ciel.

Pascale s'amusa de cette démonstration.

– J'adore Arnaud, dit-elle, mais, même si j'essayais, je n'arriverais pas à me pâmer comme tu le fais.

– Moi ? Je me pâme ? protesta Geneviève.

Puis, elle éclata de rire. Après tout, dit-elle pour plaisanter, aucune loi n'interdisait la pâmoison. Avec enthousiasme, elle décrivit sa vie avec Bruce, fournissant à son interlocutrice des détails qui gênaient un peu cette dernière. Lorsqu'elle séjournait en hippodrome, Pascale entendait souvent des filles se confier des secrets que sa nature réservée estimait très intimes. Lorsque ces filles laissaient sous-entendre qu'elles l'enviaient de partager le lit d'un mâle aussi attirant qu'Arnaud, Pascale devenait laconique et s'éloignait. Sa relation avec Arnaud avait pour elle un caractère privé, exclusif, voire sacré. Jamais elle n'en parlait à la légère.

Elle réfléchissait à cela lorsqu'une phrase de Geneviève la fit sursauter.

– Tu sais, murmurait la jeune Lavergne, j'ai parlé à Bruce de mariage.

Pascale tenta de cacher sa surprise. Elle était bien mal placée pour accuser Geneviève d'imprudence, ayant elle-même convolé à dix-neuf ans.

– Qu'est-ce qu'il a dit ? s'enquit-elle d'un ton qu'elle voulait neutre.

– Oh ! fit Geneviève, rieuse, pas oui, mais surtout pas non. Il aimerait que je termine mes études avant, alors ça signifie… que nous pourrions nous fiancer au cours des douze prochains mois.

– Bruce est d'accord avec ça ? souffla Pascale.

– Il le sera, pouffa Geneviève, convaincue à l'avance de son succès. Je le laisse apprivoiser l'idée, petit à petit… Il dira oui, tu verras.

Pascale n'en sut pas davantage, car Michael faisait aux promeneuses de grands gestes de la main. Les deux compagnes se dirigèrent vers leur ami, que ses parents accompagnaient.

Pascale avait retrouvé les Harrison avec joie, quelques heures plus tôt. M. Harrison était un homme grand et mince qui portait une moustache gris fer. Si le physique de Michael rappelait celui de son père, son visage ressemblait à celui de sa mère. Pascale établit ce que Michael et cette dernière avaient de particulier. Mme Harrison était, par ses ascendants maternels, à moitié ghanéenne. Ses traits et son attitude s'apparentaient à ceux des Africains. Elle dégageait un bonheur de vivre sans éclat, et paraissait résolue à ne pas se laisser bousculer par les circonstances. Michael avait hérité de ces caractéristiques.

– J'emmenais papa et maman voir mon cheval, expliqua Michael.

Il présenta Geneviève à ses parents, car ceux-ci ne s'étaient pas encore rencontrés.

Toujours flanquées de Rocky et de Maya, Pascale et Geneviève emboîtèrent le pas au trio. Rapidement, Geneviève entama une conversation animée avec la mère de Michael. Le groupe arriva à l'enclos que GI Joe partageait avec d'autres chevaux, dont Vol-au-Vent. Geneviève et Mme Harrison marchaient bras dessus, bras dessous, et jacassaient comme de vieilles copines.

Michael franchit la barrière pour aller quérir GI Joe, qui se trouvait au fond du pré. Pascale et Geneviève écoutèrent les Harrison parler de leur fils. Ils éclataient de fierté devant ses réalisations. À vrai dire, Michael obtenait, dans ses études, des résultats assez modestes, mais tout le monde était convaincu qu'il excellerait comme praticien.

– Il réussira bien, j'en suis sûre, affirma Mme Harrison. J'aimerais qu'il se trouve une petite amie…

Elle éclata de rire. Son visage resplendissait d'une singulière jeunesse. C'était une belle femme.

– Ça nous rajeunit, Edwin et moi, déclara-t-elle en tirant la manche de son époux, de penser que nous pourrions devenir des grands-parents.

Geneviève cacha son visage rougissant derrière son foulard. Elle se souvenait de sa relation avec Michael et se demandait s'il avait parlé d'elle à sa mère. Celle-ci, de toute évidence, l'avait adoptée.

Lorsque Michael revint avec GI Joe, Pascale trouva le cheval tellement changé qu'elle en resta bouche bée. L'amélioration de l'état du hongre bai était spectaculaire. Pascale se souvenait à quel point la dégradation de ce pur-sang lui avait brisé le cœur. Elle avait maintenant l'impression d'avoir sous les yeux un autre cheval. Considérablement alourdi, GI Joe restait placidement auprès de Michael. Son pelage avait allongé et ses longs fanons lui donnaient l'air d'un cheval en vacances.

– Il est prêt à être monté de nouveau, déclara Michael. À des fins récréatives, il sera parfait.

Pascale imagina cet ex-champion tourner au pas dans un manège, et elle félicita chaudement son ami. Jusqu'alors, elle était restée sceptique face aux efforts de Michael ; à vrai dire, jamais elle n'aurait cru qu'un cavalier grimperait de nouveau sur GI Joe. Les prouesses de son ami l'impressionnaient fortement.

– Je t'aiderai à le réhabituer à la selle, si tu veux, offrit-elle.

Michael acquiesça avec gratitude.

Vol-au-Vent avait remarqué la présence de sa propriétaire. Il s'avança vers la clôture et montra les dents à GI Joe, qui s'éloigna en faisant de même. Puis, le poney bai tendit sa tête curieuse vers le groupe d'humains.

Tous rirent. Avec le temps froid, Vol-au-Vent avait développé un pelage hirsute. Sa panse était arrondie et il avait l'air d'un ourson insolent.

Pascale s'en approcha et, pendant quelques secondes, le petit cheval frotta sa tête contre l'épaule de la jeune fille, puis fouilla ses poches en quête de friandises. Comme il ne trouvait rien, il s'éloigna en s'ébrouant et alla disputer à un autre cheval une plaque d'herbe jaunie.

Pascale, Geneviève et les Harrison quittèrent les lieux afin de se rendre auprès de Diamond, l'autre patient de Michael.

Le roquet jaune reposait presque en permanence dans son panier, qu'on emportait à l'écurie. Avec humour, Michael relata les péripéties qu'avaient vécues le petit chien. Après son éprouvante chirurgie, les employés de la ferme avaient pris Diamond en pitié; en conséquence, on l'avait outrageusement gâté, si bien qu'il était devenu infernal.

Depuis son accident, Diamond ne parcourait plus la ferme, mais il n'était pas plus malheureux qu'avant. Il trônait sur son coussin, ne se levant que pour ses nécessités. Lorsqu'il désirait de l'attention, il glapissait et, aussitôt, un humain compatissant venait le caresser ou lui offrir un biscuit écrasé. Ce régime avait transformé son corps en un saucisson compact que ses courtes pattes ne portaient plus très efficacement. Au bout d'un certain temps, on avait voulu lui faire passer l'habitude de régenter ainsi tout son monde. Diamond avait vivement réagi à cette nouvelle indifférence. Il s'était mis à gémir de façon si lamentable que les employés de Lavergne Farm finirent par céder, moins pour lui plaire que pour le faire taire.

Laissant Geneviève et les Harrison à leur visite des écuries, Pascale regagna la maison, car elle savait qu'Arnaud devait arriver sous peu. Elle n'eut pas à l'attendre. Son automobile était en vue. Pascale resta dans le stationnement pour accueillir son mari.

Lorsque Arnaud descendit de voiture, un large sourire illuminait son visage un peu rougi par le froid. Il étreignit Pascale et l'embrassa goulûment.

– Dans cinq jours, murmura-t-il à l'oreille de Pascale, il faudra qu'on se mette beaux, tous les deux, et j'aimerais que tu portes ta robe bleue.

Pascale fut un peu surprise de cette requête. Elle n'avait pas remis ce vêtement – le plus chic qu'elle possédât – depuis le jour de ses noces.

– Pourquoi ? demanda-t-elle.

– Parce que nous sommes invités à la réception qui suivra le mariage de Fred Curtis.

* * *

Vêtue de sa robe bleue, Pascale se fraya un chemin au milieu de la foule qui était entrée dans la salle de réception. Elle alla serrer la main de Fred Curtis, tout raide dans son costume de cérémonie foncé, puis embrassa gauchement Cindy. La jeune épousée était très jolie dans sa robe de mariée à traîne. Pascale trouvait le vêtement tellement élaboré qu'elle se demandait comment Cindy arrivait à le porter.

Toute la famille Lavergne était là, y compris Érik qui avait demandé à Pamela de l'accompagner. Un serveur passa près de Pascale avec un plateau de hors-d'œuvre. Même si elle aimait manger, elle refusa de se laisser tenter. Sa profession exigeait un contrôle constant de son poids. Parfois, elle en avait marre de comptabiliser tout ce qu'elle avalait.

Elle se dressa sur la pointe des pieds et chercha Arnaud dans la foule. Pamela, qui se trouvait près d'elle, l'aborda alors qu'Érik, qui ne savait trop où se mettre, regardait par-dessus leurs têtes.

– Pascale, ça fait longtemps que je désirais te connaître, déclara Pamela avec sincérité. C'est vraiment extraordinaire ce que tu fais ! Je m'intéresse beaucoup aux femmes qui exercent un métier non traditionnel.

Pamela était lancée. Pascale s'assit à une table et son interlocutrice fit de même. À vrai dire, Pascale n'aimait pas le genre de Pamela, et son habitude de fumer la hérissait. Mais l'amie d'Érik lui fut néanmoins sympathique. Pamela était dynamique et débrouillarde. Elle s'exprimait avec assurance et Pascale était certaine qu'elle connaissait du succès sur le plan professionnel. Elle s'intéressait au droit des affaires, et Pascale estimait que ce choix correspondait à sa personnalité plutôt extravertie. Elle en conclut qu'Érik aurait pu tomber plus mal.

Érik avait préféré disparaître dans la foule. Pascale était curieuse de savoir si Pamela et lui avaient une liaison. Assez habilement, elle amena la conversation sur son beau-frère. Pamela se confia aisément. Érik et elle ne se fréquentaient qu'en amis, à son grand désespoir. Érik connaissait un bon début de carrière. Pamela ne savait que faire pour que leur relation devienne plus intime.

– Érik a dû avoir une grosse peine d'amour, conclut-elle d'un ton un peu découragé, et maintenant il hésite à s'engager.

Pascale se mordit la lèvre. Elle aurait pu, en quelques phrases, mettre fin à la naïveté de Pamela. Elle s'imagina déclarant : «Ce n'est pas ça. C'est un ex-drogué. Il m'a battue un bon matin, dans l'espoir de me voler mon argent. De plus, il a été l'amant de Delphine, et il est probablement le père de Catherine. Ne crois rien de ce qu'il raconte. Il est en train de t'utiliser, et je me demande bien à quelle fin.» Mais elle se tut. Un tel discours n'aiderait pas Pamela, ni qui que ce soit d'autre.

Les deux filles changèrent de sujet de conversation, car Bruce et Geneviève se joignaient à eux.

Au bout de quelques minutes, Bruce et Pamela se mirent à blaguer, à parler clients et affaires, et Pascale leur trouva une certaine ressemblance. Mais elle appréciait Bruce plus que Pamela.

Pascale entendit soudain les rires de François et Sébastien, ses jeunes beaux-frères, qui prirent place à côté d'elle. Comme ils étaient grands pour leurs seize ans! En réponse à une question un peu indiscrète de leur interlocutrice, ils confirmèrent son impression : ils auraient pu, tous deux, porter la barbe.

Pascale contempla avec tendresse ces deux gaillards qui, de bien des façons, lui rappelaient son Arnaud. Ils étaient aussi incapables que lui de supporter un col et une cravate. Mais ils n'étaient pas tout à fait aussi insouciants qu'un observateur aurait pu le croire.

À l'étonnement général, et à la stupéfaction de leur père, François et Sébastien persistaient à dire qu'ils désiraient devenir médecins. Ils s'étaient lancés dans une course aux bonnes notes qui produisait des résultats impressionnants. Les jumeaux avaient une curieuse façon de se stimuler mutuellement en rivalisant, sans agressivité, l'un contre l'autre. Parfois, ils choisissaient de se faire concurrence sur des terrains fertiles en désastres potentiels, mais cette fois-ci leur objectif était tout à fait noble. Pascale les écouta discourir au sujet de leur projet.

Sébastien était très influencé par Philip, pour lequel il avait beaucoup d'estime. Pascale partageait ce sentiment. Elle savait que Philip était hautement respecté par ses collègues, et aussi par les patients. Il était habile, possédait un jugement très sûr et, surtout, des nerfs d'acier. Sébastien désirait, lui aussi, devenir chirurgien orthopédiste.

– Orthopédiste ? demanda Pascale. Ça te tente vraiment de travailler aussi fort que Phil ? Laurie étudie à la même faculté que lui et elle arrive à peine à le voir deux heures par semaine.

François, qui avait un caractère plus bohème que son jumeau, haussa les épaules.

– L'orthopédie, c'est trop aride pour moi, déclara-t-il. Je me spécialiserai en physiatrie.

– Je ne crois pas que ce soit beaucoup plus facile, fit Pascale.

Au même moment, Arnaud, un verre à la main, s'approcha de la table. Comme Pascale avait soif, elle et Arnaud se dirigèrent vers le bar. Pendant que Pascale commandait une eau Perrier, Don Morden vint les saluer.

L'entraîneur avait croisé le couple quelques fois au cours des mois précédents. Pour une raison qu'il ne s'expliquait pas, il trouvait Pascale plus sympathique, ou plutôt moins antipathique qu'avant. Il apprit à ses interlocuteurs qu'Aerobic Nut venait d'être retiré des champs de courses à la suite d'une mauvaise blessure. Pascale exprima son regret. Elle était sincère; jamais elle ne se réjouissait qu'un cheval s'estropiât, fût-ce un opposant féroce. Aerobic Nut se remettrait, mais ne courrait plus jamais. Fred Curtis avait l'intention de l'utiliser comme reproducteur.

– Savez-vous où est rendu Iron Willy ? demanda Morden à Pascale.

– Au Japon. Je l'ai appris de Francisco Cortez.

Elle expliqua alors que la carrière du poulain gris n'avait connu que des ratés après sa victoire au Derby du Kentucky. Francisco Cortez n'avait guère été plus chanceux. Il s'était blessé à l'entraînement, et obtenait peu de contrats de monte.

– Dommage, fit Morden. Le succès de ce cheval et de son jockey a été bien éphémère.

– Ce qui est triste, ajouta Pascale, c'est que malgré leur victoire au Derby, ils n'ont jamais eu de crédibilité.

– C'est exact, approuva Morden, surpris d'être d'accord avec Pascale. Les journalistes n'ont pas chanté les louanges du gagnant, se contentant plutôt d'émettre des hypothèses expliquant pourquoi Ashanti et Aerobic Nut avaient été battus. Iron Willy ne souffre pas de cela, bien sûr, mais, pour Cortez, la situation est bien ingrate. Vous et lui, vous faites un dur métier.

Pascale eut un rire bref et regarda les bulles qui remontaient à la surface de son verre. Un serveur vint proposer des hors-d'œuvre, mais, encore une fois, elle refusa. Arnaud et Don Morden, eux, pouvaient se permettre de boire de l'alcool et de manger.

– Oui, approuva Arnaud, un dur métier.

23

Trois mois s'étaient écoulés depuis les vacances de Noël à Lavergne Farm. Pascale, Arnaud, Elias et Martha se trouvaient à l'hippodrome de Detroit, au Michigan. C'était la fin de l'entraînement, et Moushika boitait.

La jument grise fut examinée par le vétérinaire ce matin-là, puis de nouveau quelques jours plus tard, après que l'enflure de son membre se fut un peu résorbée. La blessure n'était pas grave, mais elle nécessitait du repos. Xavier envoya un van chercher sa jument, et la fit ramener à Lavergne Farm.

Cet incident affecta l'humeur de l'équipe. Depuis le début de sa carrière, Moushika avait couru dans l'ombre de GI Joe, puis dans celle de Barachois, d'Ashanti et de Makatoo. Elle n'avait jamais été admissible à de très grandes épreuves, mais elle tout le monde l'aimait.

Moushika partie, Pascale disposait de plus de temps pour monter Makatoo. La presse parlait beaucoup de cette jeune jument. Selon les règlements du monde du turf, tous les pur-sang, quelle que soit leur date de naissance, changeaient de groupe d'âge le 1er janvier de chaque année. Ashanti, par exemple, compétitionnait maintenant dans les épreuves réservées aux chevaux de quatre ans, bien qu'au nouvel an il ne fût âgé que d'une quarantaine de mois. Ainsi que Pascale l'avait prévu, il mesurait à présent plus de dix-sept paumes. Makatoo, elle, était réputée avoir trois ans.

La jument était dynamique et rapide, et, à quelques occasions, elle avait battu des mâles de son âge. Les journalistes sportifs continuaient de s'intéresser à la famille Lavergne. Ils ne cessaient de répéter que Makatoo avait été baptisée en l'honneur de la petite Catherine, et de suggérer qu'elle devrait être inscrite au Derby du Kentucky.

«Le Derby!» se disait Pascale alors que, bataillant contre Makatoo, elle entendait fuser les commentaires des journalistes qui couvraient les entraînements. La pouliche avait une encolure de fer et une caboche de bois. Pascale savait qu'on pouvait perdre sa réputation seulement parce qu'on avait inscrit au Derby un cheval qui n'était pas à la hauteur de ses concurrents. Elle ne pouvait pas repenser à cette grande épreuve sans que son cœur lui fasse mal, moins à cause du résultat de la course qu'à cause de ce qui avait suivi. Le stress aveuglant lié au Derby avait manqué lui faire perdre Arnaud...

«S'il avait fallu!» se répétait Pascale chaque fois que cette perspective lui revenait à l'esprit. Parfois, elle se souvenait de Nicole, et la morsure de la jalousie, de la douleur, lui faisait monter les larmes aux yeux. Alors, elle regardait vers Arnaud, s'approchait de lui ou le faisait sourire, et elle savait qu'elle avait eu raison de lui pardonner.

Au début d'avril, l'équipe de Lavergne Farm revint au Kentucky pour la saison printanière de Keeneland. Ashanti y attira une foule record. Puis, le champion et Makatoo, de même que leurs compagnons humains, profitèrent de quelques jours de repos à la ferme.

Peu de temps après leur retour à la maison, Pascale et Arnaud, accompagnés de Xavier et de Gabrielle, décidèrent de rendre visite à Moushika. Rocky et Maya leur emboîtèrent joyeusement le pas.

La jument grise avait été mise au vert et, manifestement, elle se portait bien.

– Rien ne l'empêcherait de courir à Churchill Downs, constata Xavier.

– Vous avez raison, docteur, mais... Ça fait trois ans que Moushika court, dit Pascale. On l'a trimballée d'un endroit à l'autre pendant tout ce temps-là. J'imagine qu'elle fera une excellente reproductrice, mais, si on la renvoie faire le circuit, elle n'aura pas l'occasion de vivre sa vie de jument avant qu'elle devienne enceinte de son premier poulain.

– Tu veux la retirer de la compétition, n'est-ce pas ? dit Gabrielle.

– Vivre sa vie de jument..., répéta Xavier. Et toi, Pascale, que feras-tu quand tu voudras vivre ta vie de femme ?

Embarrassée, Pascale ne répondit pas, se contentant de rire de cette répartie avec ses interlocuteurs. Au sujet de Moushika, tous semblaient d'accord avec elle.

Nosie, enceinte d'un étalon de l'extérieur, se trouvait dans le même enclos que la jument grise. Il était plus que temps de baptiser sa pouliche baie, née un an auparavant, le jour du Bluegrass Stakes. Pascale, Arnaud, Xavier et Gabrielle voulaient lui donner un nom qui ferait référence à son demi-frère, le célèbre Ashanti of Africa. Ils allèrent donc trouver Michael qui, revenu de la faculté de médecine vétérinaire, faisait son travail à l'écurie. Après avoir salué tout le monde et caressé les chiens, Michael suggéra des noms de villes ghanéennes : Nsawam, Kumasi, Accra, Winneba, Koforidua...

– Tu n'as pas un nom de tribu ? demanda Arnaud.

– Éwé... Fanti...

– Fanti, décida Arnaud. Ce sera Fanti of Ghana.

* * *

Penchée sur l'encolure de Makatoo, Pascale abordait le dernier tournant de la piste de Lavergne Farm.

La pouliche se détacha de son partenaire d'entraînement, un cheval de deux ans qui n'appartenait pas à Xavier. L'animal était monté par Elias, et Pascale l'entendit crier : « Garde ta ligne ! Elle dévie, la garce ! »

Le groom avait un bon œil ; Makatoo entamait une manœuvre qui l'entraînerait vers l'extérieur dans le tournant. Pascale resserra sa rêne intérieure et planta le talon de sa jambe extérieure dans le flanc de la jument. Celle-ci résista, courbant l'encolure pour échapper à la tension des rênes. Pascale la corrigea d'un coup de talon puis, dans un fracas de sabots, Makatoo dépassa le poteau d'arrivée.

Xavier bloqua le chronomètre et le montra à Arnaud.

– C'est bon, commenta le jeune homme, mais elle a perdu du terrain dans le tournant.

– En effet, répondit Xavier en abaissant ses jumelles.

Après avoir ralenti la cadence de Makatoo, Pascale s'approcha de son mari et de son beau-père, suivie d'Elias. Toute raide sur ses jambes musclées, Makatoo piaffait et encensait, tentant de se défaire de l'emprise du mors. Exaspérée par sa résistance continue, Pascale mit pied à terre. Rocky et Maya lui firent la fête, puis reprirent leurs jeux.

– Cette jument a besoin de discipline, grogna Elias.

Pascale poussa un soupir. Idéalement, il aurait fallu faire travailler Makatoo tout de suite : lui faire reprendre ce tournant jusqu'à ce qu'on obtienne d'elle une conduite convenable... À vrai dire, Pascale en avait assez de cette pouliche à la gomme. La saison de Keeneland venait de se terminer, celle de Churchill Downs allait débuter, et Pascale avait envie de se détendre. D'autant plus qu'Arnaud avait, le matin même, parlé de faire un peu d'équitation pour le plaisir. Pascale s'imaginait déjà, montant Vol-au-Vent en manège, en compagnie d'Arnaud, des jumeaux, de Gabrielle...

Xavier lui tapota l'épaule.

– Tu fais des efforts remarquables pour tenir Makatoo, et elle continue à t'échapper. J'ai rarement connu de cheval aussi difficile.

– C'est bien vrai, ça, ajouta Elias. Il est temps que je m'en mêle. Occupe-toi de mon cheval, Pascale. Je vais prendre ta jument.

La jeune fille ne résista même pas. Elias, à cause de sa personnalité, avait plus d'autorité qu'elle sur les chevaux. Makatoo avait peut-être besoin de cela.

Lorsque Elias et Makatoo furent repartis sur la piste, Xavier annonça :

– Churchill Downs a téléphoné pour savoir si j'inscrivais Makatoo au Derby. Je n'ai pas encore donné ma réponse.

Pascale n'hésita pas :

– Je pense que vous devriez dire non.

– Je suis du même avis, dit Arnaud.

– Eh bien, fit Xavier, nous sommes tous d'accord. Pas de Derby pour Makatoo. Que pensez-vous du Kentucky Oaks ?

Arnaud et Pascale se regardèrent. Le Kentucky Oaks était une course réservée aux pouliches. Elle était disputée la veille du Derby et jouissait d'un grand prestige. Tous se tournèrent vers Makatoo, qu'Elias avait mise au petit galop. Le groom était plus fort et plus expérimenté que Pascale. S'il s'y mettait sérieusement, il pourrait rendre Makatoo maniable.

– Va pour le Kentucky Oaks, acquiesça Pascale.

* * *

Plus tard dans la même journée, Pascale, Arnaud, Gabrielle et les jumeaux se réunirent au manège. Vol-au-Vent et d'autres chevaux vinrent avec eux. Parmi ceux-ci se trouvait Moushika. Pascale sourit en la voyant, harnachée d'une selle d'obstacles et d'un bridon. Elle avait toujours été agréable à monter, et Gabrielle désirait en faire un cheval d'école.

Gabrielle enseignait toujours l'art équestre. En fait, ses leçons jouissaient d'une telle popularité qu'elle avait fondé une petite compagnie appelée Lavergne Equestrian Academy. Gabrielle se révélait très efficace dans la gestion de son entreprise. Xavier était fier des réalisations de son épouse et l'encourageait à poursuivre ses activités, dont elle tirait beaucoup de satisfaction.

Après avoir vu son dernier patient, Xavier vint observer la séance. D'un geste de la main, il enjoignit à Rocky et à Maya de se calmer, car les deux boxers se chamaillaient bruyamment à l'extérieur du manège. Après que les chevaux eurent été dessellés et pansés, Xavier s'approcha de Pascale, le sourire aux lèvres.

– Mafalda est en œstrus, annonça-t-il, et je cherche un étalon pour l'accoupler.

– Ah oui ? fit Pascale, étonnée.

Mafalda, la jument de Geneviève, ne s'était jamais reproduite.

– Oui, confirma Xavier qui semblait beaucoup s'amuser. Mafalda a un excellent tempérament, et je la ferais saillir par un étalon petit de taille. Il en résulterait un poulain pas trop grand, que j'offrirais à Catherine. J'ai pensé à Vol-au-Vent. Penses-tu qu'il serait d'accord?

Abasourdie, Pascale resta un moment sans voix, alors que tous, autour d'elle, éclataient de rire. Attaché aux câbles, Vol-au-Vent mordillait son tee-shirt. Pascale se retourna vers lui et lui gratta la crinière. «Un poulain de toi... pour Catherine!» se dit-elle. Elle regarda son poney avec fierté. Un éleveur accompli venait de le choisir comme géniteur pour la monture de sa petite-fille chérie. «Dire qu'il ne sait pas qu'elle... Oh! Sacré Érik!» Pascale ragea en silence. Puis, remplie d'émotion, elle donna son accord.

On décida de mener immédiatement les futurs parents à l'étable d'accouplement, déserte à cette heure. Comme Mafalda dépassait Vol-au-Vent de quelques paumes, on la plaça en contrebas afin de faciliter la saillie. La jument était tout à fait prête à coopérer, mais Vol-au-Vent, qui la reluquait depuis longtemps, refusait de se plier à ces amours sur commande.

Son intérêt pour la jument ne faisait aucun doute; pourtant, il se tournait vers les humains, tapait du sabot et hennissait de colère. Pascale n'était pas tellement surprise par l'attitude de son cheval : son caractère indépendant se braquait tout simplement contre l'intervention humaine.

De guerre lasse, Xavier décida d'emmener Vol-au-Vent et Mafalda dans un pré au sol irrégulier, à l'abri des regards.

Pascale était convaincue que les chevaux y trouveraient une dénivellation qui leur permettrait un accouplement réussi.

24

Au début de mai, Makatoo fut parmi les partantes du Kentucky Oaks, épreuve disputée à Churchill Downs, l'hippodrome de Louisville, au Kentucky.

Peu favorisée par les parieurs, qui la trouvaient irrégulière, Makatoo courut la course de sa vie. Sa victoire, claire et convaincante, inonda Pascale de joie.

Quelques semaines passèrent. Par un beau matin de la fin de mai, Pascale entraînait Ashanti lorsqu'elle entendit un message diffusé par les haut-parleurs de Churchill Downs, ordonnant l'arrêt immédiat des activités. Elle freina Ashanti et chercha à savoir ce qui pouvait bien causer une telle commotion. Son cœur chavira. Makatoo galopait seule sur la piste. Elle venait de désarçonner Elias.

L'émotion qui étreignait Pascale était si violente que, sans réfléchir, elle remit Ashanti au galop et gagna l'endroit où Elias, inerte, était étendu. Quelqu'un surgit devant elle en agitant les bras. C'était Francisco Cortez, dont Pascale, au cours des derniers mois, s'était fait un ami. Le jeune homme attrapa la bride d'Ashanti alors que Pascale sautait au sol.

Elias avait perdu conscience. Tremblante, Pascale écouta quelqu'un lui narrer les détails de l'accident. Makatoo avait, d'une ruade fort impertinente, jeté Elias à terre et frappé un autre cheval. Celui-ci n'avait pas été blessé, mais il avait piétiné Elias. Pascale entendit dire qu'Arnaud était allé quérir Martha. Se frayant un chemin parmi la foule, elle s'approcha d'Elias.

Elle était atterrée. Elias, si fort, si dynamique, si joyeux le matin même, gisait là, sans réaction. Il ne semblait même pas l'entendre prononcer son nom. Elle éprouva un peu de soulagement en constatant que le groom respirait.

L'équipe médicale, arrivée sur les lieux, dut raisonner Pascale pour qu'elle consente à s'éloigner du blessé. C'est alors qu'elle vit que Makatoo, affolée, parcourait la piste en tous sens, ses rênes lui battant l'encolure. Les employés de l'hippodrome se lancèrent à sa poursuite.

Martha arriva à son tour. Elle prit place dans l'ambulance, qui partit vers l'hôpital le plus proche. Pascale et Arnaud confièrent Ashanti à Francisco Cortez, puis participèrent à la poursuite de Makatoo. Celle-ci n'avait pas terminé son cirque. Tête dressée, crinière au vent, elle échappait à tous ceux qui tentaient de la rattraper. D'un bond très audacieux, elle franchit la barrière qui bloquait l'entrée de la piste, et fut capturée au moment où elle allait s'engager dans les rues de la ville, haletante, une rêne entortillée autour d'une oreille.

Voir Elias en mauvaise posture avait fortement ébranlé Pascale. Maintenant, elle serrait les poings pour maîtriser la rage qu'elle ressentait envers la responsable de la situation. Pascale, qui avait toujours prôné la douceur envers les chevaux et agi en conséquence, aurait volontiers rossé Makatoo si son inquiétude au sujet d'Elias n'avait commandé qu'elle se rendît à l'hôpital. Francisco Cortez offrit de se charger de la pouliche, et Pascale acquiesça avec gratitude.

Lorsqu'ils arrivèrent à l'hôpital, Pascale et Arnaud apprirent qu'Elias avait repris connaissance et qu'on ne craignait pas pour sa vie. Son casque et sa veste de protection l'avaient protégé du pire, mais les os de son épaule gauche étaient fracturés à plusieurs endroits. Il présentait aussi les symptômes d'un léger traumatisme crânien.

– Allons le voir tout de suite, dit Pascale.

Sans attendre l'approbation d'Arnaud, elle se dirigea vers la chambre où reposait Elias. Arnaud tentait de la rassurer, mais elle l'entendait à peine. Elle était affolée. Arnaud l'avait rarement vue manquer de contrôle comme en ce moment.

Le jeune homme chercha à analyser la situation. Il savait que Pascale était fortement attachée à Elias, en qui elle avait trouvé un substitut de père. Peut-être revivait-elle l'angoisse qui l'avait assaillie, à Bonaventure, le jour où elle avait perdu sa mère.

À demi assis dans le lit, Elias s'entretenait avec Martha. Son discours, truffé de jurons destinés à Makatoo, laissait deviner qu'il allait plutôt bien que mal. Néanmoins, Pascale fondit en larmes à sa vue, à la stupéfaction de tous les témoins.

– Voyons, voyons, petite, fit Elias, fort ému. Allons, viens voir ton vieil Elias.

Pascale gagna son chevet. Elle avait honte de pleurer ainsi. Martha et Arnaud se regardaient, gênés et surpris. Elias leur demanda de le laisser seul avec Pascale.

– Calme-toi, Pascale, dit le groom d'une voix qui tremblait un peu. Tu vois bien que je suis vivant, là.

– Oui, bredouilla Pascale dont les sanglots redoublaient. Quand je t'ai vu sur la piste, j'ai pensé... Oh ! J'ai pensé...

Le reste de sa phrase jaillit de sa bouche en cascade.

– ... que j'avais perdu mon père... Que j'avais encore perdu un père.

Elias émit un grognement impossible à interpréter, puis il eut l'air si heureux que Pascale parvint à maîtriser ses larmes.

– Tu m'as enfin adopté, grommela-t-il avec émotion. Ça valait la peine que je tombe, juste pour te l'entendre dire.

* * *

Elias fut opéré au cours de la nuit suivante. Il poursuivrait sa convalescence à Lavergne Farm, sous les bons soins de Xavier.

Martha acceptait la situation avec philosophie. Elle était bien ce qu'Elias répétait : une femme solide. Martha était aussi une personne soucieuse du devoir, et elle hésitait à regagner Lavergne Farm avec son mari.

– Je n'aime pas l'idée de vous laisser seuls ici, expliqua-t-elle à Pascale et Arnaud.

Ceux-ci l'encouragèrent à quitter l'hippodrome. Ils embauchèrent temporairement Francisco Cortez, qui se révéla d'une aide généreuse et efficace. Mais le jeune homme dut bientôt quitter Churchill Downs lui aussi, car des contrats de monte exigeaient sa présence dans un autre hippodrome. Greg, le groom de Lavergne Farm que Makatoo avait désarçonné l'année précédente, se joignit alors à l'équipe. C'était un garçon énergique et joyeux, mais il n'était pas très doué pour monter, et il entretenait une sainte frousse à l'endroit de Makatoo. Le sort qu'elle avait fait subir à Elias, cavalier respecté et accompli s'il en fut, n'était rassurant pour personne.

En effet, la blessure d'Elias était tout de même assez grave. Son épaule avait à jamais perdu la solidité nécessaire à la maîtrise des pur-sang de course. En conséquence, il dut se résoudre à abandonner la profession de cavalier d'exercice. C'était une sage décision, car il avançait en âge. Elias était en excellente condition physique et, après sa convalescence, il serait en mesure de monter les chevaux d'équitation, de s'occuper des étalons et des poulinières, ou d'effectuer l'une ou l'autre des multiples tâches nécessaires au bon fonctionnement de Lavergne Farm.

Pascale et Arnaud se demandaient quoi faire, maintenant, avec Makatoo. Ils ne voulaient pas confier leur bête à n'importe qui. Elle avait grandement besoin d'être prise en charge, mais il ne fallait surtout pas qu'un cavalier d'exercice la brutalise, rompe son lien de confiance avec les humains et empire ainsi la situation.

Ils durent se rendre à l'évidence : seule Pascale était capable de régler le problème qu'était devenue Makatoo. Courageusement, la jeune fille se mit à la tâche, mais elle était fatiguée. De plus, elle gardait de la rancune à l'égard de la pouliche. Pascale avait beau rationaliser la conduite de Makatoo, elle était incapable de neutraliser les émotions qui l'envahissaient lorsque l'accident d'Elias lui revenait à l'esprit.

D'abord surpris par cette attitude, Arnaud put se l'expliquer après y avoir réfléchi. Voilà deux ans que Pascale courait le pays presque sans arrêt. Elle avait tout simplement atteint les limites de sa résistance nerveuse. Le jeune homme prit conscience du fait que son épouse devait être protégée contre elle-même.

À la mi-juin, Arnaud téléphona à son père et lui expliqua la situation. Xavier, qui la comprenait fort bien, proposa que l'équipe rentre à la ferme pour le reste de l'été.

Pascale fut aussitôt d'accord. Elle était heureuse à la pensée qu'elle se trouverait à la maison le 22 juin, jour de son vingt-deuxième anniversaire.

25

PHILIP DAVIDSON sortit de l'hôpital de l'université du Kentucky. Aussitôt qu'il en eut franchi les portes, une chaleur moite l'accabla, et il poussa un soupir exaspéré. Bien qu'il n'eût qu'à traverser la rue pour se rendre chez lui, il constata qu'il ruisselait de sueur à son arrivée dans son appartement.

À l'intérieur, la vaisselle s'empilait dans l'évier, le lit était défait et des vêtements sales traînaient, étalés dans un coin. «Dieu merci, Laurie n'est pas ici pour voir ça», se dit Philip.

De l'unique fenêtre de sa chambre, il regarda le ciel noir. Même en pleine nuit, la chaleur étouffait Lexington.

Philip mit en marche le climatiseur puis se laissa tomber sur son lit.

Il gémit. Des images d'horreur surgissaient en lui presque sans arrêt. La veille, un important carambolage était survenu près de la ville et l'hôpital avait reçu un nombre élevé de blessés graves. Il y avait eu des morts, dont une jeune fille de seize ans; Philip revit son corps déchiqueté, puis le visage de sa mère... Attrapant son oreiller, il y enfouit le sien.

Philip avait fait partie de l'équipe qui avait opéré le conducteur responsable de l'accident. C'était un homme assez jeune, avec un visage plutôt attirant et une carrure avantageuse. Philip déglutit avec colère. Cet imbécile s'était enivré et il survivrait. Tandis que la fille, elle, qui était innocente...

Les images de l'opération à laquelle le jeune homme avait participé lui revinrent à l'esprit. Une vraie boucherie. Le sang avait giclé dans ses lunettes. Les chirurgiens s'étaient donnés de la peine. Avant longtemps, ce salaud marcherait sur ses deux jambes.

Avec rancœur, Philip pensa à son père tel qu'il était, plus d'une décennie auparavant, avant l'accident de travail qui l'avait estropié : un homme jeune, fort et adroit, invincible à ses yeux de petit garçon. Le sort de M. Davidson avait basculé en quelques instants. Jamais il n'avait pu se remettre de l'accident, ni de la chirurgie maladroite qui avait suivi, ni des tergiversations de sa compagnie d'assurances. Résultat : le père de Philip était maintenant un homme diminué, voire brisé, honteux de devoir marcher avec une canne.

Philip serra les poings sous ses oreillers. C'était le sort de son père qui l'avait convaincu d'étudier la médecine. La vie de ce dernier aurait été bien meilleure s'il avait eu la chance de tomber sur un orthopédiste compétent! Philip songea à l'humiliation de son père, à sa tristesse silencieuse, et il maudit le sort entre ses dents serrées.

Sur la commode, le répondeur téléphonique clignotait. Philip appuya sur un bouton pour écouter ses messages. Son cœur se réchauffa. Laurie avait appelé. Elle disait s'ennuyer de lui. Philip jeta un coup d'œil à sa montre : il était trois heures du matin. Pas question de rappeler Laurie maintenant.

Brusquement, il s'assoupit.

Le bourdonnement de son téléavertisseur le réveilla. «Non, non!» cria-t-il avant de se lever. C'était l'hôpital qui l'appelait.

L'image de son père lui revint. Si l'accident était survenu aujourd'hui, Philip aurait pu redonner à cet homme qu'il aimait tant l'usage de ses jambes; il aurait pu neutraliser cette douleur au dos qui lui minait l'existence. Cette pensée le stimula. Quelqu'un avait besoin de lui.

Le jeune homme composa le numéro de l'hôpital. On faisait plus souvent appel à lui qu'aux autres étudiants en orthopédie, parce qu'il faisait du bon travail et que les médecins aimaient être assistés par lui.

Il redressa la tête. Son énergie revenait.

En franchissant la porte de son logement, il eut une pensée pour Laurie qui s'ennuyait. Il n'eut d'autre choix que de chasser immédiatement l'image de sa petite amie. Quelqu'un – peut-être le père d'un petit garçon, qui sait? – avait besoin de lui, et il n'avait pas le temps de s'ennuyer.

* * *

Alors qu'elle descendait de cheval ce matin-là, Pascale pensa soudain à Francisco Cortez. Avec le changement de carrière d'Elias, Lavergne Farm avait besoin d'un cavalier d'exercice. Or, Francisco se plaignait souvent de ses revenus irréguliers et du fait qu'il ne voyait pas souvent sa petite amie, qui habitait à Lexington…

Tout en se promettant de parler à Xavier et à Arnaud de ce qu'elle mijotait, Pascale gagna à pied l'embouchure de la piste. Péniblement, elle retira son casque. La chaleur lui brûlait les poumons, et ses cheveux poisseux restaient collés à son couvre-chef.

Xavier et Arnaud se tenaient côte à côte le long de la clôture. Pascale les salua, puis s'approcha d'eux. Depuis le début des entraînements, elle avait monté successivement une dizaine de chevaux, dont Ashanti et Makatoo. Ses jambes tremblaient de fatigue.

– Ton tee-shirt est à tordre, observa Arnaud.

– Tu es pâle, petite, ajouta Xavier. Il nous faut absolument un nouveau cavalier d'exercice – un bon.

– Justement, fit Pascale, j'ai pensé à quelqu'un.

Elle leur parla de Francisco Cortez. Xavier et Arnaud se montrèrent intéressés. Comme Pascale croyait savoir à quel hippodrome joindre Francisco, le trio gagna le bureau pour l'appeler.

Ils ne purent lui parler, mais on leur confirma que le jeune homme se trouvait bien à cet hippodrome. Ils laissèrent un message pour lui.

– Cette canicule est atroce, commenta Xavier en s'éventant. Tu as l'air vraiment fatiguée, Pascale. Retournez donc vous coucher tous les deux. Je vous donne congé.

Pascale et Arnaud manifestèrent leur accord, mais se rendirent d'abord aux paddocks où on faisait marcher les chevaux. Tout fonctionnait bien. Pour la troisième année consécutive, Laurie travaillait comme groom à Lavergne Farm pendant l'été. Ce matin-là, elle était chargée de promener Ashanti.

– Allons nous coucher, fit Arnaud en tirant Pascale par la manche.

Il lui lança un regard équivoque. Par une mimique, Pascale lui laissa savoir qu'elle devinait ses pensées, puis dit :

– Je veux aller voir Vol-au-Vent. Il a eu un problème de digestion et ça m'inquiète.

Arnaud fit une grimace, mais la suivit. Les écuries étaient désertes. De temps en temps, Arnaud faisait mine d'attraper Pascale pour la tirer jusqu'à leur chambre, mais elle se dérobait en souriant.

Dans son box, Vol-au-Vent mangeait son foin. Pascale lui tâta le flanc. Visiblement, le poney ne souffrait pas. Au bout d'un moment, il montra de l'agacement, car il n'aimait pas être dérangé pendant qu'il mangeait.

– Viens au lit, grogna Arnaud en tirant Pascale contre lui.

– Mais il faut que je me douche. Je suis couverte de sueur, tu l'as dit toi-même.

– Je vais te lancer dans le lac ou te rincer avec le boyau, menaça Arnaud.

– Non ! glapit Pascale qui riait.

Elle tenta de sortir du box, mais Arnaud lui bloqua le chemin. Il l'appuya contre la paroi du box et l'embrassa tandis que Vol-au-Vent, indifférent, continuait à mastiquer son foin.

D'une torsion habile, Pascale se dégagea en riant, sortit du box et partit à la course vers la maison. Arnaud la suivit. Cette lutte amoureuse faisait partie de leurs jeux. Pascale savait qu'Arnaud aurait pu aisément la rattraper, mais il aimait faire durer le plaisir de la poursuite.

Au moment où il posait les mains sur elle et la faisait rouler avec lui sur le gazon, Pascale vit, au loin, Gabrielle qui tenait Catherine par la main.

«Bon sang! Catherine ici? Déjà?» se dit Pascale. Elle retint un cri, car Arnaud la chatouillait. «Si Catherine était ma fille, j'aimerais passer ce samedi matin avec elle», se dit-elle. Il n'était pas encore huit heures, et pourtant l'automobile de Jules et de Delphine s'éloignait déjà.

Pascale continua à rire et à se débattre pendant qu'Arnaud, qui l'avait jetée par-dessus ses épaules, descendait les marches menant au sous-sol. Elle ne se questionna pas davantage au sujet de son désir d'avoir un enfant.

* * *

Laurie marchait sous le soleil implacable, suivie d'Ashanti qui secouait l'encolure.

Un peu perdue dans ses pensées, la jeune fille ne remarqua pas le mécontentement de l'alezan. Un étalon de deux ans, à peine sorti de l'enfance, circulait dans les parages. Ashanti n'appréciait pas du tout la présence de ce jeune rival.

Il s'arrêta pile, dressa la tête et poussa un hennissement furieux, assourdissant. Laurie trébucha. Plus loin, le poulain visé par cet avertissement serrait la queue contre sa croupe et reculait. Ashanti donna un coup de tête, et Laurie se retrouva sur les genoux.

On éloigna le poulain. Laurie se releva et reprit sa marche. Elle sentait son cœur se serrer. Pourquoi l'avait-on désignée, elle, pour faire marcher un cheval aussi puissant? Elle tenta de dompter sa peur.

La jeune fille fut soulagée lorsque le pelage de l'étalon alezan fut enfin sec et qu'elle put le ramener à son box. Elle devait l'étriller avant de l'enfermer dans ses quartiers. Aussi entreprit-elle de l'attacher aux câbles.

Mais Ashanti ne l'entendait pas ainsi. Il venait de fournir un effort substantiel et désirait avoir sa ration. Alors que Laurie essayait de lui enfiler un licou par-dessus les oreilles, il tenta de se dérober. «S'il te plaît», le supplia Laurie.

Cette plainte n'émut pas Ashanti; au contraire, elle confirma son impression : il pouvait en imposer à son groom. Vivement, il se tassa contre la porte de son box. Laurie se cramponna à son licou et parvint, en se dressant sur la pointe des pieds, à le boucler.

Alors, elle s'arc-bouta sur la tête du cheval et tenta de le ramener vers les câbles pour le panser. Ashanti s'impatienta. Il donna une série de coups de tête et ses sabots ferrés résonnèrent sur le plancher.

Laurie était de plus en plus effrayée; elle avait beau tirer la tête d'Ashanti vers le bas, il persistait à se redresser, parvenant même à la soulever de terre. Avec insistance, il remorquait son groom vers la porte du box. Harassée, Laurie céda, et le champion eut ce qu'il voulait : son foin et la tranquillité.

Rageuse, la jeune fille claqua le battant du box. Étendus sur les dalles fraîches, Rocky et Maya sursautèrent, puis continuèrent à haleter tout en sommeillant, leur longue langue dépassant de leurs bajoues noires. Laurie jeta un coup d'œil vers eux, et se surprit à envier leur vie insouciante.

Après s'être assurée que personne ne la regardait, elle enfouit son visage dans ses mains. Laurie savait qu'elle aurait dû s'imposer davantage avec Ashanti. L'étalon avait remporté leur duel et s'en souviendrait.

Le pansage des chevaux avait cependant sa raison d'être et Laurie devait aviser quelqu'un du fait qu'Ashanti avait été mis au box sans être étrillé. Elle se souvint avoir vu Pascale et Arnaud aux manèges. Tous deux avaient disparu vers l'écurie des chevaux de selle, et Laurie présuma qu'ils étaient allés voir Vol-au-Vent.

La jeune fille prit donc la direction du box du poney bai. Elle essuya ses mains moites sur sa salopette. Le soleil brûlant lui faisait cligner les yeux. La journée ne faisait que commencer, et Laurie se sentait déjà au bout de son rouleau.

Parfois, elle se demandait si la tâche de groom lui convenait. Elle était bien payée, et son emploi lui permettait de passer l'été au Kentucky, auprès de Philip… «Philip!» gémit-elle à voix haute. Son petit ami lui manquait cruellement. La peine s'infiltra dans son cœur, se mêlant à la crainte qu'elle avait ressentie quand Ashanti lui avait résisté. Elle ne voulait plus que l'étalon lui soit confié. Elle imagina l'incompréhension des gens de la ferme si elle révélait cela. À Lavergne Farm, s'occuper du champion était considéré comme un privilège.

Non, personne ne comprendrait si elle exprimait sa frayeur. Laurie s'étonna : voilà que l'image d'Érik lui venait à l'esprit. Mais oui, Érik, lui, comprendrait. Il était toujours si gentil avec elle… Mais il ne venait plus à la ferme, maintenant que Pascale et Arnaud s'y trouvaient pour l'été. Dire qu'Érik avait battu Pascale, trois ans auparavant ! C'était à peine croyable… Un garçon si gentil !

Tout en continuant à marcher, Laurie se demandait comment échapper aux tâches impliquant Ashanti. Si elle se confiait à Pascale et à Arnaud, ils l'inciteraient à être plus hardie. Laurie se demandait comment ces deux-là réussissaient à abattre leurs tâches sans tomber raides d'épuisement. Ils dégageaient une telle énergie qu'elle avait l'impression d'être une chiffe molle à côté d'eux.

Non, il n'existait pas de moyens pour éviter l'entretien d'Ashanti…, sauf de trouver une autre façon de gagner sa vie. Laurie soupira. Son emploi à Lavergne Farm comportait un avantage qu'aucun autre n'offrirait : elle pouvait coucher dans la baraque et ainsi éviter Pamela, ses soirées bruyantes et sa ribambelle d'amis.

Laurie parvint au box de Vol-au-Vent. Aussitôt qu'elle vit Pascale et Arnaud, elle recula. Elle constata qu'ils ne l'avaient pas entendue arriver.

Dans la pénombre du box, Arnaud et Pascale s'embrassaient. Les mains puissantes du jeune homme pétrissaient le corps de sa compagne, qui s'abandonnait avec délices. Laurie n'avait vu que ces gestes, pendant une fraction de seconde seulement. Pourtant, le désir mutuel qu'elle avait perçu la troublait fortement. Elle s'éloigna de l'écurie. Pascale et Arnaud allaient bientôt gagner leur chambre, et ils feraient l'amour…

L'envie, le regret envahissaient Laurie, et elle sentit que les larmes humectaient ses paupières. Elle chercha à comprendre pourquoi l'image de Pascale et d'Arnaud s'étreignant la bouleversait tant. Laurie devinait que, ce matin, ils goûteraient à plein leur amour, se caresseraient avec volupté, jouiraient d'une intimité longue, totale, satisfaisante...

Laurie s'arrêta. Ils feraient cela, alors que Philip et elle... Elle eut une pensée atroce : Philip et elle copuleraient à la va-vite, entre deux opérations, comme les chevaux dans l'étable d'accouplement. La jeune fille s'en voulut de cette analogie dégradante, mais sa nature émotive, que l'ennui exacerbait, la poussa à conclure : «Ce sera pourtant bien comme ça!»

Elle serra les poings. «Je ne me laisserai pas abattre. J'aime Philip. Je l'attendrai. Nous terminerons nos études et alors... alors...»

Elle se rappela qu'Ashanti n'avait pas été pansé. Il fallait qu'elle confesse sa faute à quelqu'un. Pascale et Arnaud n'étant pas disponibles, elle se dirigea vers le bureau de Xavier.

Le docteur Lavergne lisait, assis derrière son bureau. Il leva les yeux à l'arrivée de Laurie et lui sourit avec chaleur.

– Entre, Laurie. Referme la porte et assieds-toi, je t'en prie.

Un peu intimidée, comme elle l'était toujours devant un homme à la personnalité aussi imposante que celle de Xavier, Laurie prit place devant son employeur. Il souriait toujours. Laurie se sentit réconfortée. Xavier lui rappelait quelqu'un – Érik. «Tiens! Voilà que je pense encore à Érik», songea Laurie. Xavier avait du charme, comme son fils. Il dégageait quelque chose de chaud, de malicieux, de rassurant.

Laurie fit part à Xavier des difficultés qu'elle avait eues avec Ashanti. Le docteur Lavergne hochait la tête, amusé par le récit.

– Cet étalon est un sacré gaillard, commenta-t-il. Je comprends qu'il ait pu t'effrayer. Laissons-le dans sa crasse pour ce matin. Il ne s'en portera pas plus mal.

L'homme toussota, puis observa Laurie avec acuité. Gênée, celle-ci bougea sur sa chaise. Elle avait l'impression que le regard de Xavier la transperçait.

– Laurie, fit-il doucement, y a-t-il quelque chose qui ne va pas ?

Éberluée, Laurie eut un mouvement de dénégation. Sans rien dire, Xavier plissa davantage les paupières. Comment Xavier avait-il deviné son désarroi ? Bon sang ! Cela signifiait que sa peine était étalée sur son visage ! Elle ne pouvait tout de même pas raconter à Xavier ce qu'elle avait vu dans le box de Vol-au-Vent, ni les émotions que cela avait suscité en elle. Brusquement, elle éclata en sanglots.

– Je m'ennuie de Philip... Oh ! Oh ! Je m'ennuie !

Xavier ne bougea pas de son siège, mais il regardait Laurie avec compassion. Encore une fois, la jeune fille pensa à Érik. C'était ainsi qu'il la regardait, lui aussi. Avec sympathie et tendresse. Laurie avait besoin de cela. Entre ses sanglots, elle confia ses tourments à Xavier : ses études difficiles, ses ennuis avec Pamela, les demandes de ses parents trop exigeants, de son petit ami trop souvent absent.

– J'ai raté trois cours, docteur, avoua-t-elle. Vous êtes le seul à savoir. Je n'ose pas le dire à Phil. Je suis sûre qu'il me reprocherait mon manque d'ambition.

– Ce serait bien idiot de sa part, commenta Xavier. Voyons, Laurie, je connais bien ce jeune homme. Il me semble qu'il comprendrait...

– Non ! s'écria Laurie avec feu.

Elle venait d'exploser, soudain, et sa frustration déferla.

– Il ne comprendra pas ! Tout ce qu'il comprendra, c'est que je serai reçue médecin plus tard que prévu, et qu'il faudra qu'il m'entretienne... et il ne voudra pas... C'est l'argent, docteur, le sacré argent qui le rend fou...

– Il y a des raisons à cela, plaida Xavier. Tu connais l'histoire de ses parents ?

– Je l'ai entendue cent fois, répliqua Laurie. Pourquoi Phil ne peut-il oublier son passé ?

– Parce qu'il craint la misère, répondit Xavier. Se retrouver dans l'indigence du jour au lendemain, ça traumatise. Tu devrais essayer d'être plus compréhensive.

– J'en ai assez ! cria Laurie. J'en ai assez d'être compréhensive ! Je ne demande pas grand-chose, seulement... seulement que Philip s'occupe de moi.

Effondrée, elle pleurait sans retenue. Dans son fauteuil, Xavier ne bougeait toujours pas.

– Tu aimes Philip ? demanda-t-il placidement.

Laurie sursauta. Des réponses contradictoires allaient jaillir de sa bouche. Pire encore, une autre tête lui venait à l'esprit. Elle se ressaisit.

– Je l'aime, affirma-t-elle d'une voix qui tremblait, mais je suis malheureuse... malheureuse...

– Voyons tes ennuis l'un après l'autre, suggéra Xavier. Tu as raté trois cours.

– Oui, confirma Laurie, honteuse. L'université m'a mise en période d'essai.

– C'est arrivé à Arnaud, dit Xavier afin de relativiser la situation. Pourtant, Philip n'a pas cessé d'être son copain.

Laurie allait répondre quelque chose, mais elle se ravisa.

– Maintenant, parlons de ton logement et de Pamela, continua Xavier. Pourquoi ne déménages-tu pas ?

– Je n'ose plus demander à Philip d'aller habiter avec lui, gémit Laurie. J'ai tellement peur d'être déçue...

– Il y a sûrement d'autres étudiants qui partageraient un logement avec toi.

Xavier, qui observait très attentivement son interlocutrice, fut surpris par la lassitude qui s'abattit sur elle à la simple idée d'un déménagement.

– C'est tellement fatigant, déménager, soupira Laurie.

« Cette petite manque singulièrement de ressort », songea Xavier qui s'inquiétait.

Laurie se leva brusquement. Elle avait honte de sa faiblesse. S'il fallait que Phil apprenne qu'en plus d'avoir raté des cours elle s'épanchait ainsi auprès de son employeur !

– Si tu veux, je parlerai à Philip, suggéra Xavier.

– Non, surtout pas ! supplia Laurie.

Elle tourna le dos à Xavier et se dirigea vers la porte. Xavier ne tenta pas de la retenir. Mais il dit calmement :

– Reviens me voir, Laurie. N'importe quand.

* * *

Pascale s'éveillait tout doucement. Elle sortit ses bras de sous les draps et, voluptueusement, s'étira.

Arnaud ouvrit les yeux, lui sourit, et referma les paupières. Il reposait sur le dos. Pascale cala sa tête contre son épaule. Arnaud lui caressa les cheveux, puis se rendormit.

Les yeux de Pascale firent le tour de la chambre. Le climatiseur avait été installé dans l'unique fenêtre et la bouchait presque entièrement. Qu'importe. Pascale et Arnaud n'avaient pas besoin d'éclairage, compte tenu des activités auxquelles ils destinaient cette pièce.

Le regard de Pascale tomba sur l'une des espadrilles d'Arnaud, qui gisait sur le plancher. Un souvenir lui vint à l'esprit : celui de Catherine, chaussée des bottes d'Arnaud, déclarant qu'elle franchirait sept lieues.

Pascale sourit. Pleine de langueur, elle se retourna et appuya son visage contre le torse de son époux. Elle entendit battre son cœur.

Ce son, régulier, rassurant, la plongea dans un état de grande détente, et elle ferma de nouveau les yeux. La chaleur qui émanait d'Arnaud était douce, et Pascale s'assoupit à moitié. L'image de Catherine dansait derrière ses paupières closes. Pascale se vit, ajustant de petites jambes bottées dans une paire d'étriers, puis tenant Vol-au-Vent en longe.

L'image s'effaça, remplacé par celle d'un autre enfant, aussi blond que Catherine était foncée. Un garçon, plein de joie de vivre, qu'Arnaud tenait par la main. C'était son fils et il lui ressemblait. La fierté, l'émotion inondaient le cœur de Pascale. L'enfant était le fils d'Arnaud, et il venait d'elle.

Elle s'éveilla et s'assit, bouleversée par le rêve.

Arnaud continuait à dormir. Interdite, Pascale le contempla. Comme il était beau ! Aussi beau que le petit garçon du rêve.

Pascale serra le drap contre elle. Une envie puissante lui venait : celle d'avoir un enfant d'Arnaud. De l'homme qu'elle aimait, en qui elle avait confiance, et qui partagerait avec elle l'éducation d'un petit. Elle en resta bouche bée, incrédule. Avoir un enfant, elle, à vingt-deux ans, alors qu'elle menait une carrière de jockey professionnel? Cela n'avait aucun sens.

En y réfléchissant bien, en pensant à sa vie instable et aux risques qu'elle prenait chaque fois qu'elle mettait le pied à l'étrier, Pascale se convainquait aisément que ce n'était pas le temps, pour elle, d'avoir un bébé. Mais cette analyse rationnelle ne suffisait pas à effacer l'image de l'enfant blond, ni à faire taire son rire. «Cette envie d'avoir un enfant, elle ne vient pas de ma tête», se dit Pascale.

Instinctivement, dans un geste réflexe, elle plaqua ses mains sur son ventre.

«Ça vient de là. De mes tripes, comme on dirait en Gaspésie.»

– À quoi penses-tu? demanda soudain Arnaud qui venait de s'éveiller.

Pascale retint un sursaut. Elle avait toujours les mains posées sur le ventre. Arnaud triturait une de ses mèches entre ses doigts.

– À quoi pensais-tu? insista-t-il.

– C'est un secret, souffla Pascale.

– Tu ne devrais pas avoir de secrets pour ton mari, répliqua Arnaud, mi-figue, mi-raisin.

Pascale s'assombrit, et se détourna. «Pas de secrets? Et Catherine, alors?» se dit-elle. La main d'Arnaud se glissait sous les siennes et, soudain, son désir d'avoir un enfant de lui devint si fort, si violent qu'elle laissa échapper un cri.

– Oh! Arnaud, Arnaud, je...

– Quoi? fit le jeune homme, étonné.

Elle le regarda.

– J'ai fait un rêve... Nous avions un enfant ensemble, un petit garçon...

Elle ne voyait pas tout à fait bien le visage d'Arnaud, car il faisait sombre.

– Alors? fit le jeune homme sans s'énerver.

– Alors… je ne suis pas prête à avoir un enfant, c'est trop tôt, débita Pascale.

– C'était cela, ton secret?

– Pas tout à fait, souffla Pascale.

Elle se demandait si elle devait aborder le sujet de Catherine. Étendu dans le noir, Arnaud attendait. Il parla sur un ton badin.

– Avoir un enfant exige, dans un couple, la plus grande transparence, dit-il. Alors, si tu as encore un secret…

– Ne blague pas, Arnaud, supplia Pascale. C'est quelque chose de terrible.

Le jeune homme fronça les sourcils.

– Quelque chose au sujet de ton grand-père?

– Non. Quelque chose au sujet d'Érik.

Pascale sentit le corps d'Arnaud se tendre.

– Qu'est-ce qu'il t'a fait? siffla le jeune homme.

– Rien… Enfin… Ce qu'il m'a fait à moi, précisa-t-elle, tu le sais déjà.

Elle s'arrêta et étendit le bras pour allumer la lampe. Arnaud cligna des yeux. Pascale le regarda. Que ferait-il lorsqu'elle lui aurait tout raconté? Résisterait-il à l'envie d'aller répéter l'histoire à Jules, et de déchirer sa famille? Comprendrait-il pourquoi elle avait caché ce qu'elle savait?

Pascale soupira. Arnaud devait connaître la vérité car, comme il le disait si bien, elle ne pouvait avoir de secrets pour son mari. Elle était assez sûre de son amour, à présent, pour lui révéler l'objet de sa torture secrète : le mystère entourant la conception de Catherine.

* * *

– Viens, ma Catou, dit Arnaud.

L'enfant avait été invitée à passer la nuit à la ferme. L'heure de son coucher approchait. Elle partit au galop, traversa la pièce et grimpa sur les genoux de son oncle. Elle était vêtue d'un pyjama de cotonnade et tenait à la main son livre préféré. Une fois installée, elle ouvrit l'album et balança ses pieds nus.

«Comme c'est joli, ces petits pieds d'enfant», se dit Arnaud.

De sa voix claire, Catherine nommait les personnages apparaissant sur les pages : un papa, une maman, une petite fille et un chien.

– Un chien comme Maya, dit-elle. J'aimerais avoir un chien à la maison, mais papa et maman ne veulent pas.

Elle appuya sa tête bouclée sur l'épaule d'Arnaud, qui ne put s'empêcher de penser qu'elle avait les cheveux d'Érik.

Il s'étonnait de ne pas voir Catherine différemment, maintenant qu'il savait qu'elle était peut-être la fille de ce frère qu'il détestait tant.

– Mon père est allergique aux chiens, ajouta Catherine.

«Je me le demande», songea Arnaud.

Il se mit à lire. Catherine adorait cette histoire, et Arnaud la connaissait bien, car il la lui avait lue plusieurs fois. Tout en lisant, il tendait l'oreille. Pascale avait dû se rendre à l'écurie à la demande d'un propriétaire, malgré l'heure tardive. Tout en ayant hâte qu'elle revienne, Arnaud était soulagé qu'elle ne soit pas là. Entre eux flottait une petite mésentente, ou plutôt une gêne issue de la conversation qu'ils avaient eue, le matin même, dans leur chambre.

Arnaud regarda les images du livre. Une maman. Un papa… C'était pour protéger Catherine de la perte de ces êtres si importants que Pascale s'était tue. Et Arnaud se demandait si elle avait eu raison. Pour sa part, il avait bien envie de tout révéler à Jules.

Jules ! Jules qui s'efforçait de réconcilier Érik avec la famille ! Jules qui s'échinait pour nourrir sa femme et l'enfant qu'il croyait être sa fille !

Si Arnaud lui apprenait la vérité, Jules se séparerait sans doute de Delphine. Personne ne pourrait lui reprocher de refuser de s'occuper de Catherine. Sans l'ombre d'un doute, Delphine avait gâché la vie de Jules. Et Jules était enchaîné à cette femme car il croyait, erronément peut-être, qu'il lui avait fait un enfant. Ce lui serait sans doute bénéfique d'être libéré de l'une et de l'autre. Mais Catherine, elle…

Arnaud constatait que Jules n'était pas un bon père; en fait, il ne s'intéressait pas plus que Delphine à Catherine. Il représentait néanmoins l'image d'un père pour Catherine, alors qu'Érik ne lui était rien. Et la perception de l'enfant ne changerait pas même si on dévoilait la vérité; jamais Catherine ne verrait Érik comme un père. «Elle serait encore mieux sans père qu'avec un père de cette espèce», conclut Arnaud, amer.

Tout en lisant, Arnaud poursuivait sa réflexion. Érik et Delphine étaient responsables de l'imbroglio entourant Catherine. Que Delphine fût malheureuse paraissait juste à Arnaud; elle payait pour son étourderie. Ce qui était ingrat, c'était que Jules écopait aussi; sans Catherine, il aurait laissé sa femme depuis longtemps et aurait pu refaire sa vie. En dévoilant la vérité, on lui rendrait sans doute service. Mais ce serait au tour de Catherine de souffrir, puisque sa vie serait entièrement déstabilisée.

Tout en affichant une grande sérénité face à Catherine, Arnaud bouillait intérieurement. Il y avait une explication à son courroux : l'injustice de la vie le révoltait. Érik, lui, restait impuni pour son rôle dans cette histoire, et le demeurerait probablement lorsque la vérité serait connue. «Ainsi donc, pesta Arnaud en silence, tout le monde souffrira, sauf lui!»

Le jeune homme retint un soupir. Heureuse d'être câlinée, Catherine se blottissait contre lui.

Arnaud repensa à la discussion qu'il avait eue avec Pascale. Celle-ci lui avait ouvert les yeux sur un sujet auquel il n'aimait pas réfléchir. Comme ses parents, Arnaud avait toujours cru que Delphine était maladroite, voire incompétente comme mère, mais à présent il réalisait, comme Pascale, qu'elle n'aimait pas sa fille.

Cette constatation et la désinvolture d'Érik face à sa possible paternité dégoûtaient Arnaud. Il aimait les enfants; la pensée que leurs parents n'en assument pas la responsabilité était, à ses yeux, inacceptable.

Ainsi donc, ni Delphine ni Érik n'aimaient Catherine, et Jules ne la voyait sans doute pas autrement que comme un énorme embêtement. Celui-ci avait au moins le mérite de s'en occuper. Mais encore, si peu...

«Beau gâchis!» se dit Arnaud.

Il repensa à Pascale. Maintenant qu'il savait la vérité, Arnaud en ressentait, lui aussi, la torture. Dire que Pascale l'avait endurée, seule, pendant quelques années! Arnaud ne pouvait lui en vouloir de ne pas lui avoir confié son secret plus tôt. Et puis, elle avait dit quelque chose, ce matin, qui faisait qu'il se sentait prêt à tout lui pardonner.

Son cœur se réchauffa et, soudain, il s'ennuya d'elle. Elle désirait un enfant de lui. Pas tout de suite, mais un jour... Il ne doutait pas que son amour pour leur enfant serait aussi ardent, aussi inconditionnel que celui de Gabrielle pour lui, pour tous ses enfants, y compris Érik.

Catherine gigota. Le récit était terminé.

– Tu veux aller te coucher, maintenant? demanda Arnaud.

– Non, fit Catherine d'une voix ensommeillée. J'aimerais rester ici avec toi.

Elle bâilla; Arnaud la serra contre lui et se mit à la bercer. Par la pensée, il revivait de vieux souvenirs : l'époque où Jules et Delphine habitaient la ferme, après la naissance de Catherine..., les visites qu'ils y avaient faites par la suite... Arnaud n'avait jamais vu Jules bercer Catherine. Ni Delphine. Ni – encore moins – Érik. «C'est ici qu'elle a appris la tendresse. Ici, à Lavergne Farm, avec Pascale, entre autres...

Mais oui, se dit-il. Avec Pascale! Elle l'a gardée pendant des mois, après son opération à la jambe...»

Sans faire de bruit, Gabrielle entra dans la pièce.

Elle se pencha sur Catherine qui sommeillait, le nez enfoui dans la chemise d'Arnaud.

– Tu veux aller te coucher, ma grande fille?

– D'accord, fit Catherine d'une petite voix.

– Allons, dit Gabrielle en tendant les bras, viens faire une caresse à grand-maman.

L'enfant glissa doucement des bras de son oncle à ceux de sa grand-mère. Attendri, Arnaud les regarda disparaître vers la chambre qu'occupait la petite.

Il resta seul. À présent, il pensait à sa mère.

À la tendresse de sa mère.

À l'amour de sa mère pour tous ses enfants.

Il décida de taire la vérité, afin de laisser un peu de paix à sa mère.

Lorsque Gabrielle apprendrait toute cette atroce histoire, elle souffrirait, non seulement des déchirements qu'entraînerait la révélation, mais aussi dans son amour de mère.

Car Arnaud savait qu'elle continuerait à aimer Érik, envers et contre tout et tous, malgré son odieux comportement.

26

C'ÉTAIT VENDREDI, et Catherine Lavergne se trouvait au jardin d'enfants, en train de dessiner. Son éducatrice, une jeune femme nommée Jennifer, posa la main sur son épaule.

Catherine aimait beaucoup Jennifer. Elle se retourna vers elle et lui précisa qu'elle dessinait un cheval. Jennifer demanda à Catherine pourquoi les chevaux l'intéressaient tant. La petite fille se lança dans une explication plutôt laborieuse des activités de sa famille, et elle décrivit Lavergne Farm. Jennifer écoutait avec patience. Elle avait entendu parler des Lavergne.

– Ce cheval-là, déclara Catherine en posant un doigt barbouillé sur son chef-d'œuvre, est le meilleur de tous. Il s'appelle Ashanti.

– Mais oui, je le reconnais, lui assura Jennifer.

Cette affirmation mit Catherine en joie. Jennifer mentionna qu'elle avait vu Ashanti courir à Keeneland. Catherine était enchantée de susciter, chez cette adulte, autant d'intérêt. Jennifer lui suggéra de dessiner un cavalier. Catherine s'y mit avec enthousiasme.

Elle s'appliquait, soucieuse que son dessin soit fidèle à la réalité. Elle avait utilisé un crayon de cire brun pour tracer la silhouette d'Ashanti. La teinte lui paraissait maintenant trop foncée. À la suite d'une suggestion de Jennifer, Catherine saisit un crayon jaune et, aussi soigneusement qu'elle le put, elle s'employa à pâlir la représentation du champion.

– Et qui monte Ashanti ? s'enquit Jennifer lorsqu'elle repassa près d'elle.

– Ma tante Pascale, répondit Catherine.

La petite fille fronça les sourcils, comme si quelque chose d'incompréhensible lui venait à l'esprit. Elle s'écria soudain :

– Quand je serai grande, je monterai à cheval comme ma tante Pascale. Quand je dis ça à maman, elle n'est jamais d'accord. Elle dit que tante Pascale est une petite traînée.

Jennifer serra les lèvres. Elle était désolée que Delphine utilise, devant Catherine, de tels adjectifs; par ailleurs, elle avait constaté que la mère et la fille n'avaient pas de très bons rapports.

– Je pense, suggéra-t-elle afin de favoriser un rapprochement entre elles, que ta maman sera très fière de ton dessin.

Le petit visage de Catherine se durcit.

– Non, affirma-t-elle. D'ailleurs, je ne l'ai pas fait pour maman. Je l'ai fait pour ma tante Pascale et mon oncle Arnaud.

Catherine plissa le nez, qu'elle avait un peu long.

– Est-ce que les parents sont censés être contents, demanda-t-elle, lorsque leurs enfants font de beaux dessins ?

– La plupart le sont, fit Jennifer avec prudence.

Catherine reprit ses crayons et entreprit de dessiner la casaque de Pascale. Jennifer, un peu soucieuse, s'éloigna vers un autre enfant.

* * *

Pour la centième fois, Delphine regarda sa montre.

Il était quatorze heures quarante. La respiration de Delphine s'accéléra. À seize heures quinze, il fallait qu'elle soit à la sortie de la salle numéro 9 du palais de justice de Lexington.

C'était vendredi, et tout le monde, à l'endroit où travaillait Delphine, était impatient de quitter les lieux, mais Delphine l'était plus que tout autre. Sa hâte s'apparentait au désespoir.

Elle avait décidé d'aller rencontrer Érik.

Delphine n'avait tiré aucun bénéfice de sa liaison avec le jeune homme. Il l'avait laissée pour une autre, ridiculisée pendant sa grossesse et ignorée après son accouchement.

Depuis la fin de sa cure de désintoxication, il se montrait distant. Cette attitude aurait suffi à décourager toute femme pourvue d'un peu de dignité et douée de jugement. Mais, malheureusement pour elle, Delphine ne possédait pas ces attributs.

Elle persistait à voir en Érik son sauveur, celui qui la tirerait de son existence morose avec Jules. C'était l'espoir de le reconquérir qui l'empêchait de quitter le Kentucky pour la Belgique. Avec entêtement, elle s'accrochait à son rêve. Érik lui reviendrait et elle quitterait Jules pour aller vivre avec lui.

Cela arriverait, et Delphine serait finalement heureuse. Érik gagnait bien sa vie. Catherine…

Delphine pensa à l'enfant avec agacement. Pourquoi venait-elle ternir l'éclat de son rêve ?

Obstinée, Delphine se figura que Jules réclamerait la garde de la petite. Mais pour que cela se produise, il faudrait que la vérité ne soit jamais connue. Or, Pascale… « Sacrée Pascale ! » pensa Delphine avec rancœur.

Le temps passait. Delphine avait préparé ses affaires à l'avance. À seize heures, elle saisit son sac et gagna son automobile. Un soupir d'exaspération lui échappa. Cette visite à Érik ferait en sorte qu'elle serait en retard au jardin d'enfants. Encore une fois, l'existence de sa fille lui causerait de l'embarras. Tant pis pour elle ! Cet entretien avec Érik était trop important pour que Delphine y renonce.

Fébrile, Delphine fit démarrer sa voiture. Elle tentait depuis des mois de joindre Érik au téléphone. Malgré ses échecs répétés, elle refusait d'accepter l'évidence : son ancien amant la fuyait comme la peste.

Elle serra le volant entre ses doigts. Elle avait fait une discrète enquête. Érik plaidait cet après-midi-là, et elle le rencontrerait. Il lui céderait. Il le fallait.

* * *

Jules enleva ses lunettes, les essuya, puis les remit. Pour la dixième fois, il reprit ses calculs.

Il se demanda où passait son argent.

Il avait beau compter, recompter, il obtenait toujours le même résultat. Il manquait une centaine de dollars pour que le budget de sa famille soit parfaitement équilibré.

Harassé, le jeune homme se frotta les yeux. Une pensée lui vint. Dans la salle de bains, l'ampoule du plafonnier était brûlée. Il n'avait pas eu le temps de la changer avant de quitter la maison pour le studio. À tout moment, l'idée de cette ampoule brûlée lui revenait.

Cent dollars. Une ampoule. L'esprit de Jules s'attachait à ces vétilles pour oublier l'essentiel. Il reprit ses calculs. Il avait développé des réflexes obsessionnels pour éviter son quotidien. Il employait toute son énergie à régler des problèmes superflus. Cela lui permettait de ne pas penser à l'échec de son mariage, au fardeau qu'était Catherine.

Mais il y avait quelque chose qu'il ne réussissait pas à oublier… Ou plutôt, quelqu'un…

À tout moment, l'image d'une belle jeune femme lui apparaissait à l'esprit : c'était une violoncelliste accomplie, une Louisianaise qui s'appelait Anne Desormeaux…

Au prix d'un effort méritoire, Jules réussit à cesser de penser à Anne. Lorsqu'il l'avait rencontrée, Jules avait remarqué ses cheveux bruns, ses yeux pétillants d'intelligence et son sourire. Anne lui avait demandé l'origine de son nom. Elle lui avait expliqué que ses propres ancêtres avaient été déportés d'Acadie, et qu'on ne parlait plus français, dans sa famille, depuis quelques générations.

Non, Jules ne pensait plus à Anne, parce qu'il ne le fallait pas. Mais quelque chose d'elle restait en lui. C'était cette fraîcheur qui, si le sort lui avait été moins cruel, aurait pu illuminer sa vie.

Jules se concentra sur la somme de cent dollars qui manquait. Il aurait pu aisément la prélever sur son compte d'épargne, mais il s'y refusait. Chaque chose à sa place. Le compte d'épargne servait à payer le loyer, les taxes, les assurances et le jardin d'enfants. Le compte-chèques, lui, était réservé aux dépenses courantes. Pas question de déroger à ces principes.

Jules s'obstinait dans sa recherche d'une solution qui ne compromettrait pas la perfection absurde qui le rassurait tant. L'ampoule. Dès que Catherine et Delphine arriveraient à la maison, il irait chercher l'escabeau. L'ouvrirait. Retirerait le globe du plafonnier. Le nettoierait. Remplacerait l'ampoule... Cela prendrait du temps. Assez de temps pour que Catherine, affamée, ait mangé son repas avant qu'il ait terminé.

Mais il manquerait toujours cent dollars. Jules eut une idée. Une de ses élèves n'avait pu se présenter à deux leçons. Il allait lui offrir de les reprendre le soir même.

Il lui téléphona. C'était une dame à la retraite, qui réalisait un rêve d'enfant en apprenant la musique. Elle était disponible et viendrait au studio dans la soirée.

Jules raccrocha, satisfait. Il lui manquerait toujours un peu d'argent, mais il s'approchait de la perfection.

Soudain, il pensa avec envie à son frère Arnaud, qui jouissait d'un compte en banque toujours bien garni. La victoire de Makatoo au Kentucky Oaks avait rapporté une somme dans les six chiffres – Jules retint une exclamation de dépit. Les éleveurs commençaient à parler de l'éventuelle carrière de reproducteur d'Ashanti. L'étalon, s'il transmettait ses gènes à ses rejetons, atteindrait une valeur de plusieurs millions de dollars, ainsi que l'avaient fait d'autres géniteurs célèbres, tels Northern Dancer ou Mr. Prospector.

«Ce chanceux d'Arnaud! se dit Jules en soupirant. Non seulement est-il bien nanti, mais il n'a aucune réalité à fuir...»

Jules enfouit son visage au creux de ses paumes. L'image d'Anne lui revint; il se demandait si elle était célibataire, et aussi si elle s'intéressait à lui. Mais oui, elle s'intéressait à lui, et il savait qu'il la reverrait, puisque tous deux jouaient occasionnellement dans le même orchestre. Elle l'avait mentionné, d'ailleurs. Jules se rappelait précisément ses paroles : «Ce fut un plaisir de te rencontrer. Nous nous reverrons sûrement. À bientôt!»

Comment oublier sa voix, et toutes les promesses qu'elle recelait? Que lui répondre, si...?

Jules se souvint de Delphine, de Catherine, et de tout ce qui lui était interdit.

«Non!» gémit-il, accablé.

* * *

Delphine gara son véhicule aux abords du palais de justice, puis entra dans le bâtiment.

Très rapidement, elle trouva la porte numéro 9. Mieux, elle aperçut Érik.

Qu'il était beau! Grand! Quelle prestance il avait!

Érik, qui se trouvait en compagnie de clients, se retourna et vit Delphine. «Qu'est-ce que cette folle fait ici?» ragea-t-il intérieurement. Se maîtrisant à merveille, il dit à ses clients :

– Voilà ma belle-sœur. Vous permettez que j'aille la saluer?

Il leur donna rendez-vous à son bureau et prit congé très poliment, puis attira Delphine à l'écart.

Il se doutait bien pourquoi elle était là. La réputation d'Érik, sa réhabilitation étaient en jeu. Il redoutait que quelqu'un entende ce que Delphine lui dirait. Prestement, il dirigea sa belle-sœur vers un petit local adjacent à une salle d'audience. On réservait ce lieu aux entretiens confidentiels entre les avocats et les témoins.

– Pourquoi es-tu venue ici? s'enquit calmement Érik après avoir refermé la porte.

– Mais... pour te voir, répondit Delphine.

– Écoute, fit Érik d'un ton tranchant. Je t'ai dit des dizaines de fois de ne plus me téléphoner, de ne pas chercher à me rencontrer. Moi, je ne veux pas te voir.

– Mais, Érik, je...

– Ne dis pas cela, interrompit Érik, qui devinait que son interlocutrice s'apprêtait à lui déclarer son amour. C'est fini, Delphine. Fini depuis longtemps.

– Il faut que tu m'aides, reprit Delphine, haletante. Jules...

– Delphine, c'est fini, je te dis, je ne t'aiderai pas.

– Mais il le faut ! Il le faut ! Tu le dois, déclara Delphine du ton qu'aurait emprunté une actrice dans une tragédie, car Catherine est ta fille !

Malgré la gravité de la situation, Érik gardait son calme. Il anticipait cette scène depuis longtemps et s'y était préparé.

– Imbécile, grogna-t-il.

– Je ferai tout pour toi…

– Non. Tu ne feras rien. Débarrasse-moi de ta présence.

– Mais notre enfant…

– Prouve donc que c'est le mien, lança Érik, crânant. Jamais tu ne convaincras ma famille que nous avons eu une liaison. À moins de t'allier Pascale. Et ce n'est pas près d'arriver.

Là-dessus, il quitta la pièce.

* * *

Jules savait exactement à quel moment il commencerait le changement de l'ampoule du plafonnier de la salle de bains. En entendant Delphine et Catherine entrer dans le vestibule, il plia son journal.

Comme tous les soirs, Delphine et Catherine se disputaient. Catherine était fâchée parce que Delphine était venue la chercher plus tard que prévu. Delphine aussi était en colère, car Jennifer lui avait reproché son retard. De plus, l'enfant et les deux femmes avaient eu une discussion plutôt aigre au jardin d'enfants. Catherine avait insisté pour ramener son dessin d'Ashanti à la maison. Delphine l'avait bousculée, émettant des commentaires peu aimables sur l'œuvre. Jennifer avait tenté de lui expliquer l'importance du dessin pour Catherine, et Delphine, qui s'était sentie rabrouée, lui avait répondu de se mêler de ses affaires.

Jules ne connaissait pas la cause de la mésentente entre Delphine et Catherine et ne s'y intéressa pas. La petite entra, le visage rouge de colère et de défi, serrant contre elle un document roulé. C'était son dessin, que Jennifer avait attaché avec un ruban. Jules se dirigea vers un placard et sortit l'escabeau.

– J'ai déjà mangé, tout est prêt pour vous deux, lança-t-il à Delphine en guise de bonsoir.

Celle-ci ne répondit pas. Tout en morigénant Catherine, elle gagna la cuisine.

Jules était grimpé sur l'escabeau lorsque Catherine, le visage décoré de sauce à la viande, surgit en brandissant son dessin.

– Regarde, dit-elle en l'exhibant.

– Je suis occupé, Catherine, répondit Jules.

– Mais tu n'as qu'à regarder, insista Catherine qui s'impatientait. J'ai dessiné un cheval. Devine lequel ?

– Catherine, laisse-moi travailler en paix.

Furieuse, la petite donna un coup de pied à l'escabeau et partit à la course. Jules dut s'appuyer au mur pour ne pas tomber. Pendant un moment, il se demanda quoi faire. Il avait soigneusement planifié ses activités : il changerait l'ampoule, puis regagnerait le studio de musique. Or, voilà que le comportement de Catherine exigeait une intervention qui supposait une réorganisation de ses plans. Cette perspective l'ennuya profondément, plus que le geste de Catherine lui-même.

Il descendit de son perchoir et tenta d'attraper Catherine. Celle-ci fila dans sa chambre. Jules essaya d'ouvrir la porte, mais Catherine était en train de se barricader.

– Ça suffit ! cria Jules. Laisse-moi entrer !

– Non ! hurla Catherine en furie.

Elle pleurait derrière la porte close.

– Tu ne regardes jamais mes dessins ! cria-t-elle en trépignant.

Jules la laissa à sa crise de larmes.

– Je dois partir, alla-t-il annoncer à Delphine dans la cuisine.

– Quoi ?

Jules lui expliqua qu'il devait donner une leçon. Delphine rageait. Cette journée ne lui réservait que des frustrations !

Voilà qu'elle était forcée, à cause de Jules, de passer la soirée seule avec une enfant maussade ! Et cela après avoir été rejetée par l'homme qu'elle aimait...

Avec véhémence, elle se mit à reprocher à Jules le peu d'aide qu'il lui fournissait dans l'éducation de Catherine. Le jeune homme se taisait. Il avait l'habitude de ces remontrances. Sans y répondre, il ramassa ses affaires et partit.

Delphine le regarda s'en aller avec dépit. Lorsqu'elle était enfant, ses parents s'invectivaient à la moindre occasion. Ce modèle de couple était tellement ancré en elle que, si Jules l'avait vilipendée plus souvent, elle aurait fait davantage d'efforts pour que leur mariage survive. Elle concevait le bonheur conjugal comme une série de prises de bec suivies de bruyantes réconciliations, larmes et promesses à l'appui. C'est ce qui expliquait sa recherche constante d'intrigues, de drames. Cela ne correspondait cependant pas du tout à ce que Jules, vu son éducation et son tempérament, pouvait lui offrir.

Serrant ses mains sur ses avant-bras, Delphine s'approcha de la chambre de Catherine. La petite fille hurlait toujours. Lorsque sa mère surgit devant elle, elle serra son dessin contre son cœur.

– Je veux aller voir tante Pascale et oncle Arnaud ! cria-t-elle entre deux sanglots.

« Je deviendrai folle si elle reste ici », se dit Delphine en quittant la pièce.

Désireuse de se débarrasser de Catherine, elle saisit le téléphone et composa le numéro de Lavergne Farm.

* * *

Arnaud et Pascale se trouvaient seuls dans la vaste cuisine de la maison. Rocky et Maya avaient mangé toute leur pâtée et reposaient, côte à côte, sur un tapis tressé. Maya avait posé sa tête sur le cou puissant de son compagnon, et celui-ci, par des soupirs béats, indiquait qu'il l'appréciait.

Arnaud débarrassa la table. Ses parents étaient sortis au restaurant et ses frères passaient la soirée chez des amis.

Arnaud et Pascale en avaient profité pour louer une vidéocassette. Il s'agissait d'un documentaire sur un dresseur célèbre. Le jeune couple en était à charger le lave-vaisselle quand le téléphone sonna.

Arnaud répondit. C'était Delphine, qui se plaignait qu'elle était fatiguée et que Catherine lui faisait la vie impossible.

«Quelle peste, que cette femme!» pensa Arnaud. Il n'avait jamais eu d'amitié pour sa belle-sœur mais, depuis que sa liaison avec Érik lui avait été révélée, il ne pouvait la souffrir. Il avait bien envie de l'envoyer promener, mais, ayant à cœur le bien-être de Catherine, il offrit de s'en charger pour la soirée et, pourquoi pas, pour la nuit. «En fait, se dit-il en raccrochant le combiné, Catherine passerait la fin de semaine à la ferme, et ça n'aurait rien d'extraordinaire.»

Lorsqu'il eut raccroché, il poussa un soupir.

– On dirait bien que Delphine est incapable de passer une soirée avec Catherine, dit-il.

– Jules ne fait guère mieux, répondit Pascale.

– Tu as raison.

Amer, Arnaud murmura :

– Est-ce utile de parler d'Érik?

Pascale fit une grimace qui exprimait la dérision.

Arnaud attira doucement sa femme contre lui. Elle souriait, heureuse à la perspective d'avoir Catherine à elle toute seule.

– On dirait que tu es en joie, dit-il, taquin.

– Mais certainement, confirma Pascale. Tu crois que Catherine voudra regarder le documentaire?

– Nous verrons bien. Elle aime tellement les chevaux!

* * *

Après sa conversation avec Arnaud, Delphine annonça à Catherine qu'elle passerait la nuit à la ferme. La petite devint tout miel. Avec de grands gestes impatients, sa mère mit son pyjama et quelques vêtements dans une petite valise. Lorsque Delphine alla à la salle de bains, Catherine en profita pour y glisser son dessin d'Ashanti.

Tout au long du trajet qui la séparait de Lavergne Farm, Catherine demeura d'une immobilité suspecte. Elle ne chantonna même pas, de crainte que sa mère ne change d'avis et la ramène à Lexington.

À son arrivée à Lavergne Farm, Catherine fut accueillie par Rocky et Maya, qui lui léchèrent copieusement le visage. Delphine ne descendit même pas de son véhicule. Arnaud s'empara de la valise de Catherine et la petite, toute joie, tout sourire, suivit son oncle à l'intérieur de la maison.

– Bonjour, tante Pascale, chantonna-t-elle en entrant dans la cuisine.

Elle se jeta sur les jambes de Pascale et les étreignit vivement. Émue, Pascale se baissa pour recevoir le baiser mouillé de l'enfant.

– Tu as de la sauce collée sur les joues.

Elle assit la fillette sur le comptoir et la débarbouilla. Lorsqu'elle eut terminé, Catherine mit ses bras autour de son cou et s'écria avec passion :

– Je t'aime, tante Pascale. Et toi aussi, oncle Arnaud.

Cette déclaration suscita chez Pascale des émotions tellement vives que, pendant un moment, elle cessa de respirer. Catherine restait accrochée à son cou. Arnaud s'approcha, entoura sa femme et l'enfant de ses bras, et dit calmement :

– Nous aussi, Catherine, nous t'aimons.

– Ça, c'est vrai, ajouta Pascale qui reprenait son souffle.

Elle remit Catherine par terre. La petite babillait avec entrain. Arnaud lui montra la vidéo-cassette. Catherine se déclara intéressée, mais précisa qu'elle emporterait un casse-tête pour se distraire au cas où le film l'ennuierait.

– Allons mettre ton pyjama, suggéra Pascale.

Pendant qu'Arnaud achevait le ménage de la cuisine, Pascale et Catherine gagnèrent la chambre que cette dernière occuperait pour la nuit. En ouvrant sa valise, Catherine aperçut son dessin et s'empressa de le dérouler.

– C'est Ashanti, dit-elle, avec toi dessus.

– Mais oui, répondit Pascale, quel beau dessin !

Objectivement, la représentation était plutôt injurieuse pour l'étalon ; le corps trop long et les jambes trapues lui donnaient l'air d'un basset. Mais le dessin, comme tous les dessins d'enfant, était d'une fraîcheur et d'une naïveté attendrissantes, et Pascale l'apprécia sincèrement.

– Tu as fait cela toute seule ? demanda-t-elle.

– Oui, affirma Catherine, remplie de satisfaction.

Elle fournit ensuite à son interlocutrice moult détails sur le choix de ses crayons. À mesure qu'elle discourait, Pascale l'aidait à enlever ses vêtements et à passer son pyjama. Catherine décrivit ensuite le reste de sa journée. Elle parla, dans un grand désordre chronologique, de son père sur un escabeau, de sa mère en retard, d'une dispute entre deux enfants qui avait nécessité l'intervention de Jennifer, et d'autres choses aussi.

Pascale saisit le dessin et s'écria :

– Viens. Allons montrer ceci à ton oncle Arnaud.

Enchantée, Catherine empoigna joyeusement la main de Pascale et toutes deux regagnèrent la cuisine.

– Comme c'est ressemblant ! fit Arnaud en souriant. Surtout Pascale.

Il fit un clin d'œil à sa femme par-dessus l'épaule de Catherine. Pascale lui tira la langue. Catherine l'avait pourvue d'un corps en boule et d'un nez proéminent.

– Nous aimons beaucoup ton dessin, ma Catou, déclara Pascale avec tendresse.

– Je l'ai fait pour vous, souffla Catherine, émue, alors je vous le donne.

– Tu nous le donnes ? Oh là là, merci ! fit Arnaud. Nous allons lui trouver une place de choix. Pourquoi ne pas l'épingler sur la porte du box d'Ashanti ? Je suis sûr qu'il l'aimerait, lui aussi.

Comblée, Catherine serra ses petites mains sur son cœur.

– C'est une bonne idée, approuva Pascale, mais il faudra protéger ce chef-d'œuvre pour éviter que la poussière de l'écurie ne le salisse.

– En effet, ajouta Arnaud. Demain, nous irons à une boutique d'encadrement et lui trouverons un cadre solide.

Catherine ferma les yeux, tant sa joie était grande. Son beau dessin, encadré, ornerait la porte du box d'Ashanti ! Elle rouvrit les paupières et rendit à Pascale et à Arnaud leurs regards attendris.

– Je vous aimerai toujours, déclara-t-elle, puisque vous regardez mes dessins.

27

– ÇA SENT LA FIN DE L'ÉTÉ, murmura Pascale alors qu'au terme d'un entraînement elle rejoignait Arnaud.

Celui-ci hocha gravement la tête. Ensemble, les jeunes époux regardèrent vers la piste.

Makatoo y galopait. Elle était montée par Francisco Cortez, qui travaillait à Lavergne Farm depuis quelques semaines.

La jument courait sans forcer; ses jambes musclées, déliées, bougeaient bien. Francisco la tenait serrée. Pascale se mordit les lèvres en les regardant. Elle avait sous les yeux un excellent cavalier. Cette constatation lui procurait, d'une part, de la satisfaction et, d'autre part, un peu d'agacement. Elle n'était pas habituée à ce que quelqu'un, à Lavergne Farm, lui dispute la vedette. Les performances de Francisco fouettaient sa nature combative. C'était ce garçon qui, l'an passé, lui avait volé la victoire au fil du Derby du Kentucky…

Francisco descendit de cheval. Il gagna l'endroit où Pascale et Arnaud se trouvaient. Tous trois discutèrent. Francisco était plutôt timide. Son anglais était teinté d'un fort accent hispanique. À présent, Pascale se reprochait la jalousie qu'elle avait ressentie plus tôt. Visiblement, Francisco ne cherchait pas à entrer en concurrence avec elle. Il était tout simplement, et indéniablement, doué.

Le jeune homme répétait combien il était heureux d'avoir accepté de travailler pour les Lavergne. Il savait que Pascale était à l'origine de son nouvel emploi. En conséquence, il lui témoignait beaucoup de gratitude.

Bientôt, il disparut vers les quartiers des employés. Arnaud posa la main sur l'épaule de Pascale.

– Francisco t'admire beaucoup, dit-il.

– Ah oui?

– Pendant que tu montais Ashanti, il m'a dit qu'il ne comprendrait jamais comment il avait réussi à vous battre avec Iron Willy.

Taquin, le jeune homme s'arrêta, puis dit :

– Je trouve cette admiration un peu suspecte.

Pascale ne put réprimer un sursaut d'inquiétude. Arnaud riait. Il avait cherché, par sa remarque, à voir si Pascale continuait à culpabiliser sans raison. Elle avait fait de remarquables progrès à ce chapitre, mais elle restait encore trop sensible à la critique. Arnaud s'attaquait à ce travers par le biais de l'humour.

– Gros bébé! ronchonna Pascale lorsqu'elle eut pris conscience de son manège. Tu vas cesser d'agacer ta femme?

Après leur travail à l'écurie, le couple regagna la maison, puis Arnaud se rendit à Georgetown, une ville voisine. Le jeune homme travaillait occasionnellement dans des cliniques de physiothérapie. Ce matin-là, il remplaçait un autre professionnel en vacances.

Comme chaque fois qu'il s'absentait, Pascale se sentait un peu désœuvrée. Elle prit la direction de l'enclos de Vol-au-Vent, se jucha sur une des clôtures, puis regarda vers l'horizon.

Dans les paddocks, quelques grooms promenaient encore des chevaux détendus, amicaux. Rocky et Maya avaient suivi Pascale et tous deux étaient assis, gueule ouverte et langue pendante, à ses pieds.

Septembre serait là bientôt. Les courses reprendraient et, avec elles, l'interminable périple de ses gens. «Ellis Park, Bluegrass Downs, Churchill Downs, Keeneland...», énuméra intérieurement Pascale. Autant d'hippodromes où Ashanti, Makatoo, Arnaud, Francisco, Greg et elle se rendraient, travailleraient, disputeraient des épreuves... Pascale ferma les yeux. La douceur de la ferme descendit en elle. Elle s'ennuierait.

Pascale rouvrit les paupières, car Maya venait d'adresser à Rocky un jappement agacé. Pourtant, quelques jours plus tôt, elle s'était montrée bien entreprenante. Pascale réalisa que ses chaleurs avaient cessé. Pascale laissa échapper un rire devant le masque ennuyé de Rocky. Peut-être Maya portait-elle ses chiots.

Pascale observa ensuite les poulinières qui, leurs petits collés aux flancs, allaient et venaient en quête de l'herbe la plus savoureuse. Elle soupira. Bien sûr, elle voulait retourner dans les hippodromes, disputer des courses, gagner, avec Ashanti, et connaître de nouveau cette euphorie qui la comblait tant ; et pourtant… Pourtant, malgré la présence constante d'Arnaud auprès d'elle, elle s'ennuierait. De la maison. Du calme. De la nature. Des chiens. Des chevaux. Des Lavergne. De Catherine…

On était jeudi, et Pascale se languissait de la présence de la petite. Heureusement, dans deux jours, l'enfant reviendrait a Lavergne Farm. Elle avait presque trois ans et demie, maintenant.

Interrompant ces douces rêveries, Pascale descendit de la clôture. Elle souffrait d'une douleur au coude, conséquence d'une chute et, ce matin-là, elle devait se rendre au service d'orthopédie de l'hôpital de l'université du Kentucky. Il avait été convenu qu'Elias l'y conduirait.

Pascale trouva l'homme à genoux à côté de la plate-bande qui bordait sa maison. Martha était là aussi, occupée à étendre des draps sur la corde. Avant de faire connaître sa présence, Pascale les contempla. Comme ils avaient l'air heureux ! Comme il paraissait simple, leur bonheur !

Embarrassée, elle toussota. Les deux grooms l'aperçurent et la saluèrent.

Elias se redressa et alla rincer ses mains noircies de terreau sous le jet d'eau du tuyau d'arrosage. Pascale l'écouta épiloguer sur l'engrais qu'il comptait utiliser. Elle souriait intérieurement. Elias qui jardinait ! Comme c'était drôle ! Lui qui avait entraîné des pur-sang pendant plus de trente ans ! Pascale enveloppa Elias et Martha d'un regard rempli de tendresse. Eux aussi lui manqueraient quand elle quitterait la ferme. Lorsqu'ils étaient avec elle, elle se sentait protégée.

Elias essuya ses mains gercées sur sa vieille culotte, envoya un baiser à sa femme puis, suivi de Pascale, il se dirigea vers son véhicule. Lui et Martha avaient reçu, à titre de grooms, un pourcentage des bourses d'Ashanti et des autres cracks de Lavergne Farm. Ils s'étaient débarrassés de la vieille guimbarde d'Elias pour acquérir un véhicule d'occasion tout à fait convenable.

– Viens, petite, grommela l'homme alors que Pascale s'installait sur la banquette. J'espère bien qu'à l'hôpital ils sauront t'arranger ça, ce coude-là.

* * *

Philip était étonné du calme inhabituel qui régnait dans les corridors de l'hôpital de l'université du Kentucky. Il pensa à Laurie, partie au New Jersey passer quelques jours avec ses parents avant le début des classes. « Tu parles ! songea-t-il, un peu déçu. Pour une fois que j'aurais le temps de la voir, elle n'est pas là ! La vie est un perpétuel empêcheur de tourner en rond », conclut-il avec philosophie.

Philip savait que Pascale devait se présenter au service de médecine sportive ce matin-là. Rapidement, il trouva son dossier, puis détermina quel médecin allait la recevoir. Il voulait lui demander la permission d'assister au rendez-vous.

Le praticien, qui appréciait Philip, fut aussitôt d'accord. À l'heure prévue, Philip gagna la salle d'attente, persuadé d'y trouver Pascale, car elle n'était jamais en retard.

En effet, elle était là. Elle s'était assise dans un coin, dans l'espoir qu'on ne la remarque pas. Philip ne put s'empêcher de sourire. Tout le monde la connaissait à Lexington et il n'y avait aucune chance qu'elle passe inaperçue. Sa gêne était tellement manifeste que les gens lui adressaient des regards pleins de gentillesse. Philip la rejoignit. Elle se leva, heureuse de trouver quelqu'un qu'elle connaissait.

Un peu amusé, Philip l'observait alors qu'elle lui emboîtait le pas. Elle dégageait beaucoup moins d'assurance que lorsque Arnaud était là. Pascale lui expliquait justement pourquoi son mari était absent.

L'orthopédiste qui examina Pascale la mit mal à l'aise avec ses nombreux compliments sur les succès d'Ashanti. Il proposa ensuite de la soumettre à différents tests afin de résoudre le mystère que posait son coude meurtri. Docilement, Pascale se rendit aux services pertinents où, partout, on la reconnut.

Il était presque midi lorsque les tests furent terminés. Pascale se dirigea vers la sortie de l'hôpital. Elle avait faim et sentait son estomac gargouiller. Elle devait téléphoner à la ferme pour que quelqu'un vienne la chercher. Au moment où elle s'approchait d'une cabine téléphonique, Philip, tout souriant, l'interpella.

– Alors, championne? s'écria-t-il. Qu'est-ce qu'il a, ce coude?

– L'orthopédiste recevra les résultats des tests la semaine prochaine, répondit Pascale. En attendant, il ne le sait pas. Toi, qu'en penses-tu?

– Je pense que c'est une mauvaise entorse et que tu as besoin de chirurgie. Je me ferais un grand plaisir de t'opérer.

Pascale fit la grimace et Philip rit de sa mine déconfite, puis la prit par son coude valide.

– Tu es libre pour le lunch? demanda-t-il.

– Moi? fit Pascale, étonnée.

– Oui, toi, pouffa Philip. Tu as faim? Allons, viens, je t'invite. J'ai envie de manger en compagnie d'une célébrité.

Pascale se figea. Elle savait bien que Philip l'invitait sur une base amicale; néanmoins, elle se sentait embarrassée. Elle regarda son ami. C'était un beau garçon. Il était un peu plus âgé qu'Arnaud et paraissait beaucoup plus sérieux. Pascale rit. Elle se sentirait toute drôle, de dîner avec un homme autre que son mari.

– OK, fit-elle.

Avec une certaine autorité, Philip l'entraîna à l'extérieur. Des médecins, des infirmières le saluaient au passage. Pascale se demandait ce que ces gens pensaient en voyant Philip Davidson, futur chirurgien orthopédiste, au bras d'un petit jockey.

Ils se rendirent au restaurant chinois où ils avaient soupé ensemble, quatre ans auparavant, à l'époque de leurs fréquentations. Dès ce jour-là, Pascale avait été convaincue que Philip était promis à un brillant avenir. Pascale était heureuse que son ami eût conservé, dans la réussite, sa plus grande qualité : la simplicité.

Le restaurant était rempli d'un joyeux brouhaha. Philip mangea ses nouilles frites avec appétit. Régime oblige, Pascale dut se contenter d'une soupe aux légumes. Philip blagua avec le patron de l'établissement, qui était aussi le propriétaire du logement qu'il louait. Philip prenait ses repas dans ce restaurant plusieurs fois par semaine, et son appartement sentait perpétuellement le chow mein. Pascale l'agaçait, prétendant qu'il avait développé une dépendance au glutamate de sodium.

– Quand repartez-vous en tournée ? lui demanda Philip.

– Début septembre, répondit Pascale.

– Avec tous vos succès de l'an passé, vous avez dû amasser un joli magot, commenta Philip.

– En effet, confirma Pascale. C'en est presque gênant, quand on pense à ce que Jules gagne, ou à ce que tu gagnes.

Philip rit.

– Ne t'inquiète pas pour moi, dit-il. J'ai mis de l'argent de côté, pour… une surprise.

– Ah ? fit Pascale, intéressée.

– Une surprise pour Laurie, lui confia Philip. Tu garderas le secret ?

– Motus et bouche cousue ! promit Pascale.

– J'ai réservé un condominium en construction, tout près d'ici. Je pourrai emménager à Noël… avec Laurie. Il me tarde de tout lui dire mais, comme rien n'est encore confirmé, j'aime mieux attendre. Et puis, il y a encore mieux que ça. J'aurai trois semaines de vacances, l'été prochain. J'emmène ma chérie en voyage. En Europe. Peut-être même au Japon...

– Alors, d'ici à Noël, Laurie continuera à habiter avec Pamela ? s'enquit Pascale.

– Oui, confirma Philip. Pauvre Laurie, elle n'a même pas osé me demander d'habiter avec moi.

Il poussa un soupir et ajouta :

– Pamela n'est pas ce qu'on pourrait qualifier de colocataire idéale...

Brièvement, Philip fit part à Pascale des difficultés que Laurie traversait.

– Tu savais que Laurie a raté trois cours au dernier trimestre ? demanda Philip.

– Non, fit Pascale, désolée.

– Elle a fini par me l'admettre voilà quelques jours. Elle pleurait tellement, je te jure, je ne savais plus quoi faire. Le pire, c'est que j'étais pressé...

Pascale écouta Philip avec attention. Elle ne doutait pas qu'il aimait Laurie et désirait lui fournir du soutien. Mais la vie, avec ses imperfections, ses exigences, l'empêchait souvent de le faire. Pascale réfléchissait. Cela lui était arrivé, à elle aussi, d'être trop occupée pour penser à Arnaud.

Elle eut envie de conseiller à Philip de prendre garde, mais il se levait déjà pour régler l'addition, car son téléavertisseur bourdonnait.

28

PASCALE et Arnaud quittèrent Lavergne Farm au début septembre. Ils étaient maintenant secondés par Greg et Francisco Cortez. Ce dernier connaissait du succès avec Makatoo, et Pascale la lui cédait bien volontiers.

Le matin, Pascale et Francisco entraînaient les chevaux de Lavergne Farm et acceptaient les contrats de monte qui leur étaient offerts dans les hippodromes. Arnaud agissait comme entraîneur et Greg, comme groom. Tous s'épaulaient dans l'entretien et la surveillance des chevaux.

La dynamique de ce groupe était bien différente de celle qui avait prévalu à l'époque où Elias et Martha faisaient partie de l'équipe. Maintenant, Pascale était entourée de trois jeunes hommes, dont l'un était son mari et les deux autres, ses amis.

Greg était une vraie dynamo. C'était un garçon malicieux, qu'un vif sens de l'humour rendait très populaire. À son contact, Francisco sortit de sa réserve; les deux s'entendaient comme larrons en foire. Comme Arnaud avait aussi l'esprit farceur, Pascale se trouvait entourée de garçons rieurs qui la taquinaient à longueur de journée.

Grâce à cela, et parce qu'elle était tout simplement reposée et plus équilibrée qu'avant, Pascale éprouvait beaucoup de plaisir à effectuer son travail. Malheureusement, son coude continuait à la faire souffrir. Philip avait raison. Elle devait passer sous le bistouri.

* * *

Avec soulagement, Geneviève referma la porte du logement qu'elle partageait avec Bruce.

Les Foster, parents de ce dernier, venaient de quitter les lieux après avoir partagé un repas avec leur fils et son amie. Un moment, Geneviève resta debout, serrant la poignée de la porte et regardant vers le plafond avec une moue qui exprimait son exaspération.

Elle regagna le séjour. Bruce était assis dans un fauteuil et regardait un match de football. Geneviève l'observa. Il était tout avachi et s'était versé une bière. Les yeux de Geneviève se posèrent sur les tables basses, puis sur celle de la salle à manger, couverte de vaisselle sale.

Sans rien dire, elle alla mettre au réfrigérateur ce qui restait du gâteau, puis se mit à empiler les assiettes. De temps en temps, elle jetait un coup d'œil vers Bruce, se demandant quand il se déciderait à venir l'aider. Comme il ne bougeait pas, elle laissa tomber un tas d'ustensiles dans l'évier. Bruce haussa le volume du téléviseur.

Geneviève serra les poings. Elle saisit la bouteille de savon et en versa un peu dans l'évier, puis ouvrit le robinet. Une mousse blanche s'éleva. Tout en tentant de se calmer, Geneviève se mit à laver la vaisselle.

Bien qu'elle s'efforçât de penser à autre chose, le discours de ceux qui seraient peut-être un jour ses beaux-parents lui revenait sans cesse à l'esprit. Tout avait commencé au moment où Geneviève avait parlé d'une injustice commise à l'endroit d'un indigent. Celui-ci s'était présenté à la clinique de physiothérapie où travaillait occasionnellement Arnaud, qui avait raconté toute l'histoire à Geneviève. Sans même lui laisser expliquer la situation, Mme Foster était intervenue, disant que la charité n'était pas rentable. M. Foster avait approuvé ce point de vue avec gravité.

Mme Foster avait poursuivi, citant des exemples que Geneviève trouvait odieux, voire discriminatoires. La jeune fille avait souvent l'impression que les Foster la trouvaient peu évoluée, trop campagnarde, voire exagérément candide. En fait, ils la snobaient, se dit Geneviève en récurant furieusement une casserole où du riz était resté collé. Comment ces gens pouvaient-ils oser !

La snober, elle, la fille de Xavier et de Gabrielle Lavergne, qui comptaient parmi les gens les plus fortunés de l'État ! Geneviève revit, par la pensée, la splendeur de Lavergne Farm, le charme de la maison rustique de ses parents et, surtout… Ses parents eux-mêmes. Leur générosité, leur sensibilité aux problèmes sociaux. Ils étaient admirables ! Infiniment plus que ces deux parvenus de Foster !

Du revers de la main, Geneviève essuya son front que la colère avait rendu moite. Le frottement du gant de caoutchouc l'agaça.

L'égouttoir était plein ; il était temps d'essuyer la vaisselle propre. Retirant ses gants, Geneviève retourna dans le séjour.

– Bruce, dit-elle, j'aimerais que tu m'aides à laver la vaisselle.

Le jeune homme ne répondit pas.

– Bruce ! appela Geneviève.

– Hmm ? grogna-t-il.

Geneviève avait envie de trépigner. Elle avait espéré que Bruce baisse le son du téléviseur, mais il n'en faisait rien. Geneviève s'approcha du sofa, saisit la télécommande et fit taire l'appareil.

– J'ai besoin d'aide, répéta-t-elle.

Bruce leva vers elle un regard ennuyé et, sans répondre, avala une gorgée de bière. Geneviève s'efforçait de ne pas s'impatienter.

– S'il te plaît, Bruce, supplia-t-elle. Je suis fatiguée, aide-moi.

– On ne pourrait pas faire ça demain matin ? argua le jeune homme d'un ton las.

Ses yeux restaient obstinément fixés sur l'écran du téléviseur. Découragée, Geneviève se laissa tomber à ses côtés. Elle aurait aimé qu'il la prenne dans ses bras mais, au lieu de cela, il reprit la télécommande et augmenta le volume du son. Cette fois, Geneviève se fâcha.

– Bruce ! gémit-elle.

– Quoi ? fit le jeune homme qui, d'un geste résigné, ferma le téléviseur.

– Je ne peux pas tolérer ce désordre. Aide-moi, je t'en prie.

– Ça ne nous tuera pas d'attendre à demain.

– Mais si on laisse tout traîner partout, ce sera dégoûtant, demain matin.

– Je croirais entendre ma mère, dit Bruce en soupirant.

Il réalisa que ce commentaire avait été de trop, car Geneviève rougit, puis pâlit et serra les lèvres, et ses yeux se remplirent d'eau.

– Tu es bien émotive ! remarqua Bruce. Auras-tu tes règles bientôt ?

Il tentait d'être compatissant, mais Geneviève n'interpréta pas son commentaire ainsi. Furieuse, elle bondit sur ses pieds, ramassa quelques tasses sur une table et disparut dans la cuisine. Bruce retint un gémissement. Comme Geneviève était compliquée, parfois ! Il s'extirpa du sofa et la rejoignit dans la cuisine. Sans enthousiasme, il s'empara d'un linge à vaisselle.

Geneviève, murée dans un silence épais, rinçait des assiettes sales.

– Je vais t'aider, dit Bruce. Tu es contente ?

Geneviève ne répondit pas tout de suite. Bruce, qui ne savait trop comment la dérider, lui caressa la nuque tout en ayant l'air de rire de sa fureur. Soudain, Geneviève explosa.

– Ta mère est insupportable ! s'écria-t-elle. Non, mais, l'as-tu entendue ? Elle ne cesse de critiquer tout ce que je fais !

Geneviève se lança dans une diatribe peu nuancée qui amusa Bruce. Mme Foster avait une façon agaçante de faire des suggestions au sujet de tout ce qui lui passait par la tête, sans jamais dire franchement ce qui lui déplaisait. Ses interlocuteurs en étaient réduits à deviner où elle voulait en venir, car, comme elle parlait sans arrêt, il était impossible de le lui demander.

Geneviève avait à cœur de plaire aux parents de Bruce. Or, chaque fois qu'elle accomplissait une tâche ou une autre, Mme Foster lui suggérait de s'y prendre autrement, et elle avait l'impression de constamment la décevoir.

Geneviève était si hérissée qu'elle jetait les ustensiles dans l'égouttoir. Bruce maîtrisait à grand-peine une forte envie de rire. Il était habitué à sa mère. Depuis longtemps, il ne portait pour ainsi dire pas attention à ce qu'elle racontait.

– Mais, Jenny, intervint-il, je t'ai déjà dit de ne pas t'occuper de ma mère. Tu n'as qu'à l'ignorer.

– Mais je ne peux pas faire ça! protesta Geneviève. C'est ma...

Elle allait dire «future belle-mère», mais quelque chose l'en empêcha.

– C'est ta mère, reprit-elle.

– Eh bien, répondit Bruce, je t'autorise formellement à te balancer de l'opinion de ma mère.

– Mais, Bruce, protesta Geneviève, c'est impossible!

– Je ne vois pas pourquoi. Moi, je me fous bien de ce que pensent tes parents.

Saisie, Geneviève resta immobile, une main sur une assiette, l'autre sur le manche de la lavette. Dans ses yeux s'entremêlèrent la déception, la peine et la colère.

– Ne dis plus jamais cela, siffla-t-elle. Ce sont mes parents. Je les aime. Je t'en prie, Bruce, ne dis plus jamais cela.

Bruce se tut. Amère, Geneviève plongea les mains dans le bac à vaisselle. Son compagnon soupira, puis chercha un moyen de se réconcilier avec elle. Lui entourant la taille de son bras, il murmura tout contre son oreille :

– Que dirais-tu, Jenny, si on se fiançait à Noël?

* * *

– Allons, Laurie, fit Sébastien, quitte ce visage d'enterrement. François et moi, nous te ferons oublier ton Philip pour ce soir.

Laurie parvint à rire, jugulant les larmes qui, à tout moment, lui montaient aux paupières. Elle parcourut des yeux le salon de la maison des Lavergne. Une foule dense s'y était réunie pour célébrer la clôture de la saison de Keeneland. Ashanti y avait couru et, une fois de plus, il avait triomphé.

Sébastien tapotait amicalement les épaules de Laurie tandis que François lui versait un verre de punch.

– Alors, s'enquit ce dernier, qu'est-ce qui empêche le vénérable docteur Davidson d'accompagner sa jolie dulcinée à cette fête ?

– Une intervention complexe, répondit Laurie. Une reconstruction ligamentaire, quelque chose comme ça. L'opération devait se faire cet après-midi, mais il y a eu des urgences et l'hôpital n'a pas pu libérer une salle avant ce soir.

– Vois-tu ce qui t'attend, frérot ? dit François pour le taquiner.

Sébastien lui tira la langue. Un peu soudainement, le bruit des conversations diminua.

Michael Harrison venait d'entrer. Cela n'avait rien de remarquable, car Xavier et Gabrielle avaient invité tous leurs employés à la réception. Elias et Martha y étaient, de même que Francisco et sa petite amie Maria, ainsi que Greg et plusieurs autres. Michael était accompagné d'une jeune fille dont la beauté laissait les hommes bouche bée.

Avec amusement, Pascale regarda son beau-père accueillir la nouvelle venue. Elle était grande, bien faite, et surtout très naturelle. « Mais où Mike a-t-il pêché cette déesse ? » se demanda Pascale. Elle plissa les yeux, tentant de deviner quelles étaient les origines de la fille. C'était assez difficile à dire. Sans doute avait-elle du sang noir. Pour le reste, était-elle caucasienne, hispanique, orientale ou même arabe ? Pascale n'aurait su le dire. Elle tira la manche d'Arnaud.

– Elle est appétissante, hein ? dit-elle.

Arnaud quitta la fille des yeux pour regarder sa femme. Amusée d'avoir pris son mari en flagrant délit, Pascale souriait à belles dents.

– Très, confessa Arnaud. Mike est mieux de se tenir loin d'Érik, autrement, il va essayer de la lui piquer.

Pascale pouffa dans sa manche. Elle étira le cou pour voir le visage de son beau-frère. Il avait sûrement remarqué l'arrivante, mais, en ce moment, il discutait avec Laurie. Pascale fronça les sourcils. Le regard qu'Érik posait sur Laurie lui rappelait quelque chose... Quoi donc ? L'œil d'un vautour qui guette le moment où sa proie s'affaissera... Le regard qu'Érik, longtemps auparavant, avait posé sur elle.

Une brève grimace apparut sur le visage de Pascale, puis elle se gourmanda. Laurie était bien mieux armée qu'elle-même ne l'avait été pour repousser Érik.

Michael et sa compagne venaient vers Arnaud et Pascale. Les regards de convoitise des hommes amusaient cette dernière. Elle observa aussi les faciès dépités des autres femmes, particulièrement ceux de Cindy et de Pamela.

– Salut, Pascale et Arnaud, dit Michael. Je vous présente Tammy.

Les deux jeunes gens tendirent la main, amicaux. Tammy souriait.

– J'ai beaucoup entendu parler de vous, dit-elle. J'étudie à la faculté de médecine vétérinaire, comme Michael.

29

À LA FIN D'OCTOBRE, Pascale rentra à Lavergne Farm et s'y reposa quelques jours avant d'être opérée au coude. Arnaud resta à l'hippodrome avec Greg, Francisco et les chevaux.

La chirurgie que subit Pascale, sous anesthésie locale, se déroula bien. Pour sa plus grande joie, Philip assista l'orthopédiste. Le jeune homme, le visage souriant derrière son masque, impressionna beaucoup son amie. Il paraissait incroyablement sûr de lui.

Le soir même, Pascale regagna Lavergne Farm. Son coude était très douloureux. Elle dormit mal. Les effets secondaires de l'anesthésie l'assommèrent, mais elle était vigoureuse et, au bout de quelques jours, elle se sentit prête à monter Vol-au-Vent. Une orthèse très légère avait été fabriquée pour elle pour protéger son coude. Accompagnée de Gabrielle chevauchant Moushika, Pascale parcourut donc les sentiers, suivie de Rocky. Maya resta enfermée dans la maison, car sa grossesse était très avancée.

La promenade se déroula bien. Pascale en fut heureuse. Elle était convaincue qu'avec les bons soins d'Arnaud son coude reviendrait rapidement à la normale et qu'elle serait capable de monter en course dans quelques semaines.

À leur retour à la maison, Pascale et Gabrielle trouvèrent Maya en train de se faire un nid dans un placard. Elles entraînèrent la chienne dans la pièce où se trouvait la chaudière.

Le soir même, Maya accoucha, de six chiots, soit quatre mâles et deux femelles.

L'événement réjouit tellement Pascale qu'elle n'arrivait plus à s'endormir. Couchée dans son lit, elle écoutait les piaillements des petits chiens, et aussi le halètement de leur mère qui, comblée, les allaitait. Exceptionnellement, Pascale avait permis à Rocky de dormir dans sa chambre, car Maya refusait qu'il s'approche de sa progéniture.

Du bout des doigts, Pascale caressait le col de Rocky. Les chiots seraient sevrés pour Noël. On leur choisirait de bonnes familles et ils iraient illuminer la vie d'inconnus, tout comme Rocky avait illuminé la sienne.

Pascale sourit à cette perspective. Son cheval, et maintenant son chien, avaient des descendants. Elle revit Maya avec ses chiots pressés contre ses flancs, la tendresse de ses coups de langue, et, juste avant de s'assoupir, elle l'envia.

* * *

Laurie, accablée, restait plantée devant le feuillet qui affichait les résultats des examens. Vis-à-vis son numéro de code apparaissait sa note : trente-deux pour cent.

Vivement, Laurie se retourna. Elle sentit qu'elle se mettait à trembler et, marchant à petits pas rapides, crispés, elle s'engagea dans un corridor. Trente-deux pour cent ! Mais comment avait-elle pu obtenir un résultat aussi catastrophique ! Elle avait l'impression que les autres étudiants la dévisageaient, qu'ils avaient deviné que c'était elle qui traînait ainsi en queue de classe. Sans trop s'en apercevoir, elle prit l'ascenseur, se trompa d'étage, réalisa son erreur, revint sur ses pas et arriva en retard, dans la salle où avait lieu son prochain cours.

Elle tentait d'écouter, mais les paroles du professeur n'arrivaient pas à percer son angoisse. Elle ne cessait de trembler. À la pause, elle s'acheta un café. Elle avait l'im pression que son esprit refusait de fonctionner.

La classe reprit. Laurie sentit les larmes lui monter aux yeux et elle craignit de se mettre à pleurer, là, au milieu de son cours. Ce n'était pas juste, ce qui lui arrivait. Elle avait étudié tellement fort !

Avant que le professeur ait terminé, Laurie se précipita vers la sortie. Son cartable lui semblait très lourd et les portes qui se dressaient devant elle lui paraissaient lestées de plomb. C'était vendredi après-midi. Laurie avait désespérément besoin de repos. Mais non, elle devait étudier. Elle ne pouvait plus se permettre d'échouer à un seul examen, sinon l'université la renverrait…

Gens et choses se brouillaient devant ses pas. Elle se rendit jusqu'à son logement comme un automate. Dans le vestibule, le propriétaire l'interpella.

Interdite, Laurie écouta les vociférations de l'homme. Pamela avait négligé de payer sa part de loyer. Ce n'était pas la première fois que cela arrivait. Découragée, Laurie ouvrit la porte de son logement, le trouva sens dessus dessous, mais Pamela n'y était pas.

Le propriétaire continuait à récriminer. Oubliant que son compte à la banque était presque vide, Laurie sortit son chéquier et régla le loyer.

À peine le propriétaire avait-il disparu que Pamela surgissait. Les deux filles eurent une discussion plutôt aigre. Abandonnant rapidement la partie, Laurie alla s'enfermer dans sa chambre. Elle y était depuis une heure lorsque les invités de Pamela commencèrent à arriver.

Complètement découragée, Laurie laissa tomber sa tête dans le livre ouvert sur son bureau et, pendant quelques minutes, elle pleura de rage. Les éclats de voix l'empêchaient de se concentrer. Mais elle devait étudier ! Il le fallait, autrement elle ne serait jamais médecin et Philip ne voudrait plus d'elle ! Philip ! Elle enfila à la hâte un chandail usé, trop grand, car il faisait froid dehors, et, emportant son cartable, elle sortit.

La jeune fille s'arrêta à une cabine téléphonique. Fébrilement, elle composa le numéro de Philip. Le répondeur se déclencha. Laurie coupa la communication. Elle décida alors de se rendre à l'hôpital de l'université du Kentucky. Philip l'aiderait. Philip la sauverait. Laurie avait l'impression de se débattre dans des sables mouvants, et elle comptait sur son ami pour la secourir.

Elle le trouva, courant dans un corridor, stéthoscope au cou, ses vêtements tachés de sang. Il allait sûrement remarquer la douleur qui la défigurait. Mais non. Il n'avait le temps de rien voir. On l'appelait. Dr Davidson par-ci, Dr Davidson par-là. Pour expliquer son échec, le vide de son esprit et de son compte en banque, le bruit que faisaient les amis de Pamela, Laurie avait besoin d'intimité, de silence. Une civière passa à côté d'eux, poussée par des infirmières pressées. Au milieu de la tension, du vacarme, Laurie trouva le moyen de demander à Philip si elle pouvait passer la nuit chez lui.

– Bien sûr. J'aimerais pouvoir te dire quand j'irai te rejoindre, mais je ne le sais pas.

Laurie ne répondit pas. «Pauvre petite, elle a l'air au bout de son rouleau», se dit Philip. «Le docteur Davidson est demandé à la salle 307», grincèrent les haut-parleurs. Avant d'être entraîné à l'écart par l'infirmière qui devait l'aider à enfiler ses gants, Philip songea à la surprise qu'il réservait à Laurie et tenta, par la voix et le regard, de la réconforter. Puis il disparut, la laissant seule dans cet environnement froid et hostile.

Étourdie, Laurie resta là un moment, petite silhouette aveugle, insensible aux mouvements prestes du personnel hospitalier qui s'affairait tout autour d'elle. Philip ne l'avait pas sauvée. Le monde s'écroulait.

Elle se ressaisit. Elle irait chez Philip et il finirait bien par l'y rejoindre. Puis elle se souvint qu'elle n'avait pas la clé du logement de Philip, qui venait de faire changer les serrures. Le découragement de Laurie était tel qu'elle eut envie de se laisser tomber à genoux sur le sol. Comment Phil avait-il pu disparaître ainsi sans lui remettre sa clé? Maintenant, il était en salle d'opération, lieu où personne – surtout pas Laurie – ne pouvait le déranger...

Brisée, Laurie marcha vers la bibliothèque de la faculté de médecine. Là, au moins, il n'y aurait pas de bruit. Elle pourrait étudier.

Mais non. Elle ne le pourrait pas, où qu'elle fût, car des lumières dansaient devant ses yeux, ses pieds refusaient de la porter, elle titubait. Laurie trébucha et son cartable tomba au sol.

Elle se releva, les genoux endoloris par sa chute. Il n'y avait presque personne dans les corridors de la faculté de médecine. Il n'y avait à peu près que Laurie, parce qu'elle échouait à ses examens, parce qu'elle n'était pas capable d'obtenir le respect de Pamela, ou de penser à demander une clé à Philip.

Le cartable était trop lourd. Elle préférait le laisser dans son casier au vestiaire et n'emporter que quelques livres à la bibliothèque.

Elle composa le numéro de son cadenas. Dans la pénombre, les chiffres se brouillaient. Le cadenas résista. Laurie recommença, puis les larmes eurent raison d'elle ; elle tomba accroupie, le dos appuyé contre son casier.

Elle entendit quelqu'un arriver. Vivement, elle se remit debout et tenta de venir à bout de son cadenas. Lorsque l'arrivant fut près d'elle, elle bataillait à la fois contre le cadenas et les larmes, le visage appuyé contre le métal froid du casier.

– Laurie, dit une voix douce, teintée, presque imperceptiblement, d'un accent français.

Laurie se retourna et vit, à contre-jour, la silhouette d'Érik Lavergne. Elle ne se demanda même pas ce qu'il faisait là. Il la tenait doucement par les bras et répétait :

– Laurie, Laurie, mais qu'est-ce qu'il y a ?

La jeune fille ignorait qu'Érik avait quitté la fête chez Pamela aussitôt qu'on lui avait fait part de son départ précipité. Elle ne savait pas qu'Érik, avec sa perspicacité diabolique, avait deviné sa faiblesse et anticipé son effondrement. Personne ne lui avait dit qu'il l'épiait depuis longtemps, qu'il guettait le moment où elle oublierait Philip. Comment aurait-elle pu savoir qu'il l'avait attendue, ici, dans les couloirs de la faculté de médecine, ce soir, et y avait tendu ses filets ? Eut-elle su tout cela, elle se serait sans doute méfiée davantage.

En ce moment, Érik lui apparaissait comme le sauveur que Philip n'avait pas été. Il continuait à répéter son nom, tout doucement. Sans s'en rendre compte, Laurie se laissait enivrer par cette musique, car Érik ne lui demandait ni de l'attendre, ni de devenir médecin.

* * *

En ce vendredi soir de novembre, Pascale préparait ses affaires sans grand enthousiasme. Elle s'était attardée à Lavergne Farm plus que nécessaire après son opération.

Tout en faisant ses valises, Pascale tendait l'oreille, attentive aux moindres sons provenant des chiots de Maya. De temps en temps, elle se rendait près de l'endroit que Xavier avait aménagé pour la nouvelle famille. Les petits dormaient en tas, leurs queues nouvellement coupées recouvertes d'un pansement blanc. Sur un grand carton, Gabrielle et Pascale avaient noté les caractéristiques de chaque chiot, par exemple son poids à la naissance et d'autres détails. Lorsqu'elle eut bouclé ses valises, Pascale mit à jour les données et, attendrie, contempla une dernière fois les chiots. Puis, résignée, elle empoigna ses bagages et grimpa l'escalier de la cave.

François et Sébastien l'attendaient. Ils avaient décidé d'aller passer la fin de semaine à Louisville avec leur frère et leur belle-sœur, qu'ils conduiraient à Churchill Downs, où se trouvaient les chevaux. Ils aideraient aussi au déménagement de l'équipe, car celle-ci quitterait bientôt le Kentucky pour aller compétitionner en Louisiane.

Les jumeaux venaient d'obtenir leur permis de conduire. Xavier leur permettait d'utiliser un pick-up. Pascale, toujours aussi réfractaire à la conduite automobile, était heureuse de voyager en compagnie de ces deux joyeux drilles.

Pascale était désolée de laisser derrière elle les chiots de Maya, mais elle se languissait d'Arnaud. Sébastien tenait le volant. Alors que les trois compagnons traversaient Lexington, ils virent, au loin, plusieurs ambulances près d'automobiles toutes tordues. Pascale détourna la tête. Les accidents de la route la mettaient toujours à l'envers.

– Tout un carambolage ! commenta François qui, lui, tendait le cou vers la scène.

– L'hôpital de l'université du Kentucky sera débordé, prédit Sébastien. Dommage pour Phil. Il passera sans doute la soirée à travailler.

– Pauvre Philip, murmura Pascale, qui ne croyait pas si bien dire.

* * *

La brume opaque qui empêchait Laurie de réfléchir commença à se dissiper lorsqu'elle se retrouva dans le logement d'Érik.

Calée dans un fauteuil de cuir, les pieds ramenés sous elle, elle tremblait de froid. Dans ses mains, elle tenait une tasse contenant une boisson chaude. Soudain, elle se sentit beaucoup mieux et se demanda pourquoi.

Le logement d'Érik était accueillant. Tout y était ordonné, bien rangé et joli. La lumière tamisée, la musique d'ambiance invitaient à la détente. Des yeux, Laurie chercha son cartable. Elle ne se souvenait plus où elle l'avait déposé.

Érik, lui aussi assis dans un fauteuil, ne disait rien. Laurie tenta de se souvenir de ce qui était arrivé depuis qu'il était venu à sa rencontre, dans le vestiaire de la faculté de médecine. Un soupir siffla entre ses lèvres. Elle n'avait rien à se reprocher. Érik l'avait trouvée en larmes, puis l'avait gentiment emmenée dans un lieu réconfortant, et lui avait servi du chocolat chaud.

Le jeune homme souriait dans le clair-obscur. Il portait un jean, des souliers de cuir à semelles épaisses et une chemise sport qui mettait en valeur son teint ambré. Sur son visage, Laurie ne voyait que la sympathie d'un camarade heureux d'en secourir un autre.

– Il faudrait que j'étudie, murmura-t-elle.

– Ne vaudrait-il pas mieux que tu te reposes? suggéra doucement Érik.

– Je ne peux pas. Je... J'ai...

Laurie gémit. Elle tenta de maîtriser ses larmes. Érik se pencha en avant et, sous la lumière de la lampe, Laurie vit mieux son visage, qui l'émut.

– J'ai raté… trois cours…, hoqueta Laurie.

Elle sanglotait comme un enfant aux prises avec une peine trop grande pour lui. Érik l'observait sans s'en approcher.

Patient et grave, il l'écouta confesser chacune de ses déceptions. La jeune fille ressentait un grand besoin d'être réconfortée. Inconsciemment, elle souhaitait qu'Érik la prenne dans ses bras, mais elle chassait cette pensée aussitôt qu'elle apparaissait.

Lorsque Laurie cessa de parler, un silence sans pesanteur s'installa. Laurie avait tout raconté – tout ! – à Érik Lavergne. Elle avait réussi à se confier à lui comme jamais elle ne l'avait fait avec Philip. Avant qu'elle ne s'interroge à ce sujet, Érik parla.

– Ta vie, dit-il doucement, me paraît bien complexe. Ai-je tort de penser que le plaisir en est pour ainsi dire absent ?

– Le plaisir ? répéta Laurie.

– Oui, fit Érik, celui des choses simples, comme… de parler à un copain, de boire un chocolat chaud. De regarder quelque chose ou quelqu'un de joli et de jouir de sa beauté.

Laurie frémit. Érik souriait. Venait-il de lui dire qu'il la trouvait belle ? Pas tout à fait. Pourtant, la chaleur montait aux joues de Laurie. Voilà des siècles qu'un garçon lui avait tourné un compliment. Philip, lui…

– Moi aussi, je mène une vie stressante, poursuivit Érik. Je travaille beaucoup, mais je suppose que je pourrais gagner plus d'argent si je ne réservais pas du temps pour moi. Mais je persiste à le faire. Parce que j'aime me ressourcer, faire des choses qui me font du bien, comme… t'aider.

Laurie frémit de nouveau. L'aider ! Son cœur bondit dans sa poitrine. Enfin ! Quelqu'un l'aidait… Mieux encore, la prenait en charge !

– Je parlerai à Pamela, continua Érik. Elle te remboursera, tu verras. Quant à tes études…

Le jeune homme marqua une pause. Laurie, baissant le nez, venait de se remettre à pleurer.

– As-tu jamais pensé, suggéra Érik, que la médecine n'était peut-être pas faite pour toi ?

Laurie se pelotonna davantage dans le fauteuil.

– Désires-tu vraiment, poursuivit Érik, passer tes jours et tes nuits dans un hôpital comme Philip le fait ?

– Mais…, protesta Laurie.

Elle voulait répondre qu'elle ne remettrait jamais en question son choix de carrière. Bien sûr qu'elle désirait devenir médecin. Elle comblerait ainsi ses parents, Philip… Mais elle-même ? Qu'entendait-elle faire de sa vie, elle, Laurie Yasaka ?

– Veux-tu renoncer à tes soirées, à tes fins de semaine, aux petits soupers à deux…

– Arrête, souffla Laurie.

– Moi, je refuserais de vivre ainsi. Tu penses que ta situation actuelle est difficile ? Attends un peu que Philip soit devenu orthopédiste pour de bon et que toi, tu sois médecin. Concilier vos horaires sera tout un exploit.

– Arrête ! cria Laurie.

La tasse de chocolat chaud lui échappa et une flaque collante s'étendit sur le plancher ciré.

– Ce n'est rien, Laurie, ne t'en fais pas, dit aussitôt Érik en se levant.

Laurie gémissait. Elle fixait le chocolat répandu, et elle avait l'impression que c'était sa vie qui coulait là, sur le sol, entre les rainures du plancher de bois. Érik alla à la cuisine et revint avec un torchon.

Laurie le vit s'accroupir à ses pieds pour nettoyer le dégât. Elle regarda ses cheveux, épais, foncés, rebelles, sa nuque racée, et elle respira son odeur. Soudain, le poids de ses déceptions accumulées l'écrasa, et elle perdit tout empire sur elle-même. La rage secoua son corps comme une onde de choc. Grimaçant, serrant les poings, elle martelait ses genoux.

– Tu as raison ! Je ne veux pas vivre comme ça !

Érik abandonna le torchon et redressa la tête. Laurie ne vit pas la satisfaction qui brillait dans son regard alors qu'elle reniait le projet auquel elle avait tant tenu, pour lequel elle avait bataillé jusqu'à l'épuisement. Érik restait là, accroupi devant elle, et ne la touchait toujours pas, mais il était tout proche à présent. Si proche que Laurie percevait la force de son désir. Érik n'avait pas besoin de dire ou de faire quoi que ce soit, Laurie se savait convoitée.

Quelque chose de chaud, de sournois, un parfum défendu, mais très doux, s'était installé dans l'air. «Laurie, Laurie», répétait Érik comme une mélopée. Laurie en savourait la douceur, elle qui, si souvent, avait été écartée au profit du devoir, elle dont la féminité, avec insistance, réclamait de la tendresse.

– On dirait qu'il n'y a que toi qui me comprenne, murmura-t-elle.

Érik hésita. Laurie allait céder d'une minute à l'autre. Mais il désirait la pousser dans ses derniers retranchements, la faire renoncer à tout, même au garçon qu'elle aimait. Érik décida de jouer le tout pour le tout.

– Mais non, je ne suis pas le seul, protesta-t-il en feignant fort habilement le désintéressement. Il y a Philip.

Laurie bondit presque. Érik serra les dents. La partie se jouait ici. Ou bien Laurie retrouverait sa lucidité, quitterait les lieux et n'y reviendrait plus jamais, ou bien, elle perdrait la tête et il la posséderait le soir même. Le corps de la jeune fille se cabrait sous l'hésitation, la douleur. À grand-peine, Érik s'interdisait encore de la toucher. Il voulait que ce soit elle qui prenne l'initiative du premier geste.

– Justement, vociféra Laurie avec une violence qui n'était pas dans son tempérament, il n'y a pas Philip ! Jamais il n'est là pour moi ! Jamais !

Laurie continua à pleurer, à se plaindre, puis soudain, le moment qu'Érik espérait arriva. Elle plongea ses deux mains dans sa chevelure et appuya ses lèvres sur son front.

Prestement, Érik entoura de ses bras la taille de Laurie, dans un geste qui tenait autant de la possession que de la défense. Comme il aimait le risque, il décida de lancer à la volonté de Laurie un dernier défi.

– Réfléchis, Laurie. Réfléchis à ce que tu fais, chuchota-t-il tout contre son oreille.

Laurie ne répondit pas ; elle eut plutôt un gémissement de refus. Ses lèvres, à présent, effleuraient les pommettes d'Érik.

– Comme tu veux, fit le jeune homme, triomphant. Cette vie dénuée de plaisir dont tu te plaignais, elle est terminée, crois-moi.

Il ne dit pas un mot de plus. Fermement, ses lèvres s'emparèrent de celles de Laurie.

Il y avait, dans le baiser d'Érik, une application composée en partie de cruauté et de revanche. Érik était en train de séduire une jeune fille qu'il désirait depuis longtemps, mais sa victoire ne s'arrêtait pas à l'assouvissement de ses besoins sexuels. La conquête de Laurie aurait des conséquences.

Sur Delphine, qui renoncerait enfin à l'espoir de le reconquérir. Sur Pamela, qu'Érik avait utilisée sans scrupules afin de pouvoir s'approcher de Laurie sans éveiller les soupçons. Sur Pascale et Arnaud, qui en voudraient à Laurie d'avoir abandonné Philip. Et surtout sur ce dernier qui, quelques années auparavant, lui avait dérobé Pascale.

Les mains d'Érik glissèrent sous le vieux chandail de Laurie, puis sous sa blouse, et se joignirent sur son dos mince. Ensuite, le jeune homme se leva, soulevant Laurie dans un élan. Elle ne résista pas lorsqu'il la transporta dans sa chambre.

30

PENDANT que Philip apprenait, par le biais d'une missive laconique, que Laurie le laissait, Pascale et Arnaud, aidés de François et Sébastien, chargeaient leurs chevaux dans un van qui devait les conduire à Fair Grounds, l'hippodrome de La Nouvelle-Orléans.

Comme il fallait s'y attendre, Philip fut stupéfié par la nouvelle. Il voulut aussitôt obtenir des explications de Laurie. Or, personne ne savait où elle se trouvait. Elle n'était pas retournée au logement de Pamela depuis son départ, le vendredi, dans la soirée. Pamela, qui réalisait qu'elle avait poussé Laurie à bout, se sentait très coupable et fit tout pour la retrouver. Ce fut peine perdue. Lorsque, le lundi suivant, Laurie ne se présenta pas à la faculté de médecine, tous s'inquiétèrent, des parents de Laurie à ses camarades de classe, en passant, évidemment, par les Lavergne.

Le mystère commença à s'éclaircir lorsque Érik téléphona au bureau de Pamela. Disant agir au nom de Laurie, il négocia avec Pamela et le propriétaire du logement une rupture de bail et, le soir même, il alla chercher les effets de sa nouvelle amie. Dame Rumeur se mit de la partie. En l'espace de quelques heures, la liaison d'Érik et de Laurie devint l'un des principaux sujets de conversation des habitants de Lexington.

Xavier fut informé des faits par Trevor, le tenancier de la boutique de spiritueux qu'il avait l'habitude de fréquenter, lequel tenait la nouvelle de Dieu seul savait qui. Éberlué, le docteur Lavergne, résistant à l'envie d'aller voir Érik à son bureau, rentra chez lui sur les chapeaux de roues.

Gabrielle fut atterrée lorsqu'il lui fit part de la nouvelle. La paix fragile qu'elle s'appliquait si fort à maintenir risquait d'être brisée. Pascale, Arnaud et Geneviève se braqueraient de nouveau contre Érik. En plus, Gabrielle se sentait fort gênée face aux parents de Laurie, car il faudrait bien leur annoncer que leur fille disparue se trouvait chez Érik. Les Yasaka, dont Gabrielle déplorait la rigidité, réprouvaient la cohabitation hors mariage; leur attitude arrêtée était en fait l'une des causes indirectes de la rupture entre Philip et Laurie. Or, voilà que celle-ci s'était mise en ménage avec Érik après une seule soirée de fréquentations!

Désireux d'en savoir davantage, les Lavergne communiquèrent avec Philip et réussirent à le rencontrer à la cafétéria de l'hôpital. Le jeune homme démontrait une telle maîtrise de lui-même que c'en était quasiment inquiétant. Il parla de la situation très objectivement. Il ne portait pas Érik dans son cœur, mais c'était Laurie qu'il blâmait. Bien sûr, il avait beaucoup exigé d'elle, mais jamais il ne lui avait menti, ni ne lui avait fait des promesses qu'il n'avait pas respectées. Elle s'était engagée de son plein gré dans cette folle aventure avec Érik. Eh bien! Qu'elle en subisse les conséquences, conclut Philip d'un ton qui ne disait rien de bon. Puis, il tourna le dos aux Lavergne et retourna au travail.

Lorsqu'ils revinrent à leur domicile, les Lavergne prirent connaissance d'un message laissé dans leur boîte vocale. Érik leur annonçait sa visite pour le soir même. Il viendrait à la ferme avec Laurie, sa nouvelle amie.

Xavier et Gabrielle s'arrangèrent pour être seuls pour recevoir le couple. Les jumeaux, qui n'avaient guère envie d'être mêlés à une autre querelle de famille, acceptèrent de bon gré d'aller passer la soirée à l'écurie.

Quand Érik arriva, il affichait l'élégante désinvolture qui le caractérisait. Laurie était presque cachée derrière lui.

Il était impossible de déchiffrer le visage de la jeune fille. Elle confirma ce que Xavier et Gabrielle savaient déjà.

Elle avait décidé de laisser Philip et d'abandonner ses études de médecine. Avec Érik, elle espérait entamer une nouvelle vie. Laurie déclara avoir besoin de repos; elle se mettrait en quête d'un emploi dans un mois ou deux, puis prendrait une décision quant à la poursuite de ses études. À l'insistance des Lavergne, elle téléphona, devant eux, à ses parents. Elle leur raconta son escapade avec un détachement qui laissait croire que ses décisions découlaient d'un choix réfléchi.

Lorsque Laurie et Érik furent repartis, Xavier et Gabrielle, perplexes, s'assirent et discutèrent. Ils ne savaient trop quoi penser du comportement de Laurie. Xavier se souvenait de ce matin d'été au cours duquel la jeune fille lui avait confié ses ennuis. Le docteur Lavergne avait trop d'expérience pour voir, dans le brusque revirement de Laurie, autre chose que le geste désespéré d'une personne aux prises avec une sérieuse dépression nerveuse.

Laurie présentait plusieurs symptômes qui auraient confirmé le diagnostic de Xavier. Elle arrivait à peine à sortir du lit. Elle s'était placée, à l'égard d'Érik, dans un état de dépendance totale. C'était lui qui décidait tout pour elle, jusqu'à ce qu'elle porterait. Ce qui était plus grave encore, c'était que Laurie ne ressentait plus rien, comme si, à la manière d'un interrupteur, quelque chose avait fermé le courant de ses émotions.

Elle avait traité Philip de façon peu élégante et, pourtant, ne ressentait aucune honte. Toute la ville parlait d'elle et cela l'indifférait totalement. Elle ne se posait aucune question au sujet de ce qu'Érik ressentait pour elle, et ne se demandait pas ce qu'il ferait lorsqu'il se lasserait d'elle. Son esprit n'était pas capable de réfléchir au-delà du moment présent. Tout ce qui comptait, c'était qu'elle avait un toit et de la nourriture, qu'elle n'avait plus à lutter pour continuer ses études, et qu'un garçon séduisant la choyait.

Les circonstances avaient à un tel point miné la résistance nerveuse de Laurie qu'elle adoptait un comportement qui, en fait, contredisait carrément ses valeurs. Elle en avait tout de même un peu conscience, mais que pouvait-elle y changer, à présent ? Comment faire face à ses parents, à Philip, aux Lavergne ? Que lui restait-il, sinon Érik ? Faute d'énergie pour lutter contre l'adversité, Laurie se laissait aller, mollement, à l'existence que lui imposait le jeune homme.

Xavier et Gabrielle ignoraient ces éléments du puzzle et, les eussent-ils connus, ils n'auraient pas pu changer grand-chose à la situation. Laurie s'était jetée dans les bras d'Érik, c'était indéniable. Les Lavergne ne se faisaient pas d'illusions sur la moralité de leur fils, mais ils devaient reconnaître que, du moins en apparence, celui-ci n'avait rien à se reprocher.

Il avait secouru Laurie, lui avait offert le gîte et le couvert alors qu'elle en avait besoin. C'était à l'instigation de la jeune fille que quelque chose de plus s'était produit. Après la première nuit avec Érik, alors qu'il aurait peut-être été encore temps de revenir en arrière, Laurie avait décidé d'aller de l'avant.

Xavier et Gabrielle convinrent qu'ils ne pouvaient faire autrement que de présumer qu'Érik était de bonne foi. Premièrement, ils se devaient, comme parents, d'avoir confiance en leur fils. Deuxièmement, tous les indices convergeaient en ce sens. Troisièmement, c'était la meilleure attitude à adopter pour éviter que la famille se déchire de nouveau.

Philip avait été incapable de joindre Arnaud pour le mettre au courant de la situation. Xavier n'était pas fâché de cela. Si Philip lui avait parlé directement, Arnaud se serait mis en colère et il aurait été impossible de lui faire tolérer la présence d'Érik. Xavier décida donc d'aller lui-même à La Nouvelle-Orléans dans l'espoir de le raisonner à mesure qu'il lui annoncerait la nouvelle.

* * *

Il faisait beau et chaud à Fair Grounds. Pascale et Arnaud étaient heureux que la température fût clémente, car l'automne avait été pluvieux au Kentucky. Comme ils ignoraient la tempête qui secouait leurs amis, ils furent très étonnés de voir arriver Xavier.

L'homme et le couple allèrent s'asseoir dans un restaurant et, sans trop de fioritures, Xavier déballa son sac. Pascale et Arnaud l'écoutèrent bouche bée.

Aussitôt que Xavier eut cessé de parler, Pascale posa la main sur le poignet d'Arnaud. Elle avait l'impression que le sang de son mari bouillait, et elle redoutait une explosion de sa part. Elle pouvait aisément imaginer les pensées qui traversaient l'esprit d'Arnaud : Érik avait tabassé sa femme, trahi un de ses frères, et voilà qu'il séduisait, sans aucun scrupule, l'amie d'un de ses plus vieux copains. «Il faut absolument qu'Arnaud se domine ! pria Pascale en silence. Pour ma Catou ! »

Pascale se souvint de ce que Philip lui avait confié au sujet de la surprise qu'il réservait à Laurie. Si elle avait attendu son ami quelques semaines de plus, elle aurait reçu, à Noël, les clés d'un appartement tout neuf et, plus tard, des vacances à l'étranger !

– Si je suis venu jusqu'ici, expliqua Xavier, c'est pour vous demander une faveur.

– Laquelle ? fit Arnaud d'une voix sifflante.

– Je vous demande, répondit Xavier, de ne pas gâcher la vie de Gabrielle en refusant de voir Érik. C'est pour préserver la paix d'esprit de ma femme que je me suis déplacé. Gabrielle en a beaucoup sur les bras. Vous savez qu'elle s'occupe de Catherine plus souvent qu'à son tour et vous savez pourquoi.

– Ah ! Ça..., commença Arnaud.

– Érik a une nouvelle amie, l'interrompit Xavier, et même si nous aimerions bien que ce soit quelqu'un d'autre, nous ne pouvons présumer qu'il agit de mauvaise foi.

– Quoique dans son cas... protesta Arnaud.

Pascale lui envoya un coup de talon sur les orteils et réussit à le faire taire.

Pascale avait envie de hurler. Depuis quelques instants, l'image de Catherine occupait complètement son esprit. Pascale regarda alternativement son mari et son beau-père. Arnaud sut lire la supplique dans son regard. Malgré sa fureur, il resta coi; il ne révélerait rien à son père sans avoir d'abord discuté avec Pascale.

– Je suis d'accord avec vous, docteur, affirma Pascale. Il vaut mieux préserver la paix.

Xavier et Arnaud l'écoutèrent analyser la situation.

– Érik aime jouer au catalyseur. Rien ne le réjouit autant que d'assister aux catastrophes, aux déchirements qu'il provoque. J'ai décidé qu'il n'assombrirait plus jamais mon existence. Pour cela, je m'applique à ne pas tenir compte de ses coups d'éclat. Après tout, Laurie l'a choisi… Je ne dis pas que j'aurais fait la même chose, continua Pascale non sans ironie, mais Laurie est mon amie et je ne vois pas pourquoi je ne la traiterais pas de la même façon qu'avant. Dites-lui cela, si vous en avez l'occasion.

Satisfait, Xavier avala une gorgée de café.

– Tu es forte, petite, déclara-t-il à Pascale avec beaucoup de sincérité, et je suis bigrement fier de t'avoir dans ma famille.

* * *

Bruce écoutait Geneviève tout en tentant de dissimuler son ennui. Pour la vingtième fois au moins, la jeune fille répétait ce qu'elle pensait d'Érik et de Laurie, et Bruce subissait la discussion plutôt que d'y participer.

Geneviève venait de parler à Arnaud au téléphone. Tous deux avaient décidé, de bien mauvais gré, de consentir à revoir Érik afin de ménager leur mère. Cela ne s'était pas fait sans peine. Bruce savait que Pascale y avait mis son grain de sel et que, sans elle, Arnaud et Geneviève auraient mené campagne contre Érik. Il ignorait cependant que Pascale avait également dû lutter pour convaincre Arnaud de ne pas révéler à sa sœur le secret entourant la conception de Catherine.

Au dire de Geneviève, Érik était un séducteur sans scrupules, un homme dépourvu de sens moral, voire un abuseur de femmes. Quant à Laurie, elle ne valait guère mieux. Geneviève valorisait hautement la fidélité et la trahison de Laurie la hérissait. Bruce estimait que son amie exagérait. Érik et Laurie étaient des adultes et ils avaient décidé de se fréquenter. Leur vie amoureuse ne regardait qu'eux-mêmes et Bruce n'avait aucunement envie de s'en mêler.

Mais Geneviève était une Lavergne et, comme tous les membres de sa famille, elle ne pouvait s'empêcher de participer à un débat quand elle en avait la chance.

Geneviève était survoltée; elle manifesta l'envie d'aller faire un petit tour à Lavergne Farm afin de voir ses parents, Xavier étant revenu de La Nouvelle-Orléans. Bruce frémit. Rien ne le tentait moins que de se retrouver parmi les Lavergne en un pareil moment; il n'y avait guère d'efforts à faire pour deviner quel serait leur sujet de conversation.

– J'avais l'intention de retourner au bureau après le souper, dit-il en se félicitant intérieurement de ce mensonge. Si tu veux aller chez tes parents, vas-y. Je te prête la voiture. Je peux me rendre au bureau à pied.

Geneviève ne se fit pas prier. Elle attrapa les clés du véhicule et disparut. Bruce ressentit du soulagement lorsqu'elle partit.

Dès que Geneviève arriva à Lavergne Farm, le calme pastoral des lieux la calma.

Enveloppée dans un manteau d'automne, Gabrielle l'attendait sous le porche. Geneviève courut embrasser sa mère. Bras dessus, bras dessous, les deux femmes gagnèrent l'écurie, car Xavier s'y trouvait.

L'homme accueillit joyeusement sa fille. Geneviève discuta avec ses parents et cela l'apaisa. Ils parlèrent des relations de couple, de communication, de valeurs, tous des sujets qui passionnaient Geneviève. Puis, la jeune fille vit Michael Harrison au bout d'un couloir, et elle quitta ses parents afin d'aller le saluer.

Michael avait sorti de son box un sauteur blessé à une jambe. En s'approchant, Geneviève constata que Michael discutait avec quelqu'un. Il s'agissait de Tammy, que tout le monde présumait être sa petite amie, depuis qu'elle l'avait accompagné à la réception de clôture de la saison de Keeneland.

Geneviève savait par sa mère que Tammy faisait de fréquentes visites à Lavergne Farm. Les chevaux l'intéressaient, et la ferme regorgeait d'exemples pratiques pour un futur vétérinaire. Xavier trouvait Tammy sympathique, et Geneviève supposait que l'apparence de la jeune fille y était pour quelque chose. Ainsi, avait rapporté Gabrielle, Xavier permettrait que Tammy assiste à des naissances, au printemps prochain. Dans l'intervalle, elle aidait occasionnellement Michael à soigner les chevaux blessés.

Geneviève ralentit le pas. La présence de Tammy l'ennuyait un peu. Elle se sentait fade à côté de cette beauté éclatante.

Il y avait plus que cela. Geneviève ne chercha pas à comprendre pourquoi, mais elle aurait aimé avoir, ce soir-là, toute l'attention de son ami Michael.

Elle lui aurait parlé d'Érik, de Laurie, de la vie de couple en général, et ils auraient sûrement été d'accord.

31

Après un séjour à La Nouvelle-Orléans, l'équipe de Lavergne Farm gagna la côte ouest.

Pascale se trouvait à l'hippodrome d'Hollywood Park, en Californie. Il était très tôt; Ashanti devait disputer, plus tard dans la journée, l'une des plus importantes courses de sa carrière.

Pendant un moment, Pascale contempla l'horizon; le soleil se levait et, au loin, le ciel prenait cette teinte ambrée qui annonçait une belle journée. Pascale étouffa un bâillement derrière sa main.

Elle avait adopté un rituel qu'elle accomplissait chaque fois qu'Ashanti courait. Elle allait très tôt promener l'étalon dans les allées, puis l'étrillait elle-même. Ce matin-là, Ashanti tournicotait dans son box avant même qu'elle arrive; il avait perçu l'atmosphère particulière des grands jours de course et il savait qu'aujourd'hui il serait mis à l'épreuve.

Arnaud, Greg et Francisco étaient exclus du rituel de Pascale. C'est donc seule qu'elle se rendit à l'écurie, où Ashanti l'attendait. Elle fixa une longe au licou de l'alezan et la promenade débuta.

Ashanti suivait docilement Pascale, qui avait négligemment déposé la longe sur son épaule. De temps à autre, l'étalon frappait son jockey de son mufle velouté; alors, Pascale se retournait et caressait de la main ses crins drus et fournis.

Elle profitait pleinement de ce moment d'intimité avec cet animal formidable qui lui faisait connaître tant de succès. Tout en marchant, Pascale réfléchissait. Noël approchait. Bientôt, Arnaud et elle regagneraient Lavergne Farm.

Pascale sourit. Elle n'osait l'admettre, mais elle se languissait de revoir les chiots de Maya avant qu'ils ne rejoignent leurs familles adoptives.

Par ailleurs, Pascale entretenait, au sujet de son retour au bercail, quelques appréhensions. Arnaud et elle n'avaient revu ni Philip ni aucun des Lavergne depuis que Xavier leur avait annoncé les fréquentations d'Érik et de Laurie. Pascale et son mari regrettaient de ne pas avoir davantage soutenu leur ami Philip dans l'épreuve, mais les courses les avaient retenus à l'extérieur du Kentucky. À vrai dire, ils se disaient que l'atmosphère de Lavergne Farm devait être très chargée, et ils n'avaient pas eu envie d'y faire un séjour. Mais à présent les vacances approchaient, et Pascale se préparait à une chose à laquelle elle n'excellait pas : faire face à des gens aimés qui étaient déchirés par le conflit.

Arnaud et Philip avaient eu de longues conversations téléphoniques au cours desquelles ils avaient vilipendé Érik et Laurie. Philip étant le meilleur ami d'Arnaud, celui-ci résistait mal à l'envie de lui dire qu'Érik avait aussi bafoué Jules et peut-être même engrossé Delphine. Pascale avait mis beaucoup d'énergie à convaincre Arnaud de se taire à ce sujet. Le jeune homme lui avait argué que la vérité éclaterait un jour ou l'autre. «C'est probablement vrai, avait concédé Pascale, mais de tout dire à Phil ne serait pas la bonne façon de s'y prendre!»

Pascale avait invoqué le désastre que créerait une dénonciation à Philip : cette triste affaire sortirait du cercle familial et, en moins de deux, elle ferait le tour de Lexington. Arnaud avait maugréé, puis accepté de se taire. Il n'en continuait pas moins de ruminer sa frustration en silence.

La veille, Arnaud avait téléphoné à Lexington et discuté avec Geneviève. Pascale avait écouté le frère et la sœur décrier le comportement de leur ancienne amie. Geneviève avait décrit à Arnaud les visites d'Érik et de Laurie à la ferme. À l'entendre, on imaginait qu'Érik affichait une grande arrogance, et Laurie, un air de défi. Pascale était certaine que Geneviève exagérait ou, du moins, qu'elle percevait les choses d'une façon biaisée. Quoi qu'il en soit, ces descriptions n'avaient pas apaisé Arnaud.

L'amitié de Laurie était pour ainsi dire perdue, et Pascale se désolait de cela. Elle avait toujours aimé Laurie. Or, personne, parmi ses anciens compagnons, ne prenait sa défense. Pascale était la plus modérée d'entre eux, mais elle ne pouvait nier que Laurie était à blâmer.

Pascale avait terminé sa marche; il était temps d'étriller Ashanti.

Le pur-sang était calme. À son habitude, il ne s'abandonnait pas totalement au pansage, contrairement à bien d'autres chevaux. Un sens aigu du danger, propre aux étalons, faisait en sorte qu'il restait en alerte.

Pascale le scruta, centimètre par centimètre. Ses membres étaient solides, ses muscles, découpés. Pascale vérifia aussi ses fers. D'un coup de sa queue large et touffue, il chassa une mouche bourdonnante, cinglant Pascale au passage.

Le rituel achevait. Pascale ouvrit la porte du box et Ashanti y entra.

Pascale prit une longue inspiration en pensant à l'épreuve qu'avait organisé Hollywood Park. Les meilleurs coursiers du pays y participeraient, ainsi que deux chevaux venus d'Europe. Si Ashanti l'emportait, toute l'Amérique du Nord parlerait de lui.

– Peut-être même le monde entier, dit Pascale à haute voix.

* * *

La course avait été si âprement disputée que non pas deux, mais bien quatre chevaux et leurs jockeys restaient en piste, attendant le verdict. Ashanti of Africa et Pascale Vladek étaient parmi eux.

Un vent chaud et sec soufflait sur les concurrents. Pascale parlait à Ashanti, tentant de l'apaiser. L'étalon piaffait, mécontent; il n'appréciait guère la proximité des trois autres mâles.

Un peu fermement, Pascale le corrigea. Il se plia aussitôt à ses directives, mais elle se demanda, pour la première fois depuis qu'elle le montait, si elle parviendrait à lui imposer sa volonté encore longtemps. Ashanti possédait une forte personnalité; c'était maintenant un cheval adulte, ambitieux et très sûr de lui-même; un jour viendrait forcément, croyait Pascale, où il refuserait de se prêter aux jeux des hommes pour poursuivre sa véritable mission sur terre : se reproduire.

Pascale vit Arnaud qui, se frayant un chemin à travers la foule massée le long de la clôture, lui adressait des signes de la main. « Vous avez gagné ! » cria-t-il en français, tout joyeux. Pascale lui sourit. Une autre silhouette se glissa tout près de la lice. Pascale reconnut Marc Lagacé, le cousin d'Arnaud, qui, devenu journaliste, était venu couvrir l'événement pour Radio-Canada.

Le tableau numérique clignota, puis on indiqua le gagnant : le numéro cinq, Ashanti of Africa.

Pascale et Ashanti répondirent aux acclamations de la foule, puis gagnèrent le cercle du vainqueur. Pascale demeurait un peu inquiète, car elle redoutait que ses adversaires contestent sa victoire auprès des officiels. Pour sa part, Arnaud était catégorique :

– Ashanti a gagné par un nez, je l'ai vu, je te le dis, déclara-t-il à Pascale en l'étreignant, lorsqu'elle mit pied à terre.

Arnaud paraissait très détendu, davantage qu'il ne l'avait été depuis quelques semaines. Le triomphe d'Ashanti l'enchantait visiblement. Retrouver son cousin avait été, aussi, une grande joie. Pascale constatait tout cela avec satisfaction. Sans doute ces événements mettaient-ils un peu de baume sur le cœur d'Arnaud, qui cesserait peut-être de ressasser les récents méfaits d'Érik. Heureuse de voir son mari retrouver sa bonne humeur habituelle, Pascale s'efforça de la cultiver.

Elle souriait, fière de son triomphe. Arnaud et elle furent interviewés par plusieurs chaînes de télévision, y compris Radio-Canada, et même par un réseau japonais. Lorsque tout cela fut terminé, les deux jeunes gens étaient étourdis de joie et de fatigue.

Ils retrouvèrent Marc Lagacé. Celui-ci avait profité de son affectation en Californie pour y effectuer un petit voyage d'amoureux avec sa «blonde», une belle Québécoise nommée Sylvie. Pascale et Arnaud, qui aimaient toujours rencontrer des gens du Québec, furent enchantés de faire sa connaissance.

À la fin de la journée, les quatre compagnons allèrent manger ensemble au restaurant. Pascale était à la fois harassée et heureuse. Sa course avait été très difficile et elle avait encore de la difficulté à croire à son succès. Pour la première fois depuis qu'elle avait appris l'escapade de Laurie, elle était capable de ne pas y penser. Elle parvenait même à ne pas se tourmenter au sujet de Catherine. Sylvie lui versa un verre de vin et, oubliant son régime, Pascale le but.

La conversation autour de la table fut très joyeuse, ponctuée d'éclats de rire. Pour célébrer la victoire d'Ashanti, Pascale prit même un second verre de vin. Bientôt, Arnaud et elle rentreraient à Lavergne Farm. Elle se sentait en vacances.

À la fin du repas, Pascale avait perdu une large part de la réserve qu'elle affichait d'ordinaire. Quand Arnaud et elle regagnèrent leur hôtel, serrés l'un contre l'autre, elle titubait. Et quand ils furent dans leur chambre, elle s'abandonna au plaisir de retrouver Arnaud : son rire, son pouvoir de séduction, sa foi en la beauté de la vie.

L'alcool aidant, elle ne se souvint que brièvement de ce qu'elle avait oublié à La Nouvelle-Orléans, puis n'y pensa plus.

* * *

Par une belle soirée de décembre, Pascale, Arnaud, Michael, Bruce et Geneviève allèrent tous ensemble visiter le nouveau logement de Philip.

Le condominium du jeune homme était situé dans un immeuble neuf, très moderne. Il était pourvu d'immenses fenêtres, et Pascale, toujours portée à préserver son intimité, résistait mal à l'envie de baisser les stores. Pendant les heures d'ensoleillement, l'endroit devait être très éclairé.

Pascale examinait les lieux avec circonspection. C'était un appartement exigu et couvert de moquette, et il se trouvait au dixième étage, bien loin du moindre brin d'herbe. Jamais Arnaud et elle n'auraient fait un tel achat. Philip n'était pas, comme eux, entiché de grands espaces. La perspective d'avoir à planter des plates-bandes ou à entretenir une pelouse le rebutait. «Je suppose qu'il est fait pour vivre comme ça, entre ciel et terre», se dit Pascale en le regardant aller et venir, une bière à la main.

Assis dans un fauteuil, Michael était bombardé de questions par ses amis, qui voulaient tous savoir si des liens autres qu'amicaux l'unissaient à la belle Tammy. Le jeune homme, avec sa patience et sa discrétion proverbiales, se laissait taquiner et ne répondait ni oui ni non.

Alors qu'elle parcourait le logement du regard, Pascale se sentait attristée. Elle aurait tant voulu que Laurie soit là, avec eux tous!

Elle étouffa un bâillement derrière sa main en coupe. Il était sept heures et demie du soir, mais elle était aussi fatiguée que si l'horloge avait marqué deux heures du matin. Pascale ne se sentait pas très à l'aise sur le sofa de Philip. Il était si profond que ses pieds ne touchaient pas le plancher. Peut-être était-ce pour cela qu'elle s'endormait autant. Elle se redressa, glissa une jambe sous elle et se rapprocha d'Arnaud.

Les jeunes avaient commandé une pizza et discutaient tout en mangeant. Ainsi que l'avait prévu Pascale, tout le pays parlait de la récente victoire d'Ashanti. Plusieurs concurrents réclamaient une revanche.

Pascale avait déjà englouti sa portion de pizza, soit la demie d'une pointe, et son estomac la tiraillait. Elle était habituée à manger peu et regrettait souvent de ne pas pouvoir goûter à davantage de mets, mais ce qu'elle ressentait en ce moment n'était pas de la gourmandise. C'était une faim intense, quasiment brutale, qui lui tordait les entrailles.

– Érik a annoncé à mes parents sa visite pour demain, dit Arnaud à Philip.

Les autres conversations s'arrêtèrent.

– Phil, commença Geneviève avec passion, tu ne peux pas savoir combien j'en veux à Érik. Et Laurie, alors…

« Voilà du Jenny tout craché », se disait Bruce alors que son amie vilipendait Érik et Laurie.

– Je suppose que je me suis mépris au sujet de Laurie, répondit Philip d'un ton grinçant. Ce n'est peut-être pas un mauvais service qu'Érik m'a rendu. Je voulais faire ma vie avec Laurie et, grâce à lui, je me rends compte qu'elle ne vaut pas cher.

Les paroles de Philip recelaient tant de hargne que Pascale en fut bouleversée. Elle l'observa. Derrière sa maîtrise de lui-même, elle devinait qu'il cachait beaucoup de rage, et qu'il était très humilié. Philip avait certainement un don pour dépister ce qui, physiquement, n'allait pas chez les gens. Par ailleurs, décida Pascale, il n'était pas particulièrement doué pour la psychologie…

* * *

Vêtu de son vieux parka beige, Elias installait des lumières de Noël dans les buissons qui ornaient la façade de la maison des Lavergne. Martha, qui l'aidait, laissa fuser son rire tranquille. Elias essayait de chanter un air de Noël, mais il faussait tellement que la ritournelle, pourtant archi-connue, était méconnaissable.

Elias accrocha le dernier bout de guirlande illuminée puis, piétinant la neige de ses grosses bottes, il se dirigea vers l'écurie. Martha lui emboîta le pas.

Bien qu'encore sensible, l'épaule d'Elias se renforçait. Ce jour-là, Elias avait décidé de monter Fol Espoir. Le poulain était une forte tête mais, hormis cela, c'était une monture agréable, pleine d'énergie.

L'homme harnacha le jeune cheval, puis tous deux partirent sur les sentiers alors que Martha s'affairait dans l'écurie. Menant Fol Espoir au petit trot, Elias continuait à chantonner son air de Noël. À un moment donné, Fol Espoir hennit vigoureusement. Elias resserra son emprise sur les rênes. Il venait d'apercevoir, sur un sentier qui croisait le sien, Laurie et Érik, respectivement montés sur Vol-au-Vent et Moushika.

– Salut, fit Elias.

Vol-au-Vent adressa à Fol Espoir un grognement peu amical. Le poney bai n'avait guère envie qu'un autre mâle s'approche de Moushika et, de toute façon, il ne s'entendait pas avec Fol Espoir. Fermement, Elias retint son cheval. Mais Laurie ne put en faire autant avec le sien.

– Attention ! cria Elias alors que le poney bai, les oreilles aplaties sur le crâne, s'approchait de Fol Espoir en montrant les dents.

Laurie poussa un cri, puis laissa échapper un rire niais, car Érik s'amusait de la scène.

– Tu trouves ça drôle, le grand ? demanda Elias qui bataillait contre Fol Espoir.

Érik ne le regarda même pas. Elias fulminait. Monter à cheval pouvait être dangereux ; il en savait quelque chose. Or, Érik, à vingt-cinq ans passés, chevauchait avec une exaspérante désinvolture. Le voilà qui faisait la roue, parce qu'il y avait une jolie fille à ses côtés.

Le visage simiesque d'Elias se tordit dans une vilaine grimace. De toute évidence, Érik subjuguait Laurie. Que ne ferait-elle pas, soumise comme elle paraissait l'être au jugement de ce fanfaron ? Elias était attristé de l'attitude de Laurie. Elle traitait bien légèrement Vol-au-Vent... Fruste, entier, fidèle, Elias décida d'intervenir.

– As-tu pensé, demanda-t-il à Laurie, que tu n'as pas le droit de monter ce cheval-là ?

– Comment ça ? fit Érik.

– C'est le cheval de Pascale, pas celui du doc. À ma connaissance, le doc ne peut pas prêter des chevaux qui ne lui appartiennent pas. Descends, Laurie. Pascale ne t'a pas permis de monter ce poney.

La jeune fille se figea, regardant alternativement Érik et Elias.

– Reste où tu es, Laurie, dit Érik du ton qu'il aurait utilisé pour raconter une bonne plaisanterie. N'écoute pas ce vieux fou.

– Descends, que je te dis, siffla Elias.

Quel drôle d'air Laurie avait! «C'est curieux, songea Elias, elle me fait penser à Diamond...» Mais oui, c'était cela! Laurie ressemblait à une petite bête blessée, que personne ne respectait et que tout le monde prenait en pitié.

Érik dardait sur Laurie des yeux autoritaires et cruels. La poitrine d'Elias se gonflait sous l'effet de l'indignation; il avait l'impression de se battre en duel. «Ce n'est pas loin d'être le cas», se dit-il. Il luttait, contre Érik, pour le contrôle de l'esprit de Laurie. Elias devinait que la jeune fille obéirait à celui dont la personnalité lui paraîtrait la plus forte. La mâchoire serrée, les yeux durs, il fixa Laurie, qui détourna la tête. Soudain, elle mit pied à terre.

Elias fit aussitôt de même. Sans dire un mot, il mit les rênes de Fol Espoir dans les mains de Laurie, puis grimpa sur Vol-au-Vent et disparut. Il savait bien que Laurie ne voudrait pas monter Fol Espoir. Elle allait devoir retourner à l'écurie pour se trouver une autre monture. Érik et elle seraient ennuyés, et c'était en plein ce qu'Elias recherchait.

Les foulées vives, régulières et confortables de Vol-au-Vent emportaient Elias au loin. Celui-ci ne se sentait pas joyeux et n'avait plus du tout envie de chanter son air de Noël. Mais il était satisfait. Érik Lavergne avait grand besoin de se faire rabattre le caquet, et il était heureux de s'être mis à la tâche.

* * *

Fanti of Ghana, fille de Nosie et d'Al-Abjar, demi-sœur d'Ashanti et de Fol Espoir, était une pouliche élancée, à la robe bai cerise, comme celle de son père. Elle marchait avec une élégance de dame, et on aurait pu la croire timide, mais ce n'était pas le cas.

Pascale et Arnaud s'en aperçurent lorsqu'ils commencèrent à la débourrer. Les séances furent longues et frustrantes. À maintes occasions, Pascale et Arnaud durent éviter les coups de pied que la jeune jument leur lançait. Ils ne se fâchèrent pas, ne la frappèrent pas. Fanti était soumise à un processus dont elle ne pouvait comprendre le but. Il était naturel qu'elle cherche à se défendre. Pascale et Arnaud lui opposèrent une patience à toute épreuve et, comme d'habitude, leur méthode donna de bons résultats.

Au troisième jour de l'entraînement de Fanti, on parvint à la sangler et à la promener, un sac de sable sur le dos. Pascale savait qu'il faudrait qu'elle la monte le lendemain.

Elle soupira. La séance était terminée depuis une demi-heure et ses jambes tremblaient de fatigue. De plus, elle avait terriblement faim. Arnaud se trouvait dans le bureau, en train de discuter avec un employé, alors Pascale sortit de l'écurie, suivie de Rocky et de Maya.

Pascale posa la main sur son estomac. Monter Fanti demain ! Pascale fit la grimace. Fanti était puissante et réussirait probablement à la désarçonner. Cette perspective effrayait Pascale. «Mais voyons ! se dit-elle, je suis tombée de cheval des centaines de fois.» Elle ne comprenait pas pourquoi, mais, depuis quelque temps, elle ressentait la nécessité de se protéger davantage.

Pascale se dirigea vers le lieu où se trouvait la dernière innovation de Xavier, un chenil, pourvu de cages individuelles et d'un enclos contigu. La progéniture de Rocky et de Maya y séjournait. Lorsqu'ils virent leurs parents, les chiots leur offrirent un concert d'aboiements. Maya se tenait prudemment à distance. Ses petits étaient sevrés, mais ils essayaient toujours de la téter et leurs dents lui meurtrissaient les mamelles.

Munie d'une pelle, Pascale nettoya l'enclos parsemé de crottes. Les petits boxers se pressaient autour de ses jambes, risquant de la faire trébucher. Lorsque l'enclos fut propre, Pascale s'accroupit afin de recevoir son lot de coups de langue et de distribuer ses caresses. D'ici une semaine, les chiots quitteraient tous la ferme...

L'humeur un peu assombrie par cette pensée, Pascale quitta les lieux. «Au printemps, il y aura les poulains», se dit-elle pour se consoler du départ des chiots. Cela lui donna l'idée d'aller voir les poulinières. Elle avait surtout envie de voir Mafalda, enceinte de Vol-au-Vent, et Nosie.

Elle se mit en marche, les mains calées au fond des poches, Rocky et Maya sur les talons. Il faisait beau. Tout en marchant, Pascale pensait à Catherine. Elle avait particulièrement hâte de lui offrir son cadeau de Noël.

Dans une boutique équestre, elle avait déniché une bombe pour enfant. Pourvue d'un protège-nuque et d'une mentonnière, elle était recouverte de velours noir. Pascale ne doutait pas que Catherine en serait très fière. Pour accompagner ce cadeau, Arnaud avait acheté une paire de guêtres en cuir que Catherine pourrait porter par-dessus son jean lorsqu'elle monterait.

Heureuse, Pascale inspira fortement. La faim l'importunait toujours. Elle avait aussi un léger mal de tête et, afin de se soulager, elle détacha ses cheveux. Puis, amusée par la caresse du vent, elle renversa la tête en arrière et regarda le ciel.

Elle sursauta en voyant de grands oiseaux au-dessus d'elle. Mentalement, elle les compta. C'était des vautours. Pascale savait ce que cela signifiait. Ils étaient là parce que quelque part, gisait un animal mort, dont l'odeur les attirait.

Pascale regarda tout autour d'elle. Les vautours se groupaient dans un arbre situé dans le pré des poulinières. Pascale sentit distinctement une vive douleur la frapper en pleine poitrine. Une des juments avait dû avorter spontanément. C'était son poulain qui faisait accourir les charognards...

Brusquement, Pascale partit à la course. «Pas Nosie, pas Mafalda!» supplia-t-elle intérieurement. Rapidement, elle trouva Mafalda, ronde et lourde, qui broutait placidement le long de la clôture. Elle poussa un soupir de soulagement, puis entra dans l'enclos. Elle aperçut alors une jument alezane, prostrée sous un arbre.

«Nosie, murmura Pascale, oh non!» Elle repartit à la course. Son cœur cognait et elle était à bout de souffle. Nosie restait là, comme abattue par la fatalité qui lui avait ravi son poulain. Soudain, Pascale s'arrêta. Elle vit le corps du petit sous l'arbre. Ce spectacle souleva en elle de la répulsion, mais surtout une peine immense, irrationnelle.

Rocky et Maya, qui étaient entrés dans l'enclos à la suite de Pascale, approchèrent leur gros nez du cadavre. «Allez-vous-en!» cria Pascale en furie. Elle leva les yeux et regarda, impuissante, les vautours qui attendaient qu'on leur laisse la place. Rageant, pestant, elle brandit le poing vers eux et leur cria des injures.

Tremblante, elle resta un moment sur place. Pour une fois, elle ne s'analysait pas. Au fond d'elle-même, elle savait bien que Nosie accepterait le sort et que, demain, elle poursuivrait tranquillement sa vie de jument. Pascale savait aussi que les avortements spontanés étaient l'un des aspects désagréables mais relativement fréquents de l'élevage. Elle en connaissait les causes et avait été témoin d'autres incidents du genre.

Ce n'était donc pas exclusivement à cause de sa compassion pour une bête aimée que Pascale souffrait aussi intensément. Cette douleur, cette révolte contre la cruauté de la vie, contre ce moyen sournois qu'utilisait la nature pour faire souffrir les mères, elles étaient siennes.

Les yeux de Pascale passaient de Nosie au corps du poulain, puis aux grands oiseaux sombres qui guettaient dans l'arbre. Elle était révoltée à la pensée que ces charognards perceraient de leurs becs le corps du poulain. Elle se raisonna tout de même un peu. Les vautours se mettraient à la tâche, quoi qu'elle fasse pour les en empêcher. Il lui fallait aller chercher quelqu'un...

Immédiatement, elle pensa à Arnaud, et regagna l'écurie à la course.

Quand elle entra dans le bureau, Arnaud remarqua aussitôt qu'elle était bouleversée. Comme elle laissait rarement voir ses émotions, Arnaud crut, en voyant son visage défait, qu'elle allait lui annoncer la mort d'un membre de la famille. Rapidement, il la rejoignit et referma la porte. Pascale se jeta dans ses bras.

Elle était à bout de souffle et avait de la difficulté à parler.

– Nosie ! hoqueta-t-elle finalement. Son poulain... J'ai vu les vautours...

Arnaud la pressa contre lui et, par à-coups, elle lui expliqua ce qu'elle avait découvert.

– Tu as couru pour venir jusqu'ici ? demanda Arnaud d'un ton neutre.

Pascale répondit par un signe de tête affirmatif. Arnaud s'interrogeait. Le cœur de Pascale battait la breloque. Pourtant, la distance qu'elle avait parcourue n'était pas si grande que cela. C'était tout de même surprenant qu'une petite course ait mis une telle athlète dans cet état. « Ça doit être l'émotion, se dit-il. Mais pourquoi est-elle chavirée à ce point ? »

– Ça t'a mise à l'envers, de voir le poulain mort ?

– Oui, admit Pascale.

– Tu me parais fatiguée, fit Arnaud, inquiet.

– J'ai faim... J'ai tellement faim !

« Elle vient de voir un poulain mort, et elle a faim ? » se dit Arnaud, de plus en plus intrigué.

Il s'assit dans le fauteuil de son père. Sans hésiter, Pascale grimpa sur ses genoux.

– La prochaine fois que tu verras des vautours, fit Arnaud, n'y va pas seule. Viens me trouver, plutôt.

– C'était affreux, gémit Pascale. Nosie avait l'air de ne rien comprendre.

– C'est une jument.

Fronçant les sourcils, Pascale dévisagea son mari.

– Que veux-tu dire ?

– Exactement ce que j'ai dit. C'est une jument. Son poulain est mort et elle ne se révolte pas. Il sera dévoré par les vautours et, aux yeux de Nosie, c'est normal... parce que dans la nature c'est exactement ce qui arriverait.

– Mais c'est épouvantable, protesta Pascale, de perdre son rejeton de cette façon.

– Pour une femme, ça l'est certainement. Les humains ont l'intelligence, le savoir, la conscience... et ils en paient le prix. En souffrant.

32

En ce 23 décembre, l'atmosphère était à la détente, à Lavergne Farm, avec le début des réjouissances de fin d'année. Tout le monde avait bien besoin de repos. Cependant, une nouvelle tempête médiatique secouait l'élevage.

Ainsi que Pascale l'avait redouté, la victoire d'Ashanti à Hollywood Park était en quelque sorte contestée. La Commission des courses avait depuis longtemps tranché en faveur de l'étalon alezan, mais ses adversaires persistaient à mettre sa valeur en doute et réclamaient une revanche à cor et à cri.

Ashanti ne l'avait emporté que par une très faible avance. Journalistes, jockeys, entraîneurs et autres amateurs commentaient inlassablement la course, dont la reprise télévisée avait été diffusée des dizaines de fois. Tous soulevaient des hypothèses, examinant les circonstances qui auraient pu mener à un résultat différent.

Ces interminables discussions flattaient et agaçaient à la fois l'équipe de Lavergne Farm. L'intérêt soutenu que portait la presse à Ashanti réchauffait les cœurs. Mais le fait que certains remettent en question ses performances les heurtait, et celui de Pascale en était meurtri plus que tout autre. Ashanti était tellement admirable à ses yeux qu'elle supportait difficilement que quiconque le critique. La presse s'en rendit compte et, à dessein, on chercha à piquer son orgueil. La stratégie réussit; Pascale en vint à souhaiter qu'une revanche soit organisée pour qu'elle ait l'occasion de rétablir la réputation d'Ashanti sur la piste.

Or, l'administration de Turfway Park, l'hippodrome situé à Florence, au Kentucky, venait de remplir plusieurs des conditions nécessaires à la tenue d'une course qui pourrait servir de revanche aux chevaux qu'avait battus Ashanti à Hollywood Park. Turfway Park avait baptisé l'événement «Défi des champions» et souhaitait qu'il soit tenu au cours de la deuxième semaine de janvier.

La rencontre n'aurait lieu que si Xavier acceptait d'y inscrire son cheval. Elle serait entourée d'un battage médiatique sans précédent. Le moment choisi pour cette épreuve n'était cependant pas idéal. À cause des conditions climatiques, les participants auraient préféré qu'elle soit courue dans un État situé plus au sud. Les hippodromes se disputaient la faveur de recevoir Ashanti et ses adversaires. Les habitants du Kentucky, eux, réclamaient que l'épreuve soit disputée dans leur État. Si Turfway Park ne se pressait pas, un autre hippodrome lui couperait l'herbe sous le pied. Tentant d'éviter une telle disgrâce, l'administration de l'hippodrome harcelait Xavier afin d'obtenir la promesse qu'Ashanti participerait au Défi des champions.

Les Lavergne tergiversaient et ce, pour plusieurs raisons. Ashanti avait beaucoup couru. Il affichait une forme splendide; – «cœur d'or, jambes d'acier» répétaient les journalistes – mais méritait tout de même du repos. Pascale n'aimait guère l'idée de l'inscrire à une épreuve très exigeante, qui serait disputée sur un sol dur, par une journée qui pourrait être froide, venteuse ou même enneigée.

À la voix de Turfway Park s'ajoutèrent celles des journalistes. Bientôt, le *Daily Racing Form* et les tribunes téléphoniques des émissions sportives réclamèrent la présence d'Ashanti à Turfway Park. Un quotidien de Lexington, reconnu pour son sérieux, en fit même le sujet d'un éditorial.

Turfway Park offrait une bourse très substantielle, l'une des plus alléchantes de toute l'histoire du turf, mais ce ne fut pas ce qui incita Xavier à inscrire son cheval au Défi des champions. Pascale, Arnaud et lui étaient émus par l'insistance de leurs supporters à réclamer Ashanti. L'étalon alezan était devenu le héros, voire le symbole du Bluegrass.

Après tout, Turfway Park n'était pas très éloigné de Lavergne Farm. On pourrait y ramener Ashanti dès le lendemain de sa course.

Au début de l'après-midi, Xavier contacta Turfway Park et confirma la participation d'Ashanti au Défi des champions. Lorsqu'il raccrocha, il souriait, certain que la nouvelle se propagerait à la vitesse de l'éclair et que les amateurs du Bluegrass recevraient ainsi un bien joli cadeau de Noël.

* * *

C'était l'heure du repas du soir et une agitation considérable régnait dans la maison des Lavergne.

Le regard de Pascale, qui revenait de sa chambre où elle avait tenté de se reposer, s'attarda sur les bottes d'hiver alignées sur le tapis caoutchouté du vestibule. Elle renifla l'air rempli de l'odeur du sapin et des mets qui cuisaient. «Me voici dans la fausse aux lions», se dit-elle. Ce soir, toute la famille, y compris Érik et Laurie, serait réunie pour célébrer les fiançailles de Geneviève, qui auraient lieu quelques jours plus tard. En effet, Geneviève et Bruce échangeraient leurs promesses de mariage à Louisville, auprès des Foster.

Érik arriva donc, accompagné de Laurie. Leur présence ne plaisait guère à Geneviève, et encore moins à Arnaud. Pascale redoutait que le repas de famille se termine par une confrontation, au sujet de Laurie, de Philip ou – pire ! – de Catherine.

Jules et Delphine, harassés et tendus, arrivèrent avec Catherine tout juste après Érik et Laurie.

L'attention de Pascale se porta rapidement sur Rocky car, chaque fois qu'il se trouvait trop près d'Érik, il poussait un jappement bref. Le jeune homme, qui ne cachait pas son aversion pour l'animal, s'amusait à encourager son agressivité.

Pascale soupira. Elle connaissait bien Érik Lavergne. C'était un fanfaron, un éternel adolescent qui adorait faire le jars. Il s'était montré relativement réservé depuis la fin de sa cure de désintoxication, mais depuis qu'il avait séduit Laurie il semblait avoir repris ses anciennes habitudes : il cherchait à provoquer ceux qui l'entouraient afin que ceux-ci l'affrontent et se butent contre son sarcasme et son indéniable sens de la répartie. Pascale le trouvait bien idiot d'agir ainsi; en fait, ce comportement lui répugnait. Elle se demanda si elle devait intervenir auprès de son chien puis, fort sagement, y renonça. «Rocky est capable de se défendre seul, si Érik décide de s'y frotter», se dit-elle non sans fierté.

Elle cessa de penser à son beau-frère, car Geneviève, se trémoussant d'aise, lui relatait les préparatifs de ses fiançailles.

Catherine se promenait parmi les adultes et parlait, seule, à voix haute, du père Noël. Lorsqu'elle vit Pascale, l'enfant se précipita soudain vers elle, et elles s'enlacèrent tendrement. Érik eut le culot de leur décocher un sourire.

Catherine allait célébrer son quatrième anniversaire dans moins de trois mois. Le père Noël la fascinait; elle y croyait dur comme fer. Alors qu'elle babillait de plus en plus fort, Delphine, d'un ton impatient, lui ordonna de se taire. Pascale se retourna et surprit le regard sévère que Xavier dirigeait vers elle.

– Oh! Oh! On se dispute entre mère et fille, lança Érik qui paraissait s'amuser.

Laurie pouffa, et son attitude, qui s'apparentait à celle d'une collégienne en mal d'attention, navra Pascale.

Le groupe passa à table. Pascale continua son analyse silencieuse de ceux qui l'entouraient.

Geneviève et Arnaud s'étaient concertés et avaient décidé d'être aussi aimables que possible envers Érik et Laurie, afin de faire plaisir à leurs parents. Malgré cela, observait Pascale, l'atmosphère était tendue, peu naturelle, voire irrespirable.

Soudain, elle se raidit, car elle venait de remarquer la façon dont Delphine se comportait. Celle-ci fixait Érik avec l'intensité d'un carnivore affamé qui guette sa proie. Bien sûr, la présence du nouveau couple n'indifférait personne, mais c'était Delphine qui en était le plus affectée. En séduisant Laurie, Érik avait espéré que Delphine fasse son deuil d'une réconciliation avec lui. Pascale avait partagé cet espoir, mais cela n'était pas en train de se produire.

Tant qu'Érik était demeuré célibataire, Delphine n'avait eu à combattre que son indifférence, analysa Pascale. Maintenant, Delphine avait une adversaire, et une adversaire de taille, car Laurie était une conquête de choix.

Pascale parcourut de nouveau son entourage du regard. Côte à côte, Xavier et Gabrielle luttaient pour préserver l'unité de leur famille. Pascale devinait qu'eux aussi redoutaient un esclandre. Afin de meubler les silences, ils parlaient beaucoup du Défi des champions.

Jules avait l'air absent. Il hochait la tête en réponse au discours d'Érik qui lui racontait ses prouesses de plaideur, mais Pascale avait l'impression qu'il avait l'esprit ailleurs. Elle ne se trompait pas. Jules était obsédé par le remboursement de sa marge de crédit. Et s'il se concentrait sur ce sujet, c'était pour éviter de penser à Anne...

Car il l'avait revue, et même plus d'une fois. Sa beauté sans prétention, sa simplicité le hantaient. Elle lui avait dit : «Tu es un excellent musicien, un des meilleurs avec qui j'aie joué», et ces paroles l'avaient caressé, rassuré, réconforté. Anne l'admirait, appréciait son talent, lui souriait avec chaleur, alors que Delphine... Il savait maintenant tout d'Anne, mais elle ne savait pas grand-chose de lui, car il lui avait caché l'existence de Delphine et de Catherine.

Chaque fois qu'il voyait ces dernières, Jules ressentait un coup à la poitrine. Las de buter contre la froideur de Delphine, il avait cessé de l'aimer. Quant à Catherine, eh bien... elle l'exaspérait. Il n'était pas fait pour avoir un enfant, pour assister à ses jeux idiots. Les insipides ritournelles de Walt Disney que Catherine écoutait à longueur de journée le hérissaient. Comme il regrettait son mariage hâtif et sa paternité! Il aurait aimé ne pas se sentir responsable de Catherine, avoir assez peu de cœur pour l'abandonner tout simplement. Mais son sens des valeurs ne le lui permettait pas, d'autant plus qu'il savait que Delphine était une mauvaise mère. Elle lui en faisait la démonstration chaque jour.

Pascale, elle, poursuivait ses observations. Les jumeaux étaient probablement les plus détendus des convives, à part

Catherine. Ils étaient gentils avec Laurie, mais son comportement les laissaient perplexes. Ils ne comprenaient pas qu'elle ait pu abandonner ses études de médecine, eux qui espéraient si fort être admis à cette faculté dans quelques années. Ils tentèrent d'aborder le sujet avec Laurie, mais celle-ci n'avait visiblement pas envie d'en discuter.

On mangea l'entrée. Assise à côté de son grand-père, Catherine discourait sans répit. Xavier l'écoutait avec bienveillance et elle était heureuse d'avoir un auditeur d'une telle qualité.

– Alors, lui demanda Xavier, tu l'as vu, ce fameux père Noël ?

– Ah oui ! répondit Catherine, ravie. Il était à la sortie du K-Mart. Il sonnait une cloche et demandait de l'argent aux gens qui passaient. Maman n'a pas voulu lui en donner.

Delphine se renfrogna alors que François et Sébastien, qui connaissaient sa pingrerie, dissimulaient leur fou rire derrière leur serviette de table.

– Tais-toi, Catherine, fit Delphine d'un ton aigre. Tu ennuies ton grand-père.

– Mais pas du tout, protesta Xavier, qui en avait assez d'entendre Delphine rabrouer Catherine sans raison.

Delphine baissa la tête, mécontente. Catherine souriait triomphalement, narguant sa mère, qui n'osait plus la houspiller. Caressant ostensiblement la main de Laurie, Érik lança à Delphine :

– Ces chers enfants ! Ils ne cessent de nous faire des joies !

– Vous ai-je dit que nous irions en Grèce pour notre voyage de noces, Bruce et moi ? annonça Geneviève.

Heureuse que Geneviève eût créé une diversion, Pascale s'appuya contre le dossier de sa chaise. Elle avait faim. Or, il ne fallait pas qu'elle mange trop, puisqu'elle courrait bientôt le Défi des champions. La vue de tous ces mets dont elle ne pouvait profiter lui faisait tourner la tête.

– J'ai une nouvelle à annoncer, moi aussi, dit soudain Jules. J'ai posé ma candidature à…

– Tu ne vas pas parler de ça ! l'interrompit Delphine.

– … un poste à l'Orchestre…

– Tu n'en parleras pas, répéta Delphine. Je t'ai dit que je n'étais pas d'accord.

Xavier tapa sur la table du plat de la main.

– Tu as fini de lui couper la parole ? lança-t-il sèchement à Delphine.

À nouveau, celle-ci se renfrogna. Affichant une moue ennuyée, Jules reprit :

– J'ai posé ma candidature auprès de l'Orchestre Philharmonique de Philadelphie. J'ai bon espoir d'être engagé.

Il ne put s'empêcher de penser à Anne. Elle aussi tentait d'obtenir un emploi dans le même orchestre.

– Il n'est pas question que nous déménagions, pesta Delphine. Tu n'y penses pas, Jules ? Être là-bas alors que tes parents habitent ici ?

Perplexe, Xavier leva ses sourcils épais. Jusqu'alors, Delphine n'avait guère montré d'attachement pour lui et Gabrielle. Il était surprenant qu'elle les invoque pour justifier sa réticence à déménager.

– Nous sommes des adultes, commenta Xavier. Si Jules pense être plus heureux à Philadelphie, eh bien…

– Plus heureux ! Ah ! J'aimerais bien voir ça ! glapit Delphine. Évidemment, quand il s'agit de sa carrière…

– Un peu de retenue, je t'en prie, grogna Jules.

– … il ne pense jamais à moi !

Jules aurait pu informer Delphine que ses plans de déménagement ne l'incluaient pas, mais il manqua de courage à la perspective de l'affronter.

Catherine avait déposé sa fourchette, et son petit visage, soudain tendu, rougissait.

– Je ne veux pas que papa et maman crient comme ça, dit-elle. J'aime mieux tante Pascale et oncle Arnaud. Ils ne crient jamais.

« Bon sang ! mais tout va de mal en pis », se dit Pascale. Delphine darda sur elle un regard furieux ; elle avait toujours été jalouse de Pascale, et la remarque de Catherine n'arrangeait rien. Jules, qui souffrait d'un complexe d'infériorité par rapport à Arnaud, se contenta de grimacer. Catherine venait, bien involontairement, d'attiser les feux.

– Est-ce que tes parents crient souvent? demanda Xavier à Catherine d'un ton très neutre.

– Mais oui, presque tout le temps, répondit la petite.

– Elle exagère, coupa Delphine, se sentant attaquée.

– C'est surtout maman qui crie, précisa Catherine. Regarde, grand-papa, elle est fâchée et elle va se mettre à crier bientôt.

– Tu vas te taire! explosa Delphine.

– Tu vois? dit Catherine triomphalement à Xavier en désignant sa mère.

Delphine allait répliquer, mais un regard de Xavier lui cloua le bec.

– Alors, Jules, tu comptes déménager à Philadelphie? s'enquit Xavier.

– Mais puisque j'ai dit qu'il n'en était pas question! protesta Delphine avant que Jules ait pu répondre.

– Vous allez cesser de vous disputer, oui? intervint Geneviève d'une voix altérée par les larmes.

Elle promena sur les siens un regard où la tristesse et la honte se mêlaient. À ses côtés, Bruce soupirait d'impatience. Geneviève connaissait la cause de son mécontentement. Les Lavergne trouvaient le moyen de se déchirer à deux jours de leurs fiançailles! Bruce en avait assez de cet échantillonnage de leurs tempéraments!

– Tu vois, Jules? pesta Delphine. Voilà que tu gâches les fiançailles de ta sœur!

– Mais, protesta Geneviève, c'est plutôt toi qui…

– Personne ne prend jamais mon parti dans cette famille, se lamenta Delphine. Pas même mon mari.

– C'est bien vrai, lança Érik. À ta place, je serais bien heureux de m'éloigner d'une tribu aussi peu hospitalière. Peut-être qu'à Philadelphie…

– Érik, intervint Gabrielle avec fermeté, je te prie de ne pas te mêler de ce débat.

François et Sébastien venaient de tenir un bref conciliabule.

– Tu viens regarder la télévision, Catherine? suggéra Sébastien en exagérant la gaieté dans sa voix. Il y a un film avec le père Noël.

– Je veux y aller, je veux y aller! s'écria l'enfant en sautant sur son siège.

Elle se rappela soudain ses bonnes manières.

– Grand-maman, demanda-t-elle, puis-je sortir de table?

– Oui, répondit Gabrielle en jetant un regard reconnaissant à ses deux benjamins qui, en éloignant Catherine des lieux, lui épargnaient la suite de cette scène disgracieuse.

L'enfant avait à peine passé la porte que la discussion orageuse reprenait, au grand déplaisir de Geneviève qui se mit à pleurer.

Delphine aussi pleurait, reprochant à Jules de la négliger, prétendant qu'elle ne voulait pas quitter le Kentucky. «Pourtant, se disait Pascale, tu quitterais la région à toute allure si Érik s'établissait ailleurs! Tu penses vraiment le faire fléchir avec tes larmes? Tout cela la dégoûtait.

Le repas s'acheva dans la désolation générale. Fermement, Gabrielle invita Jules et Delphine à regagner leur logement afin de discuter de leur situation. Ils étaient en train de gâcher le Noël de Catherine, sans parler des fiançailles de Geneviève, et elle le leur reprocha vertement. Elle leur proposa de garder Catherine à la ferme, le temps qu'ils règlent leurs différends. La petite pourrait ainsi, espérait-elle, vivre des heures plus gaies.

Jules et Delphine acceptèrent sa proposition et quittèrent la ferme.

– Ils ne sont d'accord que lorsqu'il est question de se débarrasser de Catherine, murmura Pascale à Arnaud en les regardant s'en aller.

33

« Ce Noël n'est pas particulièrement gai », constata Pascale en bâillant, le matin du 25 décembre. Elle évitait de regarder le visage de ses beaux-parents, encore bouleversés par la dispute survenue le 23 décembre. « Mais Catherine s'amuse beaucoup », se dit Pascale pour se consoler. À la ferme, on s'employait si bien à distraire la petite qu'elle vivait des heures magiques, propres à l'enfance.

Pascale tentait vaillamment de se réveiller. On avait préparé une petite mise en scène à l'intention de Catherine. Pascale, Xavier, Gabrielle, François et Sébastien attendaient au séjour, alors qu'Arnaud était en train de tirer l'enfant de son lit pour lui annoncer que le père Noël était en vue.

Le souffle coupé par la joie, la petite descendit au séjour et y trouva son héros, en chair et en os. Personnifié par Greg, qui avait de réels talents de comédien, le bonhomme rouge offrit ses présents à l'enfant, puis repartit après avoir mangé un biscuit.

Catherine resta longuement assise, sans parler, trop ébahie par cette visite pour penser à déballer ses cadeaux, qu'elle tenait serrés contre elle. Attendris, tous la contemplaient. Catherine ne posait pas de questions au sujet de l'absence de ses parents.

Lorsque Pascale et Arnaud lui suggérèrent d'ouvrir ses cadeaux, elle se lança joyeusement à l'assaut du papier d'emballage. Elle découvrit d'abord la bombe offerte par Pascale, puis les guêtres, présent d'Arnaud, et, enfin, une veste noir et vert, identique à celle que portait l'équipe de course, mais sur laquelle avaient été brodés les mots «Lavergne Equestrian Academy». C'était le cadeau de Xavier et de Gabrielle.

Catherine enfila immédiatement ses nouveaux vêtements.

– Ça alors! glapit-elle en tournant sur elle-même. Me voilà assez bien habillée pour monter Ashanti! Vous croyez qu'il serait d'accord?

Les adultes retinrent leurs rires.

– Avant de monter Ashanti, dit Xavier gravement, il faudra que tu deviennes une excellente cavalière.

– Je sais, dit Catherine en soupirant. Mais quand est-ce que je vais être assez grande pour apprendre à monter à cheval?

Tous lui sourirent avec bienveillance. Ils lui réservaient une autre surprise.

– Tu es déjà assez grande, ma chérie, annonça Gabrielle. Après le petit déjeuner, tu iras à l'écurie avec tante Pascale et oncle Arnaud. Ils promèneront Vol-au-Vent à la longe, et tu le monteras.

* * *

«Enseigner l'équitation à une enfant de trois ans et demi, vive et têtue, en plein hiver, ce n'est pas une sinécure», songea Pascale. On avait commencé à donner des leçons à Catherine quelques jours auparavant.

Pascale tapota l'encolure de Vol-au-Vent. Le petit cheval affichait une excellente humeur, mais il ne faisait pas de cadeau à Catherine. Celle-ci devait lutter farouchement pour le garder en mouvement.

Pascale posa un regard indulgent sur sa nièce. Elle portait son équipement de cavalière; elle aimait tant ses nouveaux vêtements qu'il était impossible de lui en faire retirer une pièce ou une autre, et, au fil des jours, la veste était devenue tachée de sauce et le velours de la bombe avait amassé la poussière de l'écurie.

– Tu as très bien monté, Catherine, déclara Pascale avec sincérité. Allons, descends, maintenant.

– Je suis fâchée, explosa la petite fille, dont le visage rougissait. Vol-au-Vent est méchant avec moi. Il ne veut jamais trotter !

– Ce n'est pas cela. Il faut que tu fasses comprendre à Vol-au-Vent que tu désires qu'il trotte. Parfois, il ne saisit pas tes commandements, parce que tu débutes en équitation. C'est comme si vous ne parliez pas le même langage.

Catherine glissa au sol. Elle était fatiguée et en colère, et cela paraissait. Elle suivit Pascale jusqu'au box de Vol-au-Vent en ronchonnant.

Arnaud se trouvait non loin; il remarqua l'air buté de Catherine et devina que Vol-au-Vent lui avait fait la vie dure. Pascale attacha son poney aux câbles.

– Il faut le bouchonner, maintenant, dit-elle.

– Je ne veux pas, répondit Catherine en faisant la moue. Je suis fatiguée.

– Allons, ma Catou, insista Pascale. Il faut que tu étrilles Vol-au-Vent. C'est comme ça qu'on dit à un cheval : «Je te remercie de m'avoir laissée te monter.»

– Je ne le brosserai pas ! fit Catherine en haussant le ton. Il a été méchant avec moi. Je ne lui dirai pas merci ! Je voulais qu'il trotte et il restait au pas !

– Catherine, si tu ne bouchonnes pas Vol-au-Vent maintenant, tu ne pourras pas le monter demain.

Une discussion fort animée s'engagea. Catherine protestait, résistait, tapait du pied. Elle avait une voix puissante et faisait un beau vacarme; tous les gens qui se trouvaient dans l'écurie souriaient avec amusement. Alors qu'elle faisait mine de se sauver, Pascale l'attrapa par la veste et lui glissa une étrille dans la main.

Furieuse, l'enfant lança l'objet contre la porte d'un box et hurla :

– Je ne le brosserai pas, ton poney, petite traînée !

L'épithète fit sursauter Pascale; la douleur qu'elle ressentait était visible.

Petite traînée... Ces mots la ramenaient bien loin en arrière, à l'époque de sa fuite, de son arrivée à Lavergne Farm, quand elle était pauvre parmi les riches, seule fille parmi les hommes… L'époque où Érik prenait plaisir à faire circuler des rumeurs à son sujet. «Petite traînée», se répéta-t-elle. Elle qui avait bataillé si fort pour obtenir le respect…

Catherine n'eut pas le temps de jouir de son effet, car la silhouette de Xavier se dressait devant elle.

– Qu'est-ce que j'entends, mademoiselle Lavergne? gronda-t-il.

Catherine, qui s'apprêtait à lancer tous les objets à sa portée dans toutes les directions, se calma aussitôt. Xavier avait une personnalité imposante et il savait se servir de son pouvoir d'intimidation. L'enfant baissa la tête et fixa ses bottes.

– Je ne veux pas brosser Vol-au-Vent, dit-elle en sanglotant.

– Je n'aime pas du tout ces manières, dit Xavier avec sévérité. Allons, viens avec moi.

Il saisit la petite par la main et l'entraîna vers son bureau, où il l'assit sur une chaise. Puis il déclara, fort sérieux :

– Catherine, tu as fait beaucoup de peine à ta tante Pascale.

– Mais c'est moi qui ai eu de la peine en premier, à cause de Vol-au-Vent, répondit Catherine.

– Sais-tu ce que ça veut dire, «petite traînée»?

– Non, fit Catherine. Mais quand maman est fâchée, elle appelle tante Pascale comme ça. Et puis elle prend des affaires et elle les lance partout.

«Bel exemple, pensa Xavier. Quelle peste que cette Delphine!»

– Eh bien, affirma Xavier sans réfléchir au fait qu'il intervenait dans l'éducation d'une enfant qui n'était pas la sienne, ta maman se comporte très mal. Je ne veux plus que tu fasses comme elle. Tu n'aimerais pas cela si je t'appelais «petite vaurienne», n'est-ce pas?

– Non, admit Catherine.

– Tu n'aimerais pas cela si je me mettais à lancer ta bombe ou tes guêtres dans l'écurie?

– Non, fit Catherine en baissant le nez.

– C'est pourtant ce que tu as fait à tante Pascale. Et je te le dis, elle a beaucoup de peine.

– Mais, fit Catherine dont l'assurance vacillait, elle n'a pas pleuré.

– C'est parce qu'elle est très brave, expliqua Xavier. Elle a tellement de peine que ton oncle Arnaud est obligé de la consoler.

– Oh ! grand-papa, gémit Catherine, penses-tu qu'elle m'aime encore ?

Sa lèvre inférieure tremblait et elle frottait ses petites mains l'une contre l'autre.

– Oh ! reprit Catherine en sanglotant, il faut que j'aille lui demander pardon !

Elle bondit en bas de la chaise et se précipita hors du bureau. Satisfait, Xavier la suivit. Catherine était bombardée de mauvais exemples à la maison, mais elle avait une bonne nature. Xavier la regarda dévaler le corridor de l'écurie. Plus loin, Pascale était adossée contre la paroi du box de Vol-au-Vent. Son visage paraissait très dur, et Arnaud lui parlait doucement.

La bouche grimaçante, les yeux pleins de larmes, Catherine s'approcha d'elle.

– Je t'aime, tante Pascale, bredouilla-t-elle. Je t'aime et je t'ai fait de la peine ! Pardonne-moi ! Je ne recommencerai plus jamais !

Pascale s'accroupit, tendit les bras, et Catherine s'y jeta en pleurant.

34

DELPHINE rabattit rageusement le journal qu'elle parcourait. Le Défi des champions était le sujet de l'heure. Sur la première page du cahier des sports paraissait une photographie de Pascale, casquée, son visage ascétique, dont les yeux bleu acier luisaient, reflétant sa détermination. « Encore cette petite garce ! » murmura Delphine.

La jalousie et la haine lui déchirèrent le cœur.

– Catherine ! cria-t-elle. Lève-toi !

Un gémissement lui répondit.

Rageuse, Delphine alla déposer quelques pièces de vaisselle dans l'évier. Les vacances de Noël étaient terminées. Delphine avait recommencé à travailler. Catherine était revenue à la maison depuis quelques jours. Quant à Jules, il était allé à Philadelphie, sous prétexte de rencontrer les dirigeants de l'orchestre.

Tout en rinçant la vaisselle, Delphine pestait contre son mari. Elle était furieuse qu'il l'ait laissée seule avec Catherine. Le pire, c'était que l'enfant se prétendait malade depuis la veille. Delphine l'avait entendue appeler pendant la nuit. Elle était restée couchée et lui avait sèchement crié de se taire.

Delphine se dirigea vers la chambre de Catherine, décidée à la tirer du lit. Une odeur désagréable l'accueillit lorsqu'elle franchit la porte.

– Maman, se plaignit Catherine, lovée contre son oreiller, j'ai mal au cœur.

– Cesse ce manège, coupa Delphine. Allons, lève-toi... Sapristi !

Elle venait d'apercevoir les vomissures sur les draps. Catherine en avait partout, même dans les cheveux.

– J'ai chaud, maman, fit l'enfant en sanglotant.

Elle transpirait et son visage était diaphane.

Delphine détourna son regard. Elle ne ressentait aucune compassion, seulement une grande frustration. Elle avait l'impression que la malchance s'acharnait sur elle : l'homme qu'elle aimait en aimait une autre, parce qu'elle avait eu la stupidité d'avoir cette enfant... Comme elle lui en voulait, à cette enfant, d'être venue au monde et d'avoir gâché son amour, sa vie ! La perspective de passer la journée à nettoyer ses vomissures répugna à Delphine. Elle se braqua contre le sort.

– Allons, sors du lit. Je dois aller travailler. Tu iras au jardin d'enfants.

– Je veux rester ici, supplia Catherine. J'ai mal, j'ai chaud, maman.

– Petite paresseuse ! dit Delphine en la tirant par le bras.

Pleurant de désespoir et de douleur, Catherine se retrouva debout. Une nausée lui vint et elle vomit sur le plancher.

– Mais regarde, insista-t-elle. Je suis vraiment malade, maman.

– Attends-moi ici, fit Delphine en disparaissant.

Elle revint, avec un verre d'eau, un médicament, un seau et des guenilles. Sans prendre le temps de lire les renseignements imprimés sur la boîte, elle donna un comprimé à Catherine. Ensuite, avec des gestes qui trahissaient à dessein son impatience, elle tira les draps hors du lit, les jeta dans la corbeille à linge sale, puis nettoya le plancher. Catherine reçut ordre d'aller se débarbouiller pendant que sa mère s'acquittait de ces tâches.

Lorsque l'enfant revint, elle était à peine présentable et se plaignait d'étourdissements. Pressée, Delphine l'installa dans la voiture et l'emmena au jardin d'enfants. Profitant du brouhaha qui y régnait, elle y laissa Catherine et s'esquiva sans donner d'explications à Jennifer, l'éducatrice.

Plusieurs minutes passèrent avant que Jennifer réalise que Catherine avait quitté le local réservé aux enfants de son âge. Alarmée, elle confia les autres bambins à son assistante et courut vers la salle de bains. Catherine y était, allongée sur le carrelage. Elle gémissait. Jennifer constata aussitôt qu'elle était sérieusement déshydratée.

Jennifer cria à un autre membre du personnel d'appeler une ambulance. Elle s'agenouilla à côté de l'enfant et tenta de lui faire raconter ce qui venait d'arriver. Mais Catherine était en sueur, brûlante de fièvre, et elle délirait; Jennifer redoutait des convulsions. «Tante Pascale, oncle Arnaud», ne cessait de répéter Catherine d'une voix éteinte.

Lorsque les ambulanciers arrivèrent, Jennifer se dirigea vers le bureau de la directrice du jardin d'enfants. Celle-ci lui demanda de communiquer avec les parents de Catherine.

La main posée sur le combiné, Jennifer réfléchissait. Elle savait que Jules ne se trouvait pas en ville. Quant à Delphine, elle venait de faire preuve, à l'endroit de sa fille, de beaucoup de négligence. Catherine avait dû commencer à se sentir mal pendant la nuit, peut-être même avant. Jennifer avait remarqué que les cheveux de l'enfant étaient très sales et qu'elle sentait mauvais. Delphine aurait dû consulter un médecin avant de l'amener au jardin d'enfants.

Jennifer n'hésita plus. Elle était bouleversée; la voix de Catherine appelant sa tante et son oncle, résonnait à ses oreilles. Elle décrocha le combiné et composa le numéro de Lavergne Farm.

* * *

Puisqu'une nouvelle année venait de débuter, Ashanti avait maintenant officiellement cinq ans et Makatoo, quatre ans. Fanti of Ghana était réputée avoir deux ans et, au printemps, elle pourrait courir. C'était une jument intense, pleine de feu, impétueuse mais plutôt maniable. Elle plaisait énormément à Pascale.

La presse sportive parlait du Défi des champions sans discontinuer. Le lendemain, il faudrait quitter Lavergne Farm pour Turfway Park. Arnaud réfléchissait à tout cela lorsque le téléphone sonna.

C'était Jennifer; une Jennifer angoissée et furieuse contre Delphine. La conversation terminée, Arnaud courut réveiller Pascale, puis alla chercher son père et sa mère. Tous ensemble, ils se rendirent à l'hôpital de l'université du Kentucky, où Catherine avait été emmenée.

* * *

Lorsque Delphine arriva à l'hôpital, Xavier et Gabrielle étaient postés devant la porte de la chambre qu'occupait Catherine. Leur désapprobation était si évidente que Delphine faillit reculer. Xavier la rejoignit à grands pas et l'attrapa par le bras.

– Ta fille aurait pu mourir! Qu'est-ce que tu lui as donné?

– Moi? Mais je...

Delphine bredouillait. Son beau-père lui faisait peur. Elle commençait à s'énerver, mais ce n'était pas à la santé de Catherine qu'elle pensait. Bien qu'elle n'eût jamais ressenti de sentiments maternels envers l'enfant, Delphine avait besoin d'elle, car elle était le lien qui l'unissait aux Lavergne et, conséquemment, à Érik. S'il fallait qu'à cause d'une stupide maladie, Delphine soit rejetée par sa belle-famille... Vite, elle devait susciter la sympathie de Xavier pour éviter cette calamité! Elle éclata en sanglots. Loin de s'adoucir, la poigne de Xavier se resserra sur son coude.

– Je veux voir ma fille, réclama-t-elle d'un ton dramatique.

– Pas question, siffla Xavier.

* * *

– Tante Pascale, murmura Catherine.

Pascale se pencha sur l'enfant et lui sourit. La fièvre avait baissé. On avait administré un soluté à la jeune patiente pour la réhydrater. Elle était hors de danger.

Pascale la veillait depuis quarante-huit heures. À sa demande, Xavier et Gabrielle lui avaient envoyé des vêtements et elle avait dormi dans la chambre de Catherine, sur un petit lit. Son visage accusait la fatigue.

– Tante Pascale, demanda Catherine qui s'animait, est-ce qu'Ashanti est parti à cette grande course dont tout le monde parle ?

– Oui, ma Catou.

– Ah ! fit Catherine.

Elle eut l'air pensive, puis demanda :

– Mais qu'est-ce qu'Ashanti va faire sans toi ?

Pascale resta d'abord silencieuse. Assis dans un fauteuil, Arnaud écoutait la conversation.

– Francisco est jockey, lui aussi. C'est lui qui montera Ashanti pour le Défi des champions, dit finalement Pascale.

Elle réussit à dissimuler son amertume. La pensée qu'un autre chevaucherait son champion lors de cette grande épreuve ne lui était pas agréable.

– Mais, protesta Catherine, je ne veux pas. Il faut que ce soit toi, tante Pascale, insista-t-elle. Grand-papa a dit que je quitterais l'hôpital demain et que je pourrais regarder la course à la télévision. Je ne veux pas voir Ashanti perdre.

Pascale sentit son cœur bondir. Elle ressentit une vague de reconnaissance envers l'enfant, car il lui démangeait de se rendre à Turfway Park. Arnaud s'approcha.

– Catherine, dit-il, ta tante Pascale est demeurée ici pour t'aider à guérir.

– Je sais. Mais si Ashanti gagne avec tante Pascale, je serai fière d'eux. Ça me guérira. Je veux que tante Pascale monte Ashanti. Je ne veux pas que ça soit Francisco, même s'il est très gentil. Dis, tante Pascale, poursuivit Catherine avec enthousiasme, tu iras courir cette course ? Pour me faire plaisir ?

Pascale avait très envie de participer au Défi des champions pour vaincre tous les rivaux d'Ashanti. Depuis que Catherine était hospitalisée, Xavier et Gabrielle avaient perdu leur enthousiasme pour la course. Préoccupé du sort de la petite, ils avaient communiqué avec Jules et tentaient de le convaincre de demander le divorce et la garde de Catherine.

Or, Jules résistait, car il ne désirait surtout pas avoir la charge de l'enfant. Quant à Delphine, elle prétendait vouloir se réconcilier avec Jules. Pascale savait bien qu'en fait Delphine tentait désespérément de rester dans l'entourage d'Érik; si Jules demandait le divorce, elle serait peut-être obligée de retourner en Belgique, ce qui mettrait fin à tous ses espoirs. Bref, les Lavergne en avaient plein les bras.

Pascale jeta un coup d'œil à Arnaud. Elle savait qu'il préférait rester à la maison avec ses parents, pour les aider à traverser l'épreuve. Tous deux avaient parlé de la possibilité qu'Elias agisse comme entraîneur d'Ashanti.

– Si Elias est d'accord, annonça Pascale à Catherine, nous partirons à Turfway Park dès ce soir. Et je courrai le Défi des champions juste pour toi, ma Catou.

* * *

Pascale acheva la course fourbue.

Encore une fois, Ashanti l'avait emporté par un nez. Ç'avait été une épreuve particulièrement rude et la Commission des courses fut aussitôt saisie de protêts. Pascale se jura de ne plus jamais compétitionner dans d'aussi mauvaises conditions.

Elle imagina la joie que sa victoire procurait à Catherine, et cela mit un peu de baume sur son cœur.

Un froid coupant régnait sur Turfway Park, accompagné d'un vent qui soufflait des nuages de sable sur la piste. Après avoir défilé dans le cercle du vainqueur, Pascale se hâta de regagner le *backside*. Impatient, Ashanti tirait sur sa bride. Il était furieux.

Dès le départ, les autres jockeys s'étaient arrangés pour lui barrer le chemin. Pascale avait dû le retenir de toutes ses forces pour l'empêcher de se jeter sur le peloton. Bataillant contre le mors, Ashanti avait couru la bouche ouverte, avalant le sable que projetaient ses rivaux, humilié par la dureté de son jockey autant que par le fait qu'il était distancé. Une manœuvre quasi insensée avait permis, à la toute fin, qu'il prenne la tête, mais cela ne l'avait pas satisfait.

À présent, il toussait et crachait du sable, et Pascale prévoyait qu'il continuerait à le faire pendant quelques jours. Anxieusement, elle examina ses jambes. Heureusement, elles étaient en bonne condition. Pascale s'occupa elle-même de faire marcher Ashanti. Il était primordial de se réconcilier avec lui.

Plusieurs heures après la fin du Défi des champions, Pascale se trouvait encore au *backside*. Elle avait troqué sa casaque contre une veste noir et vert, mais la sueur et la boue la maculaient, et elle grelottait. Ashanti s'apaisait. Pascale, elle, commençait à s'inquiéter pour elle-même. Jamais elle ne s'était sentie aussi épuisée. «Peut-être est-ce parce que j'ai veillé Catherine», se dit-elle.

Elle sentait confusément qu'il lui fallait faire quelque chose, autrement elle s'écroulerait, là, au milieu de l'écurie. Sans rien dire à ses compagnons, elle se rendit au bureau du médecin de piste.

* * *

Arnaud se trouvait dans la cuisine quand Pascale téléphona.

– Bravo, chérie! dit Arnaud.

Pascale ne répondit pas aux félicitations de son mari. Elle murmurait dans l'appareil, comme si des gens l'espionnaient alors qu'elle discutait d'un secret d'État.

– Il faut que tu viennes ici. Vite, supplia-t-elle.

Anxieux, Arnaud fronça ses sourcils blonds. Pascale l'inquiétait depuis un moment; or, chez elle, toute demande d'aide était le signe d'un profond désarroi.

– Je serai à l'hôtel. Viens, Arnaud, dépêche-toi, insista Pascale.

– Tu es malade?

– Non, fit-elle, agacée. Je ne peux pas parler. Les journalistes. Hâte-toi.

Arnaud ne demanda pas d'autre explication. Rien ne pouvait amener Pascale à se comporter ainsi, sinon un événement majeur. Quelque chose qu'on devait cacher était peut-être arrivé à Ashanti. Redoutant un drame, Arnaud prit congé de ses parents et de sa nièce, et sauta dans son véhicule.

Il trouva Pascale assise sur le lit de sa chambre d'hôtel. Son visage était exsangue; elle serrait ses bras contre elle. Arnaud se hâta d'aller l'embrasser. Elle ne bougea pas. Elle restait figée, abasourdie.

– Merci d'être venu si vite, souffla Pascale. J'ai vu le médecin de piste.

– Pourquoi?...

Visiblement mal à l'aise, Pascale se leva et se mit à arpenter la pièce.

– Tu te souviens, demanda-t-elle, de la victoire d'Ashanti à Hollywood Park?

– Oui, répondit Arnaud.

– Tu te rappelles... ce que... enfin... ce qui s'est passé après?

Arnaud ne put réprimer un sourire un peu béat. La soirée en question était devenue, entre sa femme et lui, un sujet de confidences et de taquineries sur l'oreiller, car ce soir-là Pascale avait pris l'initiative de leurs ébats. C'était inhabituel chez elle, et Arnaud avait apprécié l'expérience. Depuis, il taraudait Pascale, l'invitant à «jouer à Hollywood».

– Eh bien..., bredouilla Pascale qui ne savait comment formuler ce qu'elle avait à dire.

Arnaud se souvint d'autre chose. D'une histoire d'anovulants oubliés dans une chambre d'hôtel, de la mise en garde de Pascale... Soudain, tout lui apparut clairement.

– Tu es enceinte, c'est ça? s'écria-t-il.

– Oui, répondit Pascale d'une voix blanche.

Elle cessa d'aller et venir et resta là, maladroitement plantée sur ses pieds, les bras ballants. Envahi par la surprise et la joie, Arnaud la fixait, presque incrédule. Voilà que s'expliquaient la fatigue et la faim qui avaient accablé Pascale, son manque de résistance et de hardiesse, son hypersensibilité à la suite de la fausse couche de Nosie. Arnaud avait vainement cherché la cause de ces malaises. Il s'était beaucoup tourmenté au sujet de Pascale. Il était à présent soulagé, car tous ces ennuis étaient normaux, explicables, puisqu'elle attendait un enfant.

Arnaud allait s'avancer vers Pascale pour l'étreindre. Quelque chose stoppa son élan. Elle n'avait pas l'air heureuse.

La douleur et le doute envahirent Arnaud, et son visage pâlit. Une question brutale lui venait à l'esprit : Pascale voudrait-elle de cet enfant? Elle venait de remporter le Défi des champions et se trouvait au faîte de sa carrière; une grossesse l'empêcherait de courir... Désirait-elle un avortement? Était-ce pour cela qu'elle avait cet air abattu? Et lui, Arnaud, que répondrait-il?

Le jeune homme se leva et s'approcha de sa femme. Comment devait-il aborder le sujet?

– Qu'est-ce que tu... ressens? fit-il, hésitant.

Pascale se jeta sur lui en pleurant.

– Je l'aime! C'est mon enfant, notre enfant, Arnaud, et j'aurais pu le tuer dans cette course! Oh! J'aurais dû deviner...

Arnaud poussa un bref soupir de soulagement : Pascale désirait cet enfant autant que lui-même. À peine consolé, le jeune homme se désola de voir Pascale souffrir. Encore une fois, la culpabilité mal placée, plutôt que la réalité, était en train de lui gâcher la joie à laquelle elle avait droit.

– Il est peut-être mort à cause de moi, à cause de ce maudit Défi des champions! Arnaud! Cette course a été la plus difficile de ma carrière! Plus dure que le Derby... Et dire que j'attendais un enfant... Pourquoi n'y ai-je pas pensé avant?...

Les mots sortaient pêle-mêle. Parce qu'elle avait été inquiète pour Catherine, Pascale n'avait pas porté attention au retard de ses règles. Maintenant elle se blâmait sans pitié.

– Le médecin t'a-t-il dit que le bébé était mort? lui demanda Arnaud.

– Non, répondit Pascale en hoquetant. Il m'a seulement suggéré de ne plus monter en course.

– Sage conseil. Chérie, le sport ne cause pas des avortements spontanés. Une chute pourrait interrompre une grossesse; or, tu n'es pas tombée.

Pascale hésitait.

– Moi non plus, je n'ai pas pensé que tu pouvais être enceinte. Pourtant, tu avais tellement changé ! C'était l'évidence même, quand j'y repense !

– Mais… tu es un homme, c'est moi qui suis à blâmer, affirma Pascale.

Arnaud éclata de rire.

– La culpabilité, ennemi numéro un des femmes dans leur quête d'égalité ! ironisa-t-il. Tu ignorais que tu étais enceinte, n'est-ce pas ?

– Si j'avais su ! gémit Pascale.

– Eh bien, tu n'avais pas à te comporter comme une femme enceinte, puisque tu ne savais pas l'être.

– Mais…

– Cesse de protester ! Célébrons, plutôt ! Oh ! Pascale, tu ne peux pas savoir combien je suis heureux !

Pascale leva son visage vers celui d'Arnaud. Elle y lut le bonheur de son mari, et cela l'émut, mais pas encore assez pour neutraliser sa nature pessimiste.

– Le bébé va peut-être mourir, dit-elle encore.

– N'est-il pas vivant en ce moment ? N'est-il pas là, dans ton ventre, parce que nous nous aimons ? plaida Arnaud.

Soudain toute remuée, Pascale esquissa un sourire. Le premier depuis que le médecin lui avait confirmé sa grossesse. Elle réalisa soudain qu'elle avait, par le biais d'un raisonnement biscornu, transformé une bonne nouvelle en drame. Arnaud était heureux. Son visage resplendissait. Pascale n'avait pas envisagé cette joie qu'elle lui faisait ; les conséquences apocalyptiques du Défi des champions que son imagination avait fabriquées de toutes pièces lui avaient bouché l'esprit.

– Alors, fit-elle d'un ton qui recelait un brin d'étonnement, tu es content ?

– Content ? répéta Arnaud. Enchanté, abasourdi, comblé ! Je te ramène tout de suite à la ferme. Allons, ne t'inquiète pas. Mon père t'expliquera ce qu'il faut que tu fasses ou ne fasses pas, maintenant que tu es enceinte.

Pascale avait hâte d'avoir une longue discussion avec son beau-père. Elle se sentait rassurée à l'idée d'être bientôt près de lui et de Gabrielle.

Lentement mais sûrement, le bonheur commençait à sourdre de la poitrine de Pascale et se répandait, en ondes paisibles, dans ses membres et sur son visage. Elle goûta, tour à tour, l'amour intense qu'elle avait déjà pour l'enfant qu'elle portait, la fierté d'être enceinte d'un homme bon, fiable et intègre, et le soulagement de se sentir épaulée par lui.

Puis, la joie s'installa tout à fait en elle à l'idée qu'elle retournerait à la maison avec Arnaud et y passerait de longs mois. Dans un éclair, elle vit Vol-au-Vent; elle imagina le son de ses sabots, son odeur chaude, sa bonne humeur et son espièglerie; son Vol-au-Vent! Comme elle avait besoin de lui! Comme il lui manquait! Comme il la soutiendrait, à sa façon! Et puis, il y avait la sécurité, la maison. Catherine! Et quoi d'autre encore!

– J'ai faim, déclara soudain Pascale. Je veux manger une énorme assiettée de spaghettis. Oh! Arnaud! J'ai tellement faim!

35

LE LENDEMAIN du Défi des champions, Elias, Greg et Francisco ramenèrent Ashanti à Lavergne Farm.

Elias affichait une humeur splendide, et cela étonnait quelque peu ses deux compagnons, car les nouvelles étaient mauvaises. Le classement final du Défi des champions était contesté. Et puis, croyaient Greg et Francisco, Pascale était blessée. Depuis le soir précédent, Elias criait sur tous les toits qu'elle souffrait d'une hernie discale. Il avait si bien répandu la nouvelle qu'elle était devenue, au *backside*, le principal sujet de conversation.

* * *

Pascale connaissait son état depuis moins de vingt-quatre heures et déjà des sentiments variés, souvent contradictoires, l'envahissaient.

À son habitude, Pascale était soucieuse de préserver son intimité. Hormis Arnaud et le médecin de piste de Turfway Park, seules quatre personnes savaient qu'elle était enceinte : Elias, Martha, Xavier et Gabrielle. Pascale brûlait d'envie de tout raconter à Geneviève, mais cela n'aurait pas été sage, car son amie, sur un pareil sujet, aurait été absolument incapable de tenir sa langue. À elle comme aux autres, on avait donc servi cette histoire d'entorse lombaire, qu'Elias avait été chargé de propager.

C'était Pascale qui avait forgé le mensonge; cela s'était fait rapidement, peu de temps après qu'Arnaud l'eut rejointe à Turfway Park. À présent, elle regrettait d'avoir choisi cette excuse, car elle devait se comporter comme une personne qui a mal au dos. À tout moment, elle redoutait de l'oublier et de monter un escalier trop rapidement ou de se pencher avec une vivacité qui aurait éveillé les soupçons.

Pascale était revenue à la ferme. Elle avait eu avec Xavier la longue discussion qu'elle souhaitait. Les jours passèrent. Pascale tentait de s'habituer à l'idée que dans à peu près huit mois elle accoucherait d'un bébé. Chaque matin lorsqu'elle s'éveillait, elle demeurait, pendant un moment, incrédule face à son état. Elle scrutait son ventre et arrivait à peine à se convaincre qu'il y avait, là-dedans, un embryon qui grandissait.

Cette grossesse inattendue perturbait drôlement son existence. Pascale était par moments très gaie, et parfois fort soucieuse.

De toutes les sensations qui surgissaient en elle, celle qui l'étonnait le plus était l'amour absolu qu'elle éprouvait pour son enfant. Dans son esprit, le bébé avait déjà un sexe, un aspect, un visage. C'était un garçon, celui-là même qu'elle avait vu en rêve, des mois plus tôt.

Mais Pascale avait beau aimer son enfant de tout son cœur, la maternité l'effrayait. Son mode de vie actif et son tempérament cadraient mal avec ce qui l'attendait. Lorsqu'elle s'imaginait, alourdie par sa grossesse, incapable de monter à cheval, elle ressentait une franche répulsion. Elle s'était toujours appliquée à maintenir une forme physique supérieure à la moyenne. Ce serait tout un combat que de la recouvrer, après la naissance du bébé. De plus, elle savait qu'après son accouchement elle n'aurait plus le même aspect qu'avant.

Pascale n'était pas très fière de ces préoccupations plutôt superficielles, mais elle ne pouvait s'empêcher de les ressentir. Pascale ne redoutait pas l'accouchement. La douleur ne lui faisait pas peur. Ce qu'elle appréhendait, outre les changements physiques qu'elle subirait nécessairement, c'était le fait de devenir un parent; d'avoir à s'occuper d'un enfant, un enfant qui dépendrait très étroitement d'elle.

Sans que personne l'ait suggéré, Pascale se convainquit qu'une fois mère elle devrait renoncer à sa profession. Encore une fois, son esprit compulsif, perfectionniste, qui s'employait sans cesse à la mortifier, l'engagea sur la mauvaise voie. Il l'amena à tenir pour acquis que ses beaux-parents et son mari s'attendaient à ce qu'elle se consacre, après ses relevailles, à l'éducation de son petit, et à rien d'autre.

Un observateur aurait été bien en peine de trouver, chez les Lavergne, des indices expliquant pourquoi Pascale s'était mise une pareille idée en tête. En fait, les Lavergne n'y étaient pour rien. C'était la conscience de Pascale qui, en lui imposant de devenir une mère parfaite, exigeait d'elle sacrifice et renoncement. Un seul élément pouvait peut-être expliquer l'impression qu'avait Pascale au sujet des attentes de sa famille : le fait que Gabrielle, après la naissance de Jules, n'ait pas exercé de profession.

L'esprit de Pascale avait automatiquement conclu qu'il fallait suivre cet exemple. Aveuglée par son obsession de la perfection, Pascale ne réalisait pas que son raisonnement ne résistait pas à l'analyse. Dans les faits, les Lavergne étaient plus ouverts à l'égalité des sexes que la plupart des gens de leur génération. Plusieurs facteurs expliquaient pourquoi Gabrielle n'avait pas gagné le marché du travail après la naissance de Jules. Pendant la petite enfance de ce dernier, elle était restée à la maison parce qu'il était continuellement malade. C'était les circonstances, et non pas un choix de couple, qui avaient exigé qu'elle veille sur lui. Puis, après la naissance d'Érik, Xavier et Gabrielle avaient déménagé de la France au Kentucky. Formée en littérature française, Gabrielle n'avait guère trouvé de perspectives d'emploi dans sa région d'adoption. Suivant ses goûts, et séduite par le défi que posait sa nouvelle vie d'éleveur, elle avait préféré seconder Xavier dans l'administration de la ferme plutôt que d'aller gagner sa vie à l'extérieur. Xavier l'avait encouragée à demeurer active, en lui enseignant l'équitation et en embauchant des domestiques qui veillaient sur ses rejetons.

On aurait pu croire que les Lavergne constituaient un couple très conventionnel, puisque la ferme portait le nom de Xavier, que Gabrielle avait eu six enfants et qu'elle avait consacré toutes ses énergies à faire prospérer l'entreprise familiale. Mais il convenait de regarder au-delà des apparences. Jamais Xavier n'aurait accepté qu'on lui reproche d'avoir relégué sa femme aux cuisines; Gabrielle, avec raison, aurait pris sa défense, car Xavier n'était tout simplement pas ce genre d'homme. Leurs enfants, peu importe leur sexe, avaient tous travaillé aux écuries et participé aux tâches domestiques, et bénéficié des mêmes chances. Une conclusion évidente se dégageait de tout cela : c'était Pascale elle-même qui s'imposait une attitude dépassée, et non ses beaux-parents.

Rien non plus dans le comportement d'Arnaud ne pouvait justifier la conviction de Pascale. Le jeune homme ne cessait d'exprimer sa fierté face aux réussites professionnelles de sa femme. Devant les médias, il s'effaçait volontiers pour lui laisser la place. En fait, il avait été le principal, et parfois l'unique soutien de Pascale tout au long du chemin semé d'embûches qu'elle avait emprunté pour s'imposer dans une profession dominée par les hommes. Croire qu'il la cantonnerait dans un rôle de mère était bien ingrat.

Malgré tout, l'esprit défaitiste de Pascale persistait à associer à la naissance de son enfant la fin de sa carrière, de ses séjours dans les hippodromes. Il lui semblait que cela survenait beaucoup trop tôt. Elle n'avait que vingt-deux ans. Parfois, elle avait envie d'exprimer sa déception à Arnaud, puis se ravisait. Elle redoutait qu'en admettant sa réticence à abandonner son métier de jockey elle amènerait son entourage à la juger indigne de la maternité. Pascale aurait été bien étonnée de savoir à quel point elle se trompait sur ce point. Arnaud n'avait jamais abordé le sujet. Pour lui, le retour de Pascale sur les champs de courses, après un repos approprié, était tellement évident qu'il n'envisageait aucune autre perspective.

Pascale s'inquiétait aussi des conséquences qu'aurait la venue de l'enfant sur le couple qu'elle formait avec Arnaud.

Certes, elle avait confiance en lui pour ce qui était de l'écouter, de la soutenir, l'encourager; mais verraient-ils l'éducation d'un enfant sous le même angle? Compte tenu de sa nature bohème, on pouvait penser qu'Arnaud serait assez permissif. La passion qu'avait Pascale pour la discipline pourrait se heurter à son insouciance.

Lorsqu'elle pensait à tout cela, Pascale ressentait un désarroi profond, désespérant, qui lui sapait la joie à laquelle elle avait droit. En plus de toutes les autres craintes non fondées qu'elle entretenait, elle redoutait que la venue d'un enfant les divise, Arnaud et elle. Elle tentait donc de tout prévoir afin que cette éventualité désastreuse ne survienne pas. C'était bien difficile car, lorsqu'elle abordait le sujet avec Arnaud, il répondait qu'ils aviseraient en temps et lieu. Le jeune homme, avec son optimisme habituel, affichait un bonheur sans équivoque. Les questions qui taraudaient Pascale ne lui traversaient même pas l'esprit. Lorsque Pascale évoquait les limites que leur imposerait leur nouveau statut de parents, les nuits sans sommeil, le manque d'espace, Arnaud haussait les épaules et répliquait que d'autres étaient passés par là avant eux.

Quelques jours après son retour à la ferme, Arnaud se fit offrir un emploi dans la clinique de physiothérapie où il avait déjà travaillé. Il accepta et Pascale, désœuvrée, resta seule à la maison.

Catherine y séjournait toujours. Lorsque Jules était revenu de Philadelphie, à force de pleurer et de supplier Delphine était arrivée à son but : elle avait suscité la compassion de Gabrielle, laquelle avait réussi à attendrir Xavier. Les Lavergne avaient décidé de laisser à Delphine une dernière chance de se réconcilier avec Jules, ainsi qu'elle le réclamait. Ils avaient offert de s'occuper de Catherine pendant sa convalescence afin que Jules et Delphine puissent discuter de leur avenir en paix.

Le principal intéressé, quant à lui, avait réagi avec son habituelle apathie, au grand désespoir de tous ceux qui l'entouraient.

36

PAR UNE SPLENDIDE MATINÉE de février, Arnaud, Pascale, Michael, Philip, Geneviève, Xavier et Gabrielle chevauchaient sur les sentiers. On se trouvait samedi; le temps était doux et le souffle des chevaux, au contact de l'air, formait de jolis nuages de vapeur.

Pascale observait celui qui nimbait les naseaux de Vol-au-Vent. Le poney bai était d'excellente humeur. Arnaud montait Moushika, Philip, Nosie, et Geneviève, qui était venue visiter ses parents car Bruce était retenu au bureau, Mafalda. Vol-au-Vent était donc entouré de juments qui lui plaisaient. Quant aux mâles présents, ils ne les lui disputaient pas, car c'était des hongres. Il s'agissait de GI Joe, monté par Michael, d'Aladin, par Gabrielle, et de Fol Espoir, que Xavier tenait d'une poigne ferme.

Vol-au-Vent adopta le canter; grisée, Pascale lui tapota l'encolure, puis fourragea affectueusement dans sa crinière noire. Arnaud lui jeta un regard tendre, un peu taquin aussi. Quand Michael lui demanda comment allait son dos, Pascale lui répondit, laconique : «Mieux», puis détourna la tête. Michael n'était jamais dupe des mensonges, et Pascale savait qu'il se questionnait au sujet de son soi-disant mal de dos.

On ralentit l'allure, car Mafalda, dont la grossesse était avancée, montrait des signes de fatigue. Instinctivement, Pascale chercha Rocky et Maya du regard. Puis elle se souvint que les chiens, frileux, étaient restés avec Martha qui, ce matin-là, s'occupait de Catherine.

Le groupe était arrivé au parcours de cross-country. Arnaud y engagea Moushika tandis que les autres cavaliers mettaient pied à terre. Michael et Geneviève discutaient gaiement, un peu à l'écart, et Pascale devina qu'ils désiraient être seuls. Après avoir attaché son cheval à un arbre, elle rejoignit Xavier, Gabrielle et Philip.

Pascale observait beaucoup Philip; le jeune homme continuait à afficher l'air dur qu'il avait adopté depuis que Laurie l'avait laissé. Pascale, qui ne savait plus quoi inventer pour le réconforter, lui sourit gauchement et aborda le sujet de ses activités professionnelles. Philip ne lui posa aucune question sur son entorse lombaire; pourtant, cette blessure aurait dû l'intéresser. Peut-être Arnaud lui avait-il révélé la vérité, se dit Pascale.

Depuis un moment, Arnaud et Moushika effectuaient de larges cercles autour des principaux obstacles. La jument grise avait adopté un galop fluide. Arnaud, à demi dressé dans ses étriers, dégageait le garrot de sa monture de son poids.

D'un mouvement de rênes subtil, le cavalier engagea sa jument vers un obstacle. Les oreilles de Moushika se dressèrent. Son excitation parut; elle tenta de précipiter ses foulées, mais Arnaud la retint avec douceur. Elle regardait l'obstacle, ses puissantes épaules tressaillant d'impatience, et, lorsqu'elle fut à distance souhaitable des poutres, Arnaud rendit la main. Dans un élan parfait, Moushika franchit les barres, atterrit en souplesse et reprit le galop.

– La poésie en mouvement, murmura Xavier en français.

Pascale traduisit pour Philip. Elle ne pouvait détacher ses yeux d'Arnaud. Comme elle était fière de lui! Dire qu'elle portait son enfant! Le regard du jeune homme était maintenant dirigé vers un obstacle haut et large, fait de poutres empilées de façon à former une pyramide. L'accès en était difficile, car il fallait gravir une pente assez raide pour y parvenir. Arnaud n'eut pas à stimuler Moushika; elle vola gracieusement au-dessus de l'obstacle. Pleine d'admiration, Pascale s'écria :

– Elle a beaucoup d'avenir.

– Oui, dit Gabrielle. Cette jument sera la fierté de la Lavergne Equestrian Academy.

Xavier adressa un clin d'œil à sa femme. Gabrielle se passionnait pour son entreprise. Certains de ses élèves progressaient beaucoup. Gabrielle envisageait de les inscrire à un concours hippique d'envergure qui devait avoir lieu au printemps suivant.

À cinquante ans passés, Gabrielle jouissait d'une excellente santé. Ses benjamins auraient bientôt dix-huit ans. Son école d'équitation était en quelque sorte son nouveau bébé; cette œuvre prospérait grâce à sa maturité, à sa clairvoyance de femme mûre et accomplie.

Arnaud remit Moushika au pas. Les autres cavaliers se remirent en selle. Xavier et Gabrielle échangèrent leurs montures, car Xavier était lourd et il n'était pas sage d'exiger que Fol Espoir le porte trop longtemps. Ils reprirent tous le chemin des écuries.

Tout en chevauchant, Pascale réfléchissait au bonheur que la Lavergne Equestrian Academy apportait à sa belle-mère. Tant d'éléments, depuis quelques années, s'étaient alliés pour gâcher la vie de cette femme généreuse! L'esprit de Pascale s'attarda sur Catherine, et la tristesse l'envahit.

Lorsque le groupe passa à proximité du pré où se trouvait Ashanti, Xavier décida d'aller voir l'étalon.

Ashanti venait d'être mis au paddock. Lorsqu'il sentit l'odeur des chevaux qui s'approchaient, il s'immobilisa. Très vite, il sut qu'il y avait des juments dans la troupe, et qu'un étalon en faisait aussi partie.

Alors, il gonfla son poitrail, crispa sa large encolure et souffla, fort mécontent. Visé par cette démonstration, Vol-au-Vent ne tenait guère à se faire remarquer. Personne ne doutait que, s'il en avait eu l'occasion, Ashanti aurait mis son ancien mentor en pièces. Les juments devinrent quelque peu agitées. Quant aux hongres, rassurés par la présence des humains, ils restaient placides.

– Calme-toi, mon garçon, cria Xavier à Ashanti qui hennissait de fureur.

– Il est tout hérissé, constata Arnaud. Ça le fait paraître encore plus grand, plus fort.

– Quelle belle bête ! murmura Gabrielle.

S'adressant à Pascale, Xavier lui demanda :

– Dis-moi, petite, comment vois-tu ton avenir après ton...

Pascale rougit.

– ... entorse lombaire ? compléta Xavier.

Pascale se tortilla. Il était temps pour elle d'annoncer cette renonciation à sa carrière qu'attendaient son mari et ses beaux-parents. Son humeur s'assombrit, et elle parut embarrassée. Elle allait parler, mais Arnaud, qui la croyait intimidée, la devança.

– Pascale recommencera à courir. Ashanti a encore de bonnes années devant lui. Makatoo aussi. Et puis, il y a Fanti. Et tous les autres poulains qui viendront après...

Pascale fut très étonnée d'entendre son mari s'exprimer de cette façon et, surtout, aussi naturellement.

– J'ai bien envie de faire d'Ashanti un reproducteur, annonça Xavier.

Pendant un moment, Pascale avait ressenti du soulagement à l'idée qu'Arnaud l'encouragerait à reprendre sa profession après la naissance de son enfant ; ce sentiment s'évapora. Pascale s'attendait depuis quelques mois déjà à ce que Xavier décide de faire d'Ashanti l'étalon du domaine. Mais, en l'entendant exprimer son intention, elle eut l'impression qu'on lui enfonçait un poignard dans le cœur. Selon l'usage, cela signifiait en effet qu'elle ne monterait plus jamais cet étalon alezan avec lequel elle avait connu tant de succès.

– Dans ce cas-là, il faudra le retirer des hippodromes, commenta-t-elle presque malgré elle.

– Pourquoi ? protesta Xavier en haussant les épaules.

– Mais..., répondit Pascale.

Elle allait ajouter : « Parce que tout le monde le fait. » Aux États-Unis, les étalons reproducteurs ne couraient pas. On prétendait qu'une fois initiés à leur nouvelle fonction ils ne pouvaient plus se concentrer suffisamment pour disputer des épreuves. De plus, si leurs rejetons s'avéraient prometteurs, leur valeur grimpait en flèche, et les impératifs économiques commandaient qu'on les éloigne des dangers qui peuplaient les champs de courses.

Songeur, Arnaud caressait l'encolure de Moushika. Les hennissements d'Ashanti déchiraient l'air, et le jeune homme avait l'impression que c'était cette jument qu'il appelait.

– Tu imagines, glissa-t-il à son père, le poulain que nous feraient ces deux-là ?

Pascale tressaillit. Dans un éclair, elle vit, pêle-mêle, l'étable d'accouplement, le box d'accouchement, un poulain, petit, puis plus grand, droit et fier ; la casaque noir et vert, le Derby du Kentucky… Le rêve perdit brutalement son lustre, car elle-même se trouvait dans les tribunes, son enfant dans les bras. C'était Francisco qui, montant le descendant d'Ashanti, défilait dans le cercle du vainqueur. Pascale ressentit une tristesse teintée de révolte.

– Ce serait un magnifique croisement, répondit Xavier. On pourrait les accoupler au printemps. Ashanti retournera à la compétition l'automne prochain, à Keeneland, quand… l'entorse lombaire de Pascale sera chose du passé.

– Quoi ? cria presque l'intéressée. Vous voulez que je…

– Mais bien sûr que si, coupa Xavier avec un sourire moqueur avant qu'elle ne se trahisse.

Surprise mais très soulagée, Pascale regarda ceux qui l'entouraient. Courir de nouveau ! Et plus encore, courir avec Ashanti, son champion ! Avec ce cheval unique, irremplaçable, avec lequel elle vivait une harmonie qu'elle ne connaîtrait jamais avec un autre !

Le soulagement de Pascale fut de courte durée car, encore une fois, le pessimisme fortement ancré en elle lui retira sa joie. Xavier ne pouvait être sérieux. Aucun éleveur américain ne renvoyait un étalon – ou une jument – à la compétition après qu'il s'était reproduit. Pascale argua :

– Mais, docteur, Ashanti ne pourra plus courir puisqu'il…

– Ashanti deviendra un reproducteur, et il courra aussi, déclara Xavier d'un ton sans réplique. Ce n'est pas la première entorse que je ferai aux usages de ce pays et, crois-moi, ce ne sera pas la dernière. Bon sang ! Arnaud et toi m'avez assez souvent parlé de la sociabilité d'Ashanti, du lien homme-animal qui existe entre toi et lui. Penses-tu que tout cela disparaîtra dès qu'il aura sailli une jument ?

L'esprit fataliste de Pascale se rebella une nouvelle fois.

– Ça ne se fait pas, dit-elle. Voyons ! Un reproducteur qui court ? C'est impossible.

– Impossible n'est pas français, lui répondit Xavier, citant Napoléon.

* * *

Ce samedi-là, Érik Lavergne travaillait. À midi, il décida de s'offrir un repas au restaurant. Il aurait pu téléphoner à Laurie pour l'inviter à se joindre à lui, mais décida de ne pas le faire car il était plutôt pressé. Il quitta son bureau, sauta dans son véhicule et se dirigea vers un bistro branché de Lexington.

En chemin, il se mit à réfléchir aux semaines plutôt stressantes qu'il venait de vivre. Il avait craint qu'à la suite de la maladie de Catherine, Delphine révèle leur liaison. Heureusement, elle ne l'avait pas fait.

Érik poussa la porte du bistro et remarqua une jeune fille assise à une table, face à un compagnon. La fille s'arrangeait pour qu'on remarque ses jambes très bien faites. Avant même que le regard d'Érik se pose sur son visage, il reconnut la fille : c'était Pamela.

Les yeux de cette dernière étaient braqués sur Érik. Celui-ci fit un effort pour ne pas paraître embarrassé. Il eut un sourire affable. Presque aussitôt, Pamela crispa la bouche. Étonné par sa mimique, son compagnon se retourna. Cette fois, Érik retint un sursaut. C'était Bruce Foster.

Pendant un moment, les trois jeunes gens restèrent figés. Érik se ressaisit le premier. Sans gêne apparente, il s'approcha de l'endroit où Bruce et Pamela étaient attablés.

– Alors, ça va, vous deux ? dit-il d'un ton enjoué. Vous discutez affaires ?

Il cherchait à discerner – chez Bruce surtout – un malaise. Mieux, il cherchait à en créer un. Bruce lui répondit d'un ton un peu précipité :

– Nous travaillions tous les deux aujourd'hui, alors nous avons décidé de partager un repas. J'aimerais bien mieux être à la ferme avec Jenny !

L'ardeur que Bruce avait mise à justifier son rendez-vous n'échappa pas à Érik. Pamela émit un rire qui sonnait faux.

Bruce froissa sa serviette de papier. Il existait un moyen très simple, se dit-il, pour transformer ce rendez-vous avec Pamela en rencontre d'affaires au-delà de tout soupçon.

– Alors ? dit-il à Érik. Tu te joins à nous ?

* * *

Arnaud cligna des yeux dans l'obscurité. Son regard se dirigea vers la fenêtre de la chambre ; il faisait nuit noire et il se demanda ce qui avait bien pu le réveiller.

Il allongea le bras ; Pascale n'était pas là. Sans doute s'était-elle levée pour aller à la salle de bains et c'est ce qui avait dérangé son sommeil. Arnaud allait se rendormir, mais ses doigts effleurèrent une flaque gluante. Il alluma la lampe. Le drap était taché de sang et des gouttes rougeâtres parsemaient le plancher, du lit jusqu'à la salle de bains.

Le jeune homme comprit aussitôt que Pascale était en train de perdre son enfant.

Il se précipita à la salle de bains. Pascale était debout et serrait les coudes sur son ventre. Arnaud alluma, puis éteignit aussitôt la lumière, pour qu'elle ne voie pas le sang qui rougissait la cuvette.

– Comme Nosie, bredouilla Pascale lorsqu'il s'approcha d'elle.

37

Lorsqu'un obstétricien lui eut confirmé qu'elle avait subi un avortement spontané, Pascale serra les dents et quitta l'hôpital sans tarder. À Lavergne Farm, elle annonça la mauvaise nouvelle à ses beaux-parents ainsi qu'à Elias et Martha.

Elle paraissait bien supporter l'épreuve. Pourtant, dans les jours qui suivirent, elle eut des épisodes d'intense désespoir. Comme sa sensibilité était plus grande que celle de la moyenne des gens, elle souffrait davantage lorsque le malheur la frappait.

L'image de l'enfant blond lui revenait sans cesse. Ce petit garçon, disparu si vite, Pascale s'en voulait de l'avoir imaginé, de s'être attachée à lui. Lorsque la douleur de sa perte lui montait à la gorge, elle se fustigeait, se reprochait sa sensiblerie, responsable de son actuelle faiblesse.

En se blâmant ainsi pour son attitude, Pascale était bien injuste envers elle-même. Mais sa nature obsessionnelle ne s'arrêtait pas à lui reprocher d'avoir rêvé à son enfant. Pascale cherchait à découvrir ce qu'elle avait pu faire pour s'attirer une fausse couche. Le hasard seul était responsable de sa malchance, mais cela, la conscience de Pascale, portée à la culpabiliser sans arrêt, ne l'acceptait pas. Heureusement, Arnaud, qui connaissait bien cet aspect de sa personnalité, veilla à neutraliser les sentiments néfastes qui en découlaient.

Pascale prétendit être miraculeusement guérie de son entorse lombaire et se remit à travailler d'arrache-pied. Du matin au soir, elle s'acharnait à effectuer le plus de tâches possible, afin de rentrer fourbue et de sombrer dans le sommeil.

Mais cela ne se produisait pas tout le temps. Souvent, lorsque Pascale se retirait avec Arnaud dans leur chambre, son système de défense s'écroulait et elle passait des heures à pleurer. Le jeune homme s'efforçait de la réconforter, mais il n'y parvenait pas tout à fait.

Croyant bien faire, il suggéra à sa femme une nouvelle grossesse. Une naissance heureuse l'aiderait sans doute à oublier la mauvaise expérience qu'elle venait d'avoir. Pascale ne réagit pas du tout comme il l'anticipait. Elle se renfrogna, déclarant qu'aucun enfant ne remplacerait celui qui venait de mourir. Elle ajouta, avec un certain cynisme, qu'on ne menait pas à terme toutes les grossesses. Arnaud comprit qu'elle craignait d'être de nouveau déçue.

Arnaud était beaucoup moins émotif que Pascale et il comprenait mal que la perte d'un embryon de quelques grammes la mette dans un tel état. Il ne saisissait pas qu'aux yeux de Pascale cet embryon avait été un enfant. Pascale, pour sa part, se hérissait devant l'apparent manque de sensibilité d'Arnaud. Le détachement de son mari lui semblait ingrat. Elle aurait souhaité qu'il souffre autant qu'elle.

Au bout d'un certain temps, tous deux comprirent qu'ils avaient perçu cette grossesse de façon différente. Alors qu'Arnaud avait vu dans l'état de Pascale la consécration de leur amour, cette dernière s'était sentie mère dès le moment où elle avait su qu'elle était enceinte.

Pascale avait besoin du soutien d'Arnaud et elle était déroutée par cette incompréhension. Elle aimait et respectait son mari tout autant qu'avant, mais constatait, avec un certain désarroi, qu'étant un homme il y avait des choses, dans la vie des femmes, qu'il était incapable de saisir.

Pascale supposa que, dans certaines circonstances, elle aussi, comme femme, serait incapable de répondre aux attentes de son homme. Cela la consola un peu, mais ne réussit pas à dissiper son sentiment de vide et de solitude. Ayant caché sa grossesse à Geneviève, elle se sentait mal à l'aise à l'idée de lui confesser sa fausse couche. C'était dommage, car elle aurait grandement bénéficié de l'écoute d'une amie de son âge.

Martha avait pris l'habitude de venir au secours de Pascale, et elle ne manqua pas à l'appel. Martha savait réellement s'y prendre avec Pascale. Elle n'était ni passive ni interventionniste. Elle observait et attendait tout simplement. Cette attitude porta fruit. Un matin, alors que Pascale venait de s'échiner auprès d'un jeune animal particulièrement indocile, Martha l'invita à venir prendre un café chez elle plutôt que de se joindre aux hommes qui boiraient le leur à la baraque. Elle voyait que Pascale était à la veille de craquer.

Comme un automate, Pascale suivit Martha. La chaleur et la simplicité de la petite maison des Arvanopoulos la frappèrent aussitôt qu'elle en franchit le seuil. À peine débarrassée de son anorak, elle s'effondra contre la vaste poitrine de Martha.

Placidement, Martha écouta Pascale exprimer sa rage. Pascale lui confessa, non sans honte, qu'elle jalousait maintenant les femmes qui étaient enceintes ou qui avaient des enfants. Son courroux se dirigeait particulièrement vers celles qui se montraient peu responsables envers leurs rejetons. Martha savait bien à qui Pascale faisait allusion.

Delphine ! Dire que Delphine avait eu un enfant alors qu'elle n'en méritait pas, et dire qu'elle allait bientôt en reprendre la charge ! Chaque fois que Pascale voyait Catherine, cela avivait sa peine d'avoir perdu son bébé.

Martha lui affirma que ces sentiments intenses étaient normaux, et qu'elle-même, ayant eu une fausse couche plus de trois décennies auparavant, les avaient connus. Martha suggéra à Pascale de repartir en tournée, afin d'être éloignée de la ferme, où Catherine passait le plus clair de son temps.

Cette perspective soulagea Pascale. À partir de ce moment, elle alla un peu mieux.

Elle cherchait à s'occuper l'esprit, à trouver une activité qui la passionnerait et dans laquelle elle se jetterait corps et âme. Il n'était pas question de faire courir Ashanti avant plusieurs mois. Il avait été très durement mis à l'épreuve et on devait, pour qu'il puisse conserver sa santé, lui accorder du repos. Quant à Makatoo, Pascale et elle ne s'accordaient pas; la jument fonctionnait beaucoup mieux avec Francisco. C'est finalement en Fanti of Ghana que Pascale trouva son salut.

Elle aimait cette pouliche, pour son énergie, sa grâce, son caractère bien trempé qui rappelaient Ashanti, son demi-frère.

Arnaud avisa la clinique de physiothérapie qu'il n'était plus disponible, et, en compagnie de Pascale, de Greg et de Francisco, il reprit le chemin des hippodromes.

* * *

Ce jour-là, Delphine devait se rendre à Lavergne Farm en compagnie de Jules. Gabrielle avait organisé un repas familial. Érik, Laurie, Geneviève, François et Sébastien y prendraient part.

Delphine avait soigneusement planifié sa stratégie. Elle avait, dans son sac, son passeport et un billet d'avion pour lequel elle détenait une assurance-annulation. Elle avait fait sa valise en cachette et réussi à la dissimuler dans le coffre de la voiture sans que Jules s'en aperçoive.

Il lui avait fallu trouver un moyen pour rester au Kentucky, le temps de tenter, une dernière fois, de renouer avec Érik. Elle avait donc joué la comédie à Jules, lui jurant qu'elle l'aimait, qu'elle s'excusait et qu'elle désirait reprendre Catherine à la maison et recommencer leur vie à neuf. Jules ne lui avait répondu ni oui ni non. Il avait seulement eu l'air las.

Ainsi donc, Jules croyait, tout comme Gabrielle, Xavier et le reste de la famille Lavergne, que Catherine retournerait ce soir-là au logement de Lexington. Dans l'esprit de Delphine, il n'était pas question de cela. Ou elle reconquérait Érik, ou elle quittait le continent.

* * *

Érik se trouvait seul dans la sellerie. Il sifflotait tout en cherchant, dans une pile de tapis de selle, celui qui conviendrait le mieux à La Grande Vadrouille, qu'il entendait monter.

Le jeune homme jeta un coup d'œil sur le triste canapé qui meublait les lieux. Son visage se contracta, empreint de cynisme et de gouaillerie. C'était là que Catherine avait été conçue, si elle était de lui...

Il se remémora le peu d'enthousiasme que l'enfant avait montré, un peu plus tôt, en retrouvant sa mère et son supposé père. La petite fille s'était cramponnée au cou de Maya, à laquelle elle s'était beaucoup attachée pendant sa convalescence, et avait murmuré «Bonjour».

Un autre souvenir vint à Érik. C'était ici que Delphine et lui se trouvaient le jour où Pascale les avait surpris. Il se rappela sans plaisir la confrontation qui avait suivi.

«J'ai Laurie, maintenant», se dit-il, savourant sa revanche. Sa petite amie l'attendait dans l'écurie. Érik et Laurie feraient une promenade avant le repas du soir, en compagnie de Xavier, de Gabrielle et des jumeaux.

Érik se retourna, attiré par le bruit de pas. Delphine entra dans la sellerie, puis ferma la porte.

– Qu'est-ce que tu fais ici? lui demanda Érik d'un ton sec.

– J'espérais te trouver seul, comme avant...

Érik voulut l'interrompre, mais Delphine parlait, parlait, de plus en plus fort, de plus en plus vite.

– Pourquoi m'as-tu laissée? Qu'ai-je fait? C'est à cause de Catherine, n'est-ce pas? Réponds-moi!

– Tais-toi!

Pendant un moment, Érik ne put dire autre chose. Delphine était intarissable. Elle le suppliait de renouer avec elle.

– Nous nous aimions, continua Delphine d'une voix larmoyante. Tu étais trop jeune pour avoir un enfant, je comprends que tu aies fui...

– Laisse-moi en paix avec tes histoires. Je t'ai baisée, d'accord, mais...

– C'est Catherine qui te fait peur, je le sais, poursuivit Delphine. J'aurais tant voulu qu'elle meure! Je l'ai souhaité tant de fois!

– Eh bien, moi, j'aurais voulu que tu ne l'aies jamais! répliqua Érik.

Delphine haletait.

– Si je pars avec toi…

– Pour aller où? fit Érik, cynique.

– Partons ensemble, supplia Delphine. Nous laisserons Catherine là où elle est, ce sera facile. Je t'aime, Érik, je t'ai toujours aimé!

– Eh bien, répondit Érik, ce n'est pas mon cas. Je cherchais à m'amuser. Exactement comme je le fais avec Laurie.

– Elle n'est pas capable de te rendre heureux, souffla Delphine, tandis que moi… moi… j'ai tout fait pour toi, Érik. J'ai même habité avec Jules, pendant que je t'attendais…

Ils entendirent un toussotement et s'interrompirent.

Gabrielle avait ouvert la porte et les regardait. La lumière du soleil de fin d'après-midi nimbait ses cheveux, et sur son visage, d'ordinaire si doux, on pouvait lire une telle fureur qu'Érik et Delphine la reconnurent à peine.

* * *

Xavier, Laurie, François et Sébastien se trouvaient dans l'écurie des chevaux de selle, occupés à panser les animaux qu'ils chevaucheraient bientôt. À cause d'un brouhaha inusité, ils cessèrent leurs tâches.

Les éclats de voix s'approchaient, et ils furent très surpris de voir Gabrielle avancer vers eux comme une furie. Elle n'avait pas du tout l'habitude de hurler ainsi; quelque chose de très grave avait dû se passer pour la mettre hors d'elle. Elle repoussait énergiquement Érik qui tentait de lui saisir le bras. Delphine suivait, abreuvant Érik de supplications.

– Voyons, maman, disait Érik qui luttait pour maîtriser sa voix, tu ne répéteras pas ça, non? Tu sais bien que Delphine mentait.

– Elle mentait! répéta Gabrielle avec ironie. Je t'ai entendu dire que tu l'avais baisée!

– Quoi? fit Xavier, abasourdi.

– Qu'est-ce qui se passe ? s'enquit timidement Laurie.

Gabrielle, qui s'était exprimée en français jusqu'alors, passa soudain à l'anglais.

En quelques phrases, elle résuma les propos qu'elle avait surpris. Elle n'omit rien, ni le fait que Delphine avait souhaité que Catherine meure ni celui qu'Érik avait dit s'être amusé avec Delphine comme il le faisait maintenant avec Laurie. Celle-ci ouvrit la bouche pour parler, mais fut sèchement interrompue par Xavier qui, le visage enlaidi par la colère et le dédain, réclamait des détails. Abasourdis, les jumeaux se dévisageaient ; ils avaient bien envie de décamper

La rage faisait haleter Gabrielle.

– Ce petit salaud est le père de Catherine, s'écria-t-elle en désignant Érik.

Sébastien, qui n'aurait jamais imaginé que sa mère puisse qualifier ainsi l'un de ses enfants, sentit les larmes lui monter aux paupières.

– Peut-être pas, protesta Érik par réflexe.

Gabrielle le regarda avec des yeux si chargés de rage qu'il recula d'un pas. Il avait peur ; peur de cette femme, sa mère, douce et aimante, dont il avait sous-estimé la force.

– Érik ! cria-t-elle avec exaspération. Pour l'amour du ciel, cesse de te défiler ! Tu l'as regardée un peu, cette enfant ? C'est ton enfant ! poursuivit-elle en pointant vers son fils un doigt accusateur. Quand je pense que tu l'as faite sous notre toit, avec cette vaurienne, et que tu as eu le culot de la refiler en douce à ton frère !

Delphine émit un glapissement de gibier pris au piège. Elle agrippa le bras d'Érik, qui tenta aussitôt de se dégager, et le supplia :

– Partons ensemble ! Ils vont nous tuer !

Émergeant de l'ahurissement qui l'avait d'abord frappé, Xavier intervint énergiquement.

– Il y a quelqu'un à qui tu dois une explication, ma chère, cracha-t-il à Delphine cruellement. Allons, viens, nous allons mettre ton mari au courant de cette belle histoire d'amour.

Il y eut alors une grande bousculade. Effrayés par les cris, les chevaux qui étaient dans les corridors commencèrent à s'énerver. François et Sébastien tentèrent de les enfermer dans leurs boxes. Ébahie, Laurie demandait des explications; personne ne lui répondit. Surgis d'un peu partout, des employés de la ferme, attirés et intrigués par la violence de la discussion, vinrent leur prêter main-forte.

Xavier, Gabrielle, Érik et Delphine parlaient tous à la fois. Soudain, ils disparurent et Laurie resta seule, plantée dans le corridor de l'écurie.

Érik ne lui avait rien dit. Rien expliqué.

Elle sortit de l'écurie. Au loin, les Lavergne, criant et gesticulant, s'approchaient de leur résidence.

Tenant Catherine par la main, Martha s'apprêtait à traverser la pelouse qui menait à leur demeure. François et Sébastien coururent vers elle. Elle s'entretint brièvement avec eux, puis souleva l'enfant et retourna vers sa maison.

Le regard de Laurie se posa sur Catherine. Elle gigotait, pleine d'énergie. Ses longs membres, sa minceur, son teint, ses cheveux, son nez d'aristocrate, tout, en elle, rappelait tellement Érik que Laurie se sentit étourdie.

Elle réalisa soudain qu'elle vivait avec un homme qui avait fait un enfant à la femme de son frère, et que cet homme était aussi celui qui avait battu Pascale.

«Il ne s'est guère occupé de moi», se dit Laurie.

Elle entendit un cri. Delphine essayait de résister à Xavier qui insistait pour qu'elle entre dans la maison. Son sac tomba par terre. Elle pivota d'un mouvement brusque, attrapa les poignées, courut vers son véhicule.

Laurie entendit la voiture démarrer en trombe. «On dirait un prisonnier qui s'évade, murmura-t-elle. Et moi?»

Gabrielle, Xavier et Érik entrèrent dans la maison. François et Sébastien, préférant ne pas aller les rejoindre, s'engagèrent sur un sentier, la mine basse. Martha avait regagné sa demeure avec Catherine. Les chevaux s'étaient calmés.

Dans le soudain silence qui l'entourait, Laurie entendit une voix en elle qui hurlait : «Philip!»

Le corps de la jeune fille se plia en deux. Elle réalisait qu'Érik avait abusé d'elle, ainsi qu'il l'avait fait de Delphine et, différemment, de Pascale. Affolée, elle regarda tout autour d'elle. La petite maison des Arvanopoulos était là, à quelques centaines de mètres.

Laurie partit à la course et, pleurant, criant, elle se jeta contre le battant. Elias vint ouvrir et la reçut dans ses bras.

* * *

– Tu comprends, dit Geneviève à Jules, Bruce ne pouvait pas venir avec moi ce soir. La fin de l'année fiscale approche, et il a tellement de travail ! Et puis... L'histoire avec Delphine, à l'avant-veille de nos fiançailles...

– Il ne désirait pas se retrouver au milieu de la famille, c'est cela ?

– Enfin... oui, admit Geneviève.

Jules sourit à sa sœur. Celle-ci en fut agréablement surprise. Tous deux se trouvaient dans le séjour de la maison des Lavergne.

– Je suis désolée que ma femme ait gâché votre soirée à cette occasion, dit Jules sans passion.

– Oh ! s'écria Geneviève, émue. Mais, Jules, tu n'as pas à t'excuser pour elle ! Si tu savais...

Elle s'interrompit.

– Comme tu me plains ? compléta Jules.

Cette phrase laissa Geneviève bouche bée. Elle s'approcha de son frère. Ils avaient toujours eu des rapports assez distants ; depuis l'arrivée de Delphine dans le cercle familial, leurs relations s'étaient encore refroidies. Or, Geneviève avait l'impression que Jules tentait de faire la paix avec elle, et même qu'il désirait lui confier quelque chose.

« Je me demande ce que Geneviève dirait, songea Jules, si je lui parlais d'Anne... » Il n'avait jamais envisagé de choisir sa sœur comme confidente, et il soupesait à présent les avantages qu'offrirait cette possibilité. Les yeux de Geneviève pétillaient et elle lui souriait, mutine.

– Dis-moi, demanda-t-elle, comment s'est déroulé ton séjour à Philadelphie ?

Jules et Geneviève sursautèrent en entendant des éclats de voix, puis le violent crissement de pneus. Geneviève se leva pour regarder par la fenêtre. Delphine fuyait au volant de son véhicule. Portant Catherine, Martha regagnait sa demeure d'un pas précipité.

Les silhouettes de Xavier, de Gabrielle et d'Érik apparurent soudain sur le pas de la porte du séjour.

Les mots déferlèrent.

Tandis que Geneviève fondait en larmes et qu'Érik se drapait dans sa superbe, Jules restait debout sans rien dire.

D'abord, il ressentit de la douleur. Sa femme et son frère l'avaient trahi. Puis, vint la rancœur. Pendant quatre années, il avait vécu avec une femme qui ne l'aimait pas, et une enfant qui n'était pas la sienne. Ce temps gaspillé lui laissait un goût amer.

Puis, il ressentit un brusque apaisement. Catherine n'était pas sa fille. Delphine ne serait plus sa femme.

Avec l'apaisement vint un parfum, celui d'Anne, qui était aussi celui de la liberté.

Après toutes ces émotions surgit soudain une compression dans la poitrine de Jules. Il s'affaissa, en proie à une violente crise d'asthme.

Érik profita de la confusion générale pour quitter les lieux en vitesse. Alors qu'il gagnait son véhicule, il vit Laurie courant à toutes jambes vers la maison des Arvanopoulos.

Il hésita. Devait-il tenter de la ramener à lui ? Un sourire cynique se dessina sur ses lèvres. « Ces petites femmes, se dit-il en repensant à Delphine, ça ne cause que des ennuis. »

Il grimpa dans son automobile, mit le contact et quitta Lavergne Farm sans se retourner.

* * *

Érik tremblait. Il avait la gorge serrée. Il se sentait seul, abandonné. Toute sa vie, ses parents lui avaient témoigné une forme de tendresse, ou au moins de soutien; même après qu'il eut battu Pascale ou séduit Laurie. Cette fois-ci, ils ne le feraient pas…

Le jeune homme respirait de plus en plus vite. Il avait hâte de se retrouver à Lexington. Bientôt, la ville fut en vue.

C'était atroce, cette situation. Érik n'avait pas eu l'occasion de se défendre auprès de Jules. La crise d'asthme de ce dernier lui avait paru très violente. «Et si Jules en mourait?» s'inquiéta-t-il, affolé. Puis, il se convainquit que ce ne serait pas sa faute. Lorsqu'il avait eu cette liaison avec Delphine, longtemps auparavant, il était jeune et il avait voulu se payer du bon temps. Si Delphine était devenue enceinte, c'était un accident, comme il en arrive tout le temps, partout dans le monde.

Si seulement Delphine avait eu l'intelligence de se faire avorter! Ou de laisser Jules et s'enfuir avec l'enfant! «Jules ne mourra pas, je m'énerve pour rien.» En formulant ces paroles, Érik se sentit réconforté. D'ailleurs, il n'était pas le seul à porter la responsabilité de la vie gâchée de Jules. Une grande part de celle-ci reposait sur Delphine.

Érik ne gagna pas son logement, craignant que ses parents l'y relancent. Il ressentait de nouveau de la culpabilité face à Jules. Aussi décida-t-il de se rendre chez Whittaker et Davis afin de s'occuper un peu l'esprit.

Il ne resta pas longtemps au bureau, qui était désert. La solitude, à cause des sombres pensées qui le hantaient, lui devenait intolérable.

Érik décida donc de rentrer chez lui, où il pourrait se distraire en regardant la télévision. Lorsqu'il fut presque arrivé, il s'arrêta soudain, puis engagea son véhicule dans une allée pour se dissimuler. Il venait d'apercevoir l'automobile d'Elias. Laurie en sortait, accompagnée du groom. La jeune fille avait le visage caché derrière une mèche de sa chevelure. Elias lui tapotait doucement l'épaule. Érik comprit aussitôt ce qu'ils faisaient là. Laurie était venue chercher ses affaires, car elle le quittait.

Érik ricana. Autant laisser le champ libre à ces deux-là. Il eut envie de se rendre dans un bar pour y prendre un verre. Juste un, se promit-il; il ne resterait au bar que le temps… de rencontrer une fille, peut-être.

Alors qu'il circulait dans Lexington, Érik aperçut la voiture de Bruce, garée devant un restaurant du centre-ville. Non loin, il y avait celle de Pamela.

Érik ricana de nouveau. Voilà que le hasard lui fournissait le moyen de cesser d'être taraudé par le sort de Jules. Érik trouva une place de stationnement, s'y gara, mit la radio en marche, et attendit. Il se souvenait d'avoir entendu Geneviève raconter que Bruce travaillait ce soir-là et que c'était pour cela qu'il ne pouvait participer au repas familial organisé par Gabrielle. «Il en a manqué tout un!», se dit-il. Le jeune homme était convaincu que Bruce et Pamela se trouvaient à l'intérieur du restaurant, et, surtout, qu'aucun des deux n'avait abouti là par hasard.

Non sans cynisme, Érik pensait à sa sœur. Elle qui aimait tant jouer au couple parfait avec son beau brun! Elle qui ne cessait de tirer, du comportement de son fiancé et de celui de son frère, des comparaisons peu flatteuses pour ce dernier! Si elle savait à quoi il s'occupait, son tourtereau, lorsqu'elle le croyait au travail! Érik se délectait de la situation. Ses parents, ses frères, sa sœur avaient voulu lui faire croire en la beauté, la pureté de l'amour? Ils n'étaient qu'une bande de naïfs et il était bien plus perspicace qu'eux. Alors qu'il observait Pamela et Bruce sortir du restaurant et prendre place dans leur véhicule respectif, Érik désira savoir si Geneviève, qui était tellement candide, avait été jouée. Si c'était le cas, il en tirerait une forme de satisfaction.

Érik suivit donc les voitures de Bruce et de Pamela, qui se dirigèrent vers le logement de Pamela. Tapi dans son véhicule, Érik vit Bruce y entrer à la suite de sa compagne.

Ainsi, le preux chevalier de Geneviève trompait sa fiancée. Érik connaissait bien Pamela. Elle l'avait sollicité assez longtemps pour qu'il comprenne exactement ce qu'elle attendait d'un homme. De l'argent, du clinquant, et de bonnes parties de jambes en l'air. Pamela avait été trop directe pour attirer Érik; sa pensée amoureuse – ou sexuelle, plutôt – ressemblait trop à la sienne. Faire sa conquête n'aurait posé aucun défi. Séduire une oie blanche entichée de fidélité, comme Laurie, représentait pour Érik une perspective beaucoup plus emballante.

Érik se prépara à regagner son logement. Il se sentait triomphant; ainsi qu'il l'avait imaginé, savoir Geneviève trompée le satisfaisait.

Mais sa satisfaction avait un goût amer. Il se rendait compte qu'il n'était pas indifférent au sort de Geneviève. C'était sa petite sœur, après tout, et il avait déjà assez fait souffrir son grand frère.

Érik soupira. Il s'en voulait de cette sensiblerie qui l'empêchait de jouir de la situation. Être ainsi taraudé par un sentiment fraternel l'agaçait. Mais lui seul pouvait faire quelque chose pour que Geneviève évite une union désastreuse.

En une fraction de seconde, Érik prit sa décision. Mû par une impulsion qui survenait rarement dans son existence, il décida de faire un geste désintéressé. Il allait poursuivre son enquête, puis informer Geneviève de ce qu'il savait.

* * *

Jules passa la nuit à l'hôpital. Lorsqu'il reçut son congé, il rentra à son appartement.

Il poussa la porte et attendit. Pas un son. Il entra, fit le tour des pièces. Delphine n'était pas là. Sa commode était vide, ses valises avaient disparu.

Jules respira plus librement.

Il se rendit à la chambre de Catherine. Pendant quelques secondes, il imagina la fillette renversant l'un des paniers où étaient rangés ses jouets, puis courant dans le corridor. Il secoua la tête. Ce logement n'était pas assez grand pour contenir l'indomptable énergie de Catherine. «Elle sera beaucoup plus heureuse à Lavergne Farm, avec les chevaux et les chiens», se dit Jules.

Il alla ensuite choisir un disque compact, l'inséra dans sa chaîne stéréo et mit l'appareil en marche. C'était un opéra que Catherine détestait.

Jules sortit une chemise d'un tiroir. Elle contenait son contrat de mariage et d'autres documents. Il téléphona à un avocat qu'il connaissait et prit rendez-vous.

Peu après, le téléphone sonna. Ainsi que Jules s'y attendait, c'était Gabrielle qui appelait. Jules rassura sa mère sur son état de santé, puis lui suggéra de venir le voir avec Xavier.

Les Lavergne arrivèrent une trentaine de minutes plus tard. Lorsqu'il invita ses parents à le suivre au séjour, Jules remarqua leurs visages assombris et, intérieurement, il les plaignit. Sans attendre, il leur annonça qu'il intenterait une action en divorce aussitôt qu'il le pourrait.

– Et tu vas demander la garde de Catherine? s'enquit Gabrielle.

– Non, répondit Jules aussitôt, d'un ton sans réplique.

Gabrielle eut un pincement de douleur.

– Mais, Jules... Si tu ne le fais pas, Catherine devra aller vivre en Belgique avec sa mère!

– Ne t'inquiète pas, maman. Cela n'arrivera pas.

– Ah non? grogna Xavier. Et pourquoi donc?

– Parce que Delphine ne voudra jamais se charger de Catherine. Je ne serais pas surpris d'apprendre qu'elle a déjà quitté le pays.

Pendant quelques secondes, Xavier et Gabrielle restèrent bouche bée.

– Tu veux dire, fit Gabrielle comme si elle exprimait quelque chose d'inconcevable, qu'elle aurait abandonné sa fille?

– Oui, répondit Jules. Je n'en serais pas étonné. Elle ne l'a jamais aimée.

Outrée, Gabrielle plissa les yeux pour dissimuler ses larmes de colère.

– C'est une bonne nouvelle, maman, dit Jules en souriant. Catherine restera ici...

– Fort bien, dit Xavier. Catherine n'a plus de mère, et toi, tu ne veux plus être son père. Mais où est passé ton sens des responsabilités, mon garçon?

– As-tu demandé à Érik ce qu'il avait fait du sien depuis quatre ans? répliqua Jules. Catherine est de lui, c'est l'évidence même. J'ai pris soin d'elle du mieux que j'ai pu, parce que je pensais qu'elle était ma fille. Or, elle ne l'est pas. Je n'ai plus de raisons de m'en occuper.

– La belle affaire! s'écria Xavier. Tu t'imagines qu'Érik voudra l'élever?

– Mais non...

– Alors, poursuivit Xavier en furie, tu te figures que ta mère et ton père s'en chargeront, c'est ça?

– Non plus.

Xavier parut s'apaiser. Jules s'étonnait d'être aussi calme. En moins de vingt-quatre heures, il avait appris la trahison de son frère, subi une crise d'asthme, décidé de divorcer, et voilà qu'il affrontait ses parents sans fléchir. Comment expliquer qu'il eût soudain trouvé la force de faire tout cela? «Anne, pensa-t-il. Anne! Anne!»

– Pascale et Arnaud sont à l'hippodrome de Philadelphie, n'est-ce pas? demanda Jules.

– Jules Lavergne! s'écria Gabrielle. Tu ne penses pas exiger de ton frère et de ta belle-sœur qu'ils...

– Il n'est pas question d'exiger, coupa Jules. Il s'agit de leur faire une proposition.

– Pascale vient d'avoir une fausse couche. Le savais-tu? gronda Xavier.

Jules ne répondit pas immédiatement.

– Eh bien, dit-il enfin, j'en suis désolé. Mais cela confirme une chose : Pascale et Arnaud désirent avoir un enfant. Or, Catherine...

– C'est odieux, intervint Gabrielle. Tu tiens pour acquise la générosité de Pascale et d'Arnaud à l'endroit de Catherine.

Jules sourit.

– Ne l'avez-vous pas fait, vous aussi?

Ses parents baissèrent la tête.

– Combien de fois avez-vous souhaité que Pascale et Arnaud soient les parents de Catherine ? N'avez-vous pas acquis la certitude qu'ils seraient de bien meilleurs parents que Delphine et moi ne l'étions ? s'enquit Jules.

– Oui, admit Xavier. Mais réfléchis un peu, Jules. Pascale et Arnaud sont libres de faire ce qu'ils veulent. Ils ont respectivement vingt-deux et vingt-trois ans. Nous sommes là à supposer qu'ils désireront adopter une enfant de presque quatre ans.

– Je ne le suppose pas. Je le sais, dit Jules.

– Écoute-moi bien, fit Xavier d'un ton tranchant. Je ne veux pas que tu les relances avec ton idée d'adoption. Si Catherine n'est pas de toi, nous les en aviserons et ils feront bien ce qu'ils voudront. Mais si elle est ta fille, mon cher, il faudra que tu acceptes tes responsabilités.

Jules ne s'énerva pas.

– C'est juste, répondit-il. Je vous promets, enchaîna-t-il en regardant ses parents tour à tour, que je ne communiquerai pas avec Pascale et Arnaud sans votre permission. Par ailleurs, s'ils désirent adopter Catherine, je ferai tout en mon pouvoir pour les aider… Papa, maman, j'aime cette enfant, à ma façon. J'ai vraiment tenté d'être un bon père. Je sais que j'ai échoué. Catherine serait heureuse avec Pascale et Arnaud ; beaucoup plus qu'avec moi. Juste à penser m'en occuper alors qu'elle est probablement la fille d'Érik… Voyons, vous devez bien comprendre que j'ai suffisamment souffert depuis quatre ans pour m'imposer un pareil fardeau.

Peu après, Xavier et Gabrielle quittèrent les lieux.

Pensif, Jules les regarda s'en aller. « Comment font-ils pour être aussi unis ? se demanda-t-il. Pourrai-je jamais être aussi heureux avec Anne ? »

Anne ! Que penserait-elle lorsqu'elle apprendrait toute cette rocambolesque histoire ?

Jules n'hésita pas. Dût-il perdre à jamais l'amour d'Anne, il devait la mettre au courant, dès maintenant, de la vérité. « Si elle m'aime, elle comprendra », se dit-il en composant son numéro de téléphone.

38

LAURIE était assise sur son lit. Son regard triste fixait le vide. Soudain, elle se demanda depuis combien de temps elle se trouvait là.

En un éclair, elle revécut les événements qui avaient mené à son retour à la maison de ses parents. Elias lui avait été d'un grand secours. Il avait contacté les Yasaka, pris tous les arrangements nécessaires afin que Laurie puisse retourner au New Jersey et l'avait aidée à déménager. Pas tout à fait deux semaines s'étaient écoulées depuis le jour fatidique où Gabrielle avait révélé la liaison de Delphine et d'Érik. Depuis ce moment, Laurie n'avait plus revu les Lavergne ni communiqué avec aucun d'entre eux.

Laurie jeta un coup d'œil au réveil sur sa table de chevet. Il était passé dix heures trente du matin. Laurie était toujours vêtue de sa chemise de nuit. Elle s'était réveillée deux heures plus tôt, mais était restée au lit.

Un certain désarroi l'envahit, car elle se sentait très abattue. Laurie aurait eu grand besoin de discuter avec sa psychologue, mais son rendez-vous était prévu pour le lendemain. Laurie avait hâte à cette rencontre. Discuter avec sa psychologue la soulageait beaucoup.

Laurie se souvint des conseils de la thérapeute. Elle devait faire quelque chose d'elle-même, combattre son apathie.

Vaillamment, elle se leva, se doucha, enfila des vêtements convenables et se prépara un repas.

Il y avait un journal sur la table de la cuisine. Laurie l'ouvrit en évitant les articles traitant de faits divers ou autres sujets lourds. Tout en mangeant, elle parcourut des chroniques de mode et de spectacles.

Puis, elle tomba sur les pages sportives, où paraissait une photographie d'un cheval et d'un cavalier qui franchissaient un obstacle.

Laurie ne lut pas l'article qu'accompagnait la photographie. Elle regarda l'image, qu'elle trouvait très belle. La tristesse, qui lui avait laissé un court répit, revint en elle, insistante, persistante, lui proposant d'autres images. Le Kentucky… Les chevaux… Les verts pâturages… La douceur du vent et de la lumière… Philip ! Philip ! Philip !

La jeune fille gémit à haute voix ; elle écouta sa plainte, tout en cachant son visage dans ses mains. Elle avait fait de sa vie un gâchis. Non ! C'est la maladie qui avait ruiné son existence. D'où provenait-elle, cette sournoise dépression qui l'avait amenée à agir de cette façon insensée ? Pourquoi Érik Lavergne avait-il jeté son dévolu sur elle ? Pourquoi Philip ne l'avait-il pas sauvée ?

Pendant un moment, Laurie pleura, puis elle se raccrocha aux éléments stabilisateurs de son existence. Avec tendresse, elle pensa à ses parents. Après avoir payé d'une atroce angoisse leurs trop grandes attentes, les Yasaka s'employaient à aider leur fille. Sans hésiter, ils s'étaient chargés d'elle et s'étaient impliqués dans la thérapie qu'elle suivait.

Laurie savait ce que cela représentait pour son père et sa mère. Souffrir d'une dépression nerveuse était perçu comme une chose honteuse par un grand nombre de gens. Or, les Yasaka s'efforçaient de voir les choses autrement, et cela était difficile pour eux, car ils étaient issus d'une culture qui valorise la réussite sociale.

Laurie avait fait la paix avec ses parents, et cela la soulageait. Mais elle n'était plus une enfant ; elle était une femme et l'amour de ses parents ne lui suffisait plus. Elle avait perdu son homme.

De nouveau, Laurie lutta. Il fallait qu'elle croie en sa capacité de sortir de l'enfer dans lequel elle se trouvait plongée. Sans foi en elle-même, elle n'y parviendrait pas. Avec reconnaissance, elle songea aux membres de l'équipe médicale qui la soutenait. Grâce à eux, son état s'améliorerait. Un jour. Mais en attendant…

Elle regarda encore le cheval qui apparaissait sur la photographie. Ces yeux pleins de vie, ces oreilles insolentes… cela lui rappelait Vol-au-Vent. Laurie aurait aimé avoir un animal à caresser.

À côté de la photographie, une colonne de chiffres et de lettres indiquait les performances des chevaux qui avaient couru, la veille, dans un hippodrome situé non loin de Philadelphie. Un nom sauta aux yeux de Laurie : Makatoo… «Lavergne Farm», lut la jeune fille; le nom de l'élevage était écrit en abrégé.

Makatoo ! Makatoo se trouvait à Philadelphie ! Cela devait vouloir dire que Pascale et Arnaud y étaient aussi. Un peu plus loin dans le journal, on donnait le programme des courses prévues pour le samedi suivant. Laurie trouva rapidement «Lavergne Farm» dans la colonne énumérant les propriétaires. Dans celle réservée aux chevaux apparaissait un nom que Laurie connaissait : Fanti of Ghana.

La pouliche ferait donc ses débuts dans quelques jours à Philadelphie, une ville pas trop éloignée de celle qu'habitaient les Yasaka. Soudain, Laurie revécut l'excitation des jours de course, revit les chevaux, la foule. Depuis qu'elle avait laissé Philip, Laurie avait perdu non seulement ce dernier, mais aussi son noyau d'amis.

Or, elle pouvait espérer que Pascale ne la rejetterait pas.

Laurie était décidée. Le lendemain, elle parlerait à sa thérapeute de son projet, puis elle en discuterait avec ses parents. Laurie se sentit plus légère, presque heureuse. Si ceux qui l'aidaient étaient d'accord, samedi, elle irait aux courses.

* * *

En digne parente d'Ashanti of Africa, Fanti of Ghana se détacha du peloton et fonça vers le fil d'arrivée.

Quelques secondes plus tard, Pascale, en réponse aux applaudissements de la foule, levait les bras dans les airs. Fanti avait admirablement bien couru.

Pascale gagna le cercle du vainqueur, où l'attendait Arnaud, puis le paddock. Greg et Francisco étaient là et, joyeusement, ils la félicitèrent. Dans l'enceinte, Pascale remarqua un jeune enfant que sa mère tenait par la main. Émue, elle le contempla. Une douleur devenue familière lui fouailla le cœur. «Mon bébé...» Elle se ressaisit. Après tout, Fanti venait de gagner une course, sa première. Pascale regarda Arnaud, Greg et Francisco; l'un d'eux fit une blague, et elle rit. Ces trois-là arrivaient toujours à la dérider. Et puis, Pascale se trouvait dans un champ de courses. Elle était heureuse d'y être revenue.

Tentant de cultiver sa bonne humeur, elle circula dans le paddock, recevant des félicitations, saluant d'autres professionnels du milieu qu'elle se plaisait à retrouver. Tout le monde parlait d'Ashanti. De nombreuses rumeurs circulaient au sujet de l'étalon. Certains prétendaient qu'il était blessé, d'autres qu'il prendrait sa retraite des champs de courses. L'équipe de Lavergne Farm, qui savait à quoi s'en tenir, restait coite.

À un moment donné, Pascale aperçut, le long de la clôture, une silhouette qui lui était familière. «Laurie ici? s'interrogea Pascale. Je parierais qu'elle a laissé Érik! Mais oui, c'est sûrement ça!»

– Laurie! s'écria-t-elle ensuite avec un franc sourire.

S'excusant auprès de l'entraîneur avec lequel elle s'entretenait, elle traversa la foule et s'approcha de son amie.

– Sapristi! Laurie! répétait Pascale avec chaleur. Mais qu'est-ce que tu fais là?

– Je suis venue vous voir, bredouilla Laurie. Je... Je ne suis plus avec Érik... Je vis avec mes parents.

Pascale et elle, de part et d'autre de la clôture, étaient embarrassées et heureuses à la fois. Lorsqu'elle avait décidé de venir à l'hippodrome, Laurie avait conscience du risque qu'elle prenait. Pascale aurait pu la recevoir froidement. Ce n'était pas le cas. En fait, Pascale lui témoignait encore plus d'amitié qu'elle ne l'avait espéré. Laurie en fut touchée et se sentit rassérénée, soutenue. Des larmes mouillèrent ses paupières.

Elle fit signe à Pascale, qui se pencha vers elle. Laurie lui murmura à l'oreille :

– J'ai fait une dépression nerveuse… Je ne suis pas encore guérie. C'est pour ça que… Érik…

– Ouais, grogna Pascale.

Elle eut un soupir de dérision. À son tour, elle voulut se confier.

– Moi, chuchota-t-elle, j'étais enceinte, et j'ai perdu mon bébé.

Laurie étouffa une exclamation, puis dit : «Désolée.» Elle désigna ensuite, tout près d'elle, un couple d'origine orientale d'âge mûr.

– Voici mes parents.

Pascale sourit aux Yasaka et leur tendit la main. Se tournant vers Fanti, elle adressa un signe à Arnaud, qui gagna l'endroit où elle se trouvait.

Laurie redoutait que le jeune homme se montre distant; après tout, c'était le meilleur ami de Philip. Mais Arnaud n'adopta pas cette attitude, pour deux raisons : d'abord, parce que Pascale lui glissa, en français, que Laurie avait laissé Érik; ensuite, parce qu'il voyait bien, à la mine qu'affichait Laurie, qu'elle regrettait ce qu'elle avait fait. Or, Arnaud n'était pas du genre à entretenir de la rancune.

Il constatait, de plus, que Pascale éprouvait un réel plaisir à retrouver Laurie. Alors que tout le monde quittait l'entourage du paddock, les deux amies continuaient à bavarder. Arnaud suggéra que le groupe partage le repas du soir dans un restaurant. Heureux de voir que leur fille semblait s'épanouir auprès de Pascale, les Yasaka acceptèrent aussitôt.

Au cours de la soirée, Arnaud et les Yasaka s'arrangèrent pour discuter ensemble, car, manifestement, Laurie et Pascale avaient besoin de poursuivre leur dialogue. De temps à autre, l'une ou l'autre essuyait une larme d'un geste rapide.

– Tu comprends, murmura Laurie, quand j'ai su qu'Érik avait eu une liaison avec Delphine, ç'a été trop pour moi. Je n'ai jamais vraiment pensé qu'il m'aimait, mais là...

Pascale manqua s'étouffer.

– Mais... comment as-tu pu savoir qu'Érik et Delphine... ?

– Quoi ? fit Laurie en ouvrant de grands yeux, tu n'étais pas au courant ?

* * *

Michael bougea les doigts et secoua ses poignets. À force de masser les jambes des chevaux, il était parvenu à maîtriser la technique que préconisait Arnaud.

Ashanti lui signifia son appréciation d'un coup de naseaux. Michael posa la main sur le chanfrein de l'alezan et murmura des paroles amicales. Tout en faisant cela, il regardait les jambes de l'étalon. Leur conformation était parfaite. Michael sourit; il espérait que les éventuels rejetons d'Ashanti hériteraient des qualités de leur géniteur.

Le jeune homme s'attarda auprès du champion. Sa présence le réconfortait. Dans la tempête qui secouait Lavergne Farm, on trouvait, en Ashanti, un havre de paix, de grâce.

Michael retint un soupir. Martha, Elias et lui étaient les seuls employés de Lavergne Farm à savoir que Delphine était introuvable, que Jules demandait le divorce et qu'Érik était peut-être le père de Catherine. Michael avait été mis au courant de tous les détails de l'affaire par son amie Geneviève, dont il était le confident attitré. Il pensait beaucoup à Pascale. Les Lavergne avaient décidé de la maintenir, ainsi qu'Arnaud, dans l'ignorance, car on s'attendait à ce que Delphine finisse par se manifester. Dire que Pascale avait porté seule le fardeau du secret pendant si longtemps et qu'à présent elle ignorait ce qui déchirait sa famille !

Ashanti s'ébroua. Quelqu'un venait.

C'était Geneviève et elle marchait vite, remarqua Michael. Même de loin, sa colère et sa fébrilité se voyaient. Le jeune homme sourit, amical, alors que son amie arrivait à sa hauteur.

– Oh ! Mike ! s'écria Geneviève. Je suis si contente de te trouver ! Je suis partie de Lexington pour venir te parler ! Oh ! Tu ne sais pas ce qu'Érik m'a fait, cet après-midi même !

– Non, fit Michael en conservant son calme, mais quelque chose me dit que tu meurs d'envie de me le raconter.

Geneviève se mit à parler à toute vitesse. Érik était venu la rencontrer à l'université. Geneviève n'avait pu l'éviter. Et Érik l'avait abreuvée de mensonges au sujet de Bruce et de Pamela ! Geneviève frémissait d'indignation. Entre autres inepties, Érik avait osé prétendre que Bruce avait rejoint Pamela dans un restaurant, le soir où avait été révélé le mystère relatif à la conception de Catherine, alors que Geneviève savait parfaitement que Bruce s'était rendu au bureau. Quand même, qu'est-ce qu'Érik allait encore inventer !

– Je sais pourquoi il agit de cette façon, affirma Geneviève dont la colère était si forte qu'elle haletait. Il essaie de gâcher mon bonheur parce qu'il en est jaloux. Ce qu'il désire, poursuivit-elle en plissant son doux visage dans une grimace décidée, c'est que je doute de Bruce et que je le questionne. Tu imagines comment mon fiancé réagirait si je lui laissais entendre que je le soupçonne d'infidélité ? Le but d'Érik, c'est que nous ayons une scène, que nous... que nous nous séparions. Comment peut-il... ?

Elle bredouillait, pleine de rage. Bien qu'affichant un air désinvolte, Michael écoutait Geneviève très attentivement. Il apprit ainsi ce qu'Érik savait de Bruce et de Pamela.

Geneviève paraissait totalement convaincue qu'Érik avait inventé tous ces détails dans le but de lui nuire. Avec un brin de tristesse, Michael la regarda. Elle détestait Érik et adorait Bruce. Elle s'accrochait de toutes ses forces au bonheur qu'elle connaissait avec son fiancé, ou plutôt, estimait Michael, à une image du bonheur. Pas étonnant qu'elle n'ait pas accordé foi, ne serait-ce qu'une seconde, aux propos d'Érik.

Michael était perplexe. Lui aussi détestait Érik, et depuis belle lurette. Mais il se demandait pourquoi ce beau parleur aurait forgé un mensonge dont il ne tirerait, aucun avantage.

À bien y penser, il était possible qu'Érik dise la vérité. Tout en écoutant Geneviève épiloguer, Michael réfléchissait. Même s'il essayait, il ne réussirait pas à convaincre son amie qu'Érik pouvait ne pas mentir. Elle croyait à son bonheur, le désirait jusqu'à l'aveuglement...

Geneviève s'apaisait. Afin de se donner une contenance, Michael passait un cure-pied sur la sole parfaitement récurée d'un des sabots d'Ashanti.

– Tu comprends, conclut Geneviève, Érik est un être cynique qui ne comprend rien aux belles choses. S'il pense qu'il gâchera mon mariage avec ses mensonges ! Rien n'affectera mon amour pour Bruce ! déclara-t-elle avec passion. À entendre Érik, Bruce se conduirait aussi mal que lui !

« Bon sang ! j'espère tout de même que non », se dit Michael. Il continuait à travailler tout en opinant du bonnet aux affirmations de Geneviève.

Au bout d'un long moment, celle-ci s'éloigna, après avoir fait jurer à Michael de garder le secret.

Tout en remettant Ashanti dans son box, Michael s'interrogeait. Jamais auparavant il n'avait trahi la confiance de Geneviève. Il se demandait pourtant si, cette fois, l'enjeu ne valait pas la peine qu'il intervienne. Il se dirigea vers le bureau de Xavier, où il croyait trouver Elias.

Le groom n'y était pas, mais Michael avait à peine franchi le seuil que le téléphone sonnait.

– Lavergne Farm, répondit le jeune homme.

– Mike ! s'écria Pascale.

– Bonjour, madame Lavergne, fit Michael en français. Comment vas-tu ?

– J'ai téléphoné à la maison, il n'y a personne, poursuivit Pascale. Tu vas me dire...

– En effet, le docteur et sa femme sont sortis, et les jumeaux aussi.

– Où est Catherine ? demanda Pascale d'un ton désespéré.

– Avec Martha, se hâta de répondre Michael. Voyons, Pascale, mais qu'est-ce qui t'arrive ?

– Oh ! Oh ! gémissait-elle.

Michael entendit des sanglots, puis Arnaud saisit le combiné.

– Nous savons tout, dit-il calmement. Nous avons rencontré Laurie ici, à Philadelphie. C'est elle qui nous a raconté ce qui est arrivé. Laurie a vu Delphine s'enfuir, mais elle ignore ce qui s'est passé par la suite. Pascale redoutait que Delphine ait quitté le pays avec Catherine. Elle était complètement effondrée à l'idée de ne plus revoir la petite.

– Désolé, Arnaud, fit Michael.

Il expliqua à son interlocuteur que les Lavergne avaient décidé d'attendre que Delphine se manifeste avant d'informer Pascale des derniers événements.

– Je ne sais pas si ça peut rassurer Pascale, mais Jules croit que Delphine n'est plus aux États-Unis, poursuivit Michael.

Les deux jeunes hommes continuèrent à discuter. Michael entendait Pascale pleurer; il reconnut la voix de Laurie qui s'efforçait de la réconforter.

– Qu'arrivera-t-il à Catherine ? demanda Arnaud.

– Je l'ignore, répondit Michael. On ne sait pas encore qui est son père biologique.

– On s'en fout du père biologique ! siffla Arnaud.

Michael avala sa salive. Il ne savait trop comment interpréter le dernier commentaire de son interlocuteur. « Arnaud et Pascale songeraient-il à adopter cette petite ? Ce serait drôlement bien, si c'était le cas. »

– Mike, fais savoir à mes parents que nous rentrons au Kentucky, annonça Arnaud. Laurie vient avec nous. Elle a des choses à régler avec l'administration de l'université du Kentucky. Nous nous relaierons au volant, Laurie et moi, et nous roulerons toute la nuit.

– Je vous attends. Ça me soulage de savoir que vous revenez. Il y a peut-être un problème, pour le mariage de Geneviève, un gros problème. Je vous en reparle dès demain.

39

– ÇA SENT LA CHAIR FRAÎCHE ! dit Sébastien.

Imitant le grognement d'un ours, il fit des yeux le tour de la grange. Catherine y était dissimulée. Son rire la trahit.

– Ha, ha ! s'exclama François qui faisait semblant de saliver. Voilà notre gibier !

L'enfant se mit à crier. Tout en grimaçant et en se frottant l'estomac, les jumeaux partirent à sa poursuite. Folle de joie, Catherine riait et bombardait ses oncles de poignées de foin.

Catherine était toute rouge et sa chevelure bouclée était remplie de paille lorsqu'elle sortit de la grange.

– Je suis si heureuse que tante Pascale et oncle Arnaud soient revenus ! s'écria-t-elle soudain.

Pascale, Laurie et Arnaud étaient arrivés à la ferme quelques heures plus tôt.

Laurie logeait chez les Arvanopoulos. Quant à Pascale et Arnaud, ils se trouvaient en ce moment en compagnie de Michael et d'Elias. Pour une raison que les jumeaux ignoraient, Michael avait beaucoup insisté pour parler à ses amis en privé.

– Tu as pris ton repas ? s'enquit François auprès de sa nièce.

– Non, répondit Catherine. J'ai très faim !

Elle partit au grand trot vers la résidence des Lavergne. François et Sébastien hochèrent tristement la tête en la regardant s'éloigner.

– Il faudra bien que quelqu'un dise à Catherine qu'elle n'a plus de parents, commenta Sébastien.

– Je me demande quel effet un tel abandon aura sur elle, dit François. As-tu remarqué comme Laurie a changé ? Quand je serai médecin, j'aimerais bien aider des gens comme elle. La psychiatrie commence à m'intéresser.

– Méfie-toi. Tes patients ne seront pas tous de jolies jeunes filles. Tu risques d'avoir à traiter des énergumènes comme Érik.

Les deux frères pouffèrent.

– Tu imagines comme Catherine serait heureuse, murmura François, avec Pascale et Arnaud comme parents ?

* * *

Pascale, Arnaud et Elias dévisageaient Michael qui venait de leur révéler ce qu'il savait du comportement de Bruce Foster.

– Ou bien Érik ment, ou bien il dit la vérité, dit enfin Elias. Mais une chose est sûre : il faut qu'on sache ce qui se trame.

« Comme si je n'en avais pas assez sur les bras ! » songeait-il. Le groom avait pris la résolution de convaincre Pascale d'adopter Catherine. Il s'était promis d'avoir une bonne discussion avec elle. Il secoua sa grosse tête et remit son projet à plus tard.

– Je parierais que si Pamela flirte avec ce blanc-bec, quelqu'un, à Lexington, en sait quelque chose, affirma-t-il. Laissez-moi faire une petite enquête.

Quelques heures plus tard, les quatre amis se réunirent de nouveau.

– Positif ! annonça Elias, qui prenait un certain plaisir à jouer au détective. Ils se rencontrent au logement de Pamela. Le lundi soir surtout. Bruce raconte qu'il va au bureau, car Mlle Geneviève travaille ce soir-là.

– Et maintenant, intervint Michael, qu'est-ce qu'on fait ? Il était le plus fébrile d'eux tous.

– On règle le cas de Bruce au plus tôt, grogna Arnaud.

* * *

En ce lundi, Philip Davidson se trouvait à l'hôpital de l'université du Kentucky. Il tenait une enveloppe à la main, mais n'avait aucune envie de l'ouvrir, car elle contenait le résultat de l'analyse faite pour déterminer le géniteur de Catherine.

C'était Jules Lavergne lui-même qui avait demandé à Philip de voir à ce qu'on procède à ladite analyse. La famille Lavergne s'était adressée au jeune médecin dans l'espoir que leur démarche reste confidentielle. Philip, qui savait bien qu'à Lexington les ragots concernant la famille Lavergne étaient particulièrement recherchés, avait accepté de les aider.

À peine quelques minutes plus tôt, Philip avait discuté au téléphone avec son ami Arnaud, revenu au Kentucky depuis la veille. Arnaud ignorait l'existence de l'analyse et Philip s'était bien gardé de lui en parler. Les deux amis n'avaient disposé que d'un très court moment pour discuter. D'un pas décidé, Philip gagna le petit bureau que l'hôpital mettait à sa disposition. Bientôt, Jules, Xavier et Gabrielle s'y présentèrent.

– C'est fait, annonça Philip sobrement. Je n'ai pas ouvert l'enveloppe. Personne ne sait qui l'analyse concerne.

– Merci, dit Jules.

Il paraissait incroyablement détendu, ce qui, compte tenu du contexte, était stupéfiant.

Philip raccompagna ses visiteurs jusqu'au hall de réception de l'hôpital. Il était en train de serrer la main du docteur Lavergne lorsqu'il aperçut Laurie.

Vêtue d'un lainage noir, ses cheveux de jais étalés sur ses épaules menues, elle avança vers lui. Philip savait qu'elle avait laissé Érik ; tout Lexington le daubait à ce sujet. Bien que la vue de Philip causât un choc à la jeune fille, elle était décidée à rester forte. Les larmes, les déclarations, les supplications : pas question !

Les Lavergne se dirigèrent vers leur véhicule, laissant Laurie et Philip seuls.

– Bonjour, Philip, dit Laurie d'une voix qui ne tremblait pas.

Philip n'en revenait pas qu'elle soit là, devant lui. Laurie, la jeune fille qu'il avait tant aimée, avec laquelle il avait rêvé de passer ses vacances, sa vie même…

– J'étais avec Pascale et Arnaud, à Philadelphie, quand ils ont décidé de revenir au Kentucky, expliqua Laurie.

Elle mentionna sa visite à l'hippodrome de Philadelphie. Philip hochait la tête.

– Pascale était complètement anéantie, continua Laurie. Elle avait tellement peur que Catherine soit partie en Belgique avec sa mère ! Je suis revenue ici pour régler des choses avec l'administration de l'université.

Elle s'interrompit, puis releva le menton.

– Je voulais être auprès de mes amis, précisa Laurie. Pascale et Arnaud ont toujours été bons pour moi. Malgré…

Elle eut un sourire las. Philip parla presque malgré lui.

– C'est bien courageux de ta part, de les avoir soutenus de cette façon.

Laurie dissimula l'émotion qui l'étreignait. Elle était heureuse et amère en même temps. Heureuse d'avoir suscité le respect de Philip, mais surtout amère, car elle l'aimait et l'avait perdu pour toujours.

Laurie avait atteint son but. Elle avait fait face à Philip dans la dignité. Pour l'instant, cette rencontre lui causait surtout de la douleur, mais elle était fière d'elle-même, de son attitude.

– Je dois y aller, annonça-t-elle tranquillement. Les Lavergne m'attendent. Nous allons chez Jules, pour… ouvrir l'enveloppe. Après ça, je crois bien qu'Érik recevra des visiteurs… Je me demande ce qui arrivera à Catherine.

– L'idéal, ce serait que Pascale et Arnaud l'adoptent, commenta Philip.

– Tiens, fit Laurie, tu y as pensé, toi aussi ? Enfin… Au revoir, Philip.

Le jeune homme avait l'impression de se trouver dans un rêve. Laurie s'en alla rejoindre les Lavergne.

– Au revoir, Laurie.

* * *

Érik Lavergne marchait vers la salle d'attente du cabinet Whittaker et Davis, où, venait de lui annoncer la réceptionniste, des gens l'attendaient. Lorsqu'il vit sa mère et son père, il pâlit.

Il les conduisit rapidement à son bureau. Xavier tenait une enveloppe à la main. Gabrielle et lui s'assirent. Puis, d'un geste sec, Xavier lança l'enveloppe sur le bureau d'Érik et s'écria :

– Alors, ça t'intéresse ?

Érik fixa nerveusement le document.

– J'aimerais mieux ne pas…

– Pleutre ! cracha Xavier.

Il reprit l'enveloppe et la fourra dans la poche de son veston.

– Félicitations au nouveau père, ironisa-t-il ensuite.

Érik blêmit encore.

– Tu veux dire…

– Que Catherine est ta fille, déclara Gabrielle haut et clair. J'espère qu'à l'avenir tu réfléchiras, ajouta-t-elle avec rage, avant de tremper ton pinceau un peu partout et un peu n'importe comment.

Érik ne répondit rien.

– Alors ? s'enquit Xavier. Qu'est-ce que tu comptes faire, maintenant que tu as une fillette de quatre ans ?

– Mais… j'aimerais mieux ne pas… Enfin, je ne peux tout de même pas…

– Tu n'en veux pas ? Dis-le donc ! glapit Gabrielle.

– Non, fit Érik en baissant le nez.

Il détestait voir sa mère dans cet état.

– Tu n'en veux pas. Sa mère n'en veut pas. Personne n'en veut, énuméra tristement Gabrielle.

– N'y a-t-il pas moyen que Pascale et Arnaud l'adoptent ? avança timidement Érik.

Xavier et Gabrielle levèrent les yeux au ciel.

– Mais qu'avons-nous fait pour avoir un enfant pareil ? gémit Xavier. Comment oses-tu te décharger ainsi de tes responsabilités sur le dos de ton frère ?

– N'essaie pas, Xavier, il ne changera jamais, dit Gabrielle en se levant. Il a toujours agi de cette façon.

Xavier se leva à son tour.

– Si Pascale et Arnaud décident d'adopter cette petite, déclara-t-il, il faudra s'adresser à un tribunal. Tu imagines comment les médias se délecteront de cette horrible histoire ? C'en est fait de ta réputation, mon cher.

– J'aurai ce que je mérite, marmonna Érik.

Surpris par cette soudaine démonstration d'humilité, Xavier et Gabrielle dévisagèrent leur fils. Ils n'osaient croire qu'il était sincère.

– Ne partez pas tout de suite, continua le jeune homme. Il faut que je vous parle de Geneviève.

* * *

– C'est bien pour vous rassurer que je me prête à ce jeu, fit Geneviève nerveusement.

Assise dans la voiture d'Arnaud, elle pianotait sur l'appui-bras. Michael conduisait. Arnaud et Pascale étaient sur la banquette arrière.

Le véhicule quitta le stationnement de la Bluegrass Import Export. Michael se dirigea vers l'immeuble abritant le cabinet de comptables pour lequel Bruce travaillait. Le stationnement était désert.

– Eh bien ! Bruce n'est pas là, constata Geneviève. Il a dû retourner à la maison.

Elle refusait de croire qu'il y avait quelque chose d'anormal. Bien sûr, elle avait été ébranlée lorsque Arnaud, Pascale et Michael lui avaient rapporté qu'à Lexington on jasait au sujet de Bruce et de Pamela. Cela semblait confirmer ce que prétendait Érik. Cependant, elle refusait de croire que ces rumeurs avaient un fondement. « Je veux épouser Bruce, et je le ferai ! » se répétait-elle intérieurement.

– Allons chez Pamela, suggéra Michael de sa voix tranquille. C'est tout près.

– Je ne vois pas pourquoi, répondit Geneviève. Bruce est rentré plus tôt que prévu, c'est tout. Je suis sûre qu'il se trouve à l'appartement.

– Allons voir, insista Arnaud. Bruce n'est probablement pas chez Pam, et nous serons tous entièrement rassurés dans quelques minutes.

À dessein, Michael parcourut le lacis de petites rues autour du logement de Pamela. À un moment donné, les quatre amis aperçurent une voiture sport, propre et bien entretenue.

– Tiens ! Elle est pareille à celle de Bruce, s'écria Geneviève qui persistait à nier l'existence d'un problème.

Michael gara son véhicule à côté de l'objet de leurs recherches.

– C'est celle de Bruce, Geneviève, affirma Arnaud après avoir jeté un coup d'œil dans l'habitacle.

La jeune Lavergne haletait.

– Allons sonner chez Pamela, suggéra Arnaud.

Michael n'osait regarder Geneviève.

– Oui, fit-elle d'une voix blanche. Allons-y.

Les portières claquèrent. Michael resta seul dans l'automobile.

* * *

Cela faisait plusieurs minutes que Michael attendait. Il avait mis la radio et son regard restait posé sur la porte du logement de Pamela.

Geneviève avait eu l'air drôlement fâchée lorsqu'elle avait appris qu'il avait répété à Pascale et à Arnaud les confidences qu'elle lui avait faites au sujet des révélations d'Érik. Si fâchée qu'il craignait d'avoir perdu son amitié à jamais. Cette perspective l'effrayait, mais il se sentait en paix avec lui-même. « C'était mon devoir d'éclaircir la situation, mon devoir d'ami », se dit-il. Il tendit le cou vers la porte, qui restait obstinément close.

Il se demanda ce que Bruce était en train de faire en ce moment. Ce que Michael redoutait le plus, c'était que Bruce admette ses torts, puis qu'à force d'excuses, de larmes et de supplications il attendrisse Geneviève et la convainque d'accepter une réconciliation.

Michael éteignit la radio. Même s'il ne pouvait rien entendre de ce qui se passait dans l'appartement, il savait que, d'une façon ou d'une autre, Geneviève souffrirait, et cela l'attristait. Sa relation avec Bruce avait été pour elle une forme de réussite sociale, la revanche d'une adolescente mal acceptée par ses pairs. Michael n'avait jamais pu lui offrir cela à l'époque de leurs fréquentations, car il n'était alors qu'un groom, sans parler du reste... Michael se demandait si Geneviève se laisserait aveugler par le rang qu'elle avait atteint dans la société, ce vernis si important à ses yeux.

Le jeune homme fit «non» de la tête. Il connaissait Geneviève et avait confiance en elle. La fidélité était solidement ancrée parmi ses valeurs grâce à l'exemple de ses parents. Les récentes mésaventures de Jules n'avaient pu que renforcer cela. Elle ferait le bon choix. Elle laisserait Bruce.

Au bout d'un long moment, la porte s'ouvrit. Geneviève sortit. Pascale et Arnaud venaient derrière elle. Michael devina que les illusions de Geneviève venaient de s'effondrer, qu'elle avait courageusement tourné le dos au fiancé de ses rêves. Elle était peut-être bien naïve et idéaliste, mais ce n'était pas une idiote et elle avait refusé de se laisser manipuler.

– Mike! supplia Geneviève en éclatant en sanglots. Ramène-moi chez mon père, vite!

* * *

Lorsque Xavier et Gabrielle étaient partis voir Érik après l'ouverture de l'enveloppe, ils avaient demandé à Laurie de rester avec Jules. Ils redoutaient que les émotions fortes qu'il avait eues provoquent une nouvelle crise d'asthme. Si c'était le cas, Laurie pourrait lui porter secours.

Laurie s'était sentie fort embarrassée, pour deux raisons. D'abord, parce qu'elle craignait que Jules n'apprécie pas la compagnie de l'ex-petite amie d'Érik. Lorsqu'elle avait parlé de cela, Jules avait éclaté de rire et déclaré : «Ma chère, nous avons beaucoup de choses en commun! Nous sommes tous les deux victimes du même salaud!» Là-dessus, il avait invité Laurie à passer au séjour, avait fait jouer de la musique et lui avait offert un rafraîchissement.

Laurie n'avait pas mentionné son second sujet d'inquiétude. Si on lui avait demandé de rester avec Jules, c'était sans doute parce qu'elle avait une formation médicale. Pourtant, elle était persuadée que s'il subissait une crise, elle ne saurait absolument pas quoi faire pour l'aider. Heureusement, Jules paraissait en meilleure santé qu'il ne l'avait jamais été depuis qu'elle le connaissait. Il n'avait plus cet air soucieux, absorbé qui le caractérisait.

Xavier et Gabrielle n'étaient partis que depuis quelques minutes lorsque le téléphone sonna.

– Oui? fit Jules. Pardon?

Il fronça les sourcils. «C'est la police», expliqua-t-il à Laurie.

– En effet, ce véhicule est enregistré à mon nom... Mon ex-femme, Delphine Lavergne... Ah! Bon. Fort bien. J'irai le récupérer. Merci.

Il raccrocha et sourit à Laurie qui l'interrogeait du regard.

– La voiture dans laquelle Delphine s'est sauvée a été retrouvée à l'aéroport international de Cincinnati, annonça-t-il triomphalement. Delphine a quitté le continent voilà deux semaines.

Il bondit sur ses pieds, esquissa un pas de danse devant une Laurie stupéfaite, puis saisit de nouveau le combiné.

– Tu permets, Laurie? fit-il en manière d'excuses, tout en composant un numéro à toute vitesse.

Il y eut un court silence.

– Anne! C'est toi! s'écria Jules avec chaleur. J'ai de bonnes nouvelles, d'excellentes nouvelles... Oui, tu as deviné, pour la petite... Et puis, mon ex-femme... Elle est partie, Anne! Elle est partie!

* * *

– Oh non ! Pas encore un drame ! gémit Sébastien.

Il venait d'apercevoir Geneviève qui, soutenue par Michael, marchait vers la maison. Elias, qui faisait les cent pas dans le séjour, cessa soudain son manège.

– Venez ici, vous deux, dit-il aux jumeaux. Je vais tout vous expliquer.

Le pas pesant de Martha se fit entendre. Elle descendait de l'étage. Elle venait de mettre Catherine au lit.

À peine Geneviève, Pascale, Michael et Arnaud étaient-ils entrés dans la maison que Xavier, Gabrielle, Laurie et Jules arrivèrent à leur tour.

Tout ce beau monde se retrouva au séjour. Geneviève tremblait et sanglotait. Tous parlaient en même temps.

– Papa, maman, je viens de laisser Bruce ! Il me trompait avec Pamela…

– Ma chérie ! Comme ça, tu le sais ? Figure-toi qu'Érik nous en a parlé, répondit Gabrielle.

– Érik ? fit Arnaud.

Il y eut un silence.

– Papa et maman sont allés lui dire que Catherine était sa fille, expliqua Jules. Geneviève, nous voilà dans le même bateau, toi et moi. S'il avait fallu que tu épouses ce…

Geneviève se jeta dans les bras de Jules et tous deux s'étreignirent. Tout en sanglotant, Geneviève narra comment elle avait appris les méfaits de son fiancé.

À la fin du récit, Laurie prit timidement la parole. Elle n'avait pas dit grand-chose depuis son arrivée dans la pièce. Elle savait que ce qu'elle allait annoncer avait une grande importance pour son amie Pascale, et elle était à la fois impatiente et apeurée à l'idée de révéler le départ de Delphine. Elle le fit donc dans un seul souffle.

Il y eut un moment de flottement ; tous eurent l'impression que le mauvais sort qui planait sur Lavergne Farm depuis quatre ans venait d'être conjuré.

– Elle est partie ! s'écria Michael d'un ton triomphant.

– C'est mieux ainsi, commenta Pascale.

Ses yeux brillaient, d'excitation et d'appréhension mêlées, et Laurie fut heureuse d'avoir trouvé le courage de parler. Avec son implacable réalisme, Pascale ajouta cependant :

– Elle pourrait revenir.

– Mais alors, intervint Sébastien, que va-t-il arriver à Catherine ?

Il y eut un silence, mais il ne dura pas longtemps.

Vivement, Pascale attrapa la main d'Arnaud. Elle aurait aimé avoir eu la chance de discuter avec lui avant de prononcer les paroles qui s'apprêtaient à franchir ses lèvres, mais, à cause de tout ce qui s'était produit depuis deux jours, cela n'avait pas été possible. Néanmoins, Pascale se sentait tout à fait sûre de son homme et d'elle-même.

Elle était consciente qu'une nouvelle étape de sa vie allait débuter, une étape marquante, et elle ressentit une forme d'apaisement malgré le défi qui l'attendait. C'était le destin qui l'avait amenée ici, à Lavergne Farm, et qui avait voulu qu'Arnaud s'éprenne d'elle. Le sort avait parfois été cruel envers elle ; en plus d'autres malheurs qu'elle avait subis, Érik l'avait battue. Longtemps, elle s'était rebellée contre la malchance, contre l'amitié et contre l'amour ; mais en ce moment, elle se sentait en paix. Il lui apparut clairement que, dans le long cheminement qui l'avait amenée à vivre en harmonie avec Arnaud et sa famille, rien n'avait été inutile. Cette route semée d'embûches l'avait fait grandir, et ce mûrissement lui permettait maintenant de secourir une enfant sans père et sans mère ; une enfant comme elle. En ce moment, elle n'avait pas peur.

– Calmez-vous, tout le monde, fit-elle d'un ton mesuré. Arnaud et moi, nous allons adopter Catherine.

40

RAGEUSEMENT, Xavier lança par terre le tabloïd que venait de lui exhiber Gabrielle.

La requête en adoption présentée par Arnaud et Pascale avait été entendue la veille et, ainsi que tous s'y attendaient, les faits de la cause étaient devenus le principal, sinon l'unique sujet de conversation dans la région. Xavier s'était préparé à faire face à la tempête. Bien que cela ne lui plût guère, il avait accepté la perspective qu'à cause d'Érik, la réputation de sa famille soit attaquée.

Mais ce tabloïd allait vraiment trop loin! Laisser entendre que les Lavergne avaient des mœurs dissolues à cause de leurs origines françaises, c'était trop!

Fort mécontent, Xavier indiqua à Gabrielle qu'il avait besoin de s'aérer l'esprit, et il marcha d'un pas militaire jusqu'à l'écurie.

Sa colère paraissait tellement que les grooms, auxquels toute cette scabreuse histoire venait d'être révélée, se taisaient sur son passage. Xavier ordonna qu'on lui selle La Grande Vadrouille, sa jument rouanne, puis il s'y jucha.

L'homme poussa la bête au trot, et décida de parcourir son domaine. Il visita d'abord les poulinières. Mafalda était parmi eux. Elle avait dépassé son terme, mais cela était courant chez les primipares, et Xavier ne s'en inquiéta pas. Il gagna un autre enclos. Son regard se posa sur les pouliches qui y séjournaient. Parmi elles, il y avait Fanti of Ghana. Après avoir connu un début de carrière flamboyant, elle avait été retirée des hippodromes, suite au retour à Lavergne Farm de Pascale et d'Arnaud. Non loin de Fanti, Makatoo broutait. Sa mèche frontale, longue et épaisse, lui tombait sur le front. Xavier observa sa tignasse, ses jambes vigoureuses, sa tête insolente, et il pensa à Catherine.

Son cœur se serra.

Intriguée par la présence de l'homme, Fanti s'approcha de la clôture de son pas de danseuse. La Grande Vadrouille couina, mécontente. Fanti cabriola puis s'éloigna au petit trot. La Grande Vadrouille tira sur son mors. Xavier la rappela à l'ordre, puis tendit le cou, car Fanti s'était mise au galop. Il y avait, dans ses mouvements, une souplesse, une beauté qui rappelaient son demi-frère, Ashanti of Africa.

Sans presque y penser, Xavier engagea sa monture vers l'enclos de l'étalon. Celui-ci paissait, et le soleil embrasait sa robe.

Xavier lui envia sa sérénité. Il vivait à l'abri de tout, cet animal plein de force et de charisme. Grâce à lui, Xavier et sa ferme étaient devenus célèbres…

L'homme étouffa quelques jurons. Il aurait payé cher pour ne jamais avoir cherché la gloire et ainsi être, en ce moment, un parfait inconnu. Si ç'avait été le cas, la presse à sensation n'étalerait pas les exploits d'Érik et personne ne lui reprocherait d'être un Français en Amérique…

Ashanti cessa de brouter. Il dressa la tête. Il fit entendre un hennissement long et modulé. Il avait senti l'odeur d'une jument, et il l'appelait.

– Pas de chance, mon vieux, lui cria Xavier.

La Grande Vadrouille était notoirement stérile et elle détestait les étalons. Xavier sentit qu'elle se crispait.

Ashanti avait à présent adopté un trot hardi, conquérant, superbe.

– Whoa! cria Xavier lorsque sa monture, brusquement, fit un écart.

Stupéfait, Xavier assistait à l'impensable. La Grande Vadrouille soufflait, roucoulait, tentait de lui échapper pour aller rejoindre Ashanti qui la jaugeait, derrière la clôture qui les séparait. Encore une fois, l'étalon appela la jument. Xavier la retint, et elle lui exprima sa frustration.

– Voilà que tu as séduit cette jument, lança Xavier à son champion qui allait et venait, sûr de son pouvoir, caracolant, gonflant son large poitrail. Mais je ne te laisserai pas satisfaire tes pulsions pendant que je suis dessus ! On a beau parler de moi, de toi, partout, tu ne le sais même pas ! Tu ne penses qu'à...

Soudain, Xavier sentit la colère monter en lui. Il avait été outré par l'article de journal, et maintenant il était jaloux de l'insouciance d'Ashanti.

– On traîne mon nom dans la boue ! hurla-t-il à l'étalon. On salit mon honneur, mon œuvre, ma ferme !

Xavier savait qu'un tel défoulement verbal était thérapeutique et, comme il n'y avait personne dans les parages, il se laissa aller.

– Cette ferme, je te la donnerais, si cela pouvait convaincre la vie de nous laisser en paix, ma femme, mes enfants et moi !

Prenant conscience du ridicule de son comportement, Xavier éclata de rire. Une idée, accompagnée d'un apaisement soudain, venait de surgir dans son esprit. D'une voix tonitruante, il hurla encore :

– Cette ferme, elle est à toi, désormais !

La voix de l'homme sembla monter jusqu'au ciel.

– À toi, Ashanti d'Afrique !

Il fit pivoter La Grande Vadrouille et la lança au galop. Retrouvant les foulées qui avaient fait la gloire de sa jeunesse, la jument grimpa un coteau, puis en dévala le versant opposé et aboutit aux grilles de la propriété, là où était suspendue l'enseigne portant l'inscription «Lavergne Farm».

Xavier sauta en bas de sa monture et alla décrocher la plaque. Par ce geste, il avait l'impression d'amorcer un nettoyage nécessaire, de recommencer sa vie, et celle de toute sa famille. L'enseigne sous le bras, il remonta à cheval et repartit vers les écuries.

* * *

Il faisait encore nuit noire et Pascale, munie d'un bridon, se dirigeait vers le box de Vol-au-Vent. Rocky la suivait. À cette expédition matinale, Maya avait préféré le confort de son coussin.

Pascale passa rapidement le mors à Vol-au-Vent. Elle l'enfourcha sans le seller et, toujours suivie de Rocky, elle quitta l'écurie.

Bercée par le pas cadencé de son ami de toujours, Pascale goûta pleinement la paix de Lavergne Farm endormie.

Plus tard dans la journée, un tribunal lui accorderait vraisemblablement la garde de Catherine. Pascale ne doutait pas une seconde que la requête en adoption serait accueillie favorablement.

D'une pression des talons, elle mit Vol-au-Vent au trot et s'engagea sur un sentier.

Pascale se mit à réfléchir à ce qui l'attendait. Un souvenir lui vint, celui d'un autre matin, des années plus tôt, un matin au cours duquel, à Bonaventure, les Gallant avaient tenté de la soutenir alors qu'elle se préparait à rendre témoignage contre son grand-père. Elle se souvint de son désarroi d'alors. En refusant d'admettre ce qu'il avait fait, Constantin Vladek avait précipité Pascale, unique témoin de l'homicide, dans le monde des adultes. Elle en avait découvert les mesquineries, les bassesses, le manque de sensibilité. Et elle avait à jamais perdu une partie de sa fraîcheur.

Levant les yeux vers le ciel, Pascale se jura que cela n'arriverait pas à Catherine. Non ! Arnaud et elle lui rendraient l'enfance que Delphine et Érik lui avaient dérobée. Catherine ne connaîtrait pas ce marasme qui avait manqué gâcher la vie de sa mère adoptive, ni ce pessimisme qui avait failli briser son amour. « Mais, se demanda Pascale, allons-nous réussir ? » Elle émit un gémissement sourd. La détresse l'envahissait.

Même si elle n'était pas vraiment consciente de toute la commotion dont elle était la cause, Catherine était troublée. On essayait de lui expliquer ce qui se passait, mais, pour une fillette de quatre ans, il était difficile de comprendre ces histoires d'adultes. Elle persistait à dire que Pascale n'était pas sa mère; elle vivait au cœur d'un élevage et, pour elle, les mères étaient celles qui donnaient naissance. «Mais je suis sortie du ventre de maman, pas de celui de tante Pascale!» répétait-elle avec conviction. On avait tenté de lui expliquer ce qu'était l'adoption, mais cela n'avait guère fonctionné.

Elle avait à l'égard de Maya un comportement qui ressemblait à celui qu'avait eu Pascale, des années plus tôt, à l'endroit de Vol-au-Vent. Trahie par ses parents, Catherine avait développé un attachement obsessionnel pour la chienne. Maya représentait pour elle la stabilité, et elle la cherchait fébrilement lorsqu'elle n'était pas dans son champ de vision. Catherine réclamait l'animal à toute heure du jour et de la nuit, et cela avait causé de sérieuses difficultés au jardin d'enfants, car Catherine s'était mise à faire des crises d'angoisse, redoutant qu'à son retour à la ferme Maya soit disparue.

Dans l'espoir d'amener l'enfant à accepter sa nouvelle vie, Pascale lui avait annoncé que, désormais, c'était elle qui en prendrait soin et la protégerait. Catherine avait placidement rétorqué qu'elle préférerait que Maya remplisse ce rôle.

Bien que Pascale sût que l'enfant ne tentait pas de la blesser par cette réplique, celle-ci lui avait broyé le cœur. En plus de jalouser un chien, Pascale devait composer avec les comparaisons que faisait continuellement Catherine entre Delphine et elle. Catherine avait du tempérament et elle ne craignait pas de défier l'autorité. Lorsque Pascale lui demandait d'adopter un comportement plutôt qu'un autre, Catherine résistait souvent, répliquant : «Ma maman ne m'aurait jamais demandé de faire ça!», ou autre chose de semblable.

Arnaud recevait, de la part de l'enfant, le même traitement; mais il acceptait ces rebuffades beaucoup mieux que Pascale. Les incartades de Catherine avaient moins d'effet sur lui, et, à cause de cela, elle lui obéissait plus facilement qu'à Pascale. Cette dernière admirait les talents de père d'Arnaud, mais enviait sa réussite auprès de Catherine, et cela lui laissait un goût amer.

Autour des promeneurs, Lavergne Farm s'éveillait. Pascale caressa la crinière chaude et fournie de Vol-au-Vent. Le temps était venu de ramener à l'écurie cet être auprès duquel, depuis son enfance, elle venait puiser sa force. «Mon petit morceau de Gaspésie au Kentucky», se dit-elle en dessellant l'animal.

– Comment arrives-tu à dormir? demanda-t-elle à Arnaud lorsqu'elle retourna à leur chambre.

Le jeune homme cligna des yeux dans l'obscurité, puis il regarda attentivement Pascale.

– Alors, tu es prête?

Pascale devinait trop bien ce à quoi il faisait référence.

– Je ne sais pas, répondit-elle. Arnaud... Crois-tu que je serai une bonne mère?

Le jeune homme rit.

– Je crois que tu es une excellente mère.

– Mais, je ne suis pas encore la mère de Catherine. Pour elle, sa maman, c'est Delphine.

– Elle a quatre ans et certaines subtilités lui échappent, répondit Arnaud. Mais, Pascale, dis-moi : qui est son modèle? D'où lui vient son amour des chevaux? Qui réclame-t-elle lorsqu'elle est malade? Auprès de qui cherche-t-elle l'exemple, la sécurité? C'est toi qui lui offre toutes ces choses essentielles au développement d'un enfant. Et tu le fais depuis longtemps, chérie. Je te revois, la câlinant en secret lorsqu'elle était bébé...

– C'est bien beau, tout cela, mais réussirai-je à en faire une enfant heureuse, une enfant qui aura confiance en elle-même?

Arnaud se redressa et s'assit.

– Si tu désires réaliser cela, dit-il, il faut justement que tu cesses de douter de toi-même. Les enfants apprennent par mimétisme, et si Catherine réalise que tu doutes de tes capacités de mère, ou de jockey, ou d'autres choses, il y a fort à parier qu'elle suivra ton exemple. Ce que j'essaie de te dire, poursuivit Arnaud, c'est que le défaitisme, c'est contagieux. Il faut que tu en triomphes, Pascale. Pour toi. Pour moi. Pour notre fille.

Saisie, Pascale dévisagea Arnaud.

– Je n'avais jamais pensé à cela, avoua-t-elle. Mais tu as raison. Croire en moi-même comme mère, ce sera mon plus dur combat.

Amoureusement, Arnaud contempla sa femme.

– En effet. Mais, comme d'habitude, tu vaincras.

41

PASCALE promena le bout de ses doigts sur le lettrage doré de la nouvelle enseigne. «La Ferme d'Ashanti», lut-elle.

Sous ces mots était écrit en lettres plus petites, «Ashanti's Farm». Un artisan local avait sculpté, dans le bois de l'enseigne, la silhouette d'un cheval au galop. C'était un alezan doré, monté par un jockey vêtu de noir et de vert.

Le temps était doux en ce samedi matin. Xavier, Pascale, Arnaud, Geneviève, François, Sébastien et Philip se trouvaient sur la terrasse et achevaient de boire un café. Philip était venu rendre visite à Arnaud, son meilleur ami, pour le féliciter de sa nouvelle paternité.

Suivie de Gabrielle et des chiens, Catherine s'approcha du groupe. Elle était vêtue d'une veste noir et vert, flambant neuve.

– Regardez ! cria-t-elle, toute fière.

Elle portait ses guêtres et sa bombe. Se dressant sur la pointe des pieds, elle tourna sur elle-même, et tous purent lire, sur sa veste : «Académie équestre française». Puis, en plus petit : «French Equestrian Academy».

Le rire de Geneviève éclata. Xavier étendit le bras pour toucher celui de sa fille. «Comme elle tient bien le coup !» se dit-il, maudissant Bruce intérieurement. Puis ses pensées se tournèrent vers son fils Jules. La veille, celui-ci était venu présenter Anne Desormeaux aux Lavergne, qui en avaient eu une bonne impression. Xavier était persuadé que son fils trouverait enfin le bonheur auprès de la charmante Louisianaise. Jules et elle allaient jouer dans le même orchestre, à Philadelphie, où tous deux déménageraient bientôt.

Geneviève avait promis d'aller visiter son grand frère. Jules et elle avaient été marqués par des épreuves semblables et cela les avait rapprochés. De plus, Geneviève avait rapidement sympathisé avec Anne. «La vie reprend», songea Xavier dont l'humeur s'égayait.

– J'ai ressenti le besoin de donner un nouveau nom à ma ferme, et à l'école d'équitation, expliqua Xavier. J'ai l'impression de recommencer à neuf et ça me fait du bien.

«Ces Amerloques! pensait Xavier qui n'avait toujours pas digéré l'article du journal à sensation. Je leur fais un sacré pied de nez!»

– Je ne sais pas si je peux parler au nom d'Ashanti, fit Pascale, émue, mais je vous remercie, docteur.

– Ils me plaisent beaucoup, ces nouveaux noms, fit Xavier. Dans quelques semaines, il y aura des courses à Keeneland, et si ça vous tentait d'y présenter Fanti...

Le cœur de Pascale bondit. La vie reprenait son cours. Keeneland! Elle y serait! Avec sa fille, et tant pis pour les problèmes que ça pourrait causer! Gabrielle ouvrit un paquet qu'elle avait apporté. Il contenait une casaque à peu près identique à celle que Pascale portait d'ordinaire, sauf qu'un fil doré en garnissait le col et les manches.

– L'or des Ashantis, murmura Pascale.

Elle savait, par Michael, qu'il existait de riches gisements de ce métal sur le territoire de la tribu dont son champion portait le nom.

Catherine grimpa sur une chaise et s'empara d'un muffin.

– Philip, demanda-t-elle soudain, est-ce vrai que tu as posé un nouveau coude à tante Pascale?

Tous éclatèrent de rire.

– Pas tout à fait, répondit le jeune homme. J'ai plutôt réparé son coude, avec l'aide d'un autre médecin.

– Ah! fit Catherine. J'aimerais que tu allonges mes jambes, s'il te plaît.

L'enfant avait parlé avec beaucoup de sérieux. Les adultes avalèrent leurs rires afin de ne pas la peiner.

– Pourquoi donc ? s'enquit Philip.

– Pour que je puisse sauter des obstacles avec Vol-au-Vent.

Avec beaucoup de sensibilité, Philip fit comprendre à Catherine qu'une telle opération n'était ni possible ni souhaitable.

– Tu grandiras, conclut-il, et un jour tu sauteras des obstacles. Mais n'aimerais-tu pas mieux monter des chevaux en course, comme ta maman ?

– Ce n'est pas maman qui monte des chevaux de course, c'est tante Pascale, fit Catherine. Ce que j'aimerais, c'est d'aller aux... Cette chose dont tu m'as parlé, oncle Arnaud.

– Les jeux olympiques, dit Arnaud.

Il avait expliqué à l'enfant ce que représentait cette compétition, quelques jours auparavant, alors qu'ils regardaient les sports équestres à la télévision.

Pascale sourit. Enfant, elle avait caressé le même rêve.

– Voilà un beau projet, dit-elle. Tu es chanceuse, ma Catou, car je connais un excellent professeur d'équitation qui pourrait faire de toi une championne.

– Qui ça ?

– Ta grand-maman.

– Grand-maman, fit aussitôt Catherine, tu veux bien m'aider à aller aux... ? Comment dit-on ça encore ?

Patiemment, Arnaud répéta.

Attendrie, Pascale contempla sa fille. Qu'elle était belle, saine et énergique ! Ses boucles foncées dépassaient de sa bombe et ses sourcils exprimaient sa détermination. Pascale fut soudain convaincue que Catherine parviendrait, avec son enthousiasme et sa fraîcheur d'enfant, à remonter le moral de Xavier et de Gabrielle, qui avaient été rudement secoués par les mésaventures de Jules, de Geneviève et d'Érik. Déjà, la petite ravivait l'intérêt de Gabrielle pour l'école d'équitation. Catherine était le rejeton de deux personnes qui avaient beaucoup fait souffrir la famille; mais, parce qu'elle était une enfant, elle en serait aussi le salut.

– Je serai à l'écurie dans une heure, déclara Gabrielle. Va préparer Vol-au-Vent.

– Yahou ! s'exclama Catherine.

Elle se mit à danser de joie sur la terrasse. Tout émoustillés, Rocky et Maya se mirent à jouer si bruyamment qu'on les chassa vers la pelouse.

– Oncle Sébastien, demanda Catherine, quand tu seras médecin, est-ce que tu répareras des coudes ?

– Peut-être, répondit le jeune homme. Ton oncle François, lui, il arrangera des caboches.

– Ça alors ! fit la petite, impressionnée.

– En attendant, nous allons t'accompagner à l'écurie, suggéra François.

Les jumeaux tendirent la main à Catherine. Confiante, elle y mit les siennes et s'éloigna en hurlant de rire, car ses compagnons ne cessaient de blaguer.

Philip prit congé des Lavergne. Pascale, Geneviève et Arnaud l'accompagnèrent jusqu'à son véhicule. Philip paraissait préoccupé.

– Je pars en voyage, annonça-t-il soudain. Pour deux jours. Je vais au New Jersey.

Muets, ses amis le dévisagèrent.

– J'y verrai Laurie, poursuivit-il. Elle a été admise à la faculté de médecine d'une université du New Jersey. Elle recommence ses études à l'automne.

– Et toi... ? commença Pascale, malhabile.

Le jeune homme sourit. Il était beau, avec son jean, ses bottes de sport et son chandail de laine. Beau, certes, mais pas autant qu'Arnaud, estimait Pascale.

– J'ai tellement aimé Laurie, dit-il.

Pascale avala sa salive. Sur le visage de Philip, le regret avait remplacé la rage.

– Je ne sais pas si je pourrai jamais l'aimer de nouveau, ajouta-t-il. Mais il me faut la voir. Pour comprendre ce qui nous est arrivé.

– Bonne chance, Phil, lui souhaita Geneviève en lui tendant la main.

Philip la serra. Geneviève aussi avait été trompée, et sûrement aussi cruellement que lui. Il se demandait où elle trouvait la force qu'elle affichait.

Lorsque son automobile se fut éloignée, Pascale proposa à Arnaud et à Geneviève qu'ils aillent rejoindre Catherine.

* * *

Michael retira sa casquette et gagna la terrasse. Xavier et Gabrielle le saluèrent.

– Bonjour, docteur, bonjour, madame, dit le groom en français.

Il parla d'abord de choses et d'autres. On avait trouvé Diamond mort, sur son coussin, la veille.

– Il a dû succomber à la boulimie, ironisa Xavier.

– Peut-être bien, répondit Michael. J'ai... quelque chose à vous demander.

Le jeune homme, qui était resté debout, semblait hésiter. Avant de parler, il se répéta intérieurement la phrase que Pascale lui avait apprise.

– Docteur, madame, dit-il en français, je vous demande l'autorisation de courtiser votre fille, Geneviève.

Xavier et Gabrielle sursautèrent, puis, amusés par l'air à la fois moqueur et cérémonieux de leur interlocuteur, ils éclatèrent de rire.

– Courtiser ma fille ? s'écria Xavier.

– Oui, confirma Michael, en anglais cette fois. Je me sens l'obligation de vous en aviser, compte tenu de ce qui vient de lui arriver. Elle savait que je le ferais.

– Eh bien, fit Xavier soudain joyeux, si elle est d'accord...

La situation l'amusait; les affaires de cœur des autres le passionnaient, et il était d'autant plus heureux de ce qu'il entendait qu'il appréciait beaucoup Michael. Soudain inspiré, il exhiba fièrement la nouvelle enseigne. Michael ne put cacher son contentement en voyant le nom « Ashanti's Farm ».

– Si votre étalon s'appelle Ashanti, c'est grâce à moi. Je suis flatté, vraiment.

– Si tu consoles ma Geneviève de l'affront que vient de lui faire subir son petit comptable, fit Xavier avec mépris, je te promets une grosse noce, avec… je ne sais pas, moi, des tam-tam, ou une chorale gospel, si tu veux.

– Docteur, calmez-vous ! protesta Michael qui riait de tant d'enthousiasme.

– Tu as toujours aimé Geneviève, n'est-ce pas, Michael ? demanda Gabrielle.

Le jeune homme se tourna vers elle.

– Je pense bien que oui, admit-il.

– Mais… Tammy ? intervint Xavier.

– Tammy sera une excellente candidate si, un jour, j'ai besoin d'une associée pour démarrer une clinique vétérinaire. Nous n'avons jamais été amoureux.

– Tu attendais Geneviève, murmura Gabrielle.

Michael la regarda. On décelait chez lui un sentiment de paix, d'acceptation de la vie qui rappelait sa mère, et ses ancêtres, les Ashantis.

– J'ai essayé de m'intéresser à d'autres filles, répondit Michael, mais je n'y suis pas arrivé.

– Que ressent Geneviève envers toi ? demanda Gabrielle.

– Elle est prudente… Elle est consciente du mal qu'elle pourrait me faire si elle se jetait dans mes bras pour oublier sa souffrance plutôt que par amour. C'est ce qu'elle m'a dit.

Xavier fit la grimace.

– Ce n'est guère encourageant, dit-il, ses espoirs un peu refroidis.

– Mais non, docteur. Ça l'est, affirma Michael avec un doux sourire. Geneviève n'agirait pas ainsi si elle ne me respectait pas. Elle a besoin de temps, et je lui en donnerai, car moi aussi je la respecte. Elle essaie de m'apprendre le français, révéla Michael. J'aimerais participer à un projet de coopération internationale en Afrique, dans quelques années. Ça m'aidera beaucoup de connaître votre langue. Je pourrais travailler au Bénin, au Togo, au Sénégal, en Côte-d'Ivoire…

– Ashanti d'Afrique, murmura Gabrielle.

Il y eut un silence.

– Eh bien, fit Xavier qui était fort ému, tu ne cesses de m'impressionner, mon garçon. Me voilà doublement heureux d'avoir rebaptisé ma ferme.

* * *

Montée sur Vol-au-Vent, Catherine s'amusait à battre des talons.

– Ne le frappe pas comme ça, ma Catou, intervint Pascale.

– Mais ce ne sont que des tapes d'amour, protesta l'enfant.

– Il faut que tu penses aux conséquences de ton geste, chérie, dit Arnaud.

Il expliqua à sa fille que de tels mouvements risquaient de confondre sa monture quant à ses intentions. Désireuse de devenir une bonne cavalière, Catherine cessa son manège.

Pascale se retourna et regarda vers l'écurie, où Geneviève était allée attendre Michael.

Arnaud, Catherine et Pascale arrivaient au manège. Elias s'y trouvait déjà, monté sur Fol Espoir. Martha y était aussi, promenant un cheval à qui on venait de faire faire des exercices. Main dans la main, Xavier et Gabrielle s'approchaient des lieux, suivis de Rocky et de Maya.

– Dis, Elias, est-ce que tu vas sauter des obstacles ? s'enquit Catherine qui, tout excitée, pointait le doigt vers une cavaletti.

– Regarde-moi faire ! répondit l'homme.

Il mit Fol Espoir au trot. Allègrement, le fils de Vol-au-Vent franchit la cavaletti. Catherine battait des mains.

– Quand je serai grande, je ferai pareil ! s'écria-t-elle.

Un souvenir qui venait de surgir dans l'esprit de Pascale lui donna une idée.

– Et pourquoi pas maintenant ? suggéra-t-elle.

Elle se souvenait d'un jour d'hiver, déjà un peu lointain, au cours duquel elle avait proposé à Elias de promener

Catherine sur un cheval. Delphine avait interdit qu'il le fasse et l'avait humilié...

D'un geste décidé, Pascale saisit sa fille dans ses bras et l'assit sur la clôture. Elle allait venger l'honneur d'Elias. Le groom s'approcha, souleva Catherine et la plaça sur l'arçon de sa selle. La joie inondait son visage simiesque.

D'une voix tendre et rocailleuse à la fois, il expliqua à Catherine comment se comporter. Tout en retenant fermement l'enfant, il amena Fol Espoir à franchir de nouveau l'obstacle.

– Tu es une vraie petite championne, déclara-t-il à Catherine lorsqu'il l'eut remise par terre. Que penses-tu de son assiette, madame doc ?

– Elle est excellente, répondit Gabrielle.

Tenant Vol-au-Vent par la bride, Pascale et Arnaud s'étaient un peu éloignés, car le poney bai montrait les dents à Fol Espoir. Catherine se tourna vers eux. Sa voix, pure, assurée, jaillit dans l'air du matin.

– Maman ? appela-t-elle.

Un choc, doux mais intense, fit vaciller Pascale. L'espace d'une seconde, le temps s'arrêta pour elle et, afin de reprendre ses sens, elle dut s'appuyer contre Arnaud.

– Maman ? répéta Catherine. Papa ?

Les rênes de Vol-au-Vent étaient nouées autour d'un arbre et il broutait. Pascale et Arnaud se retournèrent. Graves, mais heureux, ils vinrent vers leur enfant.

– J'aimerais comprendre quelque chose, dit-elle. Ma grand-maman et mon grand-papa, ce sont tes parents à toi, n'est-ce pas, papa ?

– Oui, confirma Arnaud.

– Alors, je dois avoir une autre grand-maman et un autre grand-papa... Je veux dire tes parents, maman. Où sont-ils ? Je ne les ai jamais rencontrés.

Pascale s'accroupit afin d'être à la hauteur de sa fille.

– Mais si, tu as d'autres grands-parents, affirma-t-elle. Tu les connais bien. Ils sont juste là.

Elle indiqua Elias et Martha. En désignant cette dernière, Catherine s'exclama :

– Ça alors! Avant de naître, maman, tu étais dans son ventre?

– Non, répondit Pascale. Ma maman est morte quand j'étais petite, alors j'ai décidé qu'Elias et Martha seraient mes nouveaux parents.

Catherine parut se satisfaire de cette explication. Elias grommelait et Martha essuyait une larme.

– Nous avons une surprise pour toi, Catherine, déclara Xavier afin de mettre un terme aux effusions. Allons, remonte sur Vol-au-Vent.

Catherine s'exécuta. Après avoir salué Elias et Martha, Xavier, Gabrielle, Pascale et Arnaud se rendirent à un paddock adjacent à l'étable où se déroulaient les accouchements. Juchée sur Vol-au-Vent, Catherine babillait, parlant aux chiens qui suivaient le groupe.

Mafalda se trouvait dans le paddock. Collée à son flanc, une petite pouliche luttait pour conserver son équilibre.

Pascale caressa l'encolure de Vol-au-Vent. «Te voilà père encore une fois», murmura-t-elle à l'oreille du poney bai. Puis, elle lui glissa doucement : «Moi aussi, j'ai une petite fille! Comme toi!» Pascale regarda l'œil sombre du poney. Ses oreilles se dressaient. Que comprenait-il de la vie? «Beaucoup et peu de choses à la fois», se dit sa propriétaire.

– Regarde bien cette pouliche, Catherine, fit Xavier. Elle est à toi.

Éberluée, l'enfant en resta aphone.

– C'est la fille de Vol-au-Vent, annonça Xavier. Il faudra que tu viennes la voir chaque jour. Ton papa et ta maman t'expliqueront comment l'apprivoiser pour qu'elle devienne aussi docile avec toi qu'Ashanti l'est avec eux. Vous grandirez toutes les deux et, un jour, vous franchirez des obstacles.

– Tu sais, Catherine, ta pouliche est à moitié gaspésienne, dit Arnaud. La Gaspésie, c'est l'endroit où est née ta maman.

– Est-ce que c'est aussi loin que la Gelbique? demanda Catherine.

– Belgique, corrigea Arnaud. Non, la Gaspésie est plus près d'ici. Il y a beaucoup de neige, là-bas.

– Est-ce que c'est là que le père Noël habite ? demanda encore Catherine.

Tous rirent.

– Est-ce que c'est le père Noël qui m'a amené cette pouliche ?

– Non, répondit Xavier. C'est Vol-au-Vent et Mafalda.

Ne sachant comment exprimer son contentement, Catherine se tortillait sur sa selle.

– C'est la plus belle pouliche du monde, déclara-t-elle. Comment va-t-on l'appeler ?

– Je ne sais pas, répondit Pascale. Demande à ton papa, il trouve toujours de si jolis noms.

Elle regarda la bête. Corps ramassé, aplombs solides, crinière abondante…

– Cette pouliche ressemble à son père, constata Pascale. Tu es chanceuse, ma Catou. Avec une bête semblable, tu vivras de belles aventures.

– Bonaventure ! s'écria Arnaud.

Tous le regardèrent d'un air interrogateur.

– Bonaventure, répéta-t-il. Cette pouliche s'appellera Bonaventure. C'est le nom du village de ta maman, Catherine. Un jour, nous irons le visiter avec toi… À Noël, si tu veux.

Pascale enfouit ses doigts dans la crinière de Vol-au-Vent. Une telle joie l'envahissait qu'elle se sentait tout étourdie. Elle eut l'impression que l'espace, autour d'elle, s'effaçait, se transformait. Malgré la douceur de l'air, elle sentait le blizzard sur son visage, voyait les routes enneigées, entendait gronder les glaces qui bordaient la mer.

– Oui, approuva-t-elle dans un souffle, nous irons.

Et elle s'imagina présentant fièrement sa fille aux habitants de cette contrée rude mais stimulante, théâtre de son enfance… et de sa réconciliation avec elle-même.

– D'accord, fit Catherine, soucieuse de plaire aux adultes qui venaient de la combler. Mais avant, j'aimerais que grand-maman me montre l'équitation, pour que Bonaventure et moi, nous puissions devenir des championnes quand nous serons grandes.

Gabrielle empoigna la bride de Vol-au-Vent et appela les chiens. Avant que son poney ne quitte les lieux, Pascale l'embrassa sur le front, puis lui dit : «Fais attention à ma petite fille.»

Aussitôt que Catherine se fut éloignée, Xavier informa Pascale et Arnaud que Moushika était en œstrus.

– Vous voulez que nous allions chercher Al-Abjar? offrit Pascale.

– Non, répondit Xavier. Emmenez-moi Ashanti d'Afrique.

* * *

Pascale était silencieuse. D'une main, elle tenait la longe bouclée au licou d'Ashanti. Arnaud marchait à ses côtés. Pascale était émue. Voilà qu'Ashanti vivrait ce moment, si court, si naturel, et pourtant si important dans sa vie d'adulte...

Pascale frémit. Un jour, Catherine serait prête à faire de même. Il faudrait alors savoir la guider.

Tout en cheminant, Pascale pensait à ce que ce moment avait été pour elle-même. Ce n'était pas l'aspect physique de la chose qui l'avait troublée. Elle revivait son hésitation, sa torture, le long cheminement qui l'avait amenée à vivre harmonieusement avec l'homme qu'elle aimait...

Xavier attendait, à mi-chemin entre l'enclos d'Ashanti et l'étable d'accouplement. Pascale savait ce qui allait se passer là-dedans. Elle eut un frémissement de répulsion. On allait harnacher Ashanti et Moushika, retenir leurs élans et leurs hésitations, forcer leur cour, précipiter leur union, et tout cela au nom de l'efficacité.

Ashanti ne flirterait pas, ne choisirait pas lui-même sa partenaire et ne vivrait pas ses amours au grand air, comme le faisaient les chevaux depuis des siècles. Il était un étalon de prix, un pur-sang, un champion, et il se reproduirait sous une étroite surveillance. «Ce sera comme un viol, pensa Pascale. Et il faudra que j'en sois témoin...»

Soudain, elle se rebella. Ce cheval, elle l'avait mis au monde, guidé, amené à la gloire et à la réussite, et elle refusa que sa vie sexuelle se limite à la copulation. Ashanti avait fait la gloire de ses propriétaires et on devait lui témoigner du respect. Obéissant à un sentiment presque maternel pour l'étalon, Pascale supplia :

– Docteur, Arnaud, laissez-le s'accoupler en liberté. Je vous en prie.

Elle fut étonnée de ne pas avoir à plaider davantage. Peut-être était-ce parce que Xavier, comme Arnaud, avait compris qu'Ashanti était trop noble pour qu'on le soumette à la méthode d'accouplement artificielle des étalons de reproduction.

Pascale vira sur ses talons et Ashanti, docile, la suivit.

À pas pressés, Pascale ramena l'alezan doré à son enclos, puis revint vers l'étable d'accouplement. Arnaud, menant Moushika, venait à sa rencontre.

Lorsque l'appel de l'étalon déchira l'air, la jument grise, d'ordinaire si docile, tenta de s'échapper.

Quelques minutes plus tard, on la débarrassa de son harnachement et elle devint la première jument à fouler le sol du territoire d'Ashanti d'Afrique.

Les deux chevaux partirent ensemble. Leur galop était plus généreux, plus sain que celui qu'on leur faisait prendre lorsqu'ils participaient à des courses, et combien plus beau. Pascale et Arnaud les regardèrent un instant puis, pleins de déférence, ils s'éloignèrent, enlacés, et allèrent rejoindre leur fille.

* * *

Lorsque tout fut terminé, Ashanti fit le tour de son territoire. Ses naseaux palpitaient. Rempli d'une fougue toute nouvelle, il reniflait l'air, identifiant les odeurs des autres étalons, ses rivaux, et celles des juments dont il entendait faire la conquête.

Des barrières limitaient ses mouvements et des hommes veillaient. Jamais il ne jouirait de la liberté de ses ancêtres, mais il ne connaîtrait pas non plus leurs errances ou leurs combats pour la survie. Leurs lois, par contre, il les connaissait. Et cela expliquait pourquoi, quand cette jument lui avait été amenée, il avait immédiatement su comment faire.

Elle broutait, maintenant. Elle était vigoureuse, rapide comme le vent, et aguerrie par la vie. Grâce à son instinct, Ashanti connaissait leurs rôles respectifs. Le sien était d'engrosser les juments de sa harde et de les avertir de la présence de prédateurs afin qu'elles puissent protéger leurs petits.

La part de Moushika ne serait pas moins importante. Elle maintiendrait l'ordre social parmi les juments et les poulains; elle créerait cette cohésion sans laquelle la survie du groupe serait impossible.

C'était ainsi, dans le monde des chevaux. Cette réalité, Ashanti ne la connaîtrait jamais tout à fait, à cause des hommes et de leurs clôtures.

Mais si Ashanti, par quelque miracle, avait été rendu à l'existence que la nature avait prévue pour lui, il aurait eu une harde. Car il était jeune, fort et surtout valeureux.

À sa façon, il était sage, aussi. C'est pourquoi il aurait su choisir, pour partager la régence de son harem, une jument fiable, qui aurait su imposer son autorité.

Ashanti revint vers Moushika. Elle dressa sa tête grise; ses naseaux touchèrent ceux de l'étalon. Dans le langage millénaire, ignoré des humains, qui permet aux chevaux de communiquer, elle fit comprendre à Ashanti qu'elle acceptait ce qu'il lui demandait.

L'étalon se détendit. Moushika venait de reconnaître sa valeur, tout comme il reconnaissait la sienne. Elle venait de lui faire savoir qu'elle deviendrait et demeurerait, pour toujours, sa jument de tête.

Lexique

Alezan : Cheval dont la robe et les crins sont de la même teinte, qui peut varier du brun clair au brun foncé.

Alezan brûlé : Cheval alezan dont la robe est couleur café.

Bai : Cheval dont la robe est brune, mais dont les crins sont noirs.

Boîte de départ : Stalle étroite, généralement grillagée, dans laquelle on enferme un cheval avant le départ d'une course. L'ouverture des portes déclenche le départ de la course.

Bombe : Casque protecteur utilisé en équitation classique. Il est généralement recouvert de velours noir.

Box : Espace cloisonné, carré ou rectangulaire, dans lequel on enferme un cheval dans une écurie. Contrairement à la stalle, le box est assez vaste pour que son occupant puisse s'y retourner.

Canter : Galop léger.

Cavaletti : Obstacle bas, composé d'une barre horizontale fixée entre deux montants entrecroisés, dont on se sert pour l'apprentissage du saut d'obstacle.

Cavalier d'exercice : Traduction littérale de l'expression *exercice rider*. Aux États-Unis, personne qui monte les chevaux de course à l'entraînement.

Chanfrein : Partie de la tête du cheval, entre le front et les naseaux.

Crack : Cheval de course.

Cravache : Fouet utilisé en équitation de loisir ou dans les courses de chevaux.

Cure-pied : Instrument servant à nettoyer les sabots d'un cheval.

Encapuchonner (s') : Se dit d'un cheval qui rapproche la partie inférieure de la tête du poitrail dans le but d'échapper aux rênes.

Étalon : Cheval mâle non castré.

Être au vert : Se dit d'un cheval qui est au pré.

Étrille : Instrument, en plastique ou en métal, à l'aide duquel on brosse un cheval.

Garrot : Chez le cheval, masse osseuse située à la base de l'encolure, là où débute le dos.

Groom : Personne chargée de l'entretien des chevaux. Du verbe anglais *to groom*, «faire la toilette de».

Hongre : Cheval mâle castré.

Jodhpurs : Pantalons en tissu élastique, utilisés en équitation classique.

Licou : Harnachement d'attache, sans mors, que porte le cheval au pré ou au box.

Longe : Corde, souvent en cuir ou en nylon, servant à attacher un cheval.

Manège : Espace clôturé de forme généralement triangulaire, au sol sablonneux, à l'intérieur duquel on pratique l'équitation classique et le saut d'obstacle.

Mors : Partie de la bride qui repose dans la bouche du cheval.

Paddock : Lieu où les chevaux prennent leurs ébats. Dans un hippodrome, lieu où sont sellés et dessellés les chevaux.

Panser : Donner des soins de propreté au cheval. Synonyme de bouchonner, d'étriller.

Pansage : action de panser.

Paume : Unité servant à mesurer un cheval, du sol au garrot. Une paume équivaut à environ 10,16 centimètres.

Poney : Cheval dont la taille ne dépasse pas 1,45 mètre au garrot.

Pur-sang : Race de chevaux créée en Angleterre. Tous les pur-sang descendent de trois étalons orientaux qui furent croisés avec des juments anglaises à la fin du XVIIe et au début du XVIIIe siècle. Il s'agit de la race de chevaux la plus prestigieuse.

Racing permit ou *gate pass* : Permis délivré par les autorités compétentes et qui autorise l'inscription d'un cheval à une course.

Robe : Pelage d'un cheval.

Rouan, rouanne : Dont la robe est composée d'un mélange de poils blancs, roux et noirs.

Sangle : Courroie qui passe sous le ventre du cheval et qui sert à maintenir la selle en place.

Sole : Le dessous du sabot.

Stalle : Endroit où on met un cheval dans une écurie. Souvent, la stalle est trop étroite pour que le cheval puisse s'y retourner, et le cheval y est attaché.

Starter, aide-starter : Officiels veillant au bon déroulement des départs lors de courses de chevaux.

Van : Véhicule servant au transport des chevaux.

Veste de protection : Vêtement faisant partie de l'équipement de protection du jockey et du cavalier d'exercice. Il s'agit d'une veste sans manches, solidement rembourrée, qui recouvre la cage thoracique.

Yearling : Cheval ou jument âgé d'un an.

transcontinental
IMPRESSION
IMPRIMERIE GAGNÉ